二十五史藝文經籍志

考補萃編

第三卷

漢書藝文志條理

〔清〕姚振宗 撰
項永琴 整理

王承略 劉心明 主編

清華大學出版社

圖書在版編目(CIP)數據

二十五史藝文經籍志考補萃編. 第 3 卷/王承略，劉心明主編. --北京：清華大學出版社，2011.5
ISBN 978-7-302-25033-3

Ⅰ. ①二…　Ⅱ. ①王… ②劉…　Ⅲ. ①中國－古代史－紀傳體②二十五史－研究　Ⅳ. ①K204.1

中國版本圖書館 CIP 數據核字(2011)第 045688 號

責任編輯：馬慶洲
責任校對：王榮静
責任印制：楊　艶
出版發行：清華大學出版社　　　　　　地　　址：北京清華大學學研大廈 A 座
　　　　　http：//www. tup. com. cn　郵　編：100084
　　　　　社 總 機：010-62770175　郵　購：010-62786544
　　　　　投稿與讀者服務：010-62776969，c-service@tup. tsinghua. edu. cn
　　　　　質 量 反 饋：010-62772015，zhiliang@tup. tsinghua. edu. cn
印 刷 者：清華大學印刷廠
裝 訂 者：三河市金元印裝有限公司
經　　銷：全國新華書店
開　　本：148×210　印 張：14.625　字 數：309 千字
版　　次：2011 年 5 月第 1 版　印 次：2011 年 5 月第1 次印刷
印　　數：1～3000
定　　價：45.00 元

產品編號：040802-01

整理本目録

目　　録

第八卷方技略

　　醫經家

　　經方家

　　房中家

　　神儒家

　　此三十八種，即劉中壘父子《七略》之舊第也。後世四部之體，以六藝爲經部，又于《春秋》類中分出爲史部，六藝附庸，蔚爲大國。諸子、兵書、數術、方技四略皆併入于子部，詩賦一略則集部之權輿也。《七略》之于四部，其分合併省根據體裁大都如此。

漢書藝文志條理敘録

《史記・儒林傳》：自孔子卒後，七十子之徒散遊諸侯，大者爲師傅卿相，小者友教士大夫，或隱而不見。故子路居衛，子張居陳，澹臺子羽居楚，子夏居西河，子贛終于齊。如田子方、段干木、吳起、禽滑釐之屬，皆受業于子夏之倫，爲王者師。是時獨魏文侯好學。威、宣之際，孟子、荀卿之列，咸遵夫子業而潤色之，以學顯于當世。及至秦之季世，焚《詩》、《書》，阬術士，六藝從此缺焉。

本書《高帝紀》：初，高祖不修文學，而性明達，好謀，能聽。初順民心作三章之約。天下既定，命蕭何次律令，韓信申軍法，張蒼定章程，叔孫通制禮儀，陸賈造《新語》。又與功臣剖符作誓，丹書鐵券，金匱石室，藏之宗廟。雖日不暇給，而規摹弘遠矣。

本書《惠帝紀》：四年三月，除挾書律。應劭曰：“挾，藏也。”張晏曰：“秦律敢有挾書者族。”

本書《劉歆傳》：歆移書太常博士，曰：“漢興，去聖帝明王遐遠，仲尼之道又絕，法度無所因襲。時獨有一叔孫通略定禮儀，天下唯有《易》卜，未有他書。至孝惠之世，乃除挾書之律，然公卿大臣絳、灌之屬咸介胄武夫，莫以爲意。至孝文皇帝，始使掌故朝錯從伏生受《尚書》。《尚書》初出于屋壁，朽折散絕。《詩》始萌芽。天下衆書往往頗出，皆諸子傳說，猶廣立于學官，爲置博士。在漢朝之儒，唯賈生而已。”

　按《漢舊儀》曰：“孝文皇帝時，博士七十餘人。”

後漢趙岐《孟子題辭》曰：“漢興，開延道德。孝文皇帝欲廣游學之路,《論語》《孝經》《孟子》《爾雅》皆置博士,後罷傳記博士,獨立五經而已。”

　　按此則文、景兩朝皆有傳記博士,所謂具官待問而已。至武帝即位五年,乃罷傳記,立五經,史但著其大者及久遠者,故于《武紀》書置五經博士,其前所立非定制,故略之也。

本書《外戚傳》:竇太后好黃帝、老子言,景帝及諸竇不得不讀《老子》,尊其術。

　　按史又言文帝本好刑名之言,景帝不任儒,而劉歆言諸子傳說廣立學官,意文、景時亦嘗有法家、名家、道家博士也。

本書《儒林傳》:漢興,言《易》自淄川田生;言《書》自濟南伏生;言《詩》,于魯則申培公,于齊則轅固生,燕則韓太傅;言《禮》,則魯高堂生;言《春秋》,于齊則胡母生,于趙則董仲舒。

本書《武帝紀》:建元元年冬十月,詔丞相、御史、列侯、中二千石、二千石、諸侯相舉賢良方正直言極諫之士。丞相綰奏:“所舉賢良,或治申、商、韓非、蘇秦、張儀之言,亂國政,請皆罷。”奏可。

　　按丞相綰,顏注云“衛綰也”。長洲何焯《義門讀書記》曰:“自此乃一于儒術,士始尚經學,不可謂非衛綰之功也。”

又《武紀》:建元五年春,置五經博士。元光元年五月,詔賢良對策,于是董仲舒、公孫弘等出焉。元朔五年夏六月,詔曰:“蓋聞導之以禮,風之以樂,今禮壞樂崩,朕甚閔焉。故詳延天下方聞之士,咸薦諸朝。其令禮官勸學,講議洽聞,舉遺興禮,以為天下先。太常其議予博士弟子,崇鄉黨之化,以屬賢材焉。”丞相弘請為博士置弟子員,學者益廣。

　　按丞相弘,顏注“公孫弘也”。《儒林傳》:置弟子員五十人。昭帝時,增員滿百人,宣帝末增倍之。元帝設員千人。成帝末,增弟子員三千人。歲餘,復如故。又《武帝本紀》贊曰：“卓然罷黜百家，表章六經。”

《史記·儒林傳》又曰：“及今上即位，趙綰、王臧之屬明儒學，而上亦鄉之，于是招方正賢良文學之士。及竇太后崩，武安侯田蚡爲丞相，絀黃老、刑名百家之言，延文學儒者數百人，而公孫弘以《春秋》白衣爲天子三公，封以平津侯。天下之學士靡然鄉風矣。”

按本書《嚴助傳》，助拜會稽太守。數年，不聞問。賜書曰：“君厭承明之廬，勞侍從之事，懷故土，出爲郡吏。間者，闊焉久不聞問，具以《春秋》對，毋以蘇秦從橫。”知其時習從橫家言者多矣，武帝責以《春秋》對，亦罷斥百家之一事也。

本書《劉歆傳》：歆移書又曰：“至孝武皇帝，然後鄒、魯、梁、趙頗有《詩》、《禮》、《春秋》先師，皆起于建元之間。當此之時，一人不能獨盡其經，或爲《雅》，或爲《頌》，相合而成。《泰誓》後得，①博士集而讀之。故詔書曰：‘禮壞樂崩，書缺簡脱，朕甚閔焉。’”

《漢武故事》：上少好學，招求天下遺書，親自省校，使莊助、司馬相如等以類分別之。

本書《宣帝紀》：甘露三年三月，詔諸儒講五經同異，太子太傅蕭望之等平奏其議，上親稱制臨決焉。迺立梁邱《易》、大、小夏侯《尚書》、《穀梁春秋》博士。

本書《劉歆傳》：歆移書又曰：“往者博士《書》有歐陽，《春秋》公羊，《易》則施、孟，然孝宣皇帝猶復廣立《穀梁春秋》、梁邱《易》、大、小夏侯《尚書》，義雖相反，猶並置之。何則？與其過而廢之也，寧過而立之。”

本書《成帝紀》：河平二年秋八月，光禄大夫劉向校中祕書。

---

① “泰”原誤作“秦”，據 1962 年中華書局點校本（以下簡稱“中華本”）《漢書·楚元王傳》附劉歆傳改。

謁者陳農使,使求遺書于天下。師古曰:"言令陳農爲使,而使之求遺書也。"

　　按何義門《讀書記》曰:"劉向校中祕書,孟堅大書于帝紀,尊經籍也。"按此亦以爲有漢一代之創制,故特書。

劉歆《七略》曰:"孝武皇帝敕公孫弘廣開獻書之路,百年之間,書積如邱山。故外則有太常、太史、博士之藏,内則有延閣、廣内、祕室之府。"

　　按此條即《七略》首一篇《輯略》中之文。

《三輔黃圖》:"未央宮有承明殿,著述之所也。"又曰:"未央宮有石渠閣,蕭何所造。其下礱石爲渠,若今御溝,因爲閣名,藏入關所得秦之圖籍。又成帝于此藏祕書焉。"又曰:"未央宮有麒麟閣藏祕書,即揚雄校書處。"又曰:"天禄閣,藏典籍之所。"

　　按《廣韻》"閣"字注:《漢宮殿疏》曰:"天禄閣、麒麟閣,蕭何造以藏祕書,處賢才焉。"《通典》:御史中丞掌蘭臺祕書及麒麟、天禄二閣,有石室以藏祕書、圖讖之屬。

本書《劉歆傳》:歆爲黃門郎,河平中,受詔與父向領校祕書,講六藝傳記,諸子、詩賦、數術、方技,無所不究。向死後,歆復爲中壘校尉。哀帝初即位,大司馬王莽舉歆宗室有材行,爲侍中太中大夫,遷騎都尉、奉車光禄大夫,貴幸。復領五經,卒父前業。歆乃集六藝羣書,種別爲《七略》。語在《藝文志》。又傳贊曰:"劉氏《七略》,剖判藝文,總百家之緒,有意其推本之也。"師古曰:"言其究極根本,深有意也。"

　　按《劉向傳》,上方精于《詩》、《書》,觀古文,詔向領校中五經祕書。時歆始以待詔宦者署,爲黃門郎,與父同受詔校書。至哀帝初,始獨領其事。

本書《儒林傳》贊:自武帝立五經博士,開弟子員,設科射策,勸以官禄,訖于元始,百有餘年,傳業寖盛,支葉蕃滋,一經説至百餘萬言，大師衆至千餘人，蓋禄利之路然也。初，《書》唯有歐陽，《禮》后，《易》楊，《春秋》公羊而已。至孝宣世，復立大、小夏侯《尚書》，大、小《戴禮》，施、孟、梁邱《易》，《穀梁春秋》。至元帝世，復立京氏《易》。平帝時，又立《左氏春秋》、《毛詩》、《逸禮》、《古文尚書》，所以罔羅遺失，兼而存之，是在其中矣。

　按《詩》有魯、齊、韓三家立于學官，此不之及，蓋偶遺也。

荀悦《漢紀》曰：“劉向卒，上復使向子歆繼卒父業，而歆遂撰羣書而奏《七略》，有《輯略》，有《詩賦略》，有《六藝略》，有《諸子略》，有《兵書略》，有《術數略》，有《方技略》，凡萬三千二百六十九卷，自是以來稍稍復增集。”

　按此以《詩賦》列《六藝》之前，以《數術》爲《術數》，並轉寫之誤。云“稍稍復增集”者，指班氏《藝文志》及後漢東觀、仁壽閣撰集新記，依《七略》而爲書部者也。

《宋書·志》序曰：“漢興，接秦坑儒之後，典墳殘缺，耆生碩老，常以亡逸爲慮。劉歆《七略》，固之《藝文》，蓋爲此也。”

　按沈休文此數語必有所自，《儒林傳》贊云“所以罔羅遺失，兼而存之”，本志序云“今删其要，以備篇籍”，亦此意也。

梁阮孝緒《七録·序目》曰：“後漢校書郎班固因《七略》之辭爲《漢書·藝文志》。”又曰：“劉氏之世，史書甚寡，附見《春秋》，誠得其例。”又曰：“《七略》詩賦不從《六藝》詩部，蓋由其書既多，所以別爲一略。”又《古今書最》曰：“《七略》書三十八種，六百三家，一萬三千二百一十九卷，五百七十二家亡，三十一家存。《漢書·藝文志》書三十八種，五百九十六家，一萬三千三百六十九卷，五百五十二家亡，四十四家存。”

《隋書·經籍志》序曰：“光武中興，明、章繼軌，校書郎班固、傅毅等，並依《七略》而爲書部，固又編之以爲《漢書·藝文志》。”

又史部簿録篇曰：“古者史官既司典籍，蓋有目録以爲綱紀，體制堙滅，不可復知。孔子删書，別爲之序，各陳作者所由。韓、毛二《詩》，亦皆相類。漢時劉向《別録》、劉歆《七略》，剖析條流，各有其部，推尋事迹，疑則古之制也。王儉作《七志》，阮孝緒作《七録》，大體雖準向、歆，而遠不逮矣。"又史部總序曰："班固以《史記》附《春秋》，今開其事類，凡十三種，別爲史部。"

《唐書·藝文志》序曰："自六經焚于秦而復出于漢，其師傳之道中絶，而簡編脱亂謠闕，學者莫得其本真，于是諸儒章句之學興焉。自漢以來，史官列其名氏篇第，以爲六藝、九種、七略；至唐始分爲四類，曰經、史、子、集。"

　　按四部體製始于曹魏之鄭默，成于東晋之李充，至唐初修五代史志，用以爲《經籍志》，而始入于史。

唐顔師古《漢書集注》曰："《藝文志》每略所條家及篇數，有與總凡不同者，傳寫脱誤，年代久遠，無以詳知。"

唐劉知幾《史通·書志篇》：伏羲已降，文籍始備，逮于戰國，其書五車，傳之無窮，是曰不朽。夫古之所制，我有何力？而班《漢》定其流別，編爲《藝文》。《續漢》以還，祖述不暇。夫前志已録，而後志仍書，篇目如舊，頻煩互出，何異以水濟水，誰能飲之者乎？且《漢書》之志藝文也，蓋欲廣列篇名，示存書體而已。文字既少，披閱易周，故雖乖節文，而未甚穢累。既而後來繼述，其流日廣。騁其繁富，百倍前修。非唯循覆車而重軌，亦復加闊眉以半額者矣。但自史之立志，非復一門，其理有不安，多從沿革。唯藝文一志，古今是同，詳求厥義，未見其可。愚謂凡譔志者，宜除此篇。

　　按藝文、經籍之可貴，貴其紀實有存佚，新舊之可稽，篇卷異同之可考，何謂頻煩互出，以水濟水？是直于是志體要未嘗詳究者。至謂藝文一體，古今是同，亦必無是。事其同者，必其書之未亡者也，然而不同者多矣。

宋鄭樵《校讎略》曰："《七略》兵家，任宏所校，其次則尹咸校數術，李柱國校方技，亦有條理。唯劉向父子所校經傳、諸子、詩賦，冗雜不明，盡采語言，不存圖譜，緣劉氏章句之儒，胸中元無倫類。"

按此以爲冗雜不明者，由于不肯盡心細讀故也。且六藝、諸子之中亦非不存圖譜，其顯見者如《易》家有《神輪圖》一篇，《論語》家有《孔子徒人圖法》二卷，儒家有《列女傳頌圖》。又《禮》家明堂陰陽中有《明堂圖》、《明堂大圖》，見《隋書·牛弘傳》，道家《伊尹》書中有《九主圖》，畫其形見。《七略》、《別錄》非圖譜之類歟？至謂劉氏胸中無倫類，是何言也？鄭之菲薄前人乃至如此。其《圖譜略》有云"歆、向之罪，上通于天"，謂其不收圖譜，使後世圖亡而書存也，其措詞之謬又如此。

又曰："史家本于孟堅。孟堅初無獨斷之學，唯依緣他人以成門户，紀、志、傳則追司馬之蹤，律曆、藝文則躡劉氏之跡。"

按所謂志者，志當代之文物典章。《七略》爲當時詔譔，《藝文》一志，不躡迹于此，將何取乎？豈必别爲類例，如所作之《藝文略》，方爲體要乎？恐亦無此史法也。

又曰："班固《藝文志》出于《七略》者也。《七略》雖疏而不濫，若班氏步步趨趨，不離于《七略》，未見其失也。間有《七略》所無而班氏雜出者，則躓矣。揚雄所作之書，劉氏蓋未收，而班氏始出。若之何以《太玄》、《法言》、《樂箴》三書合爲一，總謂之揚雄所序三十八篇，入于儒家。按儒家舊有五十二種，固新出一種，則揚雄之三書也。且《太玄》，易類也；《法言》，諸子也；《樂箴》，雜家也。奈何合而爲一家？是知班固胸中元無倫類。"

按前以劉氏胸中無倫類，此又以班氏胸中亦無倫類，不知己之所言乃真無倫類耳。班氏此一條注明云樂四、箴二。宋時傳本不應有異，乃以四書爲三書，以"樂箴"爲一書，又以爲雜家。揚雄本傳云："箴莫善于《虞箴》，作《州箴》。"宋《中興書目》尚有揚雄《二十四箴》一卷，觀于此亦可以悟"樂箴"非一書矣。儒家舊有止五十一家，亦非五十二家，即此數語之中其謬誤已如此，尚欲詆呵古人乎？稱揚雄所序者，承《七略》上文劉向所序之例，就其重者而言，並入儒家亦未始不可也。

又曰："《漢志》以《司馬法》爲禮經，以《太公兵法》爲道家，此何義也？疑此二條非任氏、劉氏所收，蓋出于班固之意，亦如以《太玄》、《樂箴》爲儒家類。"

按此兩書班氏已分別注明，鄭豈真未之見耶？《軍禮司馬法》次《周官傳》之後，班氏亦何嘗以爲經？太公之書二百數十篇，其中有謀、有言、有兵，不僅兵法一端。舊時既合爲一褒，故劉氏不復分析，從其大而著錄于道，亦未爲失也。

又曰："《漢志》以《世本》、《戰國策》、《秦大臣奏事》、《漢著紀》爲《春秋》類，此何義也？"

按此于阮孝緒《七錄》序目亦未嘗繙閱。

元馬端臨《文獻・經籍考》史部總序曰："班孟堅《藝文志》無史類，以《世本》以下諸書附于《六藝》《春秋》之後，蓋《春秋》即古史，而《春秋》之後唯秦漢之事，編帙不多，故不必特立史部。"

按此與阮氏之説略同，鄭漁仲見不到此。

明焦竑《國史經籍志・漢藝文志糾繆》曰："《周書》入《尚書》非，改雜史；議奏入《尚書》非，改入集；《司馬法》入《禮》非，改兵家；《戰國策》入《春秋》非，改縱橫家；《五經雜議》入《孝經》非，改經解；《爾雅》、《小爾雅》入《孝經》非，改小學；《弟

子職》入《孝經》非，改《管子》；《晏子》入儒家非，改墨家；《高
祖傳》、《孝文傳》入儒非，改制詔；《管子》入道家非，改法家；
《尉繚子》入雜家非，改兵家；《山海經》入形法非，改地里；陰
陽、五行、蓍龜、雜占、形法、數術，漢互出，今總入五行。”

　　按《七略》體例自成一家，爲千古首出之作，實無所謂非也。
若雜史、集部、經解、制詔、地里五類，並後來四部之例，漢
時所無，以此糾《漢志》之繆，不自知其繆也。他如《戰國
策》改縱橫，晁志之例也；《爾雅》改小學，《舊唐志》之例也；
《晏子》改墨家，柳子厚之言也；《尉繚》改兵家，而不知兵形
勢家亦有《尉繚》，《隋志》猶分別著録，實不可以改也；陰陽
等五門改五行，《隋志》之例也，皆非其所心得。亦如所作
《國史志》抄襲鄭氏《藝文略》，而稍稍附益，于明代内府所藏
全不相涉，是真《史通》所謂頻煩互出者，皆不足與之辯也。

秀水朱彝尊《經義考·著録篇》曰：“班固《漢書》依《七略》作
《藝文志》，誠良史之用心，而史家體例之不可少者也。而劉
知幾《史通》反訕之，謂騁其繁富，凡撰志者宜除此篇，抑何見
之褊乎？”

《四庫提要》曰：“《漢書藝文志考證》十卷，宋王應麟撰。《藝
文志》因劉向《七略》而修。凡句下之注不題姓氏者，皆班固
原文；其標某某曰，則顏師古所集諸家之説。然師古注班固
全書，《藝文》特八志之一，故僅略疏姓名、時代，所考證者不
過三五條而止。應麟始捃摭舊文，各爲補注。不載《漢志》全
文，惟以有所辨論者摘録爲綱略，如《經典釋文》之例。其傳
記有此書名而《漢志》不載者，亦以類附入，凡二十六部。各
疏其所注于下，而以不著録字别之，其間如《子夏易傳》、《鬼
谷子》皆依托顯然，而一概泛載，不能割愛。又庾信《哀江南
賦》稱‘栩陽亭有離别之賦’，實由誤記《藝文志》，與所用‘桂

華馮馮'誤讀《郊祀志》者相等。應麟乃因而附會，以栩陽爲
漢代亭名，亦未免閒失之嗜奇。然論其該洽，究非他家之所
及也。"

《四庫簡明目録》曰："《漢書·藝文志》間有班固自注，然不甚
詳。顏師古注間有討論，亦僅辯證數條，不能該備。應麟乃
捃拾舊文爲之補注，持論皆有根據，惟古書不載于《漢志》者
增入二十六種，真僞相雜，頗爲蛇足。"

嘉定王鳴盛《十七史商榷》曰："王應麟《漢藝文志考證》十卷，
所采掇亦甚博雅。但此志以經爲要，考得漢人傳經原流，説
經家法明析，俾後學識取途徑，方盡其能事，此則未能也。其
于本原之地，未曾究通，多不得其要領，則博雅乃皮毛耳。歙
縣金修撰榜語予曰：'不通《漢·藝文志》，不可以讀天下書。
《藝文志》者，學問之眉目，著述之門户也。'修撰經術甚深，故
能爲此言。予深歎服。自唐高宗、武后以下，詞藻繁興，經業
遂以凋喪。宋以道學矯之，義理雖明，而古書則愈無人讀矣。
王氏亦限于時風衆勢，一齊衆咻，遂致茫無定見，要意求切
實，于宋季朋輩中究爲碩果僅存。"

　按此言不得要領，及限于時風衆勢，茫無定見云云，皆磑不
可易。觀其亟引宋人議論，間有與《漢志》隔膜者，又若不
取道學家之説，不足以自立者，以是知此言非爲苛論。

　又按其書考證本文者二百七十六條，考證篇叙者七十八
條，考證本志所不著録者二十七條。即就所作《玉海》觀
之，似乎所得不止于此，反覆詳勘，似其未成之作。樂家、春秋
家、道家皆注云"當考"，是其未定之詞也。

會稽章學誠《校讎通義》曰："劉歆《七略》，班固删其《輯略》而
存其六。顏師古曰：'《輯略》謂諸書之總最。'蓋劉氏討論羣
書之旨也。此最爲明道之要，惜乎其不傳。今可見者，唯總

計部目之後,條辨流別數語耳。"

　　按條辨流別數語即《輯略》之文,班氏散附于諸篇之後者,何以明之?《七略》本于《別録》。今考荀悦《漢紀》,成帝三年,劉向典校經傳,考集異同云,名家者流,蓋出于禮官。名位不同,禮亦異數,故正名也。又《史記·太史公自序》索隱引劉向《別録》云,名家者流,出于禮官。古者名位不同,禮亦異數。孔子曰:"必也正名乎!"此兩處所引並與本志名家篇叙相同,知班氏取《輯略》之文次之于此,而《七略》取《別録》之文著于《輯略》者也。蓋《別録》首一篇亦有《輯略》,故名《七略別録》。《隋志》"《七略別録》二十卷,劉向撰"。劉歆删取其要,每略各爲一卷,故《隋志》又云"《七略》七卷,劉歆撰"。方之《四庫全書》,《別録》爲《總目提要》,《七略》則《簡明目録》也。

又班氏既取《七略》以爲《藝文志》,又取《別録》以爲《儒林傳》。考《漢紀》又言劉向典校經傳,考集異同《易》始自魯商瞿子木,受于孔子,以授魯橋庇子庸。云云,與《儒林傳》之文悉合,知《儒林傳》亦本劉氏父子之《輯略》而接記其後事,終于孝平。故《史通·采撰篇》云"班固《漢書》全同太史。太初已後,雜引劉氏《新序》、《説苑》、《七略》之辭"。今考《新序》、《説苑》載漢事無多,知所取于《七略》、《別録》者不少也。

　　又按《輯略》之體,大抵如《釋文·叙録》,陸元朗未必不師其意。《儒林傳》依功令但載五經,至《春秋》家而止。其樂家及《論語》、《孝經》、小學唯見《藝文志》,此四類篇叙備述師弟授受,與他篇微有不同,而《論語》、《孝經》篇叙不及《釋文·叙録》之詳密,知班氏、陸氏皆取《輯略》之文以爲説,故彼此互有詳略焉。

又曰:"《漢書·藝文志》注卷次部目與本志不符,顏師古已云'歲月久遠,無由詳知'。今觀蕭何律令、叔孫朝儀、張霸《尚書》、尹更始《春秋》之類，皆顯著紀傳，而本志不收。此非當時之遺漏，必其本志有殘佚不全者矣。"

　　按本志不載之書見于傳記可考者，有三百餘部，予已別輯《拾補》六卷，詳見《拾補·叙錄》中。

又曰："鄭樵《校讎》諸論，于《漢志》尤所疎略，蓋樵不取班氏之學故也。然班、劉異同，樵亦未嘗深考。夫劉《略》、班《志》乃千古著錄之淵海，而樵譏班固叙儒家，混入《太玄》、《法言》、《樂箴》三書，總謂之揚雄所序三十八篇，謂其胸無倫次。然班固自注'《太玄》十九，《法言》十三，《樂》四，《箴》二'，是《樂》與《箴》本二書也，樵誤以爲一書，又謂《樂箴》當歸雜家，是樵直未識其爲何物，而強爲之歸類矣。以此譏正班固，所謂楚失而齊亦未爲得也。"

　　按楚實未見其失，齊則失之于鹵莽。

又曰："劉向所叙六十七篇部于儒家，此劉歆《七略》所收，班固因而效之，因有揚雄所序三十八篇。樵譏班固混收揚雄爲無倫類，而謂班氏不能學《七略》之證，不知班氏固效劉歆也。乃于歆之創爲者則故縱之，固之因仍者則酷斷之甚矣，人心不可有偏惡也。"

又曰："鄭樵譏《漢志》以《司馬法》入禮經，以《太公兵法》入道家，疑爲非任宏、劉歆所收，班固妄竄入也。鄭樵深惡班固，故爲是不近人情之論。凡意有不可者，不爲推尋本末，有意增删遷就，強坐班氏之過。按《司馬法》，班固自注，出之兵權謀中而入于禮，樵固無庸存疑似之説。又班《志》稱《軍禮司馬法》，樵删去'軍禮'二字，謂其入禮之非，不知《司馬法》乃《周官》職掌。此等叙錄，最爲知本之學，班氏獨于此處能具別裁。樵顧深以爲譏，此何説也！又班氏《志》僅稱《太公》，並無'兵法'二字，按此條有兵八十五篇，故樵得以稱兵法以快其説。而樵又增益之,謂其入于道家之非;不觀班固自注'尚父本有道者',又于兵權謀下注'省《伊尹》、《太公》'諸家,則劉氏《七略》本屬兩載,班固不過爲之删省重複而已,非故出于兵而強收于道也。且兵刑權術皆本于道,先儒論之備矣。況二百三十七篇之書,今既不可得見,樵何所見聞而增删題目,以謂止有兵法,更無關于道家之學術耶?"

　　按此謂班氏删省重複,非故出于兵而強收于道,最爲切實之論。按班氏删省兵書凡十家,《伊尹》、《太公》、《管子》、《鶡冠子》重複于道家,《孫卿子》、《陸賈》重複于儒家,《蘇子》、《蒯通》重複于縱橫家,《淮南王》重複于雜家,《墨子》重複于墨家。

又曰:"鄭樵譏《漢志》以《世本》、《戰國策》、《秦大臣奏事》、《漢著記》爲《春秋》類,是樵未嘗知《春秋》之家學也。《漢志》不立史部,以史家之言皆得《春秋》之一體,附著《春秋》,最爲知所原本。又《國語》亦爲國別之書,同隸《春秋》,樵未嘗譏正《國語》而但譏《國策》,是則所謂知一十而不知二五者也。"

　　按樵之意不及《國語》者,以《國語》有《春秋外傳》之名,又見《隋》、《唐志》皆入《春秋》類故也。

又曰:"焦竑撰《國史經籍志》,其《糾繆》一卷譏正前代著錄之誤,其糾《漢志》一十三條,似亦不爲無見。特竑未悉古今學術源流,不于離合異同之間深求其故;而觀其所譏,乃是僅求甲乙部次,苟無違越而已。如以《周書》入《尚書》爲非,改入雜史之類。其意蓋欲尊經,而實則不知古人類例。"

　　按此言不爲無見,意在尊經皆非也,云不知古人類例則確中其病。

又曰:"讀《六藝略》者必參觀于《儒林列傳》,猶之讀《諸子略》必參觀于《孟荀》、《管晏》、《老莊申韓列傳》也。他如《詩賦略》之鄒陽、枚乘、相如、揚雄等傳,《兵書略》之孫吳、穰苴等傳,《術數略》之龜生筴、日者等傳,《方技略》之扁鵲、倉公等傳,無不皆然。史家存其部目于《藝文》,載其行事于列傳,所以爲詳略互見之例也。《藝文》一志,實爲學術之宗,明道之要,而列傳之與爲表裏發明。"

　　按此特言其大略耳,論其發明則列傳之外紀、志、書、表皆有可以互證之處。若其隱僻之書,則雖求之諸子百家亦有所不能盡。數術、五行家多前人所未言,則難之尤難者。又《諸子》、《兵書》、《數術》三略中之書多散見于《呂氏春秋》、《淮南子》,特無從辯析耳。

又曰:"陰陽家《公檮生終始》十四篇在《鄒子終始》五十六篇之前,而班固注云'公檮傳鄒奭《始終》書',豈可使創書之人居傳書之人後乎?"

　　按鄒奭非創書之人,本注"鄒奭"二字實"黃帝"之誤,詳見本條。

又曰:"陰陽家《閭邱子》十三篇、《將鉅子》五篇,班固俱注云'在南公前',而其書俱列《南公》三十一篇之後,亦似不可解也。"

　　按古人之書多不出本人之手,皆門弟子傳其學者所輯錄,《七略》據其成書之先後爲次,故有似乎雜亂,實則倫貫有敘也。

又曰:"墨家《隨巢子》六篇、《胡非子》三篇,班固俱注墨翟弟子,而叙書在《墨子》之前。《我子》一篇,劉向《別錄》云爲《墨子》之學,其時更在後矣。叙書在《隨巢子》之前,此亦理之不可解者,或當日必有錯誤也。"

　　按《墨子》書中稱"子墨子",亦墨氏之徒所錄。其徒衆幾徧天下,增長附益其書者不知凡幾,至其成書之時,已在《隨巢》、《胡非》、《我子》之後,故《七略》以之爲墨家之殿。

又曰："《漢志》分藝文爲六略,每略又各別爲數種,每種始敘列爲諸家,大綱細目,互相維繫,法至善也。每略各有總序,論辨流別,義至詳也。唯《詩賦》一略,區爲五種,而每種之後更無叙論,不知劉、班之所遺耶?抑流傳之脱簡耶?今觀屈原賦以下二十家爲一種,陸賈賦以下二十一家爲一種,孫卿賦以下二十五家爲一種,名類相同而區種有別,當日必有其義例。今諸家之賦,十逸八九,而叙録之説,闕焉無聞,非著録之遺憾歟?若雜賦與雜歌詩二種,則署名既異,觀者猶可辨別,第不如五略之有叙録更得詳其源委耳。"

　　按《詩賦》各分以體無大義例,故《録》、《略》不爲小序,而班氏因之,不盡由于疎漏也。當班氏時《別録》、《七略》二十七卷之書殺青未久,傳寫殆遍,亦既家喻户曉矣。其入史者,唯力求簡要,存其大端,初不自以爲義盡于此也。

又曰："《詩賦》前三種之分家,不可考矣。其與後二種之別類,甚曉然也。三種之賦,人自爲篇,後世別集之體也。雜賦一種,不列專名,而類聚爲篇,後世總集之體也。歌詩一種,則詩之與賦,固當分體者也。就其例而論之,則第一種之淮南王羣臣賦及第三種之秦時雜賦當隷雜賦條下,而猥廁專門之家,何所取耶?揆其所以附麗之故,則以淮南王賦列第一種,而以羣臣之作附于其下,所謂以人次也;秦時雜賦列于荀卿賦後,孝景皇帝頌前,所謂以時次也。夫著録之例,先明家學,同列一家之中,或從人次,或從時次,可也。"

　　按《詩賦》前三種各以體分,非竟不可曉也,詳見本篇。

又曰："書有同名而異實者,必著其同異之故,而辨別其疑似焉。兵形勢之《尉繚》與雜家之《尉繚》同名,兵陰陽之《孟子》與儒家之《孟子》同名,《師曠》與小説家之《師曠》同名,《力牧》與道家之《力牧》同名,技巧之《伍子胥》與雜家之《伍子胥》同名，著録之家皆當別白而條著者也。若兵書之《公孫鞅》與法家之《商君》，名號雖異而實爲一人，亦當著其是否一書。”

按此皆以力求簡略，故有所不暇及，又以有《別録》、《七略》二書在，故亦有所不必詳。

按章氏之書大旨以官師法守之説，欲使古今典籍溯其根源，而悉從其類其例，謂之重複互注、裁篇別出。如謂《易》部《古五子》當互見《術數》之五行類，《災異孟氏京房》當互見《術數》之雜占類，《書》部劉向、許商《五行傳記》當互見五行，詩部《韓詩外傳》當互見《春秋》，禮部《中庸説》當互見儒家，樂部《雅歌詩》當互見《詩》部，《春秋董仲舒治獄》當互見法家，此重複互注之法也。謂《書》之《無逸》、《詩》之《豳風》、《大戴記》之《夏小正》、《小戴記》之《月令》、《爾雅》之《釋草》、《管子》之《牧民》、《吕氏春秋》之《任地》諸篇俱當冠于農家之首，此裁篇別出之法也。又謂儒家《周政》、《周法》附之禮經，《高祖傳》、《孝文傳》、《鹽鐵論》附《尚書》，《虞氏》、《吕氏春秋》、于長《天下忠臣》、劉向《新序》、《説苑》、《世説》、《列女傳頌圖》附《春秋》，其意蓋欲于簿録之中兼用類書之體，使其自著一書，則發凡起例無所不可。若以例班氏之《志》，則支離破碎，多見其煩瑣無當者矣。其書議論多，而考證少，今取其于是志相發明者録十四條如右。

新撰條理叙例

自《別録》、《七略》、東觀、仁壽閣《新記》亡而《藝文志》之書不可考，自魏《中經》、晋《新簿》、齊《七志》、梁《七録》亡，非特《藝文志》書不可考，即欲求魏晋六朝人之依仿論述循流而作者，亦渺不可稽矣。鄭默、荀勗、王儉、阮孝緒四家之書，皆本《七略》之例小變之。嗚呼！班氏之志藝文也，在當日不過節《七略》之要，爲史家立其門戶，初不自以爲詳且盡也。今欲求周秦學術之淵源，古昔典籍之綱紀，舍是志無由津逮焉。宋以來考證是志者，唯王深寧氏所得爲多。然其學非顓門，例多駁雜，誠如西莊王氏所謂本源之地未曾究通不得要領者，其于全書僅得十之三四耳。然使後之人尋流溯源，引伸觸類，未始不以其書爲先聲之導，則其有功于是志亦何可輕也。我朝講求漢學，實事求是，乾嘉碩彥著作如林，考據之家于斯爲盛。然于是志大率不過數條而止，未有爲全書解釋者。余喜讀是志，苦于急索解人不得時，欲爲之疏通證明也久矣。昔年爲《藝文拾補》之輯，因而推求義例，窺見端緒，每有關涉，即便疏記，罔羅既久，薈萃稍多，于是經營草創，條分縷析，左右采獲，部署後先，亦既觕具頭角，略有眉目矣。然而欲見之書每懷靡及，失考之處多所未安，知不免于得失參半，難以言夫毫髮無憾者已。夫劉、班作述，創製體裁：《六藝》具有師承，率由不越；《諸子》非無塗徑緣起可推；《詩賦》五種之分篇，略可知其類例；《兵書》十家之從省，乃除去其複重；《數術》多端，唯五行一門尤難尋究；《方技》四體，而房中一術自昔棄捐。記載之文或多或少，考訂之説亦有亦無，大抵流傳素著者，雖千萬言不能窮，泯没無聞者，即一二語不可得。故昔人于此亦以無從取證，頗多疑似之辭，非好爲望文生解，亦非所謂嚮壁虛造也。蓋既不得其旨歸，而存其近似，有所商搉，庶幾後人觸發旁通，得以反覆而證明之，總勝于不著一字，使人無迹可尋也。或以是爲不能闕疑，則事非校經改字，大負昔人微顯闡幽之旨矣。班氏文注根據《七略》，此所録一字不遺。他如顏氏《集注》、王氏《考證》則不能不有所取裁。先以撰人始末，次及本書源流。無可徵引者，或自爲之説；有所心得者，則附著于篇；所不解者十之一二，而求其切理厭心；磏不可易者，率不過十之六七而已。是志也，一篇之中各有章段，不善讀者莫不以爲雜亂。其實部次井然，皆有條理。班氏立法，善之善者也。其後《隋‧經籍志》類中分類，未嘗不師資于此。《隋志》于四部之中略仿《漢志》之體，故最見古雅。此史法之權輿，亦簿録家之圭臬。或者不察，多致譏訕，咸不得其本意。今即以《條理》名者，爲分條董理，還其本來自有之條理云爾，是爲序。

今本分條實多荒謬，班氏舊例不如是也。今已流傳日久，不復更張，悉依其所分條數爲之解釋，而各疏其分析割裂之誤。其有一條誤連數家之書者，則依次先叙撰人，而後又依次及其本書。

班氏注文或爲大字，或爲小字，其例不一，此亦後來校刊者之失，非其本然也。武進莊氏《載籍足徵録》，皆一律改爲大字，頗得體要，今從之，以醒眉目。《玉燭寶典》、《開元占經》、《初學記》、《藝文類聚》、《太平御覽》諸書凡所引述，皆直著書名于各條之首，此古法如是，今從其例，分注條下者，乃輯書之法，非通例也。

諸所引書分條排比，或以時代先後爲次，或以事類聯貫爲次，不一例，低一字者皆是也。蒙説及附案皆低二字，以此爲別。諸書有見于《釋文‧叙録》及《隋》、《唐》、《宋》史志者，是爲碩果僅存，不可多得，故備録于篇。《隋志》所載猶近乎古，其天文、五行、醫方三類與本志數術、方技髣髴同其流別，因並取以爲旁證。

《世本》及劉向《別録》、劉歆《七略》、桓譚《新論》、鄭康成《三禮目録》、《六藝論》、應劭《風俗通‧姓氏篇》、皇甫謐《帝王世紀》之類，皆有諸家輯本行世，輯本猶之殘本，與本書無甚異，凡所引據，不復著其所出。

廣徵博采，累牘連篇，祇益紛繁，無關實際，是編屏袪浮冗，節存精要，而篇葉已如許。初欲以每略爲卷，今《六藝》、《諸子》二略卷袠過重，乃析爲上下卷。其下四略各爲一卷，綜八卷，釐爲六册，凡《六藝》二册，《諸子》二册，《詩賦》、《兵書》一册，《數術》、《方技》一册。

本書著録之外見于經史、諸子、傳記者，王深寧氏但略存二十七部附入《考證》，《提要》祇爲蛇足，且亦多所遺漏，未爲詳盡。今輯自周秦已來，迄于王莽，凡三百一十七部，依六略編次爲六卷，先已成編，與是編撰人始末不無重複，然亦各有關涉之處，不嫌詳略互見焉，是爲例。

光緒壬辰歲孟夏之月山陰姚振宗學。

漢書藝文志條理卷一之上

本書叙傳

虑羲畫卦,書契後作,虞夏商周,孔纂其業,篹《書》删《詩》,綴《禮》正《樂》,彖系大《易》,因史立法。六學既登,遭世罔弘,羣言紛亂,諸子相騰。秦人是滅,漢修其缺,劉向司籍,九流以別。爰著目録,略序洪烈。述《藝文志》第十。

昔仲尼没而微言絶,七十子喪而大義乖。故《春秋》分爲五,《詩》分爲四,《易》有數家之傳。戰國從衡,真僞分争,諸子之言紛然殽亂。至秦患之,乃燔滅文章,以愚黔首。漢興,改秦之敗,大收篇籍,廣開獻書之路。迄孝武世,書缺簡脱,禮壞樂崩,聖上喟然而稱曰:“朕甚閔焉!”于是建藏書之策,置寫書之官,下及諸子傳説,皆充祕府。至成帝時,以書頗散亡,使謁者陳農求遺書于天下。詔光禄大夫劉向校經傳諸子詩賦,步兵校尉任宏校兵書,太史令尹咸校數術,侍醫李柱國校方技。每一書已,向輒條其篇目,撮其指意,録而奏之。會向卒,哀帝復使向子侍中奉車都尉歆卒父業。歆于是總羣書而奏其《七略》,故有《輯略》,有《六藝略》,有《諸子略》,有《詩賦略》,有《兵書略》,有《術數略》,有《方技略》。今删其要,以備篇籍。師古曰:“輯與集同。輯略謂諸書之總要。删其要者,删去浮冗,取其指要也。”王應麟曰:“劉向受詔校書,每一書竟,表上輒言:臣向與長水校尉臣參書、太常博士書、中外書,合若干本以相比校,然後殺青。”《風俗通》云:“劉向典校書籍,皆先書竹,爲易刊定可繕寫者,以上素。”《隋志》:歆嗣父業,乃徙温室中書于天禄閣上,著爲《七略》,大凡三萬三千九十卷。

易經十二篇，施、孟、梁邱三家。

顏師古《集注》曰："上下經及十翼，故十二篇。"

本書《儒林傳》：自魯商瞿子木受《易》孔子，五傳至齊田何子莊。漢興，田何以齊田徙杜陵，號杜田生，授梁丁寬。寬授同郡碭田王孫，王孫授施讎、孟喜、梁邱賀。繇是《易》有施、孟、梁邱之學。

又曰："施讎字長卿，《後漢·儒林傳》注引《漢書》字子卿。沛人也。沛與碭相近，讎爲童子，從田王孫受《易》。後讎徙長陵，田王孫爲博士，復從受業，與孟喜、梁邱賀並爲門人。謙讓，常稱學廢不教授。及梁邱賀爲少府，事多，迺遣子臨分將門人張禹等從讎問。讎自匿不肯見，賀固請，不得已乃授臨等。于是賀薦讎：結髮事師數十年，賀不能及。詔拜讎爲博士。甘露中與五經諸儒雜論同異于石渠閣。"

又曰："孟喜字長卿，東海蘭陵人也。父號孟卿，使喜從田王孫受《易》。舉孝廉爲郎，曲臺署長，病免，爲丞相掾。"

又曰："梁邱賀字長翁，琅琊諸人也。以能心計，爲武騎。從太中大夫京房受《易》。房出爲齊郡太守，賀更事田王孫。宣帝時，賀爲都司空令，坐事，論免爲庶人。待詔黃門數人説教侍中，師古曰："爲諸侍中説經爲教授。"以召賀。賀入説，上善之，以賀爲郎。會八月飲酎，行祠孝昭廟。賀以筮有應，繇是近幸，爲大中大夫，給事中，至少府。爲人小心周密，上信重之。年老終官。"按《儒林傳》亦取劉向《別録·輯略》中之文而接記其後事。荀悦《漢紀》載劉向典校經傳考集異同云云，亦取《別録》中之《輯略》，而刪節不完，不如《儒林傳》所載詳備，故去彼取此。

本志叙曰："劉向以中古文《易經》校施、孟、梁邱經，或脱去'无咎'、'悔亡'。"

宋王應麟《漢志考證》：孔穎達曰："十翼謂《上彖》、《下彖》、

《上象》、《下象》、《上繫》、《下繫》、《文言》、《説卦》、《序卦》、《雜卦》。"今《易》《乾卦》至用九，即古《易》之本文。秦漢之際《易》亡《説卦》，宣帝時河内女子發老屋得之。後漢荀爽又得八卦逸《象》三十有一。按今見《經典釋文》。東萊吕氏因晁氏參考傳記，復定爲十二篇，乃復孔氏之舊。又曰："許氏《説文》稱《易》孟氏，其文多異。"

　　按《志》于一篇之中，各有章段，此三家經自爲一段，冠諸篇首。《七略》當分别著録，而各繫以説。《隋志》簿録篇所謂剖析條流，各有其部者是也。班氏立志，力求簡要，故總爲一條。其下《書》、《詩》、《禮》、《春秋》、《孝經》並同此例，唯《論語》則仍從《七略》分著三條也。

易傳周氏二篇。字王孫也。

本書《儒林傳》：田何授雒陽周王孫，著《易傳》數篇。

又曰："丁寬事田何，學成東歸。至雒陽，復從周王孫受古義，號《周氏傳》。"

秀水朱彝尊《經義考》：胡一桂曰："丁寬師田何，而復師其同門之友，以受古義，可謂見善如不及者矣。"

　　按《史》、《漢·儒林傳》及荀悦《漢紀》所引劉向《別録》載，田子莊傳《易》弟子皆以東武王同爲首，周王孫次之。此以周氏列《易傳》之首者，則以其書皆古義故也。

服氏二篇

劉向《別録》：服氏，齊人，號服光。按《釋文》引作"服先"，猶言服先生也。漢人常有是稱。"光"字蓋寫誤。

本書《儒林傳》：田何授齊服生，著《易傳》數篇。

後漢應劭《風俗通·姓氏篇》：服氏，周内史叔服之後，以字爲氏。武威張澍輯注曰："澍按《國策》客有見人于服子。《漢·藝文志》《易》家有服光。光，一作先。"

楊氏二篇。名何，字叔元，淄川人。

《史記·儒林傳》：田何傳東武人王同，同傳淄川人楊何。何以《易》，元光元年徵，官至中大夫。齊人即墨成以《易》至城陽相。廣川人孟但以《易》爲太子門大夫。魯人周霸，莒人衡胡，臨菑人主父偃，皆以《易》至二千石。然要言《易》者本于楊何之家。

本書《儒林傳》：田何授東武王同，同授淄川楊何，字叔元，元光中徵爲大中大夫。又傳贊曰："初，唯有《易》楊。"

王氏《考證》：太史公司馬談受《易》于楊何。晁氏曰："漢之《易》家蓋自田何始，何而上未嘗有書，學官自楊何始，所謂《易》楊者是也。"

蔡公二篇。衛人，事周王孫。

《經義考》曰："蔡公名字未詳。"

歷城馬國翰《玉函山房》輯本序曰："李鼎祚《集解》虞翻引彭城蔡景君説，則蔡氏漢人，在翻前。《藝文志》有《蔡公易傳》二篇，注'衛人'。意景君即蔡公，殆衛人而官彭城，虞氏稱其官號，如南郡之稱馬融，長沙之稱賈誼歟？《隋志》不載，書佚已久。《集解》引心一節，朱震《漢上易叢説》推廣其卦變之説，一家法度猶存，並據輯録。"

按虞氏稱彭城蔡景君，不云蔡彭城景君。馬氏以此蔡公當之，恐未然。然《史》、《漢·儒林傳》皆不載其人，別無可考，姑存其説。又按本書《地理志》、《續漢書·郡國志》，高帝置楚國，宣帝時改爲彭城郡。後復爲楚國。後漢章帝時，改楚國爲彭城國，彭城亦其國所治縣也。蔡景君在西漢爲楚國之彭城人，在東漢則彭城國之彭城縣人，斷非官于彭城者。又《經義考·承師篇》、洪氏亮吉《傳經表》皆無蔡公，亦無蔡景君。窮搜極索而失之眉睫，信乎著書之難也。

韓氏二篇。名嬰。

本書《儒林傳》詩家：韓嬰，燕人也。孝文時爲博士，景帝時至常山太傅。韓生亦以《易》授人，推《易》意而爲之傳。燕趙間好《詩》，故其《易》微，唯韓氏自傳之。武帝時，嬰常與董仲舒論于上前，其人精悍，處事分明，仲舒不能難也。後其孫商爲博士。孝宣時，涿郡韓生其後也，以《易》徵，待詔殿中，曰："所受《易》即先太傅所傳也。嘗受《韓詩》，不如韓氏《易》深，太傅故專傳之。"司隸校尉蓋寬饒本受《易》于孟喜，見涿韓生說《易》而好之，即更從受焉。

後漢王充《論衡·骨相篇》：韓太傅爲諸生時，與相工俱入辟雍之中，相辟雍弟子誰當貴者。相工指倪寬曰："彼生當貴，秩至三公。"韓生謝遣相工，通刺倪寬，結膠漆之交，盡筋力之敬，徙舍從寬，深自附納之。寬嘗甚病，韓生養視如僕狀，恩深踰于骨肉。後名聞于天下。倪寬位至御史大夫，州郡承旨召請，擢用舉在本朝，遂至太傅。按韓生軼事不概見。《論衡》言擢用至太傅，在倪寬爲御史大夫之後，是武帝元封以後之事，與史言景帝時爲太傅不合，或武帝時又爲常山王傅，史略之歟？

王氏《考證》蓋寬饒封事，引《韓氏易傳》"五帝官天下，三王家天下"。按《韓詩外傳》間有引《易》文者，亦《韓氏易》也。

王氏二篇。名同。

本書《儒林傳》：田何授東武王同子中，著《易傳》數篇。同授淄川楊何。《史記·儒林傳》云："田何傳東武人王同子仲。"

王氏《考證》：晁氏曰："漢《易》家著書自王同始。"

丁氏八篇。名寬，字子襄，梁人也。

本書《儒林傳》：田何授東武王同、雒陽周王孫、丁寬、齊服生，皆著《易傳》數篇。

又曰："丁寬字子襄，梁人也。初梁項生從田何受《易》，寬爲項生從者，讀《易》精敏，材過項生，遂事何。學成，何謝寬。寬東歸，何謂門人曰：'《易》以東矣。'景帝時，寬爲梁孝王將

軍距吳楚，號丁將軍，作《易說》三萬言，訓故舉大誼而已，今
《小章句》是也。"

又曰："高相，沛人也。治《易》與費公同時，其學亦亡章句，專
說陰陽災異，自言出于丁將軍。傳至相。"

王氏《考證》：艾軒林氏曰："先秦之爲《易》者，未有及義理
也。自田何而後，章句傳說多矣。"

《經義考》：何喬新曰："丁寬作《易說》三萬言，而訓詁之學
興。"馬氏《玉函山房》有韓氏、丁氏《易傳》輯本各二卷，以《子夏易傳》《七略》有韓
嬰傳之文，《中經簿録》有丁寬作之語，于是全抄《子夏易傳》以爲韓氏、丁氏《易傳》。
考《七略》言韓嬰傳者，謂傳自韓嬰，猶《左氏春秋》傳自張蒼。《中經簿録》稱丁寬作
者乃疑似之詞，又有以爲馯臂子弓作者，何不又鈔一本，以爲《子弓易傳》乎？此太鑿
空，不可據，故置不復録。

　　按以傳《易》先後言之，則丁寬當在服生之前，然詳究類例，
又似以成書先後爲次，此則非見本書，不能定。或《七略》
舊第本來如此。

　　又按自周氏至此凡七家，皆蒙上文"易傳"二字，《志》欲其
簡，故省文。舊本文相連屬，如《隋志》之體。明天順五年，
栝蒼馮讓重修福唐郡庠宋版，猶存其行款。至嘉靖十六
年，廣東崇正書院重修宋本，則唯存《易》、《禮》如舊款，蓋此
兩頁猶是宋槧也。餘皆同今本。知今本分條排比，始于正、嘉
之時，而又不能逐條釐訂，故多有分析不明之處。聯寫與分條，
似乎無大出入，可以互通，而不知各有義例也。如此篇"易傳"二字，唯聯寫可以
包下文七家之書，若改爲分條，便不相屬矣。

古五子十八篇。自甲子至壬子，說《易》陰陽。

劉向《別録》：所校讎中《易傳古五子書》，除複重，定著十八篇，
分六十四卦，著之日辰，自甲子至于壬子，凡五子，故號曰五子。

本書《歷志》：天六地五，數之常也。天有六氣，降生五味。夫
五六者，天地之中合，而民所受以生也。故日有六甲，辰有五

子。孟康曰：“六甲之中唯甲寅無子，故有五子。”

武英殿校刊考證：臣召南曰：“按《易》有先甲、後甲、先庚、後
庚三日之文。然古人説《易》，未有以甲子配卦爻者。至《漢·
藝文志》有‘《古五子》十八篇。自甲子至壬子，説《易》陰陽’。
然則後世占《易》，以六辰定六爻，亦不自京房始也。”

鄞縣全祖望《讀易別錄》曰：“《古五子》十八篇，《漢志》誤入經
部。班固曰説《易》陰陽，案此即納甲、納辰之例。”

馬國翰輯本序曰：“《周易古五子傳》，《隋志》不著録，佚已久。
考《漢書·律曆志》引傳曰‘日有六甲，辰有五子’之語，下又
引《易》九厄，孟康注曰：‘《易傳》也。’中言陰九、陽九、陰七、
陽七、陰五、陽五、陰三、陽三，皆以陰陽之數推歲，以定水旱
之災。如淳注積算甲子甚詳，此蓋《古五子傳》之佚文。漢魏
人及見而引述之，兹據補録。又《吳都賦》注引《易》説陽九一
事，併采録之，古帙雖亡，猶可補綴而得其大要云。”

淮南道訓二篇。淮南王安聘明《易》者九人，號九師説。

劉向《別錄》：所校讎中《易傳淮南九師道訓》，除復重定著十
二篇。淮南王聘善爲《易》者九人，從之采獲，故中書署曰《淮
南九師書》。按此云十二篇，或衍“十”字，或本志敓“十”字，無以詳知。

劉歆《七略》：《易傳淮南九師道訓》者，淮南王安所造也。

王氏《考證》：張平子《思玄賦》“文君爲我端蓍兮，利飛遯以保
名”注：“《遯》上九曰：‘飛遯無不利。’《淮南九師道訓》曰：
‘遁而能飛，吉孰大焉？’”曹子建《七啓》“飛遯離俗”注亦引
之，並以“肥”爲“飛”。《文中子》謂《九師》興而《易》道微。
《隋志》已無其書。

《經義考》曰：“陸氏《釋文》于《需》、《蠱》、《遯》、《損》諸卦，其
所引稱師者，當即九師本。而《鴻烈解》引《易》曰：‘《剥》之不
可遂盡也，故受之以《復》。’此則《道訓》之《序卦傳》文矣。”

馬國翰輯本叙曰："九師,不詳何人。高誘《淮南鴻烈解》序
'天下方術之士多往歸焉,于是遂與蘇飛、李尚、左吳、田由、
雷被、毛被、伍被、晋昌等八人,及諸儒大山、小山之徒,共講
論道德'云云。然則《道訓》之九師,亦其流也。陳氏《書録解
題》以荀爽九家當之,誤矣。《隋》、《唐志》皆不著録,佚已久。
《經義考》謂《鴻烈解》引《易》即《道訓》。兹據其説,采《淮南》
書中諸引《易》語,輯爲一卷,聊存《道訓》之遺。"<small>金谿王謨《漢魏遺
書鈔》亦輯存數條,附荀爽《九家易解》之後。</small>

古雜八十篇,雜災異三十五篇,神輸五篇,圖一。

劉向《別録》:《神輸》者,王道失則災害生,得則四海輸之
祥瑞。

本書《谷永傳》:永對災異曰:"王者躬行道德,承順天地,博
愛仁恕,恩及行葦,籍税取民不過常法,宮室車服不踰制度,
事節財足,黎庶和睦,則卦氣理效,五徵時序,百姓壽考,庶草
蕃滋,符瑞並降,以昭保右。失道妄行,逆天暴物,窮奢極欲,
湛湎荒淫,則卦氣悖亂,咎徵著郵,上天震怒,災異屢降。"

全祖望《讀易別録》曰:"《古雜易》八十篇,《雜災異》三十五
篇,《神輸》五篇之類,皆通説陰陽災異及占驗之屬,《漢志》誤
入經部。"<small>按全氏以《古五子》及此三書皆謂《漢志》誤入經部者,欲借端以詰難《經
義考》,其意有在,非爲本志而發,置之不論可也。</small>

　按本書《儒林傳》"孟喜得《易》家候陰陽災變書",此《雜災
異》三十五篇蓋即其類。漢時傳授有孟喜、焦贛、京房及沛
人高相諸家。圖一者,即《神輸圖》,亦即《祥瑞圖》。班固
《白雉詩》"啓靈篇兮披瑞圖",蓋即指此,漢人嘗用以爲殿
閣圖畫,後漢嘗以勒石,如麒麟、鳳皇碑之類是也。《隋志》
五行家有《瑞應圖》、《祥瑞圖》各若干卷,其原蓋出于此。
又按此當以《古雜》八十篇爲一家,《雜災異》三十五篇爲一

家,《神輸》五篇、圖一爲一家。舊本文相連屬,乃分條刊刻者,以《淮南道訓》之下有班氏注文,此條之卜亦有顏氏引《別錄》文,遂以爲一條。觀下文亦以有小注間隔者爲一條,而不知此一條實有三家之書,當分爲三條也。刻書之家往往喜改舊本行款,而明人尤甚,此類是已。

孟氏京房十一篇,災異孟氏京房六十六篇,五鹿充宗略説三篇,京房段嘉十二篇。

劉向《別錄》:京房《易説》云:"月與星至陰也,有形無光,日照之乃有光,喻如鏡照日,即有影見。月初,光見西方;望已後,光見東:皆日所照也。"

本書《儒林·孟喜傳》:喜好自稱譽,得《易》家候陰陽災變書,詐言師田生且死時枕喜膝,獨傳喜,諸儒以此耀之。同門梁邱賀疏通證明之,曰:"田生絶于施讎手中,時喜歸東海,安得此事?"喜爲丞相掾。博士缺,衆人薦喜。上聞喜改師法,遂不用喜。

又《儒林·京房傳》:房受《易》梁人焦延壽。延壽云嘗從孟喜問《易》。會喜死,房以爲延壽即孟氏學,翟牧、白生不肯,皆曰非也。至成帝時,劉向校書,考《易》説,以爲諸《易》家説皆祖田何、楊叔、丁將軍,大誼略同,唯京氏爲異。句。黨焦延壽獨得隱士之説,師古曰:"黨讀曰儻。"託之孟氏,不相與同。房以明災異得幸,爲石顯所譖誅,自有傳。又傳贊曰:"至元帝世,復立《京氏易》。"《隋志》云"京房別爲京氏學,嘗立,後罷。後漢施、孟、梁丘、京四家並立"云云。似房既被誅,並罷其學也。

又《京房列傳》:房字君明,東郡頓邱人也。治《易》,事梁人焦延壽。延壽字贛。其説長于災變,分六十四卦,更直日用事,以風雨寒温爲候,各有占驗。房用之尤精。初元四年以孝廉爲郎,數召見問得失。建昭時,出爲魏郡太守。去月餘,徵下獄，棄市。房本姓李，推律自定爲京氏，死時年四十一。

又《元帝本紀》：建昭二年冬十一月，淮陽王舅張博、魏郡太守京房坐窺道諸侯王以邪意，漏泄省中語，博要斬，房棄市。

又《儒林·梁邱賀傳》：賀傳子臨，臨代五鹿充宗君孟爲少府。劉奉世曰："代當爲授。"

又《京房列傳》：元帝時，中書令石顯顓權。顯友人五鹿充宗爲尚書令，與房同經。

又《朱雲傳》：雲從白子友受《易》。是時，少府五鹿充宗貴幸，爲《梁邱易》。自宣帝善梁邱氏説，元帝好之，欲考其異同，令充宗與諸《易》家論。充宗乘貴辯口，諸儒莫能與抗，皆稱疾不敢會。有薦雲者，召入，攝齊登堂，抗首而請，音動左右。既論難，連拄五鹿君，故諸儒爲之語曰："五鹿嶽嶽，朱雲折其角。"

又《佞幸·石顯傳》：顯與充宗結爲黨友。成帝即位數月，顯免官徙歸故郡，道病死。諸所交結，皆廢罷。少府五鹿充宗左遷玄菟太守。《百官公卿表》：元帝建昭元年，尚書令五鹿充宗爲少府。五年，貶爲玄菟太守。《釋文·叙録》曰："代郡人。"

又《儒林·京房傳》：房授東海殷嘉、河東姚平、河南乘弘，皆爲郎、博士。繇是《易》有京氏之學。蘇林曰："段嘉，東海人，爲博士。"顏氏《集注》曰："嘉即京房所從受《易》者也，見劉向《別録》。《釋文·叙録》曰：段嘉，《儒林傳》作'殷嘉'。"

《釋文·叙録》：京房《章句》十二卷，《七録》云十卷，録一卷，目。按此下似敓"一卷"二字。《隋書·經籍志》：《周易》十卷，漢魏郡太守京房章句。又云："梁有《周易錯》八卷，京房撰。"又五行家：《周易錯卦》七卷，《逆刺》一卷，《周易逆刺占災異》十二卷，《周易占事》十二卷，《周易占》十二卷，《周易妖占》十三卷，《周易飛候》九卷，又一部六卷，《周易飛候六日七分》八卷,《周易四時候》四卷,又《宋以來相傳易傳》三卷,《易傳積算法雜占條例》一卷。按史志散見京房書凡十五部,重複互見不可究詰,要皆是此《孟氏京房》、《災異孟氏京房》、《京氏段嘉》八十九篇之散佚也。

王氏《考證》:龜山楊氏曰:"以爻當期,其原出于《繫辭》,而以星日氣候分布諸爻,《易》未有也,其流詳于緯書,世傳《稽覽圖》是也。"

武進張惠言《易義別録》曰:"《漢志》《孟氏京房》十一篇,《災異孟氏京房》六十六篇,此京氏注孟也。"按此説足以發人深省,漢人注釋各自爲書,不連本文。此殆根據孟氏而並其所自得者,合爲一編。由是推尋,則《京氏段嘉》亦段注京氏之書,五鹿充宗《略説》亦本其師梁邱臨之書歟?

烏程嚴可均校輯序曰:"《京氏易》八卷,無錫王保訓輯本也。《漢魏叢書》有《京氏易傳》三卷,王氏于三卷外采録遺文,得四萬許言。尋以病卒于都下。其同年友嚴可均理而董之,正其訛,補其闕,仍分八卷,繕寫而爲之叙曰:'《易》以道陰陽,有陰陽即有五行。孟喜受《易》家陰陽立十二月辟卦,其説本于氣,以準天時明人事,授之焦贛。焦贛又得隱士之説五行消復,授之京房。京房兼而用之,長于災變,布六十四卦于一歲中,卦直六日七分迭更用事,以風雨寒温爲候,各有占驗,獨成一家,孝元立博士。迄東漢末,費直行而京氏衰。晋代猶有傳習者,至隋唐歷宋入明,而《漢志》之八十九篇僅存三卷,蓋京氏學久廢絶矣。今輯《易傳》、《易占》、《飛候》、《五星風角》等篇。雖京氏占候不盡此,亦大端具矣。然余爲之深惜者,京氏章句亡于唐宋,今輯章句僅寥寥五十五事,曾不如占候之大端具也,所爲望古而悵然者也。'"元和惠棟《易漢學》、平湖孫堂《漢魏廿一家易注》及張氏《易義別録》、王氏《漢魏遺書鈔》、馬氏《玉函山房》並有《京氏易章句》輯本。王氏附《飛候》七十條,其《災異占候》則惟嚴氏所訂八卷爲備也。

　按此當以《孟氏京房》十一篇、《災異孟氏京房》六十六篇爲一家，五鹿充宗《略説》三篇爲一家，《京氏段嘉》十二篇爲一家，分條刊刻者不能釐别，但以前後有注文間隔者爲條，而不知此一條亦有三家之書也。又五鹿充宗爲梁邱家學，雜入京房家内，殊無倫類。《儒林傳》有梁邱臨專行京房法之語，乃齊郡太守京房，猶在此京房之前。所謂專行其法者，行彼京房筮占之法耳，觀上文源委可知也。若依舊本行款連續而書，則此爲孟氏、梁邱氏、京氏三家門徒之書，自然倫貫有叙。改爲一條，别自起訖，乃雜出不倫，全無章法矣。

又按自《古五子》至此凡八家，皆古今雜説陰陽災異占候之書，别爲一類。又此八家皆有《易傳》之名，乃《易傳》之别派，亦統屬上文"易傳"二字，特其中有分别耳。

章句施、孟、梁邱氏各二篇。

施氏、孟氏、梁邱氏各有經本，始末見前。

本書《儒林·施讎傳》：讎授張禹、琅琊魯伯。禹授淮陽彭宣、沛戴崇。魯伯授太山毛莫如、琅琊邴丹。此其知名者也。緣是施家有張、彭之學。

又《儒林·孟喜傳》：喜授同郡白光、沛翟牧，皆爲博士。緣是有翟、孟、白之學。當爲"孟有白翟之學"，轉寫亂之。

又《儒林·梁邱賀傳》：賀傳子臨，臨代劉奉世曰："代當爲授。"五鹿充宗、琅琊王駿。充宗授平陵士孫張、沛鄧彭祖、齊衡咸。緣是梁邱有士孫、鄧、衡之學。又傳贊曰："初，唯有《易》楊。至孝宣世，復立施、孟、梁邱易。"

《後漢書·章帝本紀》：建初四年十一月壬戌，詔曰："漢承暴秦，襃顯儒術，建立五經，爲置博士。其後學者精進，雖曰承師，亦别名家。"章懷太子注："言雖承一師之業，其後觸類而長，更爲章句，則别爲一家之學。"又《儒林傳》：施、孟、梁邱、京氏四家皆立博士。

《隋書·經籍志》：漢初，傳《易》者有田何，何授丁寬，寬授田王孫，王孫授施讎、孟喜、梁邱賀。由是有施、孟、梁邱之學。又有東郡京房，別爲京氏學。嘗立，後罷。後漢施、孟、梁邱、京氏凡四家並立，而傳者甚衆。梁邱、施氏，亡于西晋。孟氏、京氏，有書無師。

《釋文·叙録》：孟喜《章句》十卷，無《上經》。《七録》云：又《下經》無《旅》至《節》，無《上繫》。《隋志》：《周易》八卷，漢曲臺長孟喜章句，殘闕。梁十卷。《唐書·經籍志》：《周易》十卷，孟喜章句。《唐書·藝文志》：《周易孟喜章句》十卷。

馬國翰輯本序曰："《施氏章句》今唯許慎《五經異義》引一節，《釋文》、《漢上易》引二事而已。考本傳，讎再傳爲彭宣，《漢書·宣傳》尚有説《鼎卦》一節，蓋述施氏義也。又蔡邕石經《易》用三家經本。《釋文》引石經止一條，凡邕引《易》要是石經本字，並據采輯爲一卷。"

又曰："《孟氏章句》惟《釋文》及《正義》、《集解》間引之，唐《大衍曆議》云十二月卦出于《孟氏章句》，其説《易》本于氣，而後以人事明之，亦引孟説《震》、《坎》、《離》、《兑》四卦義及六十卦用事配七十二候圖。又《説文序》《易》用孟氏，而所著《五經異義》引孟京説；又虞翻自言五世傳《孟氏易》，則許、虞二家所引與今《易》異者皆佚説也。及蔡邕所引《易》，並據輯録，釐爲二卷。"王謨輯本叙録云："今鈔出《説文》二十五條，《釋文》十一條，《集解》二條，《詩正義》一條，《禮記疏》二條。"又惠氏、張氏、孫氏亦各有輯本。

又曰："《梁邱氏章句》惟《釋文》'莧陸'引三家音、'先心'引石經外別無顯證。考王駿從臨受《易》，臨傳五鹿充宗，充宗傳衡咸，咸爲王莽講學大夫。又《後漢·范升傳》升上書曰：'臣與博士梁恭、山陽太守吕羌俱修《梁邱易》。'兹從《宣元六王傳》得王駿引《易》一節，《王莽傳》引《易》六節，《范升傳》引二

節,蔡邕引七節,並據合輯爲一卷。其《易》盛于東漢,張興傳
其學,弟子著録萬有餘人。至西晋永嘉之亂,與《施氏易》並
亡矣。"

按此三家章句又別爲章段。《七略》著録當分別爲三條,而
各繫以詞,《志》欲其簡,故合并爲一。

又按此篇凡分四類,其一經三家,其二傳七家,其三別傳八
家,其四章句三家。其初當有限斷乙于其處,傳久失之,以
下三十七篇並同此例。

凡《易》十三家,二百九十四篇。按此言十三家者,即前十三條。然十三條中
實有二十一家,其施、孟、梁邱三家經與章句前後兩見,當除去合并計算。顏氏謂所條家
及篇數與總凡不同,則自唐已然。然顏氏所見或不如是之謬,此亦似分條刊刻者以條數
爲家數,妄有所改也。二百九十四篇者,以三家《經》各十二篇,合三十六篇;三家《章
句》各二篇,合六篇,正如其數。此皆有數可稽,不難釐定。今即據所載家數、條數,當爲
一十八家二百九十四篇圖一。

《易》曰:"宓戲氏仰觀象于天,俯觀法于地,觀鳥獸之文,與地
之宜,近取諸身,遠取諸物,于是始作八卦,以通神明之德,以
類萬物之情。"至于殷周之際,紂在上位,逆天暴物,文王以諸
侯順命而行道,天人之占可得而效,于是重《易》六爻,作上下
篇。孔氏爲之《彖》、《象》、《繫辭》、《文言》、《序卦》之屬十篇。
故曰《易》道深矣,人更三聖,世歷三古。及秦燔書,而《易》爲
筮卜之事,傳者不絶。漢興,田何傳之。迄于宣、元,有施、孟、
梁邱、京氏列于學官,而民間有費、高二家之説。劉向以中《古
文易經》校施、孟、梁邱經,或脱去"無咎"、"悔亡",唯費氏經與
古文同。《史記·孔子世家》:孔子晚而喜《易》,序《彖》、《繫》、《象》、《説卦》、《文
言》。讀《易》,韋篇三絶。曰:"假我數年,若是,我于《易》則彬彬矣。"王氏《考證》:
重卦之人有四説:王輔嗣等以爲伏羲;鄭康成之徒以爲神農,淳于俊曰包羲因燧皇之
圖而制八卦,神農演之爲六十四;孫盛以爲夏禹;史遷等以爲文王。《淮南子》:伏羲
爲之六十四變,周室增以六爻。行行成曰:"伏羲先天示《易》之體,故孔子謂之作八
卦;文王後天明《易》之用,故子雲謂之重六爻。"楊繪曰:"筮非八卦之可爲,必六十四

之然後爲筮。舜禹之際曰龜筮協重，則何文王重卦之有乎？八卦成列，象在其中矣；因而重之，爻在其中矣。"按是而言，重卦之始，其在上古乎？京房引夫子曰神農重乎八純。三聖者，韋昭曰："伏羲、文王、孔子。"三古者，孟康曰："《易·繫辭》曰'《易》之興，其于中古乎'？然則伏羲爲上古，文王爲中古，孔子爲下古。"按宋本每篇篇叙與都凡之數皆連屬而書，班氏舊例蓋如此。今本各爲起訖，非是，今亦不復更張焉。

尚書古文經四十六卷。爲五十七篇。

劉向《別録》曰"五十八篇"。又曰："《虞夏書》，古文或誤以'見'爲'典'，以'陶'爲'陰'，如此類多。"顏師古《集注》曰："孔安國定五十八篇，鄭玄《叙贊》云'後又亡其一篇'，故五十七。"王氏《考證》：康成云："《武成》，逸《書》，建武之際亡。"康成所謂亡一篇者即《武成》。

本書《劉歆傳》：歆移書太常博士曰："及魯恭王壞孔子宅，欲以爲宮，而得古文于壞壁之中，《逸書》有十六篇。天漢之後，孔安國獻之，遭巫蠱倉卒之難，未及施行。臧于祕府，伏而未發。傳聞民間則有膠東庸生之遺學。"《經義考》曰："或曰：'劉歆移書讓太常博士，其文載于《漢書》、《文選》，稱天漢之後孔安國獻之，此不足信耶。'"曰："荀悦《漢紀》于孝成帝三年備述劉向典校經傳，考集異同，于《古文尚書》、《論語》、《孝經》云武帝時孔安國家獻之，會巫蠱事，未列于學官，則知安國已逝，而其家獻之。《漢書》、《文選》鋟本流傳脱去'家'字爾。"

《史記·孔子世家》：安國爲今皇帝博士，至臨淮太守，蚤卒。

本書《儒林傳》：孔氏有《古文尚書》，孔安國以今文字讀之，因以起其家逸《書》，得十餘篇，蓋《尚書》兹多于是矣。遭巫蠱，未立于學官。安國爲諫大夫，授都尉朝，而司馬遷亦從安國問故。遷書載《堯典》、《禹貢》、《洪範》、《微子》、《金縢》諸篇，多古文説。都尉朝授膠東庸生。庸生授清河胡常。常授虢徐敖。敖授王璜、平陵塗惲。惲授河南桑欽。王莽時，諸學皆立。劉歆爲國師，璜、惲等皆貴顯。又傳贊曰："平帝時，又立《古文尚書》。"

本志叙曰："《古文尚書》者，出孔子壁中。武帝末，魯共王壞孔子宅，而得《古文尚書》。孔安國者，孔子後也，悉得其書，以考二十九篇，得多十六篇。安國獻之。遭巫蠱事，未列于學官。"

《後漢書・儒林傳》：又魯人孔安國傳《古文尚書》授都尉朝，朝授膠東庸譚，爲《尚書》古文學，按此及劉歆書所云，知當日庸生必有《古文尚書傳》。未得立。又曰："中興，扶風杜林傳《古文尚書》，林同郡賈逵爲之作訓，馬融作傳，鄭玄注解，由是《古文尚書》遂顯于世。"《四庫提要》曰："杜林所傳西州古文，實孔氏之本，故馬、鄭等去其無師説者十六篇，正得二十九篇。《經典釋文》所引尚可覆檢。"宗按東漢傳《古文尚書》者又有徐州刺史蓋豫一本，見《後漢・儒林・周防傳》。蓋自都尉朝之後，迄于王莽傳授不絕，而其經本可考見者凡三：一、中祕書，即此所載是也；二、杜林漆書；三、蓋豫。

《經義考》曰："班固謂'遷書載《堯典》、《禹貢》、《洪範》、《微子》、《金縢》諸篇，多古文説'。考諸《史記》，于《五帝本紀》載《堯典》、《舜典》文，于《夏本紀》載《禹貢》、《皋陶謨》、《益稷》、《甘誓》文，于《殷本紀》載《湯誓》、《高宗肜日》、《西伯勘黎》文，于《周本紀》載《牧誓》、《甫刑》文，于《魯周公世家》載《金縢》、《無逸》、《費誓》文，于《燕召公世家》載《君奭》文，于《宋微子世家》載《微子》、《洪範》文，凡此皆從安國問故而傳之者，乃孔壁之真古文也。然其所載不出伏生口授二十八篇，若安國增多二十五篇之書，《史記》未嘗載其片語，唯于《湯誥》載其辭，是則《湯誥》之真古文也；又于《泰誓》載其辭，是則《泰誓》之真古文也。合之安國作傳之書，其文迥別，何以安國作傳與授之史公者各異其辭，宜其滋後儒之疑矣。"

又曰："按《古文尚書》，晋唐以來未有疑焉。疑之自吳才老始，而朱子大疑之。其後吳幼清、趙子昂、王與耕輩羣疑之。至明而梅氏之《讀書譜》、羅氏之《尚書是正》則排擊亦多術。

近山陽閻百詩氏復作《古文尚書疏證》，其吹疵摘繆加密，而蕭山毛大可氏特著《古文尚書冤辭》以雪之，合兩家之説，無異輸攻而墨守也。"

《四庫提要》曰："考《漢書・藝文志》叙《古文尚書》，但稱'安國獻之，遭巫蠱事，未立于學官'，不云作傳。而《經典釋文・叙錄》乃稱《藝文志》云'安國獻《尚書傳》，遭巫蠱事，未立于學官'，始增一'傳'字，以證實其事。"

又曰："《史記》、《漢書》但有安國上《古文尚書》之説，並無受詔作傳之事。"

又曰："《古文尚書》較今文多十六篇，晋魏以來絶無師説，故《左氏》所引杜預皆注曰'逸書'。東晋之初，其書始出，乃增多二十五篇。初猶與今文並立，自陸德明據以作《釋文》，孔穎達據以作《正義》，遂與伏生二十九篇混合爲一。唐以來，雖疑經惑古如劉知幾之流，亦以《尚書》一家列之《史通》，未言古文之僞。自吳棫始有異議，朱子亦稍稍疑之，吳澄諸人本朱子之説，相繼抉摘，其僞益彰。然亦未能條分縷析，以抉其罅漏。明梅鷟始參考諸書，證其剽剟，而見聞較狹，蒐采未周。至國朝閻若璩乃引經據古，一一陳其矛盾之故凡一百二十八條，古文之僞乃大明。"

又曰："梅賾之書行世已久，其文本采掇佚經，排比聯貫，故其旨不悖于聖人，斷無可廢之理，而確非孔氏之原本，則證驗多端。近惠棟、王懋竑等續加考證，其説益明。"

吳縣江聲《尚書集注音疏》曰："《古文尚書》多于今文十六篇：曰《舜典》，曰《汩作》，曰《九共》，曰《大禹謨》，曰《棄稷》，曰《五子之歌》，曰《嗣征》，曰《湯誥》，曰《咸有一德》，曰《典寶》，曰《伊訓》，曰《肆命》，曰《原命》，曰《武成》，曰《旅獒》，曰《畢命》。内《九共》分爲九，別出八篇，爲二十四篇。"

武進莊述祖《載籍足徵録》：古文經者，孔氏《尚書正義》言鄭康成所注《古文尚書》篇目略云："于二十九篇分出《盤庚》二篇，《康王之誥》一篇，又《泰誓》二篇，爲三十四篇，更增益僞書二十四篇，按唐人誤以此二十四篇爲張霸僞書。爲五十八。所增益二十四篇者，《舜典》一，《汩作》二，《九共》九篇十一，《大禹謨》十二，《益稷》十三，《五子之歌》十四，《允征》十五，《湯誥》十六，《咸有一德》十七，《典寶》十八，《伊訓》十九，《肆命》二十，《原命》廿一，《武成》廿二，《旅獒》廿三，《冏命》廿四。以此二十四爲十六卷，以《九共》九篇共卷，除八篇，故爲十六。"蓋二十九卷增益十六卷序一卷，凡四十六卷。其五十八篇，建武之際亡《武成》一篇，故四十六卷爲五十七篇。但鄭既不爲二十四篇作注，則其篇目或見于書贊，或見于百篇序注，皆不可考。馬融亦云逸十六篇絶無師説。蓋篇目雖存，第相傳爲祕府古文，馬、鄭皆未必實見其書也。

　　按《釋文・叙録》、《隋・經籍志》大抵皆據僞孔安國《書序》、僞《家語》後序、《孔叢子》之文以爲之説，誤以梅賾之書爲真古文經，并誤以其傳爲真古文傳，皆以爲真出孔安國。故今不具載，而節録《經義考》及《提要》諸家考證之文如右，俾知此經與今本《尚書》絶不相涉也。

經二十九卷。大、小夏侯二家。歐陽經三十二卷。

《史記・儒林傳》：言《尚書》自濟南伏生。又曰："伏生者，濟南人也。張晏曰："名勝，伏生碑云也。"故爲秦博士。孝文帝時，欲求治《尚書》者，天下無有，乃按此似"及"之誤。聞伏生能治，欲召之。是時伏生年九十餘，老，不能行，于是乃詔太常使掌故朝錯往受之。秦時焚書，伏生壁藏之。其後兵大起，流亡。漢定，伏生求其書，亡數十篇，獨得二十九篇，即以教于齊魯之間。學者由是頗能言《尚書》，諸山東大師無不涉《尚書》以教矣。伏生教濟南張生及歐陽生，歐陽生教千乘兒寬。張生亦爲博士。而伏生孫以治《尚書》徵，不能明也。自此之後，魯周霸、孔安國，雒陽賈嘉頗能言《尚書》事。"

本書《鼂錯傳》：孝文時，天下亡治《尚書》者，獨聞齊有伏生，故秦博士，治《尚書》，年九十餘，老不可徵。迺詔太常，使人受之。太常遣錯受《尚書》伏生所，還，因上書稱説。詔以爲太子舍人，門大夫，遷博士。

劉向《別錄》：武帝末，民有得《泰誓》書于壁內者，獻之與博士，使讀説之數月，皆起傳以教人。按《堯典》正義云："百篇次第之序，孔、鄭不同，鄭以賈氏所奏《別錄》爲次。"是《別錄》中有百篇之序。

劉歆《七略》：《尚書》，直言也。一引作"真言"。始歐陽氏先名之，大夏侯、小夏侯復立于學官，三家之學于今傳之，尤爲詳。又曰："孝武皇帝末，有人得《泰誓》于壁中者，獻之與博士，使讀説之，因傳以教，今《泰誓》篇是也。"又曰："《尚書》有青絲編目錄。"又移書太常博士曰："《泰誓》後得，博士集而讀之。"

本書列傳：夏侯始昌，魯人也。族子勝，字長公，別爲東平人。勝少孤，好學，從始昌受《尚書》，徵爲博士、光祿大夫。宣帝立，太后省政，勝用《尚書》授太后。遷長信少府，賜爵關內侯。以議武帝廟樂効奏下獄，因大赦，出爲諫大夫給事中。復爲長信少府，遷太子太傅。年九十卒官。勝從父子建字長卿，師事勝，爲議郎博士，至太子少傅。

又《儒林傳》：夏侯勝，其先夏侯都尉，從濟南張生受《尚書》，以傳族子始昌。始昌傳勝，勝傳從兄子建。由是《尚書》有大小夏侯之學。

又曰："歐陽生字和伯，千乘人也。事伏生，授兒寬。歐陽、大小夏侯氏學皆出于寬。寬授歐陽生子，世世相傳，由是《尚書》有歐陽氏學。"

本志叙：劉向以中古文校歐陽、大小夏侯三家經文,《酒誥》脱簡一,《召誥》脱簡二。率簡二十五字者,脱亦二十五字,簡二十二字者,脱亦二十二字,文字異者七百有餘,脱字數十。又曰："《書》之所起遠矣,至孔子簒焉,上斷于堯,下訖于秦,凡百篇,而爲之序,言其作意。"《隋志》史部簿録篇：孔子删《書》別爲之序,各陳作者所由。《正義》曰："《書序》,鄭玄、馬融、王肅並云孔子所作,依緯文也。百篇凡六十三序。"

王充《論衡·正説》篇：《尚書》本百篇,遭秦用李斯之議,燔燒《五經》,伏生抱百篇藏于山中。孝景皇帝時,遣鼂錯往從受《尚書》二十八篇。伏生老死,《書》殘不竟。鼂錯傳于倪寬。至孝宣皇帝之時,河内女子發老屋,得逸《易》、《禮》、《尚書》各一篇,奏之。宣帝下示博士,然後《易》、《禮》、《尚書》各益一篇,而《尚書》二十九篇始定矣。《隋·經籍志》亦云伏生口傳二十八篇,又河内女子得《泰誓》一篇,獻之。

《經義考》：熊朋來曰："晁錯所受,伏生以漢隸寫之,故曰今文,凡二十八篇。及武帝時,得《泰誓》一篇,故《藝文志》稱二十九篇。"朱彝尊曰："《今文尚書》伏生所授止二十八篇,故漢儒以擬二十八宿。然《史記》、《漢書》俱稱伏生以二十九篇教于齊魯之間,馬、班古之良史,不應以非生所授之《泰誓》雜之其中也。故王肅云《太誓》近得,非其本經。竊疑生所教二十九篇,其一篇乃百篇之序,故馬、鄭因之亦總爲一卷。惟緣《藝文志》云《經》二十九卷,後儒遂以《泰誓》篇混入爾。"

江聲《集注音疏》曰："六藝定于孔子,皆陋而後興,而《尚書》之陋爲尤甚。漢興,伏生以二十八篇教于齊魯之間。後歐陽氏分《盤庚》爲三,爲三十篇。武帝時得《太誓》,以合于伏生之書,共爲博士之業,故《漢志》載《夏侯尚書》二十九篇、《歐陽尚書》三十二篇。其篇目曰：《堯典》一,《皋陶謨》二,《禹

貢》三，《甘誓》四，《湯誓》五，《盤庚》六，《高宗肜日》七，《西伯
戡黎》八，《微子》九，《牧誓》十，《洪範》十一，《金縢》十二，《大
誥》十三，《康誥》十四，《酒誥》十五，《梓材》十六，《召誥》十
七，《洛誥》十八，《多士》十九，《無逸》二十，《君奭》二十一，
《多方》二十二，《立政》二十三，《顧命》二十四，《費誓》二十
五，《吕刑》二十六，《文侯之命》二十七，《秦誓》二十八，合以
《盤庚》上中下多出二篇，又《泰誓》一篇，《書序》一篇。"

　　按古文經及此三家經，舊本連屬而書，故此一條可以蒙上
　　文《尚書》二字，言古文不言今文者，其義自見也，乃分條刊
　　刻者以此條前後皆有注文間隔，遂又分爲一條，而不知文
　　不相屬，此又連篇不可强改分條之證。

傳四十一篇

　　鄭康成《序》曰："蓋自伏生也。伏生爲秦博士，至孝文時年且
百歲，張生、歐陽生從其學而受之，音聲猶有謁誤，先後猶有
差舛，重以篆隸之殊，不能無失。生終後，數子合論所聞，以
己意彌縫其闕。而又特撰其大義，因經屬指名之曰傳。劉向
校書得而上之，凡四十一篇。至康成始詮次爲八十三篇。"按
此據《玉海·藝文》所載，蓋即《中興書目》摘録舊序之文，而後人移而爲今本之序。
《釋文·叙録》：《尚書大傳》三卷，伏生作。《隋·經籍志》：
《尚書大傳》三卷，鄭玄注。《唐·經籍志》：《尚書暢訓》三卷，
伏勝注。《唐·藝文志》：伏勝注《大傳》三卷，又《暢訓》一卷。
《宋史·藝文志》：《伏勝大傳》三卷，鄭玄注。
《崇文總目》：《尚書大傳》三卷，漢濟南伏勝撰，後漢大司農鄭
玄注。伏生本秦博士，以章句授諸儒，故博引異言授受援經
而申證云。
宋晁公武《郡齋讀書志》曰："今本四卷，首尾不倫。"
宋陳振孫《直齋書録解題》曰："凡八十三篇，未必當時本

書也。"

《四庫提要》曰："《尚書大傳》四卷,《補遺》一卷,舊題漢伏勝撰,實則張生、歐陽生等所述,特源出于勝爾,非勝自撰也。其文或説《尚書》,或不説《尚書》,大抵如《詩外傳》、《春秋繁露》,與經義在離合之間,而古訓舊典往往而在。第三卷爲《洪範五行傳》,首尾完具,漢代緯候之説實由是起。第四卷題曰《略説》,是其子目。王應麟《玉海》析而二之,非也。惟所傳二十八篇無《泰誓》,而此有《泰誓傳》,又《九共》、《帝告》、《歸禾》、《搰誥》皆逸《書》,而此書亦皆有傳。蓋伏生畢世業《書》,不容二十八篇之外全不記憶,特舉其完篇者傳於世,其零章斷句則偶然附記于傳中,亦事理所有,固不足以爲異矣。"

王謨輯本叙錄曰："近德州盧氏《雅雨堂叢書》有《大傳》四卷,仁和盧學士文弨爲撰《考異》一卷,《補遺》二卷于後。其序有云:雖非隋、唐以來之完書,然闕佚殆亦尠矣。以謨考之,則自隋、唐後人所編輯之書,蒐采略盡;至于漢、魏諸書中所引《大傳》,殊多遺漏。今惟就盧本更加考正,凡字句有異同詳略,悉分注本文下;其全闕者,又自爲補遺于末。凡鈔出《注疏》八條,《白虎通》二條,《風俗通》二條,《羣輔錄》一條,《山海經注》二條,《水經注》一條,《史記注》二條,《後漢書傳》一條,《文選注》二條,《通典》一條,《書鈔》五條,《御覽》二條,《廣韻》一條,《路史注》一條,《困學紀聞》一條。"

　　按此亦以注文間隔而分爲一條,若依舊例連屬而書,則經傳相屬皆蒙上文"尚書"二字,何等聯貫。

歐陽章句三十一卷

本書《儒林傳》:歐陽生事伏生,授兒寬。寬授歐陽生子,世世相傳,至曾孫高子陽,爲博士。高孫地餘長賓以太子中庶子

授太子,後爲博士,論石渠。元帝即位,地餘侍中,貴幸,至少
府。少子政爲王莽講學大夫。由是《尚書》世有歐陽氏學。
濟南林尊事歐陽高,爲博士,授平陵平當、梁陳翁生。由是歐
陽有平、陳之學。又傳贊曰:"初,《書》惟有歐陽。"《百官表》:孝
元永光元年,侍中中大夫歐陽餘爲少府。五年,卒。無"地"字,與此互異,未詳孰是。
《尚書大傳》序曰:"伏生至孝文時年且百歲,歐陽生、張生從
學焉。伏生終後,數子各論所聞,以己意彌縫其闕,而別作
《章句》。"
莊述祖《載籍足徵録》曰:"《歐陽經》三十二卷,《章句》三十一
卷。其一卷無章句,蓋序也。"
王謨輯本叙録曰:"《漢志》歐陽生《尚書章句》三十一卷,《説
義》二卷,其軼猶時時見于他説,今並鈔出:《書正義》五條,
《左傳疏》一條,《周禮疏》二條,《禮記疏》二條,《史記注》七
條,《三國志注》一條,《書鈔》一條,《文選注》一條,《困學紀
聞》三條,《石經》四條。"馬氏《玉函山房》亦有輯本一卷。

大小夏侯章句各二十九卷
大小夏侯解故二十九篇

本書《夏侯勝傳》:勝從夏侯始昌受《尚書》及《洪範五行傳》,
説災異。後事蕑卿,《儒林傳》云:"蕑卿者,兒寬門人也。"又從歐陽氏
問。爲學精孰,所問非一師也。善説禮服。爲太子太傅。受
詔撰《尚書》、《論語説》,賜黄金百斤。勝從父子建自師事勝
及歐陽高,左右采獲,又從五經諸儒問與《尚書》相出入者,牽
引以次章句,具文飾説。勝非之曰:"建所謂章句小儒,破碎
大道。"建亦非勝爲學疏略,難以應敵。建卒,自顓門名經。
又《儒林傳》:周堪、孔霸俱事大夏侯勝。堪授許商,霸傳子
光。由是大夏侯有孔、許之學。又曰:"張山拊事小夏侯建,
授李尋、鄭寬中、張無故、秦恭、假倉。由是小夏侯有鄭、張、

秦、假、李氏之學。”又傳贊曰：“初，《書》唯有歐陽。至孝宣
世，復立大小夏侯《尚書》。”

又本志叙曰：“漢興，伏生得二十九篇，以教齊魯之間。訖孝
宣世，有歐陽、大小夏侯氏，立于學官。”

《隋書·經籍志》：及永嘉之亂，歐陽、大小夏侯《尚書》
並亡。

王氏《考證》：《七録》曰：“三家至西晋並亡，其説間見于義
疏。”葉氏曰：“自漢訖西晋，言《書》惟祖歐陽氏。”鄭康成云
“歐陽氏失其本義”。《郊祀志》引歐陽、大小夏侯三家説六
宗，《後漢·輿服志》永平二年，乘輿服從歐陽氏説，公卿以下
從大小夏侯氏説。夏侯勝從歐陽氏問，建師事勝及歐陽高，
然則大小夏侯皆歐陽之學。按馬氏《玉函山房》皆有三家章句輯本，其文
並雷同。其所不同者，則旁及平當、楊賜、孔光、劉向、李尋本傳所引《書》語以充
卷帙。

按大小夏侯《章句》各二十九卷，則《解故》亦當有“各”字，
或蒙上省文，或傳寫佚敚，或《解故》文簡，本來合并爲一
帙，均無由考見矣。

歐陽説義二篇

《經義考》曰：“按歐陽氏世傳《書》學，《説義》二篇未經前儒注
明，不知作者。”

劉向　五行傳記十一卷

本書《楚元王》附傳：向字子政，本名更生。年十二，以父德任
爲輦郎。弱冠，擢爲諫大夫、給事中。元帝即位，爲散騎宗正
給事中。中廢十餘年。成帝即位，更生乃復進用，更名向。
以故九卿召拜爲中郎，使領護三輔都水。遷光禄大夫。上方
進于《詩》、《書》，觀古文，詔向領校中五經祕書。向見《尚書·
洪範》，箕子爲武王陳五行陰陽休咎之應。向乃集合上古以來

歷春秋六國至秦漢符瑞災異之記，推迹行事，連傳<small>按此似"傳"字之誤。</small>禍福，著其占驗，比類相從，各有條目，凡十一篇，號曰《洪範五行傳論》，奏之。天子心知向忠精，故爲王鳳兄弟起此論也，然終不能奪王氏權。以向爲中壘校尉。上數欲用向爲九卿，輒不爲王氏居位者及丞相御史所持，故終不遷，居列大夫官前後三十餘年，年七十二卒。卒後十三歲而王氏代漢。又傳贊曰："仲尼稱'才難不其然歟'！自孔子後，綴文之士衆矣，惟孟軻、孫況、董仲舒、司馬遷、劉向、揚雄，此數公者，皆博物洽聞，通達古今，其言有補于世。傳曰'聖人不出，其間必有命世者焉'，豈近是乎？劉氏《洪範論》發明《大傳》，著天人之應。"本志注曰："入劉向《稽疑》一篇。"<small>按《洪範卜稽疑》蓋即《稽疑論》也，班氏當並入此書十一卷中。</small>

《宋書·五行志》序：伏生創紀《大傳》，五行之體始詳；劉向廣衍《洪範》，休咎之文益備。

《隋書·經籍志》：《尚書洪範五行傳論》十一卷，漢光禄大夫劉向撰。又曰："濟南伏生之傳，唯劉向父子所著《五行傳》，是其本法，而又多乖戾。"《唐·經籍志》：《尚書洪範五行傳》十一卷，劉向撰。《唐·藝文志》：劉向《洪範五行傳論》十一卷。

《經義考》：歐陽修曰："箕子陳《洪範》，條其事爲九類，別其說爲九章。向爲《五行傳》，乃取五事、皇極、庶徵附于五行。"

又葉適曰："劉向爲王氏考災異，著《五行傳》，歸于切劘當世，而學者以是爲格王正事。"

又趙樞生曰："自大小夏侯明五行之後，劉向遂著爲《洪範五行傳論》，其書不可見，而見于班固《漢書·五行志》者，皆其遺法也。"

王謨輯本叙録曰："《五行志》原本伏生《尚書大傳》，兼采董仲舒、劉向、向子歆及睦孟、夏侯勝、京房、谷永、李尋諸家之説，而劉知幾《史通》乃云'班氏《五行志》出劉向《洪範》'，趙樞生亦云'是其遺法'。今從本志鈔出向説百四十一條，益以《類聚》、《初學記》、《書鈔》、《御覽》，凡若干條，分爲上下二卷。"按《五行志》亦有劉向《穀梁説》，王氏並輯入《五行傳》，何不分析別爲《穀梁傳》乎？

許商　五行傳記一篇

本書《儒林傳》：周堪字少卿，齊人也。與孔霸俱事大夏侯勝。堪授長安許商長伯。由是大夏侯有孔、許之學。商善爲算，著《五行論曆》，四至九卿，號其門人沛唐林爲德行，平陵吳章爲言語，重泉王吉爲政事，齊炔欽爲文學。王莽時，林、吉爲九卿，自表上師家，或引作"冢"。大夫博士郎吏爲許氏學者，各從門人，會車數百兩，儒者榮之。

又《五行志》：孝武時，夏侯始昌通五經，善推《五行傳》，以傳族子夏侯勝，下及許商，皆以教所賢弟子。其傳與劉向同。

　按許氏仕履以《溝洫志》、《公卿表》考之：成帝建始時，由博士爲將作大匠；鴻嘉四年，爲河隄都尉；永始三年，由詹事遷少府；後二年，爲侍中光禄大夫；綏和元年，爲大司農；數月，遷爲光禄勳。《表》云"四月遷"，而不見遷何官，疑"遷"爲"卒"字。

周書七十一篇。周史記。

顔師古《集注》：劉向云："周時誥誓號令也，蓋孔子所論百篇之餘也。"今之存者四十五篇矣。按此引劉向云當即《別錄》文，"今之存者"云云則顔氏之語也。

《隋志》雜史篇：《周書》十卷，《汲冢書》，似仲尼刪削之餘。《唐·經籍志》：《周書》八卷，孔晁注。《唐·藝文志》：《汲冢周書》十卷，孔晁注《周書》八卷。《宋志》別史類：《汲冢周書》十卷。按此皆誤以爲《汲冢書》，詳見下方。

唐劉知幾《史通·六家篇》：又有《周書》者，與《尚書》相類，即孔氏刊約百篇之外，凡爲七十一章。上自文、武，下終靈、景。甚有明允篤誠，典雅高義；時亦有淺末恒説，澤穢相參，殆似後之好事者所增益也。至若《職方》之言，與《周官》無異；《時訓》之説，比《月令》多同。斯百王之正書，五經之別録者也。

宋黄震《日鈔》曰："《周書》自《度訓》至《小開解》凡二十三篇，皆載文王遇紂事，多類兵書，而文澀難曉。自《文儆》至《五權》二十三篇，載文王薨武王繼之代商，其文間有明白者，或類《周誥》。自《成開解》至《王會解》十三篇，載武王崩周公相成王事，間亦有明白者，多類《周誥》。自是有《蔡公解》、《史記解》，穆王警戒之書也。《職方氏》繼之，與今《周禮》之《職方氏》相類。《芮良夫解》，訓王暨政臣之書也。《玉佩解》亦相類。自《周祝解》至《詮法解》，不知其所指。終之以《器服解》，而《器服解》之名多不可句。"按篇名繫以"解"字，蓋晉孔晁所加，猶《淮南》高誘注本皆繫以"訓"字。

元馬端臨《文獻·經籍考》：陳氏曰："凡七十篇，序一篇在其末。今京口刊本以序散在諸篇，以仿孔安國《尚書》。相傳以爲孔子删書所餘，未必然也。文體與古文不類，似戰國後人放傚爲之者。"

又巽岩李氏曰："《隋》、《唐志》皆稱此書得之汲冢，孔晁注解或十卷，或八卷，大抵不殊。按劉向、班固所録，並著《周書》七十一篇，且謂孔子删削之餘，而司馬遷記武王克殷事與此合，必班、劉、司馬所見者也。繫之汲冢，失其本矣。書多駁辭，宜孔子所不取，抑戰國處士私相綴緝，託周爲名，孔子亦未必見。"

又後村劉氏曰："晁子止謂其紀録失實，李仁甫謂書多駁辭。

按中間所載武王征四方，俘商寶玉云云，皆荒唐誇誕，不近人情，非止于駁而已。"

王氏《考證》：今本凡七十篇，始于《度訓》，終于《器服》。晋孔晁注篇目比漢但闕其一。唐《大衍曆議》曰：七十二候原于周公《時訓》、《月令》，雖頗有增益，然先後之次則同《謚法》，則此書第五十四篇也。

又《玉海・藝文》曰："按《晋書・束皙傳》及《左傳正義》引王隱《晋書》並云《竹書》七十五篇，其篇目皆不言《周書》，則繫《周書》于《汲冢》，其誤明矣。"

《經義考》：郭棐曰："古書自六籍外傳者蓋少矣。劉向、班固所錄則有《周書》七十一篇，皆文、武、周公及穆、宣、幽、靈之事。《度訓》、《武稱》、《開武》、《祭公》、《芮良夫》、《玉佩》諸篇，即壁中書，奚加焉？《謚法》則周公之所制，《時訓》、《明堂》乃《禮記》所采。《王會》博于鳥獸草木之名，《史記》明于治亂興亡之跡，卓有可觀。他篇蓋多誇詡詭譎。其書出春秋、戰國之前，抑周之野史歟？"

又胡應麟曰："《周書》多論紀綱制度，叙事之文極少。《克殷》數篇外，唯《王會》、《職方》二篇皆典則有法，而《王會》雜以怪誕之文，《職方》叙述嚴整過《王會》，其規模體制足以置之夏商也。"又曰："《周書》卷首十數篇後序皆以文王作，而本解絕無明據，且語與書體不合，蓋戰國纂集此書者所作攙入之，冠于篇首也。"

又劉大謨曰："六經而下，求其文字近古，而有裨于性命道德文武政教者，恐無以踰于此。"

又姜士昌曰："其事則文武周公，其文詞則東周以後作者不逮也。自六藝以下，文詞最質古者，無如是書與《周髀》、《穆天子傳》諸篇，而是書深遠矣。"

《四庫提要》曰："陳振孫稱凡七十篇，叙一篇在其末，則篇數與《漢志》合。舊本載嘉定十五年丁黼跋，反覆考證，確以爲不出汲冢，斯定論矣。所云文王受命稱王，武王周公私計東伐，俘馘殷遺，暴殄原獸，輂括寶玉，動至億萬，三發下車，懸紂首太白，又用之南郊，皆古人必無之事。振孫以爲戰國後人所爲，似非無見。然《左傳》引《周志》引書，其文皆在今書中，則春秋時已有之，特戰國以後又輾轉附益，故其駁雜耳。究厥本始，終爲三代之遺文，不可廢也。近代所行之本皆闕《程寤》、《秦陰》、《九政》、《九開》、《劉法》、《文開》、《保開》、《八繁》、《箕子》、《耆德》、《月令》十一篇，餘亦文多佚敚。李燾跋稱斷爛難讀，則宋本已然矣。"

議奏四十二篇。宣帝時石渠論。

本書《宣帝紀》：甘露三年三月，詔諸儒講五經同異，太子太傅蕭望之等平奏其議，上親稱制臨決焉。

又《儒林傳》：歐陽生曾孫高，高孫地餘長賓，爲博士，論石渠。又曰："林尊字長賓，濟南人也。事歐陽高，爲博士，論石渠。"又曰："周堪字少卿，齊人也。事大夏侯勝，爲譯官令，論于石渠，經爲最高。"又曰："張山拊字長賓，平陵人也。事小夏侯建，爲博士，論石渠。授陳留假倉子驕。以謁者論石渠。"

按此篇凡分四段，古、今文經爲一段，傳及章句、解故、説義爲一段，《五行傳記》兩家爲一段，《周書》及《議奏》爲一段。

凡書九家，四百一十二篇。入劉向《稽疑》一篇。 師古曰："此凡言入者，謂《七略》之外班氏新入之也。其云出者與此同。"按所載凡十五家，其歐陽、大小夏侯三家已見經本，其後章句、解故、説義當除去六家，正合九家之數。其篇數則缺少十篇。今校定當爲九家四百二十二篇。

《易》曰："河出圖，雒出書，聖人則之。"故《書》之所起遠矣，至孔子纂焉，上斷于堯，下訖于秦，凡百篇，而爲之序，言其作意。

秦燔書禁學，濟南伏生獨壁藏之。漢興亡失，求得二十九篇，以教齊魯之間。訖孝宣世，有歐陽、大小夏侯氏，立于學官。《古文尚書》者，出孔子壁中。武帝末，魯共王壞孔子宅，欲以廣其宮，而得《古文尚書》及《禮記》、《論語》、《孝經》凡數十篇，皆古字也。共王往入其宅，聞鼓琴瑟鐘磬之音，于是懼，乃止不壞。孔安國者，孔子後也，悉得其書，以考二十九篇，得多十六篇。安國獻之。遭巫蠱事，未列于學官。劉向以中古文校歐陽、大小夏侯三家經文，《酒誥》脫簡一，《召誥》脫簡二。率簡二十五字者，脫亦二十五字，簡二十二字者，脫亦二十二字，文字異者七百有餘，脫字數十。《書》者，古之號令，號令于衆，其言不立具，則聽受施行者弗曉。古文讀應爾雅，故解古今語而可知也。《史記·孔子世家》：孔子之時，周室微而禮樂廢，《詩》、《書》缺。追迹三代之禮，序《書傳》，上紀唐虞之際，下至秦繆，編次其事。故《書傳》自孔氏。劉歆《七略》曰：“《書》以決斷。斷者，義之證也。”師古曰：“《家語》云孔騰字子襄，畏秦法峻急，藏《尚書》、《孝經》、《論語》于夫子舊堂壁中，而《漢記·尹敏傳》云孔鮒所藏，二說不同，未知孰是。”王氏《考證》：《隋志》云武帝時，魯恭王壞孔子宅，得其末孫惠所藏之書，皆古文也。《史通》亦以爲孔惠所藏，則又非師古所引二人者矣。又曰：“《伏生大傳·酒誥》曰‘王曰封，唯曰若圭璧’，其脫簡之文歟？”按范《書》，劉陶“推三家《尚書》及古文，是正文字七百餘事，名曰《中文尚書》”，即此言“文書異者七百有餘”之事也。又《賈逵傳》，肅宗特好《古文尚書》，逵數爲帝言《古文尚書》與經傳《爾雅》訓詁相應，與此言古文讀應爾雅亦合，蓋劉子駿父子先有是言也。

詩經二十八卷，魯、齊、韓三家。

本書《儒林傳》：漢興，言《詩》，于魯則申培公，于齊則轅固生，燕則韓太傅。

又曰：“申公，魯人也。少與楚元王交俱事齊人浮邱伯受《詩》。漢興，高祖過魯，申公以弟子從師入見于魯南宮。呂后時，浮邱伯在長安，楚王遣子郢與申公俱卒學。元王薨，郢嗣立爲楚王，令申公傅太子戊。戊不好學，病申公。及戊立爲王，胥靡申公。申公愧之，歸魯退居家教授。武帝初即位，使使束帛加璧，安車以蒲輪，駕駟迎申公，以爲太中大夫。病免歸，數年卒。"

又《楚元王傳》：元王少時嘗與魯穆生、白生、申公俱受《詩》于浮邱伯。伯者，孫卿門人也。及秦焚書，各別去。漢六年，既廢楚王信，分其地爲二國，立賈爲荊王，交爲楚王。元王既至楚，以穆生、白生、申公爲大夫。文帝時，聞申公爲《詩》最精，以爲博士。元王薨，郢客嗣，是爲夷王。申公爲博士，失官，隨郢客歸，復爲中大夫。

又《儒林傳》：轅固，齊人也。以治《詩》孝景時爲博士，拜爲清河太傅，疾免。武帝初即位，復以賢良徵。諸儒多疾毀曰固老，罷歸之。時固已九十餘矣。公孫弘亦徵，仄目而事固。固曰："公孫子，務正學以言，無曲學以阿世！"諸齊以《詩》顯貴，皆固之弟子也。

韓嬰有《易傳》，見前《易》家。本志叙曰："三家皆立于學官。"

《經義考》：朱倬曰："《魯詩》起于申公，而盛于韋賢。《齊詩》始于轅固，而盛于匡衡。《韓詩》始于韓嬰，而盛于王吉。"

魯故二十五卷

顏師古《集注》曰："故者，通其指義也。它皆類此。今流俗《毛詩故訓傳》改爲'詁'字，失真耳。"

本書《楚元王傳》：申公始爲《詩》傳，號《魯詩》。按《詩》傳即此《魯故》，又疑別爲一書。本志叙曰："漢興，魯申公爲《詩》訓故。"按此又例以《毛詩故訓傳》，則《魯故》與《詩傳》實爲一書。

又《儒林傳》：申公歸魯，居家教授，終身不出門。復謝賓客，獨王命召之乃往。弟子自遠方至受業者千餘人，申公獨以《詩經》爲訓故以教，無傳，疑疑則闕弗傳。蘭陵王臧從申公受《詩》，至郎中令。代趙綰爲御史大夫。弟子爲博士十餘

人，孔安國至臨淮太守，周霸膠西内史，夏寬城陽内史，碭魯
賜東海太守，蘭陵繆生長沙内史，徐偃膠西中尉，鄒人闕門慶
忌膠東内史。其學官弟子行雖不備，而至于大夫、郎、掌故以
百數。申公卒以《詩》、《春秋》授，而瑕邱江公盡能傳之，徒衆
最盛。及魯許生、免中徐公，李奇曰：“免中，邑名也。”皆守學教授。
韋賢治《詩》，事博士大江公及許生，傳子玄成。由是《魯詩》
有韋氏學。王式事免中徐公及許生。授張長安、唐長賓、褚
少孫，皆爲博士。由是《魯詩》有張、唐、褚氏之學。

《釋文·叙録》：《魯詩》不過江東。《隋·經籍志》：漢初，魯
人申公受《詩》于浮邱伯，作訓詁，是爲《魯詩》。又曰：“《魯
詩》亡于西晋。”

王氏《考證》：晁氏曰：“《詩》有《魯故》、《韓故》、《齊后氏故》、
《孫氏故》、《毛詩故訓傳》，《書》有大小夏侯《解故》，前人唯故
之尚如此。又《後漢·輿服志》注引《魯訓》。”

魯説二十八卷

《經義考》曰：“按《詩》之有序不獨《毛傳》爲然，説《魯詩》者亦
有序。楚元王受《詩》于浮邱伯。劉向，元王之孫，按爲元王四世
孫。實爲《魯詩》，其所撰《新序》以《二子乘舟》爲伋之傅母作，
《黍離》爲壽閔其兄作；《列女傳》以《芣苢》爲蔡人妻作，《汝
墳》爲周南大夫妻作，《行露》爲申人女作，《邶·柏舟》爲衛宣
夫人作，《燕燕》爲定姜送婦作，《式微》爲黎莊公夫人及其傅
母作，《大車》爲息夫人作，此皆本于《魯詩》之序也。

王謨輯本叙録曰：“《漢志》申公《魯故》二十五卷，《魯説》二十
八卷。謨案《魯詩》亡于西晋，故《隋》、《唐》二志俱不著録。
今惟就諸書所引《魯詩》明文，搜輯爲《魯詩説》。凡鈔出《詩
正義》一條，《禮記》、《儀禮疏》各一條，《公羊傳注》、《爾雅注》
各一條，《漢書注》三條，《後漢書注》一條，《白虎通》、《説文》

各一條，石經殘碑五條，又據王氏《詩考》鈔出劉向《列女傳》九條，《新序》二條，《説苑》三條，又據《經義考》鈔出蔡邕《獨斷》三十一條。"

馬國翰輯本序曰："《藝文志》《魯故》二十五卷，《魯説》二十八卷。王應麟輯三家佚説爲《詩考》，《魯詩》僅十四條。考《儒林傳》，申公弟子爲博士十餘人，又有韋氏學，張、唐、褚氏之學。今諸人可徵者，孔安國有《書傳》、《論語説》、《古文孝經傳》，韋玄成《漢書》本傳載其奏議，褚少孫有補《史記》，凡所引《詩》皆《魯詩》也。又司馬遷從孔安國問《古文尚書》，于申公爲再傳弟子，《史記》引《詩》亦爲《魯詩》無疑。《困學紀聞》云《魯詩》出于浮邱伯，以授楚元王交，劉向乃交之孫，按爲交之玄孫。其説蓋本《魯詩》。《經義考》謂'蔡邕石經悉本《魯詩》，今《獨斷》所載《周頌》三十一章，其序與《毛詩》雖繁簡有不同，而其義則一'云。案石經《魯詩》殘碑載洪适《隸續》，王氏《詩考》取入《魯詩》，他書亦當有引石經者。由此推之，邕所撰述，其引用不與《毛詩》同，皆《魯詩》也。臧庸《拜經日記》云《爾雅》是《魯詩》之學，又謂唐人義疏引某氏《爾雅注》即樊光也。其《詩》並與《毛》、《韓》不同，蓋本《魯詩》。又謂王叔師《楚辭章句》所引《詩》或與《毛》、《韓》不同，與《爾雅》、《列女傳》有合，蓋《魯詩》也。並據輯録，釐爲三卷。"按馬氏此輯于《魯詩》遺佚搜括略盡，亦可云竭心力而爲之者。然孔安國《書傳》、《孝經傳》實非孔氏本真，似欠別擇。

按劉歆移書云："孝文時，《詩》始萌芽。武帝時，一人不能獨盡其經，或爲《雅》，或爲《頌》，相合而成。"此《魯説》二十八卷，依經本卷數編次，不著撰人，似即爲《雅》爲《頌》，劉向校定相合而成者歟？其《齊雜記》、《韓説》諸不著撰人名氏者，亦此類也。

齊后氏故二十卷

木書《儒林傳》：諸齊以《詩》顯貴，皆固之弟子也。昌邑太傅
夏侯始昌最明。后倉字近君，東海郯人也。事夏侯始昌。始
昌通五經，倉亦通《詩》、《禮》，爲博士，至少府，授翼奉、蕭望
之、匡衡。衡授琅邪師丹、伏理。由是《齊詩》有翼、匡、師、伏
之學。

《釋文・叙録》：《齊詩》久亡。《隋・經籍志》曰：“《齊詩》魏
代已亡。”

齊孫氏故二十七卷

王氏《考證》：《齊詩》有翼、匡、師、伏之學。孫氏，未詳其名。

《經義考》：孫氏失名。《齊故》，《漢志》二十七卷，佚。

齊后氏傳三十九卷

《經義考》曰：“按《詩》之有序不特《毛傳》爲然。説《韓詩》、
《魯詩》者，亦莫不有序。《詩》必有序而後可授受。《韓》、
《魯》皆有序，《齊詩》雖亡，度當日經師亦必有序。”

馬國翰輯本序曰：“《漢志》《齊后氏傳》三十九卷。《隋志》云
《齊詩》魏代已亡。《文獻通考》云董逌《藏書目》有《齊詩》六
卷，疑後人依托爲之。今其書亦不傳。王應麟《詩考》輯存十
六節，並及翼奉、蕭望之、匡衡、伏理、理子湛之説，《漢書・地
理志》引‘子之營兮，自土漆沮’，師古以爲《齊詩》者，皆收入
《考》。《漢書・叙傳》述其家學，云伯少受《詩》于師丹，固父
彪爲伯弟稺之子，固其從孫也。班氏世傳齊學，故《地理志》
引用《齊詩》。按《宋書・志》序云“朱贛博采《風詩》，班氏因以爲志”，則朱贛所
采而班氏述之。由此推之，凡《漢書》中除紀傳所載詔策疏奏之類
各録本文外，表志贊序出于班氏父子手筆所引，皆《齊詩》無
疑也。《後漢書・班固傳》云‘天子會諸儒講論五經，作《白虎
通德論》，令固撰集其事’。今《白虎通》引《詩》有《魯訓》，有

《韓内傳》,其引《詩》不言何家者,以《齊》爲本,故不復顯其姓名也。並據輯補,釐爲二卷,引者多稱傳,因總題《齊詩傳》也。"

長洲何焯《義門讀書記》曰:"《藝文志》叙云齊轅固爲之傳,而《齊詩》止有《后氏》、《孫氏》,不及轅固。按《儒林傳》固傳夏侯始昌,始昌傳后倉,則《后氏故》、《傳》皆本諸轅固也。"

齊孫氏傳二十八卷

宋鄭樵《通志・藝文略》曰:"按后、孫之傳其亡已久,必不可得。今存其名,使學者知傳注之門户也。今之學者專溺毛氏,由其不知有他之故。"

馬國翰《齊詩》輯本序曰:"《藝文志》《齊孫氏故》二十七卷,《孫氏傳》二十八卷。孫氏不知何人,按《漢志》《齊詩》之有傳説始于后倉,《孫氏故》、《傳》蓋宗后氏也。"

按吳陸璣《詩疏》卷後載四家詩源流,于《齊詩》中不及孫氏,知《孫氏故》、《傳》在三國時已微。《經義考・承師篇》、洪氏《傳經表》亦皆無孫氏,朱、洪二家但依據《儒林傳》而未參考《藝文志》,故有此失。

齊雜記十八卷

按此與《春秋公羊雜記》相類,皆合衆家所記以爲一編,劉氏《録》、《略》中當必有其姓名,班氏略之,今遂不可考。

韓故三十六卷
韓内傳四卷

韓嬰,見前易家。

本書《儒林傳》:嬰推詩人之意,而作《内》、《外傳》數萬言,其語頗與齊、魯間殊,然歸一也。淮南賁生受之。燕趙間言《詩》由韓生。又曰:"趙子,河内人也。事燕韓生,授同郡蔡誼。誼授同郡食子公與王吉。吉授淄川長孫順。由是《韓詩》有王、食、長孫之學。”

《釋文·叙録》：《韓詩》雖在，人無傳者。《隋·經籍志》：《韓詩》二十二卷，漢常山太傅韓嬰，薛氏章句。又曰：“《韓詩》雖存，無傳之者。”《唐·經籍志》：《韓詩》二十卷，卜商序，韓嬰傳。《唐·藝文志》：《韓詩》，卜商序，韓嬰注二十二卷。《四庫提要》：《唐志》稱“《韓詩》卜商序，韓嬰注二十二卷”，是《韓詩》亦有序，其序亦稱出子夏矣。

《經義考》曰：“按《詩》之有序，不特《毛傳》爲然。説《韓詩》、《魯詩》者亦莫不有序，如《關雎》刺時也，《芣苢》傷夫有惡疾也，《漢廣》悦人也，《汝墳》辭家也，《蝃蝀》刺奔女也，《黍離》伯封作也，《雞鳴》讒人也，一作‘悦人’，《雨無極》正大夫刺幽王也，《賓之初筵》衛武公飲酒悔過也，此《韓詩》之序也。”

又曰：“《韓詩》唯《外傳》僅存，若《白虎通》、《風俗通》、《三禮義宗》、《大戴禮注》、《初學記》、杜佑《通典》所引諸條，皆《内傳》文也。”

王謨輯本叙録曰：“《韓詩内傳》至宋已亡，朱子嘗欲寫出《文選注》中《韓詩》章句，未果。王應麟因更爲《韓詩考》，猶多遺漏。謨已别撰《韓詩拾遺》十六卷，以網羅諸《内》、《外傳》放失，兹不具録。祇仍據《毛詩篇目》略爲詮次，凡鈔出《釋文》一百五十八條，《詩正義》九條，《周禮正義》五條，《禮記正義》七條，《公羊傳注》二條，《孟子音義》一條，《爾雅注疏》四條，《史記注》五條，《漢書注》五條，《後漢書注》十六條，《文選注》九十三條，《水經注》一條，《説文》一條，《玉篇》三條，《廣韻》一條，《白虎通》二條，《類聚》二條，《初學記》六條，《書鈔》一條，《御覽》十一條，《玉海》四條，朱子《詩傳》一條，董氏《詩故》六條。”按諸書所引亦多有薛方邱父子章句之文，馬氏《玉函山房》輯《韓詩故》二卷，《韓内傳》一卷，又《薛氏章句》二卷。

韓外傳六卷

本志叙：漢興，魯申公爲《詩》訓故，而齊轅固、燕韓生皆爲之傳。或取《春秋》，采雜説，咸非其本義。

《隋書・經籍志》：《韓詩外傳》十卷。《唐・經籍志》：《韓詩外傳》十卷，韓嬰撰。《唐・藝文志》：《韓詩》二十二卷，又《外傳》十卷。《宋・藝文志》：《韓詩外傳》十卷，漢韓嬰傳。

王氏《考證》：《太史公自序》"厥協六經異傳"注"如子夏《易傳》、毛公《詩》及韓嬰《外傳》、伏生《尚書大傳》之流"。

《文獻・經籍考》：龜氏曰："此書稱《外傳》，雖非其解經之深者，然文辭清婉，有先秦風。"

又陳氏曰："今所存惟《外傳》，而卷多于舊。舊六卷，今十卷，蓋多雜説，不專解《詩》，不知果當時本書否也。"

又洪氏《隨筆》曰："第二章載孔子南游適楚，見處子佩瑱而浣，乃令子貢以微詞挑之，以是説《詩・漢廣》游女之章，其謬戾甚矣。他亦無足言。"

《經義考》：王應麟曰："申、毛之詩皆出荀卿子，而《韓詩外傳》多引荀書。"又曰："荀卿《非十二子》，《韓詩外傳》引之，止云十子，而無子思、孟子。愚謂荀卿非子思、孟子，蓋其門人如韓非、李斯之流托其師以毀聖賢，當以《韓詩》爲正。"

又王世貞曰："《韓詩外傳》雜記夫子之緒言與諸春秋戰國之説，大抵引《詩》以證事，而非引事以明《詩》，故多浮泛不切牽合可笑之語，蓋馳騁勝而説詩之旨微矣。"

又董斯張曰："世所傳《韓詩外傳》亦非全書，《文選注》、《藝文類聚》、《太平御覽》、佛典引《外傳》文，今本皆無之。"

《四庫提要》曰："自《隋志》以後，即較《漢志》多四卷，蓋後人所分也。其書雜引古事古語，證以《詩》詞，與經義不相比附，故曰《外傳》。所采多與周秦諸子相出入。中間阿谷處女之

類，皆非事實，又先後重見，失于簡汰。然其引荀卿《非十二
子》，删去子思、孟子，惟存十子，其去取特爲有識。又繭絲雞
卵之喻，董仲舒取之爲《繁露》‘君，羣’、‘王，往’之訓，班固取
之爲《白虎通》，精理名言往往而有，不必盡以訓詁繩也。是
書之例，每條必引《詩》詞，而未引《詩》者二十八條。又吾語
汝一條，起無所因，均疑有闕文。《文選注》二事，今本皆無
之，並疑有脱簡。”

嚴可均《鐵橋漫稾》曰：“《韓詩外傳》引《荀子》以説《詩》者四
十餘事，是韓嬰亦荀子私淑弟子也。”

韓説四十一卷

馬國翰輯本序曰：“《漢志》《韓説》四十一卷。《隋》、《唐志》不
著録，佚已久。今從《漢書·王吉傳》、《正義》、《禮疏》、《釋
文》、《大戴禮注》、王氏《詩考》諸引《韓詩説》、《韓魯説》者，凡
若干條，與《韓故》、《韓内傳》別録爲卷。”

　　按《蔡義傳》，武帝時詔求能爲《韓詩》者，徵義待詔。上召
　　義，説《詩》，甚説之。按義之説或當在此四十一卷中。

毛詩二十九卷

本書《儒林傳》：毛公，趙人也。治《詩》，爲河間獻王博士。

本志叙：又有毛公之學，自謂子夏所傳，而河間獻王好之，未
得立。

又《景十三王傳》：河間獻王德修學好古，實事求是，其學舉六
藝，立毛氏《詩》博士。

鄭康成《六藝論》曰：“河間獻王好學，其博士毛公善説《詩》，
獻王號之曰《毛詩》。”范書《儒林傳》云：“趙人毛長傳《詩》，是爲毛詩。”

唐孔穎達《正義》曰：“漢初爲傳訓者，皆與經別行，故石經
《書》、《公羊傳》並無經文，毛亨爲故訓，亦與經別。”

王氏《考證》：《正義》云：“毛爲詁訓，與經別二十九卷，不知

併何卷。"按三家經各二十八卷，此多出一卷者，蓋《詩》序也。

毛詩故訓傳三十卷

本書《儒林傳》：毛公治《詩》，爲河間獻王博士。授同國貫長卿。長卿授解延年。延年授徐敖。敖授九江陳俠，爲王莽講學大夫。由是言《毛詩》者，本之徐敖。又傳贊曰："平帝時，又立《毛詩》。"

鄭康成《詩譜》曰："魯人大毛公爲《詁訓傳》于其家，河間獻王得而獻之，以小毛公爲博士。"范書《鄭玄傳》注：或云大毛公曾爲北海相。《隋志》以小毛公爲河間太守。

吳陸璣《詩疏》曰："孔子删《詩》，授卜商。商爲之《序》，以授魯人曾申。申授魏人李克。克授魯人孟仲子。仲子授根牟子。根牟子授趙人荀卿。荀卿授魯國毛亨。亨作《詁訓傳》以授趙國毛萇。時人謂亨爲大毛公，萇爲小毛公，以其所傳故名其詩曰《毛詩》。萇爲河間獻王博士。"《釋文·叙録》：徐整云："子夏授高行子。高行子授薛倉子。薛倉子授帛妙子。帛妙子授河間人大毛公。大毛公爲《詩故訓傳》于家，以授趙人小毛公，一云名萇，爲河間獻王博士，以不在漢朝，故不列于學。"

《釋文·叙録》：孔子録《詩》三百一十一篇，以授子夏，子夏遂作《序》焉。口以相傳，未有章句。又曰："《詩》三百十一篇，毛公爲故訓時已亡六篇，故《藝文志》云三百五篇。"又曰："《毛詩故訓傳》二十卷，鄭氏箋。"

《隋書·經籍志》：漢初，又有趙人毛萇善《詩》，自云子夏所傳，作《詁訓傳》，是爲《毛詩》古學，而未得立。後漢有九江謝曼卿，善《毛詩》。東海衛敬仲，受學于曼卿。先儒相承，謂之《毛詩》。序，子夏所創，毛公及敬仲又加潤益。又曰：《毛詩》二十卷，漢河間太守毛萇傳，鄭氏箋。《唐·經籍志》：《毛詩》十卷，毛萇撰。《唐·藝文志》：毛萇《傳》十卷。《宋·藝文

志》:《毛詩》二十卷,漢毛萇爲《詁訓傳》,鄭玄箋。按此沿《隋志》
之誤,並云毛萇作傳,《提要》已辨之詳矣。

《經義考》曰:"按《詩》之有《序》,不特《毛傳》爲然。説《魯》、
《齊》、《韓詩》者,亦莫不有《序》,惟《毛詩》之《序》本乎子夏。
子夏習《詩》而明其義,又能推原國史,明乎得失之故。試稽
之《尚書》、《儀禮》、《左氏》、《内》、《外傳》、《孟子》,其説無不
合。《毛詩》出,學者舍《齊》、《魯》、《韓》三家而從之,以其有
子夏之《序》,不同乎三家也。惟其《序》作于子夏,子夏授
《詩》于高行子,此《緑衣》序有高子之言;又子夏授曾申,申授
李克,克授孟仲子,此'惟天之命'注有孟仲子之言,皆以補師
説之所未及,毛公因而存之不廢。若夫《南陔》六詩,有其義
而亡其辭,則出自毛公足成之。所謂有其義者,據子夏之
《序》也。而論者多謂《序》作于衛宏。夫《毛詩》雖後出,亦在
漢武時,《詩》必有《序》而後可授受,《韓》、《魯》皆有《序》,《毛
詩》豈獨無《序》,直至東漢之世俟宏之《序》以爲序乎?"按《唐·
經籍志》《毛詩集序》二卷,卜商撰;《唐·藝文志》卜商《集序》二卷,其稱《集序》,似即
衛宏之書。王氏《考證》云鄭氏以爲諸《序》本自合爲一編,毛公始分以實諸篇之首。

《四庫提要》曰:"《詩序》之説紛如聚訟,爲説經家第一爭訴之
端。今參考諸説,定《序》首二語,爲毛萇以前經師相傳;以下
續申之詞,爲毛萇以下弟子所附。"又曰:"《漢書》但稱毛公,
不著其名,《後漢·儒林傳》始云'趙人毛長傳《詩》,是爲《毛
詩》',其'長'字不從'艸'。《隋志》始從《詩傳》稱毛萇。然鄭
玄《詩譜》云大毛公爲《訓詁傳》,陸璣《詩疏》云毛亨作《訓詁
傳》。據是二書,則作傳者乃毛亨,非毛萇,故孔氏《正義》亦
云大毛公爲其傳,由小毛公而題毛也。《隋志》所云殊爲舛
誤,而流俗沿襲,莫之能更。今定作傳者爲毛亨,以鄭氏後漢
人,陸氏三國吳人,併傳授《毛詩》,淵源有自,所言必不誣也。"

嚴可均《鐵橋漫稾》曰："子夏五傳至荀子，荀子傳大毛公，是《毛詩》亦荀子所傳也。"

按此篇凡分五段：三家經爲第一段，《魯説》爲第二段，《齊后氏故》、《傳》、《孫氏故》、《傳》及《雜記》爲第三段，《韓故》、《内》、《外傳》及《説》爲第四段，《毛詩經》及《故訓傳》爲第五段。

凡詩六家，四百一十六卷。 按六家者，或以《魯詩經》、《魯故》、《魯説》爲一家，《齊詩經》及《后氏故》、《傳》爲一家，《孫氏故》、《傳》爲一家，《齊雜記》爲一家，《韓詩經》、《韓故》、《内》、《外傳》及《説》爲一家，《毛詩經》及《故訓傳》爲一家。然恐無是例也。按所載凡十四條，合以三家經凡十六條，三家故、傳、説、記或不盡出于申公、轅固、韓嬰，劉、班本意似以條爲家，疑篇十六家，轉寫敚"十"字。又三家經各二十八卷，爲八十四卷，合以四家經傳、説、記、故訓三百三十一卷，此溢出一卷。今校當爲一十六家四百一十五卷。

《書》曰："詩言志，歌詠言。"故哀樂之心感，而歌詠之聲發。誦其言謂之詩，詠其聲謂之歌。古有采詩之官，王者所以觀風俗，知得失，自考正也。孔子純取周詩，上采殷，下取魯，凡三百五篇，遭秦而全者，以其諷誦，不獨在竹帛故也。漢興，魯申公爲《詩》訓故，而齊轅固、燕韓生皆爲之傳。或取《春秋》，采雜説，咸非其本義。與不得已，魯最爲近之。三家皆立于學官。又有毛公之學，自謂子夏所傳，而河間獻王好之，未得立。 《孔子世家》：古者，《詩》三千餘篇，及至孔子，去其重，取可施于禮義，上采契后稷，中述殷周之盛，至幽厲之缺，始于袵席，故曰《關雎》之亂以爲《風》始，《鹿鳴》爲《小雅》始，《文王》爲《大雅》始，《清廟》爲《頌》始。"三百五篇孔子皆弦歌之，以求合《韶》、《武》、《雅》、《頌》之音。劉歆《七略》曰："《詩》以言情，情者，性之符也。"王氏《考證》：今按《詩》三百十一篇，亡其辭者六篇，考之《儀禮》，皆《笙詩》也。曰笙，曰樂，曰奏，而不言歌，則有聲而無辭明矣。漢世毛學不行，故云三百五篇。王式以三百五篇諫龔遂曰："誦《詩》三百五篇，人事浹，王道備。"宗按平帝時立《毛詩》博士，以迄王莽之末，此云未得立者，本《七略》舊文，哀帝時之言也。

禮古經五十六卷，經七十篇。后氏、戴氏。 劉敞曰："此'七十'與後'七十’皆當作‘十七’，計其篇數則然。”

本志叙：《古禮經》者，出於魯淹中蘇氏曰：“里名也。”及孔氏，學七十篇劉敞曰：“‘學七十篇’當作‘與十七篇’”。文相似，多三十九篇。

本書《劉歆傳》：歆移書太常博士曰：“及魯恭王壞孔子宅，欲以爲宮，而得古文于壞壁之中，《逸禮》有三十九篇，皆古文舊書。天漢之後，孔安國獻之。”按與《古文尚書》同爲孔安國家所獻，此敚“家”字，竹垞朱氏據荀悦《漢紀》所校。又《儒林傳》贊曰：“平帝時，又立《逸禮》。”

《隋書·經籍志》：又有古經，出於淹中，而河間獻王，好古愛學，收集餘燼，得而獻之，合五十六篇，並威儀之事。按《禮古經》初出于淹中，又出于孔壁，而河間獻王亦得而上之，當時凡三本。《論衡·正說篇》又謂宣帝時河内女子壞老屋得佚《禮》一篇。

《禮記正義》：至武帝時，河間獻王得《古禮》五十六篇，獻王獻之。又《六藝論》云：“後得孔子壁中《古文禮》，凡五十六篇。其十七篇與高堂生所傳同而字多異，其十七篇外則《逸禮》是也。”《儀禮疏》云：“餘三十九篇絶無師説，祕在于館。”

王氏《考證》：《佚禮》三十九篇，其篇名頗見于他書，若《學禮》見《賈誼傳》，《天子巡狩禮》見《周官·内宰》注，《朝貢禮》見《聘禮》注，《朝事儀》見《覲禮》注，《禘嘗禮》見《射人》疏，《中霤禮》見《月令》注及《詩·泉水》疏，《王居明堂禮》見《月令》、《禮器》注，《古大明堂禮》、《昭穆篇》見蔡邕《論》，《本命篇》見《通典》，《聘禮志》見《荀子》。又有《奔喪》、《投壺》、《遷廟》、《釁廟》、《曲禮》、《少儀》、《内則》、《弟子職》諸篇見大、小戴《記》及《管子》。《七録》云：“《古經》周宗伯所掌五禮威儀之事。”以上言《禮古經》五十六卷，又按《御覽》諸書引《皇覽·逸禮》即此《逸禮》，繆襲等鈔入《皇覽》者也。王仁圃氏輯存十餘條，拘定《皇覽》，于伯厚氏所舉諸篇皆置不入録，可謂不充其類矣。又桓譚《新論》云“《古秩禮記》有五十六卷”，蓋亦稱《古禮記》，本志《尚書》叙云“魯恭王壞孔子宅，得《古文尚書》及《禮記》”是也。

《史記·儒林傳》：諸學者多言《禮》，而魯高堂生最本。《禮》固自孔子時而其經不具，及至秦焚書，書散亡益多，于今獨有《士禮》，高堂生能言之。賈公彥《序周禮廢興》云"漢興，至高堂生博士傳十七篇"，則高堂生爲漢初博士。《魏志·高堂隆傳》云"泰山平陽人，魯高堂生後也"。范書《儒林傳》注云"高堂生名隆"，蓋因此而誤。王氏《考證》：《史記正義》：謝承云"秦代有魯人高堂伯人"，又《七錄》云"博士侍其生得十七篇"。

后氏有《齊詩故》、《傳》，見前詩家。本書《儒林傳》：漢興，言《禮》則魯高堂生。又曰："魯高堂生傳《士禮》十七篇。而瑕邱蕭奮以《禮》至淮陽太守。孟卿事蕭奮，以授后倉。倉授梁戴德延君、戴聖次君。德號大戴，爲信都太傅；聖號小戴，以博士論石渠，至九江太守。由是《禮》有大戴、小戴之學。"又傳贊曰："初，《禮》唯有后氏。至孝宣世，復立大、小戴《禮》。"《隋·經籍志》云"聖爲德從兄子"。

本志叙：高堂生傳《士禮》十七篇。訖孝宣世，后倉最明。戴德、戴聖、慶普皆其弟子，三家立于學官。按《儒林傳》贊，三家者，謂后氏、二戴氏，慶氏不與焉。

鄭康成《六藝論》曰："案《漢書·藝文志》、《儒林傳》，傳《禮》者十三家，惟高堂生及五傳弟子戴德、戴聖名世也。"熊氏云五傳弟子者，則高堂生、蕭奮、孟卿、后倉，及戴德、戴聖爲五也。

劉歆《與揚雄書》云："三代之書蘊藏于家，直不計耳，顧弗多耶。今有一《周易》而無《連山》、《歸藏》，有一《春秋》而無千二百國《寶書》及《不修春秋》，有《鄉禮》二、《士禮》七、《大夫禮》二、《諸侯禮》四、《諸公禮》一，而天子之禮無一傳者，不知其傳孰多于其亡耶。"按此見王氏《考證》卷末晁説之所引，亦見《玉海》五十二，蓋即劉歆《與揚雄書取方言書》。今本《方言》卷後載劉、揚往還書，無此一節，此蓋其佚文，可補其缺。晁氏在北宋時所見蓋如此。王氏《考證》：按今《儀禮》，《士禮》有《冠》、《婚》、《相見》、《喪》、《夕》、《虞》、《特牲饋食》七篇，他皆天子、諸侯、卿、大

夫禮。按王氏謂天子禮者，蓋指《覲禮》第十篇也。劉子駿謂"天子之禮無一傳者"，
殆以《覲禮》僅得其一，亡其三，時故不數及歟？

鄭康成《三禮目錄》曰："《特牲》、《少牢》、《有司徹》于五禮屬
吉禮，《喪服》、《士喪》、《既夕》、《士虞》屬凶禮，《士相見》、《聘
禮》、《覲禮》屬賓禮，《冠》、《昏》、《鄉飲》、《鄉射》、《燕禮》、《公
食大夫》、《大射》屬嘉禮。"按此唯有吉、凶、賓、嘉四禮，略見于十七篇中。
若軍禮則未之及，故班氏從《兵權謀》析出軍禮《司馬法》百五十五篇入之禮類，意欲
彌縫其闕也。

《經義考》：孫惠蔚曰："淹中之經，孔安國所得惟有卿大夫士
饋食之篇，而天子諸侯享廟之祭禘祫之禮盡亡。"

又崔靈恩曰："《儀禮》者，周公所制。吉禮唯得三篇，凶禮得
四篇，賓禮唯存三篇，軍禮亡失，嘉禮得七篇。"

又熊朋來曰："《儀禮》名爲十七篇，實十五篇而已。《既夕禮》
乃《士喪禮》之下篇也，《有司徹》乃《少牢饋食禮》之下篇也。"

《四庫提要》曰："《儀禮》出殘闕之餘，漢代所傳凡有三本。一
曰戴德本，以《冠禮》第一，《昏禮》第二，《相見》第三，《士喪》
第四，《既夕》第五，《士虞》第六，《特牲》第七，《少牢》第八，
《有司徹》第九，《鄉飲酒》第十，《鄉射》第十一，《燕禮》第十
二，《大射》第十三，《聘禮》第十四，《公食》第十五，《覲禮》第
十六，《喪服》第十七。一曰戴聖本，亦以《冠禮》第一，《昏禮》
第二，《相見》第三，其下則《鄉飲》第四，《鄉射》第五，《燕禮》
第六，《大射》第七，《士虞》第八，《喪服》第九，《特牲》第十，
《少牢》第十一，《有司徹》第十二，《士喪》第十三，《既夕》第十
四，《聘禮》第十五，《公食》第十六，《覲禮》第十七。一曰劉向
《別錄》本，即鄭氏所注賈公彥疏謂《別錄》尊卑吉凶，次第倫
叙，故鄭用之；二戴尊卑吉凶雜亂，故鄭不從之也。其經文亦
有二本：高堂生所傳者謂之今文，魯恭王壞孔子宅得《古儀

禮》五十六篇，其字皆以篆書之，謂之古文。"

按班氏注后氏、戴氏，今后氏之經不可考見，意者大戴之本即據后氏所傳，小戴受之，又移易其次第，別爲一本。小戴于經于記皆不從大戴所訂，別自爲學，故經與記皆有自訂之本。故注但云后氏、戴氏，不云大、小戴氏，然則注后氏者即大戴本，注戴氏者即小戴本。至劉向典校經籍，以兩家之本編次不同，俱未盡善，因重訂一本，附著於《別録》，《七略》所不具也。

記百三十一篇。七十子後學者所記也。

劉向《別録》曰："古文《記》二百四篇。"按此百三十一篇，是二百四篇之一。又《隋志》所云實有二百十五篇，篇數與《漢志》相符。此云二百四篇，或其中篇數分合不一，無以詳知。又曰："《王度記》似齊宣王時淳于髡等所説也。"

《禮記正義》曰："《曲禮》、《王制》、《禮器》、《少儀》、《深衣》於《別録》屬制度，《檀弓》、《禮運》、《玉藻》、《大傳》、《學記》、《經解》、《哀公問》、《仲尼燕居》、《孔子閒居》、《坊記》、《中庸》、《表記》、《緇衣》、《儒行》、《大學》於《別録》屬通論，《曾子問》、《喪服小記》、《雜記》、《喪大記》、《奔喪》、《問喪》、《服問》、《閒傳》、《三年問》、《喪服四制》於《別録》屬喪服，《郊特牲》、《祭法》、《祭儀》、《祭統》於《別録》屬祭祀，《文王世子》於《別録》屬世子法，《内則》於《別録》屬子法，《投壺》於《別録》屬吉禮，《冠義》、《昏義》、《鄉飲酒義》、《射義》、《燕義》、《聘義》於《別録》屬吉事。"以上四十三篇内，《曲禮》、《檀弓》、《雜記》各分上下篇，爲四十六篇，即《隋志》所謂戴聖刪大戴之書爲四十六篇是也。《正義》又云《月令》、《明堂位》于《別録》屬明堂陰陽，《樂記》于《別録》屬樂記。按《漢志》《明堂陰陽》三十三篇，《樂記》二十三篇，在《別録》各爲一書，不在此百三十一篇之内。《隋志》謂"馬融傳小戴之學，又足《月令》一篇，《明堂位》一篇，《樂記》一篇，合四十九篇"，此"足"字據《通典》所引，實"定"字之誤。此三篇，大戴取之于兩書，小戴又從而取之，兩書有五十六篇之多，大小戴去取不一，故馬氏又重定其本，《隋志》特分別言之，本不誤。或斥以爲誤者,殆未之詳考。

《隋書·經籍志》:漢初,河間獻王又得仲尼弟子及後學者所記一百三十一篇獻之,時亦無傳之者。至劉向考校經籍,檢得一百三十篇,按"一"在"十"之下,寫者亂之。向因第而叙之。按此言"第而叙之"者,即《正義》所云《曲禮》屬制度之類是也。其所第叙今可考見者,曰制度,曰通論,曰喪服,曰祭祀,曰世子法,曰子法,曰吉禮,曰吉事,凡八目。

王氏《考證》:今逸篇之名可見者有:《三正記》、《別名記》、《親屬記》、《明堂記》、《曾子記》、《禮運記》、《五帝記》、見《白虎通》。《王度記》、見《禮記》注、《禮記》、《周禮》疏、《白虎通》、《後漢·輿服志》注。《王霸記》、見《夏官》注。《瑞命記》、見《論衡》、《文選》注。《辨名記》、見《春秋》疏。《孔子三朝記》、見《史記》、《漢書》注。《月令記》、《大學志》、見蔡邕《論》。《雜記》。失注出處,又有《諡諡記》,見《御覽》七十七應劭《風俗通》引。《曾子記》、《禮運記》、《雜記》已見今《禮記》鄭氏注本中。《明堂記》、《月令記》別爲一書,已詳於前。《大學志》當屬《明堂陰陽》,此三記皆不在此百三十一篇中,王氏誤入。《孔子三朝記》《別錄》自爲一書,入《論語》家,亦不在此百三十一篇中。此之佚篇唯《三正記》、《別名記》、《親屬記》、《五帝記》、《王度記》、《王霸記》、《瑞命記》、《辨名記》、《諡諡記》,餘見《大戴記》所載諸篇,特無以別之。王仁圃氏輯存《王度記》、《三正記》佚文數條。

嘉定錢大昕《廿二史考異》曰:"或謂《漢書》不及《禮記》,考河間獻王所得書,《禮記》居其一,《志》不別出《記》四十九篇者,統于百三十一篇也。"按《考異》又云:"百三十一篇合大小戴所傳而言,《小戴記》四十九篇,《曲禮》、《檀弓》、《雜記》分上下,實止四十六篇,合《大戴》之八十五篇,正協百三十一篇之數。"今按此説非也。大小戴所取合五種二百五十五篇,非僅于百三十一篇内取裁也。《隋志》之言可信,其中唯《樂記》十一篇或亦在百三十一篇中。

按《釋文·叙録》云漢劉向《別録》有四十九篇,其篇次與今《禮記》同。又《樂記正義》云《別録》《禮記》四十九篇,《樂記》第十九,是《別録》中有《小戴》四十九篇,篇目審矣。考二戴所取不出《隋志》所舉五種,曰《記》百三十一篇,曰《明堂陰陽記》三十三篇,曰《孔子三朝記》七篇,曰《王史氏記》

二十一篇,曰《樂記》二十三篇。又如《大戴記》載及《孝昭冠辭》,則且兼綜《后倉曲臺記》。二戴與劉中壘同時,《別錄》唯載五種原編及《曲臺記》本書于《禮》、《樂》、《論語》三類中。若大、小戴《記》在當時不過節錄之別本,則但附記及之,不明著于錄也。

又按班氏舊例連屬而書,此"記"字蒙上"禮"字,即"禮記"也,改爲分條,頭緒便不相屬。

明堂陰陽三十三篇。古明堂之遺事。

劉向《別錄》曰:"明堂之制:内有太室,象紫宫;南出明堂,象太微。"又曰:"路寢在明堂之西,社稷宗廟在路寢之西。"又曰:"左明堂辟雍,右宗廟社稷。"按此皆佚文之散見者,故其語不屬。

劉歆《七略》曰:"王者師天地,體天而行,是以明堂之制,内有太室象紫微宫,南出明堂象太微。"

《禮記正義》:《月令》、《明堂位》于《別錄》中屬《明堂陰陽》。蓋戴德先取此入《大戴記》,戴聖又取此入《小戴記》,此二篇在《別錄》則屬之《明堂陰陽》三十三篇中也。

本書《成帝本紀》:陽朔二年春,詔曰:"昔在帝堯,立羲、和之官,命以四時之事,令不失其序。故《書》云'黎民於蕃時雍',明以陰陽爲本也。"此書名《明堂陰陽》,其義蓋大略如此。

蔡邕《明堂月令論》曰:"《月令》篇名因天時制人事,天子發號施令,祀神受職,每月異禮,故謂之月令。所以順陰陽,奉四時,效氣物,行王政也。成法具備,各從時月,臧之明堂,所以示承祖考神明,明不敢泄黷之義,故以明堂冠月令。《夏小正》,夏之月令也。殷人無文,及周而備,宜周公之所著也。秦相吕不韋著書,取月令爲紀號,淮南王亦取以爲第四篇,改名曰時則,故偏見之徒,或云《月令》吕不韋作,或曰淮南,皆非也。"《大戴記》盧辨注:明堂月令者,于明堂之中施十二月之令。

《隋書·牛弘傳》：弘上議曰："案劉向《別録》及馬宫、蔡邕等所見，當時有《古文明堂禮》、《王居明堂禮》、《明堂圖》、《明堂大圖》、《明堂陰陽》、《泰山通義》、《魏文侯孝經傳》等，並説古明堂之事，其書皆亡。"

王氏《考證》：《唐會要》引《禮記·明堂陰陽録》，牛弘亦引《明堂陰陽録》。今《禮記·月令》于《别録》中屬《明堂陰陽記》，故謂之《明堂月令》，《説文》引《明堂月令》。

按惠定宇氏因治《易》以知明堂之法，撰集《明堂大道録》，其篇目曰：《明堂制度》、《明堂四門》、《明堂門數》、《明堂六宗》、《明堂二至降神四時迎氣》、《明堂建官》、《明堂行政》、《明堂清廟》、《明堂配天》、《明堂配食》、《明堂助祭》、《明堂治曆》、《明堂靈臺》、《明堂太學四學》、《明堂郊射》、《明堂設四輔三公》、《明堂尊師》、《明堂朝覲》、《明堂耕耤》、《明堂養老》、《明堂内治》、《明堂天府》、《明堂嘗新》、《明堂四極》、《明堂四面》、《明堂四靈》、《明堂用四夷之學》、《明堂獻俘》，凡二十有八，于班氏言古明堂之遺事率由不越，雖未必盡合三十三篇之舊，然大略可想見矣。

王史氏二十一篇。七十子後學者。

劉向《别録》曰："王史氏，六國時人也。"

鄭樵《通志·氏族略》：《風俗通》周先王太史，號王史氏。《英賢傳》周共王生圉，圉曾孫滿生簡，簡生業，業生宰。世傳史職，因氏焉。《藝文志》有王史氏。按此則《隋志》稱王氏史氏者，似後人妄加也。

本志叙：《禮古經》多三十九篇。及《明堂陰陽》、《王史氏記》所見，多天子諸侯卿大夫之制，雖不能備，猶瘉倉等推《士禮》而致于天子之説。

《隋書·經籍志》：漢初，河間獻王又得仲尼弟子及後學者所記一百三十一篇獻之。至劉向因第而叙之。而又得《明堂陰陽記》三十三篇、《孔子三朝記》七篇、按見下論語類中。《王氏史氏記》二十一篇、《樂記》二十三篇，按見下樂類中。凡五種，合二百十四篇。當爲二百十五篇。

曲臺后倉九篇

后倉有《齊詩故》、《傳》，見前詩家。

劉歆《七略》曰："宣皇帝時行射禮，博士后倉爲之辭，至今記之，曰《曲臺記》。"

本書《儒林傳》：倉説《禮》數萬言，號曰《曲臺記》。又易家《孟喜傳》：喜父孟卿善爲《禮》、《春秋》，授后倉、疏廣。世所傳《后氏禮》、《疏氏春秋》，皆出孟卿。

顏氏《集注》：如淳曰："行射禮于曲臺，后倉爲記，故名曰《曲臺記》。《漢官》曰大射于曲臺。"晋灼曰："天子射宫。西京無太學，于此行禮也。"服虔曰："在曲臺校書著説，因以爲名。"師古曰："曲臺殿在未央宫。"

《隋書·經籍志》：宣帝時，后倉最明其業，乃爲《曲臺記》。

王氏《考證》：按《大戴·公符篇》載孝昭冠辭，蓋宣帝時《曲臺記》也。

《經義考》：孫惠蔚曰："曲臺之《記》，戴氏所述，然多載尸灌之義，牲獻之數，而行事之法，備物之體，蔑有具焉。"按此則《曲臺記》亦大戴氏所記述也。

　　按《明堂陰陽》、《王史氏》、《曲臺后倉》三書，舊時文相連屬，皆蒙上文"記"字，今改爲分條，文義遂隔越而不相貫。

中庸説二篇

《史記·孔子世家》：孔子生鯉，字伯魚。先孔子死。伯魚生伋，字子思，年六十二。嘗困于宋。子思作《中庸》。

本書《古今人表》，子思列第二等上中仁人，錢塘梁玉繩《考》

曰："子思亦稱孔思,貌無鬚眉,年八十二,葬孔子冢南。"

《孔叢子·居衛篇》:子思年十六適宋,宋大夫樂朔與之言學焉。朔曰:"《尚書》《虞》、《夏》數四篇善也,下此以訖于《秦》、《費》,效堯、舜之言爾,殊不如也。"子思答曰:"事變有極,正自當耳。假令周公、堯、舜不更時異處,其書同矣。"樂朔曰:"凡書之作,欲以喻民也,簡易爲上,而乃故作難知之辭,不亦繁乎?"子思曰:"《書》之意兼復深奧,訓誥成義,古人所以爲典雅也。""昔魯委巷亦有似君之言者。"伋答之曰:"道爲知者傳,苟非其人,道不傳矣! 今君何似之甚也!"樂朔不悦而退,曰:"孺子辱我。"其徒曰:"魯雖以宋爲舊,然世有讎焉,請攻之。"遂圍子思。宋君聞之,不待駕而救子思。子思既免,曰:"文王困于牖里,作《周易》;祖君屈于陳、蔡,作《春秋》;吾困于宋,可無作乎?"于是撰《中庸》之書四十九篇。

鄭氏《三禮目録》曰:"名曰中庸者,以其記中和之爲用也。庸,用也。孔子之孫子思伋作之,以昭明聖祖之德也。此于《別録》屬通論。"

王氏《考證》:程氏曰:"《中庸》之書是孔門傳授,成于子思,傳于孟子。"《白虎通》謂之《禮·中庸記》。《孔叢子》云:"子思年十六,撰《中庸》之書四十九篇。"東萊吕氏曰:"未冠既非著書之時,而《中庸》之書亦不有四十九篇。此蓋戰國流傳之妄。"按十六或是六十之誤,四十九篇或其原編如此。《孔叢子》記其先世遺文軼事,此等處皆可信。《禮記》自大、小戴、慶氏而後,東京馬、盧、鄭各有其本,各有取去。其《中庸》一篇保無有删存于其間,未可以諸家輾轉鈔襲之本信其必是也。

嘉定王鳴盛《蛾術編·説録》曰:"《漢志》《中庸説》二篇,與上《記》百三十一篇各爲一條,則今之《中庸》乃百三十一篇之一,而《中庸説》二篇其解詁也。不知何人所作,惜其書不傳。師古乃云:'今《禮記》有《中庸》一篇,亦非本《禮經》,蓋此之

流。'反以《中庸》爲説之流，師古虛浮無當，往往如此。"按注殆以
《禮記》之外別有此《中庸》之書，而不知此乃説《中庸》之書也。

明堂陰陽説五篇

按此不知何人説《明堂陰陽記》之文，或劉中壘裒録諸家之
説，以其非一家之言，故不著撰人。

又按自《曲臺后倉》至此三家，似皆漢人説《禮》之書，猶《禮
古記》之支流，故次于《王史氏記》之後。

周官經六篇。王莽時劉歆置博士。

本書《王莽傳》：元始四年，是歲，徵天下通一藝及有逸《禮》、
古《書》、《毛詩》、《周官》、《爾雅》，通知其意者，皆詣公車。又
《儒林傳》《古文尚書》家：王莽時諸學皆立。

馬融《周官傳序》曰："秦自孝公已下，用商君之法，其政酷烈，
與《周官》相反。故始皇禁挾書，特疾惡，欲絶滅之，搜求焚燒
之獨悉，是以隱藏百年。孝武帝始除挾書之律，開獻書之
路，既出于山巖屋壁，復入于祕府，五家之儒莫能見焉。至
孝成皇帝，達才通人劉向、子歆校理祕書，始得列序，著于
《録》、《略》。然亡其《冬官》一篇，以《考工記》足之。時衆儒
並出共排，以爲非是。唯歆獨識，其年尚幼，務在廣覽博觀，
又多鋭精于《春秋》。末年，乃知其周公致太平之迹，迹具
在斯。"

荀悦《漢紀》：劉歆以《周官》十六篇爲《周禮》。王莽時，歆奏
以爲《經》，置博士。

《隋書・經籍志》：漢時有李氏得《周官》。《周官》蓋周公所制
官政之法，上于河間獻王，獨闕《冬官》一篇。獻王購以千金
不得，遂取《考工記》以補其處，合成六篇奏之。至王莽時，劉
歆始置博士，以行于世。

王氏《考證》：《禮記疏》云："孝文時，求得此書，不見《冬官》

一篇，乃使博士作《考工記》補之。"謂孝文時，非也。又齊文惠太子鎮雍州，有發楚王冢，獲竹簡書。青絲編，簡廣數分，長二尺。得十餘簡，以示王僧虔。僧虔曰："是科斗書《考工記》。"然則《考工記》亦先秦書，謂之漢博士作，誤矣。

周官傳四篇

《後漢書·儒林傳》：《禮古經》五十六篇，《周官經》六篇。前世傳其書，未有名家。按此傳四篇，自爲一家之學，非名家乎？特不得其主名耳。

《經義考》曰："無名氏《周官傳》，《漢志》四篇，佚。按《漢志》儒家別有《周政》六篇，《周法》九篇，《河間周制》十八篇，注云'獻王所述'，似與《周官》相表裏，惜乎其皆亡也。"

按西京博士無《周官》之學，若王莽時立博士，博士爲之傳說，則在《七略》奏進之後，無由著錄。此四篇，竹垞先生證以《周政》、《周法》、《周制》三書，而不言是傳爲何人作，竊意以爲獻王及其國之諸博士作，獻王獻《周官經》並獻其傳，故《七略》亦並載其書。

軍禮司馬法百五十五篇

《史記·太史公自序》：自古王者而有《司馬法》，穰苴能申明之。又曰："《司馬法》所從來尚矣，太公、孫、吳、王子徐廣曰："王子成甫。"能紹而明之，切近世，極人變。"

又列傳：司馬穰苴者，田完之苗裔也。齊景公尊爲大司馬。田氏日以益尊。已而大夫鮑氏、高、國之屬害之，譖于景公。景公退穰苴，穰苴發疾而死。田乞、田豹之徒由此怨高、國等。其後及田常殺簡公，盡滅高子、國子之族。至常曾孫和，因自立，爲齊威王，用兵行威，大放穰苴之法，而諸侯朝齊。齊威王使大夫追論古者《司馬兵法》而附穰苴于其中，因號曰《司馬穰苴兵法》。太史公曰：余讀《司馬兵法》，閎廓深遠，雖三代征伐,未能竟其義,如其文也,亦少褒矣。若夫穰苴,區區爲小國行師,何暇及《司馬兵法》之揖讓乎? 按此因齊威王附穰苴于《司馬法》書中,故史公起此論。

本志篇末附注曰:"入《司馬法》一家,百五十五篇。"

又《兵權謀》篇末註云:"出《司馬法》入禮也。"又《兵書》篇末注云:"出《司馬法》百五十五篇入禮也。"按《七略》入兵權謀,班氏移入禮類。

《隋書·經籍志》:河間獻王又得《司馬穰苴兵法》一百五十五篇,及《明堂陰陽》之記,並無敢傳之者。

又曰:"梁有《司馬法》三卷,亡。"又子部兵家:《司馬兵法》三卷,齊將穰苴撰。《唐·經籍志》兵家:《司馬法》三卷,田穰苴撰。《唐·藝文志》:田穰苴《司馬法》三卷。《宋史·藝文志》:《司馬兵法》三卷,齊司馬穰苴撰。

王氏《考證》:《周官·縣師》:"將有軍旅會同田役之戒,則受灋于司馬,以作其衆庶。"《小司馬》:"掌事如大司馬之灋。"《司兵》:"受兵,從司馬之灋以頒之。"此古者《司馬灋》,即周之政典也。《周禮疏》云:"齊景公時,大夫穰苴作《司馬灋》。至齊威王,大夫等追論古法,又作《司馬灋》附于穰苴。"又《周禮注》引軍禮大宗伯所掌軍禮之別有五。《孔叢子》有《問軍禮》之篇,今存五篇。

《四庫》兵家提要曰:"《司馬法》隋、唐諸志皆以爲穰苴之所自撰者,非也。其言大抵據道依德,本仁祖義,三代軍政之遺規,猶籍存什一于千百。班固序兵權謀十三家,形勢十一家,陰陽十六家,技巧十三家,獨以此書入禮類,豈非以其説多與《周官》相出入,爲古來五禮之一歟? 胡應麟《筆叢》惜其以穰苴所言參伍于仁義禮樂之中,不免懸疣附贅。然要其大旨終爲近正,與一切權謀術數迥然別矣。"

武威張澍輯本序曰："案《孫子》注云：'《司馬法》者,周大司馬之法也。周武既平殷亂,封太公于齊,故其法傳于齊。'晉張華以《司馬法》爲周公所作,當得其實。《漢志》原書百五十五篇,今存五篇。佗書所引亦有不見五篇中者,皆佚文也。吾鄉階州邢雨民太守曾輯是書刊之浙中,字多錯謁,仍有闕漏。余爲補而正之,以授學侶。"

王鳴盛《蛾術編·説録》曰："《司馬法》《漢·藝文志》百五十五篇,宋元豐間存五篇,編入《武經七書》内,《仁本》、《天子之義》二篇最純。"

　　按《司馬法》一書自太公、孫、吳、王子成父皆有所論著,至穰苴又自爲兵法申明之,齊威王又使大夫論述並穰苴所作附入其中,合衆家所著,故有百五十五篇之多。古書多有後人附益增長,此亦其一也。

古封禪羣祀二十二篇

《史記·封禪書》：自古受命帝王,曷嘗不封禪？蓋有無其應而用事者矣,未有睹符瑞見而不臻乎泰山者也。每世之隆,則封禪答焉,及衰而息。厥曠遠者千有餘載,近者數百載,故其儀闕然堙滅,其詳不可得而紀聞云。齊桓公既霸,會諸侯于葵邱,而欲封禪。管仲曰："古者封泰山禪梁父者七十二家,而夷吾所記者十有二焉。昔無懷氏封泰山,禪云云；虙羲封泰山,禪云云；神農封泰山,禪云云；炎帝封泰山,禪云云；黃帝封泰山,禪亭亭；顓頊封泰山,禪云云；帝嚳封泰山,禪云云；堯封泰山,禪云云；舜封泰山,禪云云；禹封泰山,禪會稽；湯封泰山,禪云云；周成王封泰山,禪社首：皆受命然後得禪封。"其後百有餘年,而孔子論述六藝,傳略言易姓而王,封泰山禪乎梁父者七十餘王矣,其俎豆之禮不章,蓋難言之。秦始皇即帝位三年,東巡郡縣,祠騶嶧山,頌秦功業。于是徵從齊魯之儒生博士七十人，至乎泰山下。諸儒生或議曰：“古者封禪爲蒲車，惡傷山之土石草木；掃地而祭，席用苴稭，言其易遵也。”始皇聞此議各乖異，難施用，由此絀儒生。而遂除車道，上自泰山陽至巔，立石頌德，明其得封。從陰道下，禪于梁父。其禮頗采太祝之祀雍上帝所用，而封藏皆祕之，世不得而記。

本書《武帝紀》“元封元年，登封泰山”注：孟康曰：“王者功成治定，告成功于天。封，崇也，助天之高也。刻石紀號，有金策石函金泥玉檢之封焉。”應劭曰：“封者，壇廣十二丈，高二丈，階三等，封于其上，示增高也。刻石，紀績也。立石三丈一尺，其辭曰：‘事天以禮，立身以義。事親以孝，育民以仁。四守之内莫不爲郡縣，四夷八蠻咸來貢職，與天無極。人民蕃息，天禄永得。’尚玄酒而俎生魚。下禪梁父，祀地主，示增廣。此古制也。”殿本《考證》：臣召南按《後書·祭祀志》注引《風俗通》此文共四十五字。此石立山巔，即馬第伯《封禪儀記》所云“封所，始皇立石及闕在南方，漢武在其北，二十餘步”者。

本書《郊祀志》：周公相成王，制禮作樂，天子曰明堂辟雍，諸侯曰泮宮。郊祀后稷以配天，宗祀文王于明堂以配上帝。四海之内各以其職來助祭。天子祭天下名山大川，懷柔百神，咸秩無文。五嶽視三公，四瀆視諸侯。而諸侯祭其畺内名山大川。

王氏《考證》：梁許懋曰：“燧人之前，世質民淳，安得泥金檢玉？結繩而治，安得鏤文告成？”胡氏曰：“考《舜典》可以知後世封禪之失，稽懋言可以知史遷著書之謬。”《文中子》曰：“封禪之費非古也，徒以夸天下，其秦漢之侈心乎！”孫氏曰：“帝王巡狩，每至方嶽，必燔柴以告至，非謂自陳功于天也。”

　按此書所載，大抵古之祀典爲多，故曰“羣祀”。祀典以封禪爲大，故冠以“封禪”。

封禪議對十九篇。武帝時也。

漢封禪羣祀三十六篇

本書《兒寬傳》：及議欲放古巡狩封禪之事，諸儒對者五十餘
人，未能有所定。先是，司馬相如病死，有遺書，頌功德，言符
瑞，足以封泰山。上奇其書，以問寬，寬對曰：“陛下躬發聖
德，統揖羣元，宗祀天地，薦禮百神，精神所鄉，徵兆必報，天
地並應，符瑞昭明。其封泰山，禪梁父，昭姓考瑞，帝皇之盛
節也。然享薦之義，不著于經，以爲封禪告成，合袪于天地神
祇，李奇曰：“袪，開散；合，閉也。開閉于天地也。”祇戒精專以接神明。
總百官之職，各稱事宜而爲之節文。惟聖主所由，制定其當，
非羣臣之所能列。今將舉大事，優游數年，使羣臣得人自盡，
終莫能成。唯天子建中和之極，兼總條貫，金聲而玉振之，以
順成天慶，垂萬世之基。”上然之，乃自制儀，采儒術以文焉。
既成，將用事，拜寬爲御史大夫，從東封泰山，還登明堂。寬
奉觴上壽。初梁相褚大通五經，爲博士，時寬爲弟子。及御
史大夫缺，徵褚大，大自以爲御史大夫。至雒陽，聞兒寬爲
之，褚大笑。及至與寬議封禪于上前，大不能及，退而曰：
“服，上誠知人。”

又《郊祀志》：自得寶鼎，上與公卿諸生議封禪。封禪用希
曠絶，莫知其儀體，而羣儒采封禪《尚書》、《周官》、《王制》之
望祀射牛事。師古曰：“天子有事宗廟，必自射牲，蓋示親殺也。事見《國
語》。”上于是迺令諸儒習射牛，草封禪儀。數年，至且行。天
子既聞方士之言，黃帝以上封禪皆致怪物與神通，欲放黃帝
以接神人蓬萊，高世比德于九皇，而頗采儒術以文之。羣儒
既已不能辨明封禪事，又拘于《詩》、《書》古文而不敢騁。上
爲封禪祠器視羣儒，羣儒或曰“不與古同”，徐偃又曰“太常

諸生行禮不如魯善”，周霸屬圖封事，于是上黜偃、霸，而盡罷諸儒弗用。三月，迺東幸緱氏，禮登中嶽太室。東上泰山，迺令人上石立之泰山顛。遂東巡海上，禮祠八神。四月，還至奉高。上念諸儒及方士言封禪人殊，不經，難施行。天子至梁父，禮祠地主。至乙卯，令侍中儒者皮弁縉紳，射牛行事。封泰山下東方，如郊祠泰一之禮。封廣丈二尺，高九尺，其下則有玉牒書。書祕。禮畢，天子獨與侍中奉車子侯上泰山，亦有封。其事皆禁。明日，下陰道。丙辰，禪泰山下阯東北肅然山，如祭后土禮。天子皆親拜見，衣上黃而盡用樂焉。天子從禪還，坐明堂，羣臣更上壽。下詔改元爲元封。

又曰：“諸所興，如薄忌泰一及三一、冥羊、馬行、赤星，五祠。寬舒之祠宮以歲時致禮。凡六祠，皆大祝領之。至如八神，諸明年、凡山它名祠，行過則祠，去則已。方士所興祠，各自主，其人終則已，祠官不主。它祠皆如故。甘泉泰一、汾陰后土，三年親郊祠，而泰山五年一修封。武帝凡五修封。”《史記·封禪書》略同。

梁劉勰《文心雕龍·祝盟篇》曰：“漢之羣祀，肅其旨禮，既總碩儒之儀，亦參方士之術。所以祕祝移過，異于成湯之心；侲子毆疫，同乎越巫之祝：禮失之漸也。”

宋章如愚《山堂考索》前集曰：“非有《漢羣祀》三十六篇，《議對》十九篇，則孟堅《郊祀志》何所考證而作也。”

按范書《張純傳》“純案孝武太山明堂制度欲具奏之”，太山明堂制度似即在此《漢封禪羣祀》三十六篇中。

議奏三十八篇。石渠。按此似敓一“論”字。

本書《儒林傳》易家：梁邱賀傳子臨，爲黃門郎。甘露中，奉使問諸儒于石渠。又詩家：韋賢治《詩》，又治《禮》，傳子玄成，以淮陽中尉論石渠。又禮家：后倉授沛聞人通漢子方、梁戴聖次君。聖號小戴，以博士論石渠。通漢以太子舍人論石渠。又《韋玄成傳》：受詔與太子太傅蕭望之論石渠，條奏其對。

《隋書·經籍志》：《石渠禮論》四卷，戴聖撰。按此似漢以來相傳三十八篇之舊，又似別爲一書。

《經義考》曰："按孔氏《詩》、《禮》正義及《後漢書》志注每引《石渠禮議》，然多係節文。惟杜氏《通典》差具本末。"又曰："后氏之禮分爲四家，聞人通漢雖未立于學官，而《石渠禮論》其議奏獨多。"

王謨輯本叙録曰："《隋志》漢戴聖撰《石渠禮論》四卷。今鈔出《通典》十三條、《詩》、《禮》正義三條、《漢志》注一條。"

馬國翰輯本序曰："《漢志》《議奏》三十八篇，《隋志》載《石渠禮論》四卷戴聖撰者，即《漢志》之《議奏》。蓋論出諸儒而近君一人所手定也。《唐志》不著録，時已散佚。《詩》、《禮》正義及《後漢書》補志注引之多係節文，杜佑《通典》引十九節，差具本末，排次于前，其他佚句附後。"

按此篇凡分七段：《禮古經》及《經》皆古今文經本，爲第一段；《記》及《明堂陰陽》、《王史氏》皆《禮古記》之屬也，爲第二段；《曲臺后倉》、《中庸説》、《明堂陰陽説》皆漢人説禮之記也，爲第三段；《周官經》、《傳》別爲一家之學，爲第四段；《軍禮司馬法》本《周官》大司馬之職，而大宗伯亦掌之，班氏以其爲五禮之一，故類從于《周官經》、《傳》之後，爲第五段；《古封禪羣祀》、《封禪議對》、《漢封禪羣祀》皆古今巡狩方嶽之祀典，爲第六段；《議奏》則羣儒雜論禮文，爲第七段。

凡《禮》十三家，五百五十五篇。入《司馬法》一家，百五十五篇。按《禮古經》爲一家，《后氏》、《戴氏經》爲二家，以下十三條條爲一家，唯《曲臺后倉》已見于前,當除去一家,則尚缺二家。《經》七十篇當爲"十七",兩家經當爲三十四篇,合以其下所載篇數,則尚缺十六篇。今校定當爲一十五家,五百七十一篇。

《易》曰:"有夫婦父子君臣上下,禮義有所錯。"而帝王質文,世有損益,至周曲爲之防,事爲之制,故曰:"禮經三百,威儀三千。"及周之衰,諸侯將踰法度,惡其害己,皆滅去其籍,自孔子時而不具,至秦大壞。漢興,魯高堂生傳《士禮》十七篇。訖孝宣世,后倉最明。戴德、戴聖、慶普皆其弟子,三家立于學官。《禮古經》者,出于魯淹中及孔氏,學七十篇文相似,多三十九篇。及《明堂陰陽》、《王史氏記》所見,多天子諸侯卿大夫之制,雖不能備,猶瘉倉等推《士禮》而致于天子之説。王氏《考證》:葉夢得曰:"先王之世皆有書藏于有司,祭祀朝覲會同,則太史執之以涖事,小史讀之以喻衆,而卿大夫受之以教萬民,保氏掌之以教國子。"劉原父云:"'學'當作'與','七十'當作'十七',五十六卷除十七正多三十九也。"朱文公曰:"《疏》云古文十七篇,與高堂生所傳相似,唐初時《漢志》猶未誤也。"又曰:"《士禮》特略舉首篇以名之,其曰推而致于天子者,蓋專指《冠》、《昏》、《喪》、《祭》而言,若《燕射》、《朝聘》,則士豈有是禮而可推耶?"又曰:"《儀禮》乃本經,而《禮記‧郊特牲》、《冠義》等篇乃其義疏。"

樂記二十三篇

本志叙:漢興,制氏以雅樂聲律,世在樂官,頗能紀其鏗鏘鼓舞,而不能言其義。武帝時,河間獻王好儒,與毛生等共采《周官》及諸子言樂事者,以作《樂記》,獻八佾之舞,與制氏不相遠。

劉向《別録》曰:"《樂本》弟一,《樂論》弟二,《樂施》弟三,《樂言》弟四,《樂禮》弟五,《樂情》弟六,《樂化》弟七,《樂象》弟八,《賓牟賈》弟九,《師乙》弟十,《魏文侯》弟十一,《奏樂》弟十二,《樂器》弟十三,《樂作》弟十四,《意始》弟十五,《樂穆》弟十六,《説律》弟十七,《季札》弟十八,《樂道》弟十九,《樂義》弟二十,《昭本》弟二十一,《昭頌》弟二十二,《竇公》弟二十三。按《禮記·樂記》取《樂本》至《魏文侯》十一篇合爲一篇,《正義》引《別錄》補其二十三篇之目如此。嚴可均《別錄》輯本校語曰:"案《史記·樂書》正義云:'劉向《別錄》篇次與鄭目録同,而《樂記》篇次又不依鄭目。'《樂記》正義云:'依《別録》所次有《賓牟賈》,有《師乙》,有《魏文侯》。'今此《樂記·魏文侯》乃次《賓牟賈》、《師乙》爲末,則是今之《樂記》與《別録》不同。"

按《樂記》漢時有兩本,其爲大、小戴、馬、盧、鄭所取者,乃公孫尼子所撰次,止于十一篇,當在《禮古記》百三十一篇中。此二十三篇爲河間獻王與毛生諸儒所論次,故其前十一篇之次弟與《禮記》微有不同。

王禹記二十四卷

本志叙:河間獻王作《樂記》,其内史丞王定傳之,以授常山王禹。禹,成帝時爲謁者,數言其義,獻二十四卷記。劉向校書,得《樂記》二十三篇,與禹不同。

本書《禮樂志》:河間獻王有雅材,亦以爲治道非禮樂不成,因獻所集雅樂。天子下大樂官,常存肄之,歲時以備數,然不常御,常御及郊廟皆非雅聲。至成帝時,謁者常山王禹世受河間樂,能說其義,其弟子宋畢上書言之,下大夫博士平當等考試。當以爲"河間獻王聘求幽隱,修興雅樂以助化。時大儒公孫弘、董仲舒等皆以爲音中正雅,立之大樂。春秋鄉射,作于學官,希闊不講。故自公卿大夫觀聽者,但聞鏗鏘,不曉其意,而欲以風諭衆庶,其道無由。是以行之百有餘年,德化至今未成。今于畢守習孤學,大指歸于興助教化。衰微之學,興廢在人。宜領屬雅樂,以繼絕表微。河間區區小國藩臣,以好學修古,能有所存,民到于今稱之,況于聖主廣被之資,修起舊文,放鄭近雅,于以風示海内,揚名後世,誠非小功小美也"。事下公卿,以爲久遠難分明,當議復寢。

《禮·樂記》正義曰："案《藝文志》云常山王禹獻二十四卷《樂記》，劉向所校二十三篇著于《別錄》，篇名猶在。二十四卷，記無所錄也。"按此則《別錄》中亦不著其篇名。

雅歌詩四篇

劉向《別錄》曰："漢興以來，善雅歌者魯人虞公，發聲清哀，遠動梁塵，受學者莫能及也。"

劉歆《七略》曰："漢興，善歌者魯人虞公，發聲動梁上塵。"

王氏《考證》：《晋志》杜夔傳舊雅樂四曲，一曰《鹿鳴》，二曰《騶虞》，三曰《伐檀》，四曰《文王》，皆古聲辭。此四篇豈即四曲歟？當考。

按史言河間獻王獻雅樂，此四篇似即河間雅樂之歌詩歟？

雅琴趙氏七篇。名定，勃海人，宣帝時丞相魏相所奏。

雅琴師氏八篇。名中，東海人，傳言師曠後。

雅琴龍氏九十九篇。名德，梁人。

劉向《別錄》：趙氏者，勃海人趙定也。宣帝時，元康、神爵間，丞相奏能鼓琴者勃海趙定、梁國龍德，皆召入見溫室，使鼓琴待詔。定爲人尚清靜，少言語，善鼓琴。時閒燕爲散操，多爲之涕泣者。

又曰："師氏雅琴者，名志，東海下邳人。傳云言師曠之後，至今邳俗猶多好琴也。"按班氏云"名中"，此云"名志"，未詳孰是。

又曰："雅琴龍氏，亦魏相所奏也，與趙定俱召見待詔，後拜爲侍郎。"

又曰："雅琴之意，事皆出龍德《諸琴雜事》中。"

又曰："君子因雅琴之適，故從容以致思焉。其道閉塞悲愁，而作者名其曲曰《操》，言遇災害，不失其操也。"

劉歆《七略》曰："雅琴，琴之言禁也，雅之言正也。君子守正以自禁也。"又曰："有莊春言琴。"又曰："《雅暢》第十七。"按此三條散見《文選·長門賦》、《洞簫賦》、《琴賦》注，大抵皆言雅琴事，其云《雅暢》第十七者，亦三家書中之篇目。

本書《王褒傳》：神爵、五鳳之間，天下殷富，數有嘉應。上頗作歌詩，欲興協律之事，丞相魏相奏言知音善鼓雅琴者勃海趙定、梁國龔德，皆召見待詔。按此作龔德，當從《別錄》、《藝文志》。宋鄧名世《古今姓氏書辨證》：《漢·藝文志》有梁人龍德著《雅琴》九十九篇，乃論治地龍子之後。

《隋書·音樂志》：劉向《別錄》有《趙氏雅琴》七篇，《師氏雅琴》八篇，《龍氏雅琴》百六篇。按此言百六篇者，當是合淮南劉向等《琴頌》七篇在內也。

　　按是篇凡分三段：《樂記》、《王禹記》爲第一段，《雅歌詩》爲第二段，《雅琴趙氏》、《師氏》、《龍氏》爲第三段。

凡《樂》六家，百六十五篇。出淮南劉向等《琴頌》七篇。按此篇家數、篇數並不誤，此言出者當是複見在《詩賦略》中。

《易》曰：“先王作樂崇德，殷薦之上帝，以享祖考。”故自黃帝下至三代，樂各有名。孔子曰：“安上治民，莫善于禮；移風易俗，莫善于樂。”二者相與並行。周衰俱壞，樂尤微眇，以音律爲節，又爲鄭衛所亂故無遺法。漢興，制氏以雅樂聲律，世在樂官，頗能紀其鏗鏘鼓舞，而不能言其義。六國之君，魏文侯最爲好古，孝文時得其樂人竇公，獻其書，乃《周官·大宗伯》之《大司樂》章也。武帝時，河間獻王好儒，與毛生等共采《周官》及諸子言樂事者，以作《樂記》，獻八佾之舞，與制氏不相遠。其內史丞王定傳之，以授常山王禹。禹，成帝時爲謁者，數言其義，獻二十四卷記。劉向校書，得《樂記》二十三篇，與禹不同，其道寖以益微。《禮樂志》：《易》曰：“先王以作樂崇德，殷薦之上帝，以配祖考。”昔黃帝作《咸池》，顓頊作《六莖》，帝嚳作《五英》，堯作《大章》，舜作《招》，禹作《夏》，湯作《濩》，武王作《武》，周公作《勺》。《勺》，言能勺先祖之道也。《武》，言以武定天下也。《濩》，言救民也。《夏》，大承二帝。《招》，繼堯也。《大章》，章之也。《五英》，英華茂也。《六莖》，及根莖也。《咸池》，備矣。自夏以往，其流不可聞已，《殷頌》猶有存者。《周詩》既備，而其器用張陳，《周官》具焉。師古曰：“招讀曰韶。濩音護。勺讀曰酌。酌，取也。”土氏《考證》：《大司樂》周所存六代之樂：黄帝《雲門》、《大卷》，堯《大咸》，舜《大磬》，禹《大夏》，湯《大濩》，武王《大武》。《隋書·音樂志》：劉向《別録》有《樂歌詩》，梁沈約奏曰四篇，《趙氏雅琴》七篇，《師氏雅琴》八篇，《龍氏雅琴》百六篇，惟此而已。《晋中經簿》無復樂書，《別録》所載，已復亡逸。

漢書藝文志條理卷一之下

春秋古經十二篇，經十一卷。公羊、穀梁二家。

《史記·孔子世家》：子曰："弗乎弗乎！君子病歿世而名不稱焉。吾道不行矣，吾何以自見於後世哉？"乃因史記作《春秋》，上至隱公，下訖哀公十四年，十二公。據魯，親周，故殷，運之三代。<small>正義：殷，中也。又中運夏、殷、周之事也。</small>約其文辭而旨博。故吳楚之君自稱王，而《春秋》貶之曰"子"；踐土之會實召周天子，而《春秋》諱之曰"天王狩于河陽"：推此類以繩當世。貶損之義，後有王者舉而開之。《春秋》之義行，則天下亂臣賊子懼焉。孔子在位聽訟，文辭有可與人共者，弗獨有也。至於爲《春秋》，筆則筆，削則削，子夏之徒不能贊一辭。弟子受《春秋》，孔子曰："後世知丘者以《春秋》，而罪丘者亦以《春秋》。"

《周禮·小宗伯》疏：《古文春秋》者，《藝文志》云《春秋古經》十二卷，是此古文經所藏之書，文帝除挾書之律，此本然後行于世，故稱古文。

王氏《考證》：《史記·吳世家》"余讀《春秋》古文"，服虔注《左氏》："云古文篆書，一簡八字。"又曰："《詩正義》：'漢初爲傳訓者皆與經別行，三傳之文不與經連，故石經書《公羊傳》皆無經文。'"

《經義考》：王觀國曰："《前漢·藝文志》《春秋古經》十二篇，《經》十一卷，《左氏傳》三十卷。蓋古本《春秋經》自爲一帙，至左氏作傳，三十卷自爲一帙，杜預作《春秋經傳集解》乃分經之年而居傳之首，于是不復有《古經春秋》矣。"

《四庫提要》曰："《漢志》載《春秋古經》十二篇,《經》十一卷,注曰公羊、穀梁二家。考《公》、《穀》二傳皆十一卷,與《經》十一卷相配,知十一卷爲二傳之經,故有是注。徐彥《公羊疏》曰左氏先著竹帛,故漢儒謂之古學,則所謂《古經》十二篇,即《左傳》之經,故謂之古。刻《漢書》者誤連二條爲一耳。"_{按《提}

_{要》之意當分爲二條,論行款固當如此,然舊例連屬而書改爲分條,總有割裂牽強之處,不若仍循其舊爲得體也。}

錢大昕《三史拾遺》曰："《春秋古經》十二篇,此左氏經也,下云《經》十一卷,則公、穀二家之經也。漢儒傳《春秋》者以《左氏》爲古文,《公羊》、《穀梁》爲今文,稱古經則共知其爲左氏矣。左氏經傳本各單行,故別有《左氏傳》。"

王鳴盛《蛾術編·說錄》曰："左氏經與公羊、穀梁經不同。《漢·藝文志》《春秋古經》十二篇,此左氏之經也,其下又云《經》十一卷,小字夾注云公羊、穀梁二家,則公、穀之經同也。如《左氏》'君氏卒',《公》、《穀》並作'尹氏',可見左氏經獨言古者。孔子之經、左氏之傳皆用古文,而孔壁所得又有古文《左傳》,故左氏經獨稱古經。"

左氏傳三十卷。左邱明,魯太史。

《史記·十二諸侯年表》:孔子明王道,干七十餘君,莫能用,故西觀周室,論史記舊聞,興于魯而次《春秋》,上記隱,下至哀之獲麟,約其辭文,去其煩重,以制義法,王道備,人事浹。七十子之徒口受其傳指,爲有所刺譏褒諱挹損之文辭不可以書見也。魯君子左邱明懼弟子人人異端,各安其意,失其真,故因孔子史記具論其語,成《左氏春秋》。

劉歆《七略》曰："《春秋》兩家文或具四時,或不於。古文無事不必具四時。"_{按古文謂《左氏》也,此似以《公》、《穀》兩家文方《左氏》者。}

本志敘:仲尼思存前聖之業,以魯周公之國,禮文備物,史官有法，故與左邱明觀其史記，據行事，仍人道，因興以立功，敗以成罰，假日月以定曆數，藉朝聘以正禮樂。有所襃諱貶損，不可書見，口授弟子，弟子退而異言。邱明恐弟子各安其意，以失其真，故論本事而作傳，明夫子不以空言說經也。《春秋》所貶損大人當世君臣，有威權勢力，其事實皆形于傳，是以隱其書而不宣，所以免時難也。

本書《儒林傳》：漢興，北平侯張倉及梁太傅賈誼、京兆尹張敞、大中大夫劉公子皆修《春秋左氏傳》。誼爲《左氏傳》訓故，授趙人貫公，爲河間獻王博士。按河間王本傳云，其學舉六藝，立《毛氏詩》、《左氏春秋》博士。許氏《說文解字·叙》曰：“北平侯張倉獻《春秋左氏傳》。”段玉裁曰：“孝惠三年乃除挾書之律，張倉當于三年後獻之，然則漢之獻書張倉最先，漢之得書首《春秋左傳》。”

又曰：“房鳳字子元，不其人也。爲五官中郎將。時光禄勳王龔以外屬內卿，與奉車都尉劉歆共校書，三人皆侍中。歆白《左氏春秋》可立，哀帝納之，以問諸儒，皆不對。歆于是數見丞相孔光，爲言《左氏》以求助，光卒不肯。唯鳳、龔許歆，遂共移書責讓太常博士，語在《歆傳》。”又傳贊曰：“平帝時，又立《左氏春秋》、《毛詩》、《逸禮》、《古文尚書》。”

又《劉歆傳》：歆校祕書，見古文《春秋左氏傳》，歆大好之。以爲左邱明好惡與聖人同，親見夫子，而公羊、穀梁在七十子後，傳聞之與親見之，其詳略不同。歆數以難向，向不能非閒也。及歆親近，欲建立《左氏春秋》及《毛詩》、《逸禮》、《古文尚書》皆列于學官。哀帝令歆與五經博士講論其義，諸博士或不肯置對，歆因移書太常博士，責讓之曰：“魯恭王得古文於壞壁之中，《逸禮》有三十九，《書》十六篇。及《春秋》左氏邱明所修，皆古文舊書，多者二十餘通，藏於祕府，伏而未發，往者綴學之士不考情實，[①]雷同相從，隨聲是非，抑此三學，謂左氏爲不傳《春秋》，豈不哀哉！"

《釋文·叙錄》：左邱明作傳以授曾申。申傳衛人吳起。起傳其子期。期傳楚人鐸椒。椒傳趙人虞卿。卿傳同郡荀卿名況。況傳武威張倉。倉傳洛陽賈誼。誼傳至其孫嘉。嘉傳趙人貫公。《漢書》云："賈誼授貫公，爲河間獻王博士。"

《隋書·經籍志》：《左氏》，漢初出于張倉之家，本無傳者。至文帝時，梁太傅賈誼爲訓詁，授趙人貫公。《玉海·藝文》云："《正義》：漢武帝時河間獻王獻《左氏》及古文《周官》。"

《史通·申左篇》曰："《周禮》之故事，魯國之遺文，夫子因而修之，亦存舊制而已。至于實錄，付之邱明，用使善惡畢彰，真僞盡露。向使孔經獨用，《左傳》不作，則當代行事，安得而詳者哉？蓋語曰：仲尼修《春秋》，逆臣賊子懼。"又曰："《春秋》之義也，欲蓋而彰，求名而亡，善人勸焉，淫人懼焉。《左傳》所錄，無媿斯言。此則傳之與經，其猶一體，廢一不可，相須而成。如曰不然，則何者稱爲勸戒者哉？"

《四庫提要》曰："自劉向、劉歆、桓譚、班固，皆以《春秋傳》出左邱明，左邱明受經于孔子。魏晉以來，儒者更無異議。至唐趙匡，始謂《左氏》非邱明。蓋欲攻傳之不合經，必先攻作傳之人非受經于孔子，與王柏欲攻《毛詩》，先攻《毛詩》不傳于子夏，其智一也。葉夢得謂紀事終于智伯，當爲六國時人，似爲近理。然經止獲麟，而弟子續至孔子卒；傳載智伯之亡，殆亦後人所續。《史記·司馬相如傳》中有揚雄之語，不能執是一事指司馬遷爲後漢人也，則載及智伯之説不足疑也。今仍定爲左邱明作，以祛衆惑。至其作傳之由，則劉知幾躬爲

國史之言，最爲確論。《疏》稱大事書于策者，經之所書；小事書于簡者，傳之所載。觀晉史之書趙盾，齊史之書崔杼，及寧殖所謂載在諸侯之籍者，其文體皆與經合。《墨子》稱《周春秋》載杜伯，《燕春秋》載莊子儀，《宋春秋》載祐觀辜，《齊春秋》載王里國、中里繳，其文體皆與《傳》合。經傳同因國史而修，斯爲顯證。知說經去傳爲舍近而求諸遠矣。今以《左傳》經文與二傳校勘，皆《左氏》義長，知手錄之本確于口授之本也。"

公羊傳十一卷。公羊子，齊人。

本書《人表》公羊子列第四等中上。梁玉繩《考》曰："公羊子，始見《公羊·桓六》。名高，齊人，子夏弟子。宋大中祥符二年封臨淄伯。"

後漢戴宏《春秋解疑論》曰："子夏傳與公羊高，高傳與其子平，平傳與其子地，地傳與其子敢，敢傳與其子壽。至漢景帝時，壽乃共弟子胡母子都著于竹帛。"

本書《儒林傳》：漢興，言《春秋》，于齊則胡母生，于趙則董仲舒。又曰："瑕邱江公授《穀梁春秋》及《詩》于魯申公，傳子至孫爲博士。武帝時，江公與董仲舒並。仲舒通五經，能持論，善屬文。江公吶于口，上使與仲舒議，不如仲舒。而丞相公孫弘本爲《公羊》學，比輯其議，卒用董生。于是上因尊《公羊》家，詔太子受《公羊春秋》，由是《公羊》大興。"又傳贊曰："初，《書》唯有歐陽，《禮》后，《易》楊，《春秋》公羊而已。"

《四庫提要》曰："《公羊傳》中有子沈子曰、子司馬子曰、子女子曰、子北宮子曰，又有高子曰、魯子曰，蓋皆傳授之經師，不盡出于公羊。《定公元年傳》'正棺于兩楹之間'二句，《穀梁傳》引之直稱沈子，不稱公羊，是併其不著姓氏者，亦不盡出公羊子。且併有子公羊子曰，尤不出于高之明證。知傳確爲壽撰，而胡母子都助成之。舊本首署高名，蓋未審也。"按《公羊傳》又有公扈子，見《昭三十一年》。公扈子亦見《人表》第五等，梁玉繩曰："《説苑·建本》篇述其言云'有國者不可不學《春秋》'，則公扈子固善《春秋》者也。"

穀梁傳十一卷。穀梁子，魯人。

本書《人表》穀梁子列第四等中上。梁玉繩《考》曰："穀梁子，始見《穀梁·隱五》。魯人，名淑，字元始。一名赤，又名俶，又名喜。子夏門人，與秦孝公同時。宋真宗封龔邱伯，徽宗政和元年改睢陵伯。"

《穀梁疏》曰："穀梁子名淑，字元始，魯人。一名赤。受經于子夏，爲經作傳。傳孫卿，卿傳魯人申公，申公傳博士江翁。"

《通志·氏族略》：穀梁氏，不知其本。魯有穀梁赤，傳《春秋》。《尸子》云穀梁淑，字元始，魯人，亦傳《春秋》十五篇。望出下邳。《姓纂》云今下邳有穀梁氏。

本書《儒林傳》：武帝詔太子受《公羊》。太子既通，復私問《穀梁》而善之。其後浸微，唯魯榮廣王孫、皓星公二人受焉。廣高才捷敏，與《公羊》大師眭孟等論，數困之，故好學者頗復受《穀梁》。宣帝即位，聞衛太子好《穀梁》，以問丞相韋賢、長信少府夏侯勝及侍中史高，皆魯人也，言穀梁子本魯學，公羊氏迺齊學也，宜興《穀梁》。時沛蔡千秋爲郎，爲學最篤，召見，與《公羊》家並説，上善《穀梁》説。至甘露元年，召五經名儒大議殿中，多從《穀梁》。由是《穀梁》之學大盛。又傳贊曰："初，唯有《春秋》公羊。至孝宣世，復立《穀梁春秋》。"

《四庫提要》曰："楊士勛《疏》稱穀梁子受經于子夏，爲經作傳，則當爲穀梁子所自作。徐彥《公羊疏》又稱公羊高五世相授，至胡母生乃著竹帛，題其親師，故曰《公羊傳》。穀梁亦是著竹帛者題其親師，故曰《穀梁傳》，則當爲傳其學者所作。案《公羊傳》'定公即位'一條引子沈子曰，何休《解詁》以爲後師。此傳'定公即位'一條，亦稱沈子曰，公羊、穀梁既同師子夏，不應及見後師。又‘初獻六羽’一條，稱穀梁子曰，傳既穀梁自作，不應自引己説。且此條又引尸子曰，尸佼爲商鞅之師，其人在穀梁後，不應預爲引據。疑徐彦之言爲得其實，但誰著于竹帛，則不可考耳。”按《儒林傳》：申公卒以《詩》、《春秋》授，而瑕邱江公盡能傳之，徒衆最盛。又曰：“瑕邱江公受《穀梁春秋》及《詩》于魯申公，傳子至孫爲博士。”又《後漢書·儒林傳》：瑕邱江公傳《穀梁春秋》。似《穀梁傳》著于竹帛者，瑕邱江公也。

鄒氏傳十一卷
夾氏傳十一卷。有録無書。

本志總叙曰：“《春秋》分爲五。”韋昭曰：“謂左氏、公羊、穀梁、鄒氏、夾氏也。”

又篇叙曰：“及末世口説流行，故有《公羊》、《穀梁》、《鄒》、《夾》之傳。四家之中，《公羊》、《穀梁》立于學官，鄒氏無師，夾氏未有書。”

本書《王吉傳》：吉字子陽，琅琊皋虞人也。兼通五經，能爲《鄒氏春秋》。

《隋書·經籍志》：漢初，公羊、穀梁、鄒氏、夾氏，四家並行。王莽之亂，鄒氏無師，夾氏亡。

《公羊疏》曰：“五家之傳，鄒氏、夾氏口説無文，師既不傳，道亦尋廢。”

王氏《考證》：范升奏曰：“《春秋》之家又有鄒、夾。”《七録》云：“建武中，鄒、夾氏皆絶。”又曰：“《夾氏傳》十一卷，有録無書。然則録存而書亡也。”又云：“有書，當考。”

《經義考》曰：“按《夾氏傳》，《漢志》注云‘有録無書’，而《宋史·藝文志》載有《春秋夾氏》三十卷，不知何人擬作，其書今亦無存。”按王氏《考證》謂夾氏有書當考，其即此《夾氏傳》欲取以旁證者。

錢大昕《三史拾遺》曰：“《人表》中中軋子、聚子，此二人未詳，竊意當即治《春秋》之夾氏、鄒氏也。軋與夾音相近，煦即聚字，鄒與聚聲亦不遠。"按《人表》第五等此二子之後，即次以沈子、北宮子、魯子、公扈子、尸子，皆《春秋》家爲《公》《穀》二傳所引者，錢宮詹之言尤近似也。

左氏微二篇

顔氏《集注》曰："微謂釋其微旨。"

《經義考》：亡名氏《左氏微》，《漢志》二篇，佚。

按此列《鐸氏微》之前，則六國時爲《左氏》學者也。其書大抵亦如鐸氏、虞氏之鈔撮成編者。

鐸氏微三篇。楚太傅鐸椒也。

《史記·十二諸侯年表》：鐸椒爲楚威王傅，爲王不能盡觀《春秋》，采取成敗，卒四十章，爲《鐸氏微》。

劉向《別錄》曰："左邱明授曾申，申授吳起，起授其子期，期授楚人鐸椒。鐸椒作《鈔撮》八卷，授虞卿。"王氏《考證》：《説苑》：魏武侯問元年于吳子，吳子對曰："言國君必謹始也。""謹始奈何？"曰："正之。""正之奈何？"曰："明智。"吳起學《春秋》見於此。

本書《人表》鐸椒列第四等中上。梁玉繩《考》曰："鐸椒始見《史記·十二侯表》。楚人，爲楚威王太傅。吳起之子期以《左傳》傳鐸椒。椒采取爲《鐸氏微》。"

按《別錄》云《鈔撮》八卷，《漢志》本《七略》，云《微》三篇，似《別錄》後文尚有"今定著三篇"云云，抑《鈔撮》別爲一書也？

張氏微十篇

《經義考》：《張氏失名。春秋微》，《漢志》十篇，佚。

按張氏疑即張倉。倉爲鐸氏三傳弟子，容有是作。或鐸氏之後別有張氏，佚其名字。

虞氏微傳二篇。趙相虞卿。

《史記》列傳：虞卿者，游説之士也。躡蹻擔簦，説趙孝成王。一見，賜黄金百鎰，白璧一雙；再見，爲趙上卿，故號爲虞卿。

封以一城。以魏齊之故，不重萬户侯卿相之印，與魏齊間行，卒去趙，困于梁。魏齊已死，不得意，乃著書。索隱曰："魏齊，魏相，與應侯有仇，秦求之急，乃抵虞卿。虞卿棄相印，乃與齊間行亡歸梁，以託信陵君。信陵君疑未決，齊自殺。故虞卿失相，乃窮愁而著書也。"<small>按魏齊事亦見《范睢列傳》。</small>

劉向《別録》曰："鐸椒作《鈔撮》八卷，授虞卿。虞卿作《鈔撮》九卷，授荀卿。荀卿授張倉。"

本書《人表》虞卿列第三等上下。梁玉繩《考》曰："虞卿始見《趙》、《魏》、《楚策》。趙孝成王以爲上卿，失其名，虞乃氏也。《史》集解引譙周謂食邑于虞，非。"<small>按梁氏似以《史記》稱《虞氏春秋》，故證以爲非食邑。</small>

《黄氏日鈔》曰："秦攻長平，虞卿勸趙附楚、魏以和秦，而後秦可和。趙不聽，故大敗。其後，趙將割六城事秦。虞卿使于齊以謀秦，而秦反和趙及魏，欲與趙約從，則卿亟勸成之。卿無言不效，無謀不忠，大要歸於結和鄰國以自重，而使秦反輕，此至當不易之説也，與一時東西捭闔之士異矣。"又曰："爲卿而食采于虞，史不載其姓氏、州里。"

　按虞卿爲鐸氏弟子，此《微傳》二篇似傳注之流，爲《鐸氏微》而作歟？《別録》言作《鈔撮》九卷者，似謂儒家之《虞氏春秋》，非謂此書。史言《虞氏春秋》八篇，加以録一篇，正合九卷之數。

公羊外傳五十篇
穀梁外傳二十篇

《經義考》：《公羊外傳》，《漢志》五十篇，佚。《穀梁外傳》，《漢志》二十篇，佚。

錢大昕《三史拾遺》曰："漢時，《公》、《穀》二家皆有外傳，其書不傳，大約似《韓詩外傳》。今人稱《國語》爲外傳，《漢志》卻無此名目。”

上黨馮班《鈍吟雜録》曰：“或曰：‘《史記》叙下宮之難，不取《左氏》，豈非好奇乎？’余曰：‘不然也。趙亡去漢興未遠，此國之大事，趙氏所由存亡。雖秦火之後，其文獻必猶有可徵者。漢時，有《公羊》、《穀梁外傳》，今皆不知所言何事，太史公當時豈《左傳》之外便無所據乎？’”

按《左氏外傳》爲《國語》，皆左邱明一家之言，《公》、《穀》則口説流傳，至漢初始著竹帛，而《穀梁》至宣帝時始盛。此兩家《外傳》大抵皆漢人爲之，不出于高與赤也可知已。

公羊章句三十八篇

本書《儒林傳》：胡母生與董仲舒同業。董生弟子遂之者，蘭陵褚大，東平嬴公，廣川段仲，温吕步舒。大至梁相，步舒丞相長史，唯嬴公守學不失師法，爲昭帝諫大夫，授東海孟卿、魯眭孟。孟爲符節令。又曰：“嚴彭祖與顔安樂俱事眭孟。孟死，彭祖、安樂各顓門教授。由是《公羊春秋》有顔、嚴之學。”

按《儒林傳》又云：“瑕邱江公受《穀梁春秋》于魯申公。武帝時，使與仲舒議，不如仲舒。而丞相公孫弘本爲《公羊》學，比輯其議，卒用董生。”則此章句似董生爲之也，不即其弟子嬴公下及嚴、顔諸人所作，以其出自衆人，故不著名氏。《隋志》有嚴彭祖《公羊傳》十二卷，恐非此書。又後漢李固言胡母生有《春秋章句》，當時匿書自藏，則又非此書矣。詳見《拾補》春秋家。

穀梁章句三十三篇

本書《儒林傳》：瑕邱江公授按“授”當爲“受”。《穀梁春秋》于魯申公。其後浸微，唯魯榮廣王孫、皓星公二人受焉。沛蔡千秋少君、梁周慶幼君、丁姓子孫皆從廣受。千秋又事皓星公，爲學最篤。宣帝愍其學且絶，選郎十人從千秋受。汝南尹更始翁君本自事千秋，會千秋病死，徵江公孫爲博士。劉向以故諫大夫通達待詔，受《穀梁》。甘露元年，大議殿中。由是《穀梁》之學大盛。慶、姓皆爲博士。姓授楚申章昌曼君，爲博士。尹更始爲諫大夫，又受《左氏傳》，取其變理合者以爲章句，傳子咸及翟方進、琅琊房鳳。又曰："始江博士授胡常。由是《穀梁春秋》有尹、胡、申章、房氏之學。"

按《穀梁》之學傳自申公，其後名家則江公、榮廣、皓星公、蔡千秋、周慶、丁姓、尹更始、劉向、江公孫，凡九人，稍後又有胡常、申章昌、房鳳三人，此章句大抵皆出此諸人。當宣帝立《穀梁》，劉向身親其事，其後校書，乃定著爲是帙，亦以出自衆人，不名一家，故不著姓名。史言尹更始爲章句，《釋文·叙錄》亦有尹更始《穀梁章句》十五卷，則此書似尹氏所作。然尹氏兼取《左氏》，非《穀梁》顓門之業，且本志不著撰人，未必全出尹氏也。

公羊雜記八十三篇

《經義考》：《公羊雜記》，《漢志》八十三篇，佚。按《漢書·公孫弘傳》學《春秋雜説》，度即《公羊雜記》也。

按《儒林傳》云"胡母生歸教于齊，齊之言《春秋》者宗事之，公孫弘亦頗受焉"，又本傳云"弘年四十餘乃學《春秋雜説》"，朱氏以爲即此《公羊雜記》，若是則是書漢初已有之，由來舊矣。《藝文志》詩家云"齊轅固、燕韓生皆爲之傳，或取《春秋》，采雜説，咸非其本義"，似亦即此《雜記》也。賈景伯曰："《公羊》多任于權變。"權變之説無窮，故其《雜記》多至八十三篇。

公羊顏氏記十一篇

本書《儒林傳》：董仲舒弟子嬴公，嬴公授魯眭孟。嚴彭祖與顏安樂俱事眭孟。孟弟子百餘人，唯彭祖、安樂爲明，質問疑誼，各持所見。孟曰："《春秋》之意，在二子矣！"孟死，彭祖、安樂各顓門教授。由是《公羊春秋》有顏、嚴之學。

又曰："顏安樂字公孫，魯國薛人，眭孟姊子也。家貧，爲學精力，官至齊郡太守丞，後爲仇家所殺。安樂授淮陽冷豐、淄川任公，由是顏家有冷、任之學。又琅邪筦路、泰山冥都，都與路又事顏安樂，故顏氏復有筦、冥之學。

《後漢書·儒林傳》：齊胡母子都傳《公羊春秋》，授東平嬴公，嬴公授東海孟卿，孟卿授魯人眭孟，眭孟授東海嚴彭祖、魯人顏安樂。彭祖爲《春秋》嚴氏學，安樂爲《春秋》顏氏學，又瑕邱江公傳《穀梁春秋》，三家皆立博士。

馬國翰輯本序曰："《公羊顏氏記》，《隋》、《唐志》不著録，佚已久。從徐彦《疏》及洪适《隸續》載《石經公羊》裒輯七節，附録本傳爲卷。"

　　按《六藝論》言顏氏弟子有劉向，爲《漢書》所未言，蓋其初爲《公羊》學，故惠定宇氏謂向封事多《公羊》説。然則《七略》録《顏氏記》者，以其師説也；不及《嚴氏春秋》者，有所略也。

公羊董仲舒治獄十六篇

《史記·儒林傳》：董仲舒，廣川人也。按廣川國之廣川縣人。又廣川國宣帝時爲信都國。以治《春秋》，孝景時爲博士。今上即位，爲江都相。中廢爲中大夫。下吏，當死，詔赦之。使相膠西王。疾免居家。至卒，終不治産業，以修學著書爲事。故漢興至于五世之間，唯董仲舒名爲明于《春秋》，其傳公羊氏也。

本書列傳：仲舒在家，朝廷如有大議，使使者及廷尉張湯就其家而問之，其對皆有明法。年老，以壽終于家。家徙茂陵，子及孫皆以學至大官。又傳贊曰："劉歆以爲'仲舒遭漢承秦滅學之後，六經離析，下帷發憤，潛心大業，令後學者有所統壹，爲羣儒首'。"

《後漢書·應劭傳》：劭删定律令爲《漢儀》，建安元年乃奏之。

曰:"故膠東相董仲舒老病致仕,朝廷每有政議,數遣廷尉張湯親至陋巷,問其得失。于是作《春秋決獄》二百三十二事,動以經對,言之詳矣。"

《隋書·經籍志》:《春秋決事》十卷,董仲舒撰。《唐書·經籍志》法家:《春秋決獄》十卷,董仲舒撰。《藝文志》法家:董仲舒《春秋決獄》十卷。

《崇文總目》:《春秋決事比》十卷,漢董仲舒撰,丁氏平,黃氏正。初,仲舒既老病致仕,朝廷每有政議,武帝數遣廷尉張湯問其得失,于是作《春秋決疑》二百三十二事,動以經對。至吳太史令吳、按此下似脱"範"字。汝南丁季、按"季"或是"孚"之譌。江夏黃復平正得失。今頗殘缺,止有七十八事。

《經義考》曰:"《漢志》《公羊治獄》,《隋志》作《春秋決事》,《七錄》作《春秋斷獄》,《新》、《舊唐書》作《春秋決獄》,《崇文總目》作《春秋決事比》。《漢志》十六篇,《七錄》五卷,《隋》、《唐志》、《崇文目》十卷。王充曰:'仲舒表《春秋》之義,稽合于律,無乖異者。'桓寬曰:'《春秋治獄》論心定罪,志善而違于法者免,志惡而合于法者誅。'王應麟曰:'仲舒《春秋決獄》,其書今不見。《太平御覽》載二事,其一引《春秋》許止進藥,其一引夫人歸于齊。《通典》載一事,引《春秋》之義,父爲子隱。'應劭謂二百三十二事,今僅見三事而已。按《藝文類聚》有引《決獄》君獵得麑一事。"

馬國翰輯本序曰:"董氏傳《春秋》公羊學,既撰《繁露》,悉究天人之奧,復撰此書,引經斷獄,當代取式焉。今佚。從《禮記正義》、《通典》、《白帖》、《藝文類聚》、《御覽》諸書輯得八節。其論衡情準理,頗持其平。妻甲見夫乙毆母而殺乙,比于武王誅紂。雖康成議其過大誼,要自可通也。"又王謨《漢魏遺書鈔》亦輯存六條。

議奏三十九篇。石渠論。

本書《儒林傳》：宣帝聞衞太子好《穀梁春秋》，韋賢、夏侯勝、史高言宜興《穀梁》。上善《穀梁》說，劉向以故諫大夫通達待詔，受《穀梁》，欲令助之。自元康中始講，至甘露元年，積十餘歲，皆明習。迺召五經名儒太子太傅蕭望之等大議殿中，平《公羊》、《穀梁》同異，各以經處是非。時《公羊》博士嚴彭祖、侍郎申輓、伊推、宋顯，《穀梁》議郎尹更始、待詔劉向、周慶、丁姓並論。《公羊》家多不見從，願請內侍郎許廣，使者亦並內《穀梁》家中郎王亥，各五人，議三十餘事。望之等十一人各以經誼對，多從《穀梁》。由是《穀梁》之學大盛。慶、姓皆為博士。<small>按《本紀》此事在甘露三年。</small>

《後漢書·陳元傳》：元詣闕上疏曰："往者，孝武皇帝好《公羊》，衞太子好《穀梁》，有詔詔太子受《公羊》，不得受《穀梁》。孝宣皇帝在人間時，聞衞太子好《穀梁》，于是獨學之。及即位，為石渠論而《穀梁氏》興，至今與《公羊》並存。"章懷太子曰："宣帝甘露三年，詔諸儒韋玄成、梁邱賀等講論五經于石渠閣也。"<small>按梁邱臨奉使問石渠，此注稱梁邱賀者非也。</small>

《穀梁傳》疏曰："景帝好《公羊》，胡母之學興，仲舒之義立。宣帝善《穀梁》，千秋之學起，劉向之意存。"<small>按景帝似當為武帝。</small>

按《禮運》疏"許慎謹案公議郎尹更始、待詔劉更生等議石渠，以為吉凶不並，瑞災不兼"云云，其即三十餘事中佚文見于許氏《五經異義》者，亦見《左氏經·哀十四年》西狩獲麟疏，許稱"議石渠"，知大議殿中亦即石渠議奏也。

國語二十一篇。左邱明著。

本書《司馬遷傳》贊曰："及孔子因魯史記而作《春秋》，而左邱明論輯其本事以為之傳，又籑異同為《國語》。故司馬遷據《左氏》、《國語》。"

吳韋昭《國語解》序曰:[①]“昔孔子發憤于舊史,垂法于素王,左邱明因聖言以攄意,託王義以流藻,其淵源深大,沈懿雅麗,可謂命世之才,博物善作者也。其明識高遠,雅思未盡,故復采録前世穆王以來,下訖魯悼、智伯之誅,邦國成敗,嘉言善謀,陰陽律吕,天時人事,逆順之數,以爲《國語》。其文不主于經,故號曰‘外傳’。所以包羅天地,探測禍福,發起幽微,章表善惡者,昭然甚明,實與經藝並陳,非特諸子之倫也。遭秦之亂,幽而復光,賈生、史遷頗綜述焉。及劉光禄于漢成世始更考校,是正疑謬。至于章帝,鄭大司農爲之訓注。侍中賈君。[②] 故侍御史會稽虞君、尚書僕射丹陽唐君,因賈爲主而損益之。竊不自料,復爲之解云云。”

《史通·六家篇》:《國語》家者,其先亦出于左邱明。既爲《春秋内傳》,又稽其佚文,纂其别説,分周、魯、齊、晉、鄭、楚、吳、越八國事,起自周穆王,終于魯悼公,别爲《春秋外傳國語》,合爲二十一篇。其文以方《内傳》,或重出而小異。然自古名儒賈逵、王肅、虞翻、韋昭之徒,並申以注釋,治其章句;此亦六經之流,三傳之亞也。

宋宋庠《國語補音》序曰:“當漢出《左傳》,祕而未行,又不立學官,故此書亦勿顯。惟上賢達識之士,好而尊之,俗儒勿識也。逮東漢,《左傳》漸布,《國語》亦從而大行。自鄭衆、賈逵、王肅、虞翻、唐固、韋昭之徒,並治其章句,申之注釋,爲六經流亞,非復諸子之倫。自餘名儒碩士好是學者不可勝紀。今惟韋氏所解傳于世,諸家章句遂無存焉。”

---

① “昭”,原作“曜”,係沿襲舊諱,兹回改,下同。

② “賈君”下,《四部叢刊》本《國語》有“敷而衍之,其所發明,大義略舉,爲已憭矣,然於文間,時有遺忘。建安黄武之間”三十字。

《四庫提要》曰："《國語》出自何人，説者不一，然終以漢人所説爲近古。所記之事與《左傳》俱迄智伯之亡，時代亦復相合。中有與《左傳》未符者，猶《新序》、《説苑》同出劉向，而時復牴牾。蓋古人著書，各據所見之舊文，疑以存疑，不似後人輕改也。"又曰："《國語》二十一篇，《漢志》雖載《春秋》後，然無《春秋外傳》之名也。《漢書‧律曆志》始稱《春秋外傳》。王充《論衡》云'《國語》，《左氏》之外傳也，《左氏》傳經，詞語尚略，故復選録《國語》之詞以實之'。《史通》六家，《國語》居一，實古左史之遺云。"

新國語五十四篇。劉向分《國語》。

《經義考‧擬經篇》：劉氏向《新國語》，《漢志》五十四篇，佚。

《漢書志》注云"劉向分《國語》"。

按此殆以類分，如吕東萊《左傳國語類編》、程伯剛《春秋分紀》之體。並詳見《書録解題》。東漢之初，《左氏》盛行，而《國語》亦大顯于世。自鄭、賈解注皆用古本，諸家轉相祖述，傳至于今。此爲《國語》之別本，故爲講古學者所不取，而其後遂微，諸書亦罕有言及者。

世本十五篇。古史官記黄帝以來訖春秋時諸侯大夫。

劉向《別録》曰："《世本》，古史官明于古事者之所記也，録黄帝以來帝王諸侯及卿大夫系諡名號，凡十五篇，與《左氏》合也。"

《司馬遷傳》贊：孔子作《春秋》，左邱明爲之傳，又籑異同爲《國語》。又有《世本》，録黄帝以來至春秋時帝王公侯卿大夫祖世所出。故司馬遷據《左氏》、《國語》，采《世本》。

《顔氏家訓‧書證篇》：《世本》出左邱明所書，原注此説出皇甫謐《帝王世紀》。而有燕王喜、漢高祖，皆由後人所羼，非本文也。按顔氏所見，似即《史通》所謂楚漢之際好事者所録別本，與此劉中壘所録訖于春秋時者各不相同。

《隋書·經籍志》:《世本》二卷,劉向撰。又曰:"氏姓之書,其所由來遠矣。《書》稱:'別生分類。'《傳》曰:'天子建德,因生以賜姓。'周家小史定繫世,辨昭穆,則亦史之職也。秦兼天下,剗除舊迹,公侯子孫,失其本繫。漢初,得《世本》,叙黃帝已來祖世所出。"按兩《唐志》有宋衷、宋均注《世本》,亦似楚漢之際好事者所録別本也。

王謨輯本叙録曰:"此書本極斷爛,易致混淆,轉寫多誤,尤難釐正。今所鈔輯率據《史記》,與《正義》、《索隱》參互考訂,略仿原書體例,編爲二卷,而以《帝王》、《諸侯》、《卿大夫世系》爲上卷,《氏姓篇》、《居篇》、《作篇》爲下卷。"

張澍《世本集注》序曰:"《春秋正義》云今之《世本》與司馬遷言不同,《唐書·柳沖傳》載柳芳言亦然。按唐人所見亦似楚漢之際好事者所録別本,故與史公所引之本不同。顏之推據皇甫謐説爲左邱明所纂,劉恕《通鑑外紀》以爲《世本》經秦漢儒者改易,《尚書正義》以《世本》經暴秦爲儒者所亂,要之係秦漢以前書。中壘、孟堅以爲出古史官者近之。《王侯大夫譜》云趙孝成王丹生悼襄王偃,偃生今王遷,是作者猶値趙王遷時。其書自宋時已不傳,余繙閱緗帙有引用者,輒著録之,乃集得《作篇》、《居篇》、《氏姓篇》、《帝繫篇》、《王侯大夫譜篇》共五篇,聊以管穴裨益宋注。"

江都秦嘉謨《世本輯補》序曰:"古來述《世本》者,莫如司馬遷、韋昭、杜預。今以《史記》及《國語》韋注、《左傳》杜解三書爲本,復得孫氏星衍所藏澹生堂鈔輯《世本》二卷,洪氏飴孫所編《世本》四卷,詳加增校,補輯成編。曰《帝繫篇》,曰《紀》,曰《王侯譜》,曰《世家》,曰《大夫譜》,曰《傳》,曰《氏姓》,曰《居篇》,曰《作篇》,曰《謚法》,凡十篇云。"又有錢氏大昭、孫氏馮翼合輯本,在《問經堂叢書》中,又高郵茆泮林輯本,在茆輯《十種古逸書》中。

戰國策三十三篇。記春秋後。

《七略別録》：護左都水使者光禄大夫臣向言：所校中《戰國策》書，中書餘卷，錯亂相糅莒。又有國別者八篇，少不足。臣向因國別者，略以時次之，分別不以序者以相補，除復重，得三十三篇。本字多誤脱爲半字，以'趙'爲'肖'，以'齊'爲'立'，如此字"字"，一本作"類"。者多。中書本號，或曰《國策》，或曰《國事》，或曰《短長》，或曰《事語》，或曰《長書》，或曰《修書》。臣向以爲戰國時，游士輔所用之國，爲之筴謀，宜爲《戰國策》。其事繼春秋以後，訖楚漢之起，二百四十五年間之事，皆定以殺青，書可繕寫。叙曰："曰"下一本有"夫"字。"周室自文、武始興，崇道德，隆禮義，設辟雍泮宮庠序之教，陳禮樂弦歌移風之化。叙人倫，正夫婦，天下莫不曉然。論孝悌之義，惇篤之行，故仁義之道滿乎天下，卒致之刑錯四十餘年。遠方慕義，莫不賓服，雅頌歌詠，以思其德。下及康、昭之後，雖有衰德，其綱紀尚明。及春秋時，已四五百載矣，然其餘業遺烈，流而未滅。五伯之起，尊事周室。五伯之後，時君雖无德，人臣輔其君者，若鄭之子産，晋之叔向，齊之晏嬰，挾君輔政，以並立于中國，猶以義相支持，歌説以相感，聘覲以相交，期會—作朝會。以相一，盟誓以相救。天子之命，猶有所行。會享之國，猶有所恥。小國得有所依，百姓得有所息。故孔子曰：'能以禮讓爲國乎何有？'周之流化豈不大哉！及春秋之後，衆賢輔國者既没，而禮義衰矣。孔子雖論《詩》、《書》，定《禮》、《樂》，王道粲然分明，以匹夫無勢，化之者七十二人而已，皆天下之俊也，時君莫尚之。是以王道遂用不興。故曰：'非威不立，非勢不行。'仲尼既没之後，田氏取齊，六卿分晋，道德大廢，上下失序。至秦孝公，捐禮讓而貴戰争，棄仁義而用詐譎，苟以取強而已矣。夫篡盗之人，列爲侯王；詐譎之國,興立_{一作兵}。爲強。是以傳_{一作轉}。相放效,後生師之,遂相吞滅,并大兼小,暴師經歲,流血滿野,父子不相親,兄弟不相安,夫婦離散,莫保其命,潛然道德絶矣。晚世益甚,萬乘之國七,千乘之國五,敵侔争權,蓋爲戰國。貪饕無恥,競進無厭;國異政教,各自制斷;上無天子,下無方伯;力功争強,勝者爲右,兵革不休,詐偽並起。當此之時,雖有道德,不得施謀;有設之強,負阻而恃固;連與交質,重約結誓,以守其國。故孟子、孫卿儒術之士,弃捐于世;而游説權謀之徒,見貴于俗。是以蘇秦、張儀、公孫衍、陳軫、代、厲之屬,生從横短長之説,左右傾側。蘇秦爲從,張儀爲横;横則秦帝,從則楚王;所在國重,所去國輕。然當此之時,秦國最雄,諸侯方弱,蘇秦結從之,時六國爲一,以儐背秦。秦人恐懼,不敢闚兵于關中,天下不交兵者,二十有九年。然秦國勢便形利,權謀之士,咸先馳之。蘇秦初欲横,秦弗用,故東合從。及蘇秦死後,張儀連横,諸侯聽之,西向事秦。是故始皇因四塞之固,據崤、函之阻,跨隴、蜀之饒,聽衆人之筴,乘六世之烈,以蠶食六國,兼諸侯,_{一本下有"而"字}並有天下。杖於謀詐之弊,終於信篤之誠,無道德之教,仁義之化,以綴天下之心。任刑罰以爲治,信小術以爲道。遂燔燒《詩》、《書》,坑殺儒士,上小堯、舜,下邈三王。二世愈甚,惠不下施,情不上達;君臣相疑,骨肉相疏;化道淺薄,綱紀壞敗;民不見義,而懸於不寧。撫天下十四歲,天下大潰,詐偽之弊也。其比王德,豈不遠哉!孔子曰:'道之以政,齊之以刑,民免而無恥;道之以德,齊之以禮,有恥且格。'夫使天下有所恥,故化可致也。苟以詐偽偷活取容,自上爲之,何以率下?秦之敗也,不亦宜乎!戰國之時,君德淺薄,爲之謀筴者,不得不因勢而爲資,據時而爲。_{脱字}故其謀,扶急持傾,爲一切之權,雖不可以臨國教化,兵革一本下有"亦"字。救急之勢也。皆高才秀士,度時君之所能行,出奇筴異知,轉危爲安,運亡爲存,亦可喜,皆可觀。護左都水使者光禄大夫臣向所校《戰國策書録》。"按漢初如蒯通、主父偃皆學長短從橫術。自武帝罷斥百家,表章六經,而其學稍熄。中壘既校上是書,而恐時君亦好尚之也,于是不憚煩言,申明詐僞之弊如此。

《司馬遷傳》贊:春秋之後,七國並爭,秦兼諸侯,有《戰國策》。故司馬遷據《左氏》、《國語》,采《世本》、《戰國策》。

《隋志》史部雜史篇:《戰國策》三十二卷,劉向録。又曰:"自秦撥去古文,篇籍遺散。漢初,得《戰國策》,蓋戰國遊士記其策謀。"《唐·經籍志》:《戰國策》三十二卷,劉向撰。《唐·藝文志》:劉向《戰國策》三十二卷。《宋志》子部縱橫家:高誘注《戰國策》三十三卷。

《史通·六家篇》:暨縱橫互起,力戰爭雄,秦兼天下,而著《戰國策》。其篇有東西二周、秦、齊、燕、楚、三晉、宋、衛、中山,合十二國,分爲三十三卷。夫謂之策者,蓋録而不序,故即簡以爲名。或云,漢代劉向以戰國游士爲之策謀,因謂之《戰國策》。

王氏《考證》:邊通學《短長》,蒯通善爲短長説,主父偃學長短從橫術。姚氏宏校定,綜四百八十六條。太史公所采九十餘條,其事異者止五六條。《四庫提要》儒家陸賈《新語》條云:"司馬遷作《史記》,取《戰國策》九十三事,皆與今本合。"

《四庫提要》曰:"向序稱'中書餘卷,錯亂相糅莒,按"莒"字未詳,今姑仍原本録之。又有國別者八篇,少不足。臣向因國別者,略以時次之,分別不以序者以相補,除重複,得三十三篇'。又稱'中書本號,或曰《國策》,或曰《國事》'云云,則向編此書本裒合諸家之記,删併重複,排比成帙,所謂三十三篇者,實非其本來次第也。"

奏事二十篇。秦時大臣奏事,及刻石名山文也。

《文心雕龍·章表篇》:降及七國,未變古式,言事于王,皆稱
上書。秦初定制,改書曰奏。《奏啓篇》云:"昔唐虞之臣,敷
奏以言;秦漢之輔,上書稱奏。陳政事,獻典儀,上急變,劾愆
謬,總謂之奏。奏者,進也;言敷于下,情進于上也。秦始立
奏,而法家少文。觀王綰之奏勳德,辭質而義近;李斯之奏驪
山,事略而意逕;政無膏潤,形于篇章矣。"

《史·秦始皇本紀》:二十八年,始皇東行郡縣,上鄒嶧山。
立石,與魯諸生議,刻石頌秦德,議封禪望祭山川之事。乃
遂上泰山,立石,封,祠祀。禪梁父。刻所立石,其辭曰云
云。登之罘,立石頌秦德。南登琅邪,作琅邪臺,立石刻,頌
秦德,明德意,曰云云。二十九年,始皇遊。登之罘,刻石。
其辭曰云云。其東觀曰云云。三十二年,始皇之碣石,刻碣
石門,其辭曰云云。三十七年,始皇出遊。至錢唐,臨浙江,
上會稽,祭大禹,望于南海,而立石刻頌秦德。其文曰云云。
二世皇帝元年春,東行郡縣。到碣石,並海,南至會稽,而盡
刻始皇所立刻石,石旁著大臣從者名,以章先帝成功盛
德焉。

　按嚴氏可均輯《全秦文》,王綰有《議帝號》、《議封建》二篇,
　李斯有《上書諫逐客》、《上書言治驪山陵》、《議廢封建》、
　《議刻金石》、《議燒詩書百家語》、《上書對二世》、《上書言
　趙高》、《獄中上書》八篇。又公子高,秦之諸公子也,有《上
　書請從死》一篇。又僕射周青臣《進頌》一篇,博士淳于越
　《議封建》一篇,《諸儒生議封禪》一篇,《羣臣議尊始皇廟》
　一篇。李斯《獄中上書》云"更剋畫平斗斛度量,文章布之
　天下,以樹秦之名",則刻石名山文皆斯手筆也。有嶧山刻
　石、泰山刻石、琅邪臺刻石、之罘刻石、之罘東觀刻石、碣石

門刻石、會稽刻石、刻始皇所立刻石，惟嶧山刻石《始皇本紀》不載，凡刻石文八。王氏《考證》謂秦刻石者四，非也。又有《句曲山白璧刻文》、《玉璽文》、《金狄銘》、《秦權文》四篇，凡是類皆當在此二十卷中。《隋志》小學家有《秦皇東巡會稽刻石文》一卷，則但有搨本一種，非其全也。

楚漢春秋九篇。陸賈所記。

本書列傳：陸賈，楚人也。以客從高祖定天下，名有口辯，居左右，常使諸侯。中國初定，尉佗平南越，因王之。高祖使賈賜佗印爲越南王。賈卒拜佗爲王，令稱臣奉漢約。歸報，高帝大説，拜賈爲太中大夫。孝惠時，呂太后用事，欲王諸呂，畏大臣及有口者。賈自度不能爭之，迺病免。以好時田地善，往家焉。呂太后時，爲陳平畫呂氏數事。游漢廷公卿間，名聲藉甚。及誅呂氏，立孝文，賈頗有力。孝文即位，欲使人之南越，丞相平乃言賈爲太中大夫，往使尉佗，去黃屋稱制，令比諸侯，皆如意指。陸生竟以壽終。又傳贊曰："陸賈位止大夫，致仕諸呂，不受憂責，從容平、勃之間，附會將相以彊社稷，身名俱榮，其最優乎！"

《司馬遷傳》贊曰："漢興代秦定天下，有《楚漢春秋》。故司馬遷據《左氏》、《國語》，采《世本》、《戰國策》，述《楚漢春秋》，接其後事，迄于大漢。"按裴駰《史記集解》序引班固此文作"天漢"，此"大漢"蓋誤寫也。

《後漢書・班彪傳》：彪論前史得失，曰："漢興定天下，太中大夫陸賈記録時功，作《楚漢春秋》九篇。"

《史記集解》序索隱曰："《楚漢春秋》，漢太中大夫楚人陸賈所撰，記項氏與漢高祖初起及説惠文間事。"

《隋志》史部雜史篇：《楚漢春秋》九卷，陸賈撰。又曰："陸賈作《楚漢春秋》，以述誅鋤秦項之事。"《唐・經籍志》：《楚漢春秋》九卷，陸賈撰。《唐·藝文志》：陸賈《楚漢春秋》九卷。

《史通·六家篇》：晏子、虞卿、呂氏、陸賈，其書篇第，本無年月，而亦謂之春秋。又《題目篇》云：“案呂、陸二氏，各著一書，唯次篇章，不繫時月。此乃子書雜記，而皆號曰春秋。考名責實，奚其爽歟！”又《雜述篇》云：“史氏流別，殊途並騖。權而爲論，其流有十，一曰偏記。夫皇王受命，有始有卒，作者著述，詳略難均。有權記當時，不終一代，若陸賈《楚漢春秋》，此之謂偏記者也。”又《雜説篇》云：“案劉氏初興，書唯陸賈而已。子長述楚、漢之事，專據此書。然觀遷之所載，往往與舊不同。如酈生之初謁沛公，高祖之長歌鴻鵠，非唯文句有別，遂乃事理皆殊。”

王氏《考證》：洪氏曰：“陸賈書記當時事，而所言多與史不合。顏師古屢辨之。若高祖之臣別有絳灌、南宮侯、張耳、淮陰舍人謝公。”

《經義考》曰：“案《楚漢春秋》，顏師古《漢書注》、李善《文選注》皆引之，則唐時尚存。又《太平御覽》亦引之，則宋初猶未亡也。”

高郵茆泮林輯本序曰：“《楚漢春秋》今散佚不可復得，彙刻叢書中亦未見輯本。泮林因其書與《左傳》、《國語》、《世本》、《國策》均爲龍門作史屬稿所據，惟《世本》及陸書無傳，故既輯《世本》成帙，復于此書留意焉。”

太史公百三十篇。十篇有録無書。

《太史公自序》曰：“太史公有子曰遷。遷生龍門，仕爲郎中，奉使西征巴、蜀以南，略邛、笮、昆明，還報命。是歲天子始建漢家之封，而太史公留滯周南，不得與從事，發憤且卒。執遷手而泣曰：‘余先周室之太史也。自上世常顯功名于虞夏，典天官事。今史記放絶。余爲太史而弗論載，廢天下之史文，余甚懼焉，汝其念哉！'遷俯首流涕曰：'小子不敏，請悉論先人所次舊聞，弗敢闕。'卒三歲而遷爲太史令，紬史記石室金匱之書。五年而當太初元年，十一月朔旦冬至，天曆始改，建于明堂，諸神受紀。于是論次其文。七年而遭李陵之禍，幽于縲紲。乃喟然而歎曰：'是余之罪也夫！身毀不用矣。'退而深惟曰：'夫《詩》、《書》隱約者，欲遂其志之思也。'卒述陶唐以來，至于麟止，自黃帝始。"

本書列傳曰："綱羅天下放失舊聞，著十二本紀，作十表、八書、三十世家、七十列傳，凡百三十篇，五十二萬六千五百字，爲《太史公書》。藏之名山，副在京師。遷之自序云爾。而十篇缺，有録無書。遷既被刑之後，爲中書令，尊寵任職。遷既死後，其書稍出。宣帝時，遷外孫平通侯楊惲祖述其書，遂宣布焉。"又傳贊曰："劉向、揚雄博極羣書，皆稱遷有良史之才，服其善序事理，辨而不華，質而不俚，其文直，其事核，不虛美，不隱善，故謂之實録。"

《後漢書·班彪傳》：彪既才高而好述作，遂專心史籍之間。因斟酌前史而譏正其得失。其略論曰："孝武之世，太史令司馬遷采《左氏》、《國語》，删《世本》、《戰國策》，據楚、漢列國時事，上自黃帝，下訖獲麟，作本紀、世家、列傳、書、表凡百三十卷，而十篇缺焉。夫百家之書，猶可法也。若《左氏》、《國語》、《世本》、《戰國策》、《楚漢春秋》、《太史公書》，今之所以知古，後之所由觀前，聖人之耳目也。"

《史通·六家篇》：《史記》家者，其先出于司馬遷。自五經間行，百家競列，事跡錯糅，前後乖舛。至遷乃鳩集國史，采訪家人，上起黃帝，下窮漢武；紀傳以統君臣，書表以譜年爵，合百三十卷。因魯史舊名，目之曰《史記》。自是漢世史官所續，皆以《史記》爲名。又《正史篇》云："孝武之世，太史公司馬談欲錯綜古今,勒成一史,其意未就而卒。子遷乃述父遺志,作十二本紀、十表、八書、三十世家、七十列傳,凡百三十篇。而十篇未成,有録而已。張晏《漢書注》云:'十篇,遷殁後亡失。'此説非也。"

錢大昕《史記考異》曰:"子長述先人之業作書,繼《春秋》之後,成一家言,故曰《太史公書》。以官名之者,承父志也。以虞卿、吕不韋著書之例言之,當云《太史公春秋》。不稱'春秋'者,謙也。《藝文志》《太史公》百三十篇,馮商所續《太史公》七篇,俱入《春秋》家。而班叔皮亦稱爲《太史公書》,蓋子長未嘗名其書曰《史記》。桓譚云'遷著書成,以示東方朔,朔皆署曰《太史公》'。署之者,名其書也。或者不察,以公爲朔尊遷之稱,失之遠矣。《周本紀》、《陳杞世家》、《儒林列傳》、《十二諸侯年表》、《老子列傳》、《天官書》、《太史公自序》諸所稱'史記',皆指前代之史而言。班史《五行志》所引'史記'亦非《太史公書》。《楊惲傳》惲始讀外祖《太史公記》,初不云《史記》。考《前》、《後漢書》多云《太史公書》,皆不云《史記》。《史記》之名,疑出魏晋以後,非子長著書之意也。《後漢書·班彪傳》有司馬遷著《史記》之語,此范蔚宗增益,非東觀原文。"

　　按史志著録稱《太史公》者,惟見是志。其後,《隋》、《唐志》所載諸家解註皆稱《史記》,無復稱《太史公書》者矣。

馮商所續　太史公七篇

劉歆《七略》曰:"商,陽陵人,治《易》,事五鹿充宗。後事劉向,能屬文,博通強記,與孟柳同待詔。頗序列傳,未卒,會病死。"

本志韋昭注曰:"馮商受詔續《太史公》十餘篇,在班彪《別録》。商字子高。"

本書《張湯傳》贊曰："馮商稱張湯之先與留侯同祖，而司馬遷不言，故闕焉。"如淳曰："班固《目録》：馮商，長安人，成帝時以能屬書待詔金馬門，受詔續《太史公書》十餘篇。"按《張湯傳》班氏亦采馮商所續書。

《史通·正史篇》：《史記》所書，年止漢武。太初已後，闕而不録。其後劉向、向子歆及諸好事者，若馮商、衞衡、揚雄、史岑、梁審、肆仁、晉馮、段肅、金丹、馮衍、韋融、蕭奮、劉恂等相次撰續，迄于哀、平間，猶名《史記》。

按本志是篇都凡之下注云"省《太史公》四篇"，當是馮氏續書。馮所續著録七篇，省四篇，蓋十一篇，故班氏、韋氏並云十餘篇。

太古以來年紀二篇

《禮記正義》序曰："伏犧之前，及伏犧之後，年代參差，所説不一，緯候紛紜，各相乖背，且復煩而無用。"

王氏《考證》：《春秋緯》曰："開闢至獲麟三百七十六萬歲，分爲十紀，大率一紀二十七萬六千年。"艾軒林氏曰："伏羲氏元年辛巳，或以爲甲寅。陶唐氏元年戊辰，或以爲辛卯，或以爲甲辰。舜之年月以孟子、司馬遷之言，求之《虞書》，似亦有不合者。"

漢著記百九十卷

顏師古《集注》曰："若今之起居注。"

本書《劉向傳》：向上奏曰："及項籍之敗，星孛大角。漢之入秦，五星聚于東井，得天下之象也。孝惠時，有雨血，日食于衝，滅光星見之異。孟康曰："日月行交道之衝也。相薄而既也，京房所謂陰氣盛，薄奪日光者也。"孝昭時，有泰山卧石自立，上林僵柳復起，大星如月西行，衆星隨之，此爲特異。孝宣興起之表，天狗夾漢而西，李奇曰："流星也。下墮地爲天狗，皆妖星。"久陰不雨者二十餘日，昌邑不終之異。皆著于《漢紀》云。"

又《五行志》云:"凡漢著紀十二世二百一十二年,日食五十三,朔十四,晦三十六,先晦一日三。"按此則《漢著記》百九十卷當訖于平帝元始五年,其哀、平兩朝著記,《七略》所未及,當是後人緒成之。

又《曆志》:《三統曆譜》曰:"漢高祖皇帝,著《紀》,伐秦繼周。木生火,故爲火德。天下號曰漢。著《紀》,高帝即位十二年。惠帝,著《紀》即位七年。高后,著《紀》即位八年。文帝,前十六年,後七年,著《紀》即位二十三年。景帝,前七年,中六年,後三年,著《紀》即位十六年。武帝建元、元光、元朔各六年,元狩、元鼎、元封各六年,太初、天漢、太始、征和各四年,後二年,著《紀》即位五十四年。昭帝始元、元鳳各六年,元平一年,著《紀》即位十三年。宣帝本始、地節、元康、神爵、五鳳、甘露各四年,黃龍一年,著《紀》即位二十五年。元帝初元、永光、建昭各五年,竟寧一年,著《紀》即位十六年。成帝建始、河平、陽朔、鴻嘉、永始、元延各四年,綏和二年,著《紀》即位二十六年。哀帝建平四年,元壽二年,著《紀》即位六年。平帝,著《紀》即位元始五年,以宣帝玄孫嬰爲嗣,謂之孺子。著《紀》新都侯王莽居攝三年,王莽居攝,盜襲帝位,竊號曰新室。始建國五年,天鳳六年,地皇三年,著《紀》盜位十四年。更始帝,著《紀》以漢宗室滅王莽,即位二年。赤眉賊立宗室劉盆子,滅更始。自漢元年訖更始二年,凡二百三十歲。光武皇帝,著《紀》以景帝後高祖九世孫受命中興復漢,改元曰建武,三十一年,中元二年,即位三十三年。"按此《漢著記》百九十卷,或即如此志所載至光武帝而止,未可知也。若《七略》原編當至成帝止,其下皆後人所續。

王氏《考證》:劉毅曰:"漢之舊典,世有《注》、《記》。"谷永言災異有"八世著《記》,久不塞除"之語。荀悅《申鑒》曰:"先帝

故事有《起居注》，動靜之節必書焉。"《通典》曰："漢武帝有
《禁中起居注》，明德馬后撰《明帝起居注》，則漢起居似在宫
中，爲女史之任。"

漢大年紀五篇

本書《高祖本紀》注：臣瓚曰："帝年四十二即位，即位十二
年，壽五十三。"《惠帝本紀》注："帝年十七即位，即位七年，壽
二十四。"《文帝本紀》注："帝年二十二即位，即位二十三年，
壽四十六。"《景帝本紀》注："帝年三十二即位，即位十六年，
壽四十八。"《武帝本紀》注："帝年十七即位，即位五十四年，
壽七十一。"《昭帝本紀》注："帝年九歲即位，即位十三年，壽
二十二。"師古曰："帝年八歲即位，明年改元，改元之後凡十三年，年二十一。"
《宣帝本紀》注："帝年十八即位，即位二十五年，壽四十三。"
《元帝本紀》注："帝年二十七即位，即位十六年，壽四十三。"
《成帝本紀》注："帝年二十即位，即位二十六年，壽四十五。"
師古曰："即位明年乃改元耳，壽四十六。"《哀帝本紀》注："帝年二十即
位，即位六年，壽二十五。"師古曰："即位明年乃改元，壽二十六。"《平帝
本紀》注："帝年九歲即位，即位五年，壽十四。"師古曰："《漢注》云
帝春秋益壯，以母衛太后故怨不悅。莽自知益疏，篡弑之謀由是生，因到臘日上椒
酒，置藥酒中。故翟義移書云'莽鴆殺孝平皇帝'。"

章如愚《山堂考索・前集》曰："非有《漢著記》百九十卷，《漢
大年紀》五篇，則孟堅十二帝紀何所考證而作也？"
《玉海・藝文・編年類》：《漢大年紀》，《漢志》春秋家五篇。
《高祖》、《文帝》、《武帝紀》臣瓚注引漢帝年紀蓋即此書。

按此似大事記之類，而臣瓚所注漢帝年紀亦在其中，惟《高
后紀》無瓚注，《外戚傳》亦不言其年壽，但知其臨朝八年
耳。又按以上兩書疑《七略》皆無卷數，至班氏始據當時所有成書而著録于此。
又按此篇凡分兩章：自《春秋古經》至《議奏》十八條爲一

章，皆經傳之屬也；自《國語》至《漢大年紀》十一條爲一章，皆古今史傳附著于此篇者也。其經傳之中分爲七段：《春秋古經》、公、穀二家《經》，古今文經本也，是爲第一段；《左氏》、《公羊》、《穀梁》、《鄒氏》、《夾氏傳》，所謂《春秋》分爲五，自昔相傳者也，爲第二段；《左氏微》、《鐸氏微》、《張氏微》、《虞氏微傳》，抄撮成編，別爲一體，後世史鈔之流權輿于此，爲第三段；《公羊外傳》、《穀梁外傳》爲第四段；《公羊章句》、《穀梁章句》爲第五段；《公羊雜記》、《顏氏記》、《董仲舒治獄》爲第六段，顏氏遠在董氏之後而列于其前者，以其書與《雜記》相類從，而《治獄》在春秋家自爲體裁，故次于後，此三家皆《公羊》學，故別爲一段，次章句之後；考之尚書家、禮家皆以《石渠議奏》置諸末簡，此循其例，故以《議奏》爲第七段終焉。其所附古今史傳亦分四段：《國語》、《新國語》爲一段，《世本》、《戰國策》、《奏事》、《楚漢春秋》爲一段，《太史公》、馮商續《太史公》爲一段，《太古以來年紀》、《漢著記》、《漢大年紀》爲一段。是篇所分章段如此，或詆爲無義例無倫類者，不自知其妄也。

凡《春秋》二十三家，九百四十八篇。省《太史公》四篇。 按以《春秋古經》合《左氏傳》爲一家，《公羊》、《穀梁經》合《內》《外傳》、《章句》、《雜記》爲二家，餘二十條條爲一家，正合二十三家之數。然恐無是例也。據所載有二十九條，首一條古今文經誤連二條爲一條，則有三十條，條爲一家。又公、穀二家《經》當爲二家，實有三十一家。其篇數則公、穀二家《經》各十一卷，合爲廿二卷，實止于九百一篇。凡缺少八家，溢出四十七篇。今校定當爲三十一家，九百一篇。王氏《考證》卷末《決疑》曰："自六經以至陰陽之家，其數或多或少。《春秋》九百四十八篇，而其數之不及者七十有一。"按此言不及者，以多出言之，則爲八百七十七篇；以缺少言之，則爲一千一十九篇。其數皆未合，不知云何？此《決疑》而轉以致疑也。

古之王者世有史官，君舉必書，所以慎言行，昭法式也。左史記言，右史記事，事爲《春秋》，言爲《尚書》，帝王靡不同之。周室

既微，載籍殘缺，仲尼思存前聖之業，乃稱曰：“夏禮吾能言之，杞不足徵也；殷禮吾能言之，宋不足徵也。文獻不足故也，足則吾能徵之矣。”以魯周公之國，禮文備物，史官有法，故與左邱明觀其史記，據行事，仍人道，因興以立功，敗以成罰，假日月以定曆數，藉朝聘以正禮樂。有所襃諱貶損，不可書見，口授弟子，弟子退而異言。邱明恐弟子各安其意，以失其真，故論本事而作傳，明夫子不以空言說經也。《春秋》所貶損大人當世君臣，有威權勢力，其事實皆形于傳，是以隱其書而不宣，所以免時難也。及末世口說流行，故有《公羊》、《穀梁》、《鄒》、《夾》之《傳》。四家之中，《公羊》、《穀梁》立于學官，鄒氏無師，夾氏未有書。

論語古二十一篇。出孔子壁中，兩《子張》。

顏氏《集注》：如淳曰：“分《堯曰》篇後子張問‘何如可以從政’已下爲篇，名曰《從政》。”

劉向《別錄》曰：“古壁所傳謂之《古論》。”

桓譚《新論》曰：“《古論語》二十一篇，文異者四百餘字。”

《論衡·正說篇》：說《論語》者皆知說文解語而已，不知《論語》本幾何篇；但周以八寸爲尺，不知《論語》所獨一尺之意。夫《論語》者，弟子共紀孔子之言行，勅己之時甚多，數十百篇，以八寸爲尺，紀之約省，懷持之便也。以其遺非經，傳文紀識恐忘，故但以八寸尺，不二尺四寸也。漢興失亡。至武帝發取孔子壁中古文，得二十一篇，齊、魯二，河間九篇，本三十篇。至昭帝女讀二十一篇。宣帝下太常博士，時尚稱書難曉，名之曰傳；後更隸寫以傳誦。初，孔安國以教魯人扶卿，官至荆州刺史，始曰《論語》。今時稱《論語》二十篇，又失齊、魯、河間九篇。本三十篇，分布亡失；或二十一篇。目或多或少，文讚或是或誤。說《論語》者，但知以剝解之問，以纖微之難,不知存問本根篇數章目。溫故知新,可以爲師,今不知古,稱師如何? 按此文似有敚誤,大致謂其初有河間獻王所獻九篇,孔壁所得二十 篇。其後魯人、齊人刪并複重,定爲《魯論》二十篇,《齊論》二十二篇,而河間之本即在其中,故其本遂不復傳。

鄭康成《六藝論》曰:"《論語》,仲弓、子游、子夏等所撰。定《易》、《詩》、《書》、《禮》、《樂》、《春秋》策皆二尺四寸。《孝經》尺二寸,謙,半之。《論語》八寸策者,三分居一,又謙焉。"《經義考》曰:"按《論語》出于子夏等六十四人所撰。"

後漢趙岐《孟子題辭》曰:"漢興,除秦虐禁,開延道德。孝文皇帝欲廣游學之路,《論語》、《孝經》、《孟子》、《爾雅》皆置博士。後罷傳記博士,獨立五經而已。"按劉歆《移書太常博士》云"至孝文皇帝,天下衆書往往頗出,皆諸子傳説,猶廣立于學官,爲置博士"云云,與趙氏之言相印合。

《釋文·叙録》:《論語》者,孔子應答弟子及時人所言,或弟子相與言而接聞于夫子之語也。當時弟子各有所記。夫子既終,微言已絶。弟子恐離居已後,各生異見,而聖言永滅,故相與論撰,因輯時賢及古明王之語,合成一法,謂之《論語》。鄭康成云仲弓、子夏等所撰定。漢興,傳者則有三家:《古論語》者,出自孔氏壁中,凡二十一篇,有兩《子張》,篇次不與《齊》、《魯論》同。《新論》云:"文異者四百餘字。"

《隋書·經籍志》:《論語》者,孔子弟子所録。孔子既叙六經,講于洙、泗之上,門徒三千,達者七十。其與夫子應答,及私相講肄,言合于道,或書之于紳,或事之無厭。仲尼既没,遂緝而論之,謂之《論語》。《古論語》與《古文尚書》同出,章句煩省,與《魯論》不異,唯分兩《子張》爲二篇,故有二十一篇。馬氏《玉函山房》有《古論語》輯本六卷。

齊二十二篇。 多《問王》、《知道》。

顔氏《集注》:如淳曰:"多《問王》、《知道》,皆篇名也。"

劉向《別録》曰："齊人所學謂之《齊論》。"

《釋文·叙録》：《齊論語》者，齊人所傳，别有《問王》、《知道》二篇，凡二十二篇，其二十篇中，章句頗多于《魯論》。

《隋書·經籍志》：齊人傳者，二十二篇。漢末，鄭玄以《張侯論》爲本，參考《齊論》、《古論》而爲之注。魏陳羣、王肅、周生烈，皆爲義説。何晏又爲集解。是後諸儒多爲之注，《齊論》遂亡。

王氏《考證》：艾軒林氏曰："許氏《説文》有所謂逸《論語》，是成康之注未行，而《論語》散逸已有不傳者。"愚謂《問王》疑即《問玉》也，篆文相似。

《經義考》：洪适曰："《季氏篇》或以爲《齊論》。"又曰："説者謂《問王》、《知道》是内聖外王之業，此傅會也。語出晁氏，詳後《張侯論》條下。《論語》二十篇，皆就首章字義名篇，非有包括全篇之義。今逸《論語》見于《説文》、《初學記》、《文選注》、《太平御覽》等書，其詮玉之屬特詳。竊疑《齊論》所逸二篇，其一乃《問玉》，非《問王》也。考之篆法，三畫正均者爲'玉'，中畫近上者爲'王'，初無大異，因謁'玉'爲'王'耳。王伯厚亦云《問王》疑即《問玉》，豈其然乎！馬氏《玉函山房》有《齊論語》輯本一卷。

　　按舊例文相聯貫，此《齊》二十二篇者蒙上文"論語"二字，刻書者以其前有注文，遂強分爲一條。

魯二十篇，傳十九篇。

劉向《別録》曰："《魯論語》二十篇皆孔子弟子記諸善言也。"又曰："魯人所學謂之《魯論》。"

本志叙傳：《魯論語》者，常山都尉龔奮、長信少府夏侯勝、丞相韋賢、魯扶卿、前將軍蕭望之、安昌侯張禹，皆名家。蕭望之本傳云從夏侯勝問《論語》、禮服。

《釋文·叙録》：《魯論語》者，魯人所傳，即今所行篇次是也。

常山都尉龔奮、長信少府夏侯勝、丞相韋賢及子玄成、魯扶卿、鄭云扶先，或説“先”，先生。太子少傅夏侯建、前將軍蕭望之並傳之，各自名家。按此所叙名家又有韋玄成、夏侯建二人，與《漢志》不同。而《張禹傳》有韋玄成，《隨·經籍志》亦有韋丞相節侯父子，無小夏侯建。

《經義考》曰：“按《魯論語·堯曰篇》無‘不知命’一章，《齊論語》則有之，蓋後儒參入。其字義異讀者‘傳不習乎’讀‘傳’爲‘專’之類，凡一十七條。”

按舊例文相聯貫，此條與前一條皆蒙上文“論語”二字，猶言《論語》齊二十二篇，《論語》魯二十篇也。其曰《傳》十九篇，又蒙本條上文“魯”字，言《魯傳》十九篇也。刻書者皆以注文間隔誤分爲條。

齊説二十九篇

劉歆《七略》曰：“《論語》家，近琅邪王卿不審名，及膠東庸生皆以教。”

本志叙：漢興，有齊、魯之説。傳《齊論》者，昌邑中尉王吉、少府宋畸、御史大夫貢禹、尚書令五鹿充宗、膠東庸生，唯王陽名家。師古曰：“王吉字子陽，故謂之王陽。”

魏何晏《集解》序曰：“《齊論語》二十二篇，琅邪王卿及膠東庸生、昌邑中尉王吉皆以教授。”宋邢昺《疏》曰：“王卿，天漢元年由濟南太守爲御史大夫。庸生，名譚。王吉，字子陽。三人皆以《齊論語》教授于人。”按《釋文·叙録》亦有琅邪王卿，與《七略》同，而本志不之及。按《百官表》天漢元年，濟南太守琅邪王卿爲御史大夫。二年，有罪自殺。亦見《武帝本紀》。何晏叙首稱漢中壘校尉光禄大夫劉向言云云，疑此一段文字皆采之《别録》。

魯夏侯説二十一篇

夏侯勝始末見前《尚書》家。

本傳：勝復爲長信少府，遷太子太傅。受詔撰《尚書》、《論語說》，賜黃金百斤。師古曰："解說其意，若今義疏也。"

魯安昌侯說二十一篇

本傳：張禹字子文，河內軹人也，至禹父徙家蓮勺。禹至長安，從沛郡施讎受《易》，按《儒林》《易》家《施讎傳》"及梁邱賀爲少府，事多，迺遣子臨分將門人張禹等從讎問。讎授張禹，至丞相，自有傳"。琅邪王陽、膠東庸生問《論語》，既皆明習，有徒衆，舉爲郡文學。甘露中，諸儒薦禹，有詔太子太傅蕭望之問。禹對《易》及《論語》大義，望之善焉，奏禹經學精習，有師法，可試事。奏寢，罷歸故官。久之，試爲博士。初元中，立皇太子，而博士鄭寬中以《尚書》授太子，薦言禹善《論語》。詔令禹授皇太子《論語》，由是遷光祿大夫。數歲，出爲東平內史。成帝即位，徵禹，以師賜爵關內侯。拜爲諸吏光祿大夫，秩中二千石，給事中，領尚書事。河平四年代王商爲丞相，封安昌侯。爲相六歲，鴻嘉元年以老病乞骸骨。罷就第，以列侯朝朔望，位特進。成帝崩，禹及事哀帝，建平二年薨，謚曰節侯。初，禹爲師，以上難數對己問經，按《經義考》引云"以上好《論語》，難數對己問經"，此似有敓文。爲《論語章句》獻之。始魯扶卿及夏侯勝、王陽、蕭望之、韋玄成皆説《論語》，篇第或異。禹先事王陽，後從庸生，采獲所安，最後出而尊貴。諸儒爲之語曰："欲爲《論》，念張文。"由是學者多從張氏，餘家寖微。按禹後劉向卒一年。

本志叙曰："張氏最後而行于世。"

何晏《集解》叙曰："安昌侯張禹本受《魯論》，兼講《齊説》，善者從之，號曰《張侯論》，爲世所貴。包氏、周氏章句出焉。"包、周見《後漢書·儒林傳》。

《釋文·叙錄》：安昌侯張禹受《魯論》于夏侯建，按本傳言禹從王陽、庸生問《論語》，不言受于夏侯建。又從庸生、王吉受《齊論》，擇善而從，號曰《張侯論》。最後而行于漢世。禹以《論》授成帝。

《隋書·經籍志》：張禹本授《魯論》，晚講《齊論》，後遂合而考之，删其煩惑。除去《齊論》《問王》、《知道》二篇，從《魯論》二十篇爲定，號《張侯論》，當世重之。

王氏《考證》：晁氏公武曰：“《齊論》有《問王》、《知道》二篇，詳其名，是必論内聖之道，外王之業，未必非夫子之最致意者，不知何説，而張禹獨遺之。禹身不知王鳳之邪正，其不知此固宜。然勢位足以軒輊一世，使斯文遂喪，惜哉！”

《文獻·經籍考》：《齊論》多于《魯論》二篇，曰《問王》、《知道》。史稱爲張禹所删，以此遂無傳。且夫子之言，禹何人而敢删之？然《古論語》與《古文尚書》同自孔壁出者，章句與《魯論》不異，惟分《堯曰篇》“子張問”以下爲一篇，共二十一篇。則《問王》、《知道》二篇亦孔壁中所無，度必後儒依倣而作，非聖經之本真，此所以不傳，非禹所能删也。

　　按《安昌侯説》，鄭氏作注、何氏作集解即據其本，止于二十篇。此多出一篇，《魯夏侯説》亦多出一篇，此一篇疑即鄭氏所注《論語篇目弟子》，别詳余所輯《後漢藝文志》。

魯王駿説二十篇

本書《王吉傳》：吉字子陽，琅邪皋虞人也。少好學明經，爲昌邑中尉、博士、諫大夫。謝病歸。元帝初即位，徵吉。吉年老，道病卒。初，吉兼通五經，能爲《騶氏春秋》，以《詩》、《論語》教授，好梁邱賀説《易》，令子駿受焉。駿以孝廉爲郎。遷諫大夫、趙内史。道病，免官歸。起家復爲幽州刺史，遷司隸校尉、少府、京兆尹。代薛宣爲御史大夫，居位。六歲病卒。

又《儒林·梁邱賀傳》：賀傳子臨。臨學精熟，專行京房法。琅邪王吉通五經，聞臨説，善之。時宣帝選高材郎十人從臨講，吉乃使其子郎中駿上疏從臨受《易》。

《世系》：吉字子陽，漢諫大夫。始家皋虞，後徙臨沂都鄉南仁里。生駿，字偉山，御史大夫。按"駿"字史不具，唯見于此。

　　按史傳但言王陽名家，不及王駿，蓋傳其父學。然王陽傳《齊論》，而其子乃爲《魯説》，則又別自名學，與其父異，猶劉向治《穀梁》，子歆治《左氏》也。

燕傳説三卷

　　《經義考》曰："無名氏《燕傳説》，《漢志》三卷，佚。"

　　按此殆燕人相傳之説，或疑爲"傅"字，謂燕人傅會其説，不得而詳已。

議奏十八篇。石渠論。

　　《經義考》曰："《論語石渠議奏》，《漢志》十八篇，佚。"

　　按《論語》家與石渠者唯淮陽中尉韋玄成、太子太傅蕭望之，二人皆治《魯論語》者也。時黄門郎梁邱臨奉使問諸儒，蕭望之則平奏其議，可考見者唯此三人而已。

　　又按《韋玄成傳》：玄成與蕭望之及五經諸儒雜論同異于石渠閣。考五經諸儒中，唯琅邪王吉兼通《齊論》，意此《議奏》當有王吉一家在内。而《齊論》《問王》、《知道》二篇當日所以去留之故，亦必在此十八篇中，惜無由考見矣。

孔子家語二十七卷

　　顏氏《集注》曰："非今所有《家語》。"

　　《禮·樂記》正義引魏博士馬昭曰："《家語》王肅所增加，非鄭所見。"又曰："肅私定以難鄭玄。"按馬昭所見已非此二十七卷之本矣。

　　《經義考》：《孔子家語》，《漢志》二十七卷，佚，別本存。郎瑛曰："王文憲公柏《家語考》一編，以四十四篇之《家語》乃王肅自取《左傳》、《國語》、《荀》、《孟》、二戴《記》割裂纖成之，孔衍之序亦王肅自爲也。"按孔安國《家語後序》亦後人僞撰。

　　《四庫簡明目録》曰："《孔子家語》十卷，魏王肅注。《家語》雖名見《漢志》，而書則久佚。今本蓋即王肅所依託，以攻駁鄭學,馬昭諸儒已論之詳矣。"按《隋》、《唐》、《宋史·志》所載《孔子家語》皆非本志本書,故不具。

孔子三朝七篇

顏氏《集注》曰:"今《大戴禮》有其一篇,蓋孔子對魯哀公語也。三朝見公,故曰三朝。"

劉向《別錄》曰:"孔子見魯哀公問政比三朝,退而爲此記,故曰三朝,凡七篇。"

《三國·蜀志·秦宓傳》:宓曰:"昔孔子三見哀公,言成七卷,事蓋有不可嘿嘿也。"注引劉向《七略》曰:"孔子三見哀公,作《三朝記》七篇,今在《大戴禮》。臣松之案《中經簿》有《孔子三朝》八卷,一卷目錄,餘者所謂七篇。"

王氏《考證》:七篇者,今考《大戴禮》,《千本》、《四代》、《虞戴德》、《誥志》、《小辨》、《用兵》、《少閒》。《史記》、《漢書》、《文選注》所引謂之《三朝記》,《爾雅疏》張揖引《三朝記》皆此書也。

《經義考》:《孔子三朝記》,《漢志》七篇,佚。

今人《書目答問》:《孔子三朝記》七卷,目錄一卷,臨海洪頤煊校錄傳經堂本。

孔子徒人圖法二卷

《史記·仲尼弟子列傳》:孔子曰"受業身通者七十有七人",皆異能之士也。列傳又曰:"公孫龍字子石。少孔子五十三歲。自子石以右三十五人,頗有年名及受業聞見于書傳。其四十有二人,無年及不見書傳者紀于左。"索隱曰:"《孔子家語》亦有七十七人,唯文翁孔廟圖作七十二人。"又曰:"如文翁圖所記,又有林放、蘧伯玉、申棖、申堂,俱是後人以所見增益,今殆不可考。"

梁元帝《金樓子·著書篇》:《職貢圖序》曰:"尼邱乃聖,猶有圖人之法。”

《經義考》:《孔子徒人圖法》,《漢志》二卷,佚。按《徒人圖法》《藝文志》在《論語》部,殆即《家語》所云《弟子解》,《史記》所云《弟子籍》是也。

又《承師篇》云:“《藝文志》有《孔子徒人圖法》,《隋志》有鄭康成《論語孔子弟子目錄》,《唐志》作《論語篇目弟子》,惜俱失傳。議《禮》者止以《家語》爲憑,至斥《史記》爲傅會,若文翁禮殿圖置之不復參詳矣。”

　按此是弟子圖,猶蜀守文翁學堂圖,不知何人所圖。圖凡若干人,皆不可考。《史記》稱《弟子籍》出孔氏古文近是。史公據以作《弟子列傳》者,似與此別爲一書。

　又按此篇凡分三段附著一段:《論語古》二十一篇、《齊》二十二篇、《魯》二十篇皆本經也,爲第一段;《魯傳》、《齊説》、《魯夏侯説》、《安昌侯説》、《王駿説》、《燕傳説》六家,皆傳注解釋之屬,爲第二段;《議奏》則雜論同異,爲第三段;以下《家語》、《三朝記》、《徒人圖法》則附著于是篇,猶《春秋》家《議奏》之後附著《國語》、《世本》等十一家之例也。

凡《論語》十二家,二百二十九篇。 按所載凡十二條,條爲一家,則十二家不誤。然《魯論語》與《魯傳》誤合爲一條,當別出各爲一家,則尚缺一家。其篇數亦缺一篇。今校定當爲一十三家,二百三十篇。

《論語》者,孔子應答弟子時人及弟子相與言而接聞于夫子之語也。當時弟子各有所記。夫子既卒,門人相與輯而論纂,故謂之《論語》。漢興,有齊、魯之説。傳《齊論》者,昌邑中尉王吉、少府宋畸、御史大夫貢禹、尚書令五鹿充宗、膠東庸生,唯王陽名家。傳《魯論語》者,常出都尉龔奮、長信少府夏侯勝、丞相韋賢、魯扶卿、前將軍蕭望之、安昌侯張禹,皆名家。張氏最後而行于世。 按《釋文·叙錄》,傳《齊論》者,少府宋畸之下,又有琅邪王卿。

傳《魯論》者，丞相韋賢之下有其子玄成，魯扶卿之下有太子少傅夏侯建。本書《百官公卿表》孝宣本始二年，詹事東海宋疇、翁壹爲大鴻臚，徙左馮翊。四年，左馮翊宋疇爲少府。六年坐議鳳皇不彭城未至京師不足美，貶爲泗水太傅，蓋即此宋畸，而《表》書爲疇。按《蕭望之傳》云地節三年夏，京師雨雹，望之因是上疏。宣帝自在民間聞望之名，曰："此東海蕭生耶？下少府宋畸問狀。"考地節三年即《表》所載宋疇爲少府六年中之第四年也。及疇貶官時，蕭望之爲平原太守，代疇爲少府。宋畸始末略可考見如此。

孝經古孔氏一篇。二十二章。

劉向《別録》曰："《孝經古孔氏》者，古文字也。《庶人章》分爲二也，《曾子敢問章》爲三，又多一章，凡二十二章。"

本志叙：經文唯孔氏壁中古文爲異。"父母生之，續莫大焉"，"故親生之膝下"，諸家説不安處，古文字讀皆異。臣瓚曰："《孝經》云'續莫大焉'，而諸家之説各不安處之也。"

桓譚《新論》云："《古孝經》千八百七十二字，今異者四百餘字。"

後漢召陵萬歲里公乘許沖《上説文解字書》曰："臣父慎又學《孝經》孔氏古文説。《古文孝經》者，孝昭帝時魯國三老所獻，建武時給事中議郎衛宏所校。"

《釋文·叙録》：又有古文，出于孔氏壁中，別有《閨門》一章，自餘分析十八章，總爲二十二章。

《隋書·經籍志》：又有《古文孝經》，與《古文尚書》同出，而長孫氏有《閨門》一章，其餘經文，大較相似，篇簡缺解，又有衍出三章，並前合爲二十二章。

王氏《考證》：《孝經古孔氏》二十二章，孔惠所藏。許沖上父《説文》云《古文孝經》昭帝時魯國三老所獻。按《志》云孔氏壁中古文，則與《尚書》同出也。蓋始出於武帝時，至昭帝時乃獻之。

孝經一篇。十八章。長孫氏、江氏、后氏、翼氏四家。

本志叙曰："漢興，長孫氏、博士江翁、少府后倉、諫大夫翼奉、安昌侯張禹傳之，各自名家。"

《釋文·叙録》：《孝經》亦遭焚燼，河間人顏芝爲秦禁，藏之。漢氏尊學，芝子貞出之，是爲今文。凡十八章。又有古文二十二章，劉向校書，定爲十八。

《隋書·經籍志》：遭秦焚書，爲河間人顏芝所藏。漢初，芝子貞出之，凡十八章。至劉向典校經籍，以顏本比古文，除其繁惑，以十八章爲定。

《經義考》：荀爽曰："漢制，使天下誦《孝經》。"孫本曰："顏芝今文非有斷章錯簡，乃孔，曾全經也。文、景置博士，且令衛士通習矣。昭帝時，魯三老復獻古文。而成帝命劉向典校經籍，除其繁惑。夫既經向校定，則世所傳者，乃劉向之今文，而非顏芝今文矣。"

長孫氏説二篇

《隋書·經籍志》：而長孫氏有《閨門》一章。

《經義考》：孫本曰："《閨門章》漢初長孫氏傳，今文即有之。劉向以顏本考定，雖云除其繁惑，然謂經文大較相同，則《閨門章》未嘗削矣。"

馬國翰曰："長孫氏名字爵里俱無考。漢興，傳《孝經》。《漢志》《長孫氏説》二篇。《隋》、《唐志》不著録，佚已久。《隋志》謂長孫有《閨門》一章，據孔安國古文傳本録出，表漢初大師傳經之首功，惜其説不可得而覩矣。"

按長孫氏始末未詳，《儒林傳》《韓詩》家有淄川長孫順爲博士，宣元時人，爲韓太傅四傳弟子，或其後歟？

江氏説一篇

本書《儒林傳》：魯申公卒以《詩》、《春秋》授，而瑕邱江公盡能

傳之。又曰：“瑕邱江公授《穀梁春秋》及《詩》於魯申公，傳子
至孫爲博士。”又曰：“博士江公世爲《魯詩》宗，至江公著《孝
經説》。”又曰：“宣帝即位，求能爲《穀梁》者，莫及蔡千秋。會
千秋病死，徵江公孫爲博士。江博士復死。”

按此江氏蓋即宣帝時博士瑕邱江公之孫，世傳《魯詩》、《穀
梁春秋》，又以《孝經》名其家。史失其名字。

翼氏説一篇

本傳：翼奉字少君，東海下邳人也。治《齊詩》，與蕭望之、匡
衡同師。按《儒林傳》同師于后倉。三人經術皆明，衡爲後進，望之
施之政事，而奉惇學不仕，好律曆陰陽之占。元帝初即位，諸
儒薦之，徵待詔宦者署，數言事宴見，天子敬焉。以爲中郎、
博士、諫大夫。年老以壽終。子及孫，皆以學在儒官。

按奉爲后氏弟子，其《孝經》之學亦受之后氏可知。

后氏説一篇

后倉有《齊詩故》，見前《詩》家。

馬國翰輯本序曰：“考《漢書・匡衡傳》引稱《孝經》。衡爲倉
之弟子，漢人説經皆本師法，則所稱述信爲后氏遺説，采列一
家，其引經字句與今本不同，足資參考，訓辭尤莊雅可誦云。”

按后氏爲翼氏之師，本志篇叙亦叙后倉于翼奉之前，而其
書乃列翼氏之後，或后氏之弟子所録，成書在翼氏之後，或
轉寫顛倒之誤，無以詳知。

雜傳四篇

王氏《考證》：蔡邕《明堂論》引《魏文侯孝經傳》，蓋《雜傳》之
一也。

《經義考》：蔡邕引《魏文侯孝經傳》曰：“大學者，中庸明堂之
位也。”賈氏《齊民要術・耕田篇》引文侯之言云“民春以力
耕，夏以鋤耘，秋以收斂”，當是《孝經》“用天之道分地之利”

注也。

　　按《春秋繁露·五行對》引河間獻王問《孝經》天經地義之
　　說于溫城董君，董君似獻王官屬。此篇或亦在《雜傳》中。
　　雜傳者，不主一家。劉中壘衰録諸家之説，題以此名，其人
　　皆在安昌侯張禹之前，故次之于此。

安昌侯説一篇

　　安昌侯張禹有《魯論語》，説見前《論語》家。

　　馬國翰輯本序曰：“邢昺《正義》引劉瓛述張禹之義僅一節。
他或引稱舊説。考《孝經》以説名者，《漢志》四家，長孫氏、江
氏、翼氏、后氏，俱無傳述。張禹之義既見劉瓛所引，則佚説
六朝時尚存，《正義》取裁齊、梁諸疏，故得據而述之，合輯六
節云。”

　　按自長孫氏至此六家，皆蒙上文“孝經”二字。舊文聯屬成
　　篇，自然一氣貫串，今改爲分條，遂隔越不相統壹，而翼氏、
　　后氏之叙次先後，亦未必不因分條而誤。

五經雜議十八篇。石渠論。

　　本書《韋玄成傳》：宣帝召拜玄成爲淮陽中尉。是時王未就
國，玄成受詔，與太子太傅蕭望之及五經諸儒雜論同異于石
渠閣，條奏其對。

　　又《劉向傳》：向本名更生。會初立《穀梁春秋》，徵更生受《穀
梁》，講論五經于石渠。

　　又《儒林·施讎傳》：詔拜讎爲博士。甘露中與五經諸儒雜論
同異于石渠閣。

　　《隋·經籍志》論語篇：《五經義》六卷，梁七卷。不著撰人，證以
《唐志》，蓋即此書。《唐·經籍志》經解類：《五經雜義》七卷，劉向
撰。《藝文志》：劉向《五經雜義》七卷。

　　《玉海·藝文》曰：“《宣紀》甘露三年三月，詔諸儒講論五經同

異。《易》則施讎、梁邱臨,《書》則周堪、張山拊、林尊、歐陽地
餘、假倉,《詩》則韋玄成、張生、薛廣德,《禮》則戴勝、韋玄成、
聞人通漢,《穀梁》則蕭望之、劉向、尹更始。"

《經義考》曰:"按徐天麟《西漢會要》彙載雜議羣儒姓名:蕭
望之、韋玄成、施讎、梁邱臨、歐陽地餘、林尊、周堪、孔霸、張
山拊、張生、薛廣德、戴德、戴聖、聞人通漢、劉向,凡十有五
人。考假倉以小夏侯學爲謁者,論石渠,而徐氏失載。又大
戴未聞其議石渠,意誤讀《孟卿傳》也。"

《四庫提要》曰:"宣帝有《石渠五經雜議》十八篇,《漢志》無類
可隸,遂雜置之《孝經》類中。"

按石渠羣儒姓名,《玉海》及《經義考》所舉各有所遺。今詳
考《儒林傳》列傳,綜彙於此。《易》家有施讎、梁邱臨。《尚
書》家有歐陽地餘、林尊、周堪、張山拊、假倉。《詩》家有韋
玄成、張長安、薛廣德。《禮》家則戴聖、聞人通漢。《春秋》
《公羊》家則嚴彭祖、申輓、伊推、宋顯、許廣,《穀梁》家則尹
更始、劉向、周慶、丁姓、王亥。而蕭望之以五經名家與韋
玄成條奏其議,梁邱臨奉使問難。可考見者凡二十有三
人。《玉海》以蕭望之專屬《穀梁》家,非是。又《會要》有孔
霸,今參考《孔光傳》,皆不言其論石渠,亦似誤讀《儒林·
周堪傳》也。王亥,鄭氏《六藝論》作王彦。

又按《玉海》云《書議奏》四十二篇,《禮議奏》三十八篇,《春
秋議奏》三十九篇,《論語議奏》十八篇,《五經雜議》十八
篇,凡百五十五篇。宗按《易》、《詩》、《孝經》無議奏者,殆
以所議不多,彙于《五經雜議》中。

爾雅三卷二十篇

《大戴記·孔子三朝記》:公曰:"寡人欲學小辨以觀于政,其
可乎?"孔子曰:"《爾雅》以觀于古,足以辨言矣。"

《西京雜記》：劉歆曰："郭威字文偉，茂陵人也。好讀書，以謂《爾雅》周公所制，而有'張仲孝友'，非周公之制明矣。余嘗以問揚子雲，子雲曰：'孔子門徒游、夏之儔所記，以解釋六藝者也。'家君以爲《外戚傳》稱'史佚教其子以《爾雅》'，又《記》言魯哀公，孔子教學《爾雅》，《爾雅》之出遠矣。舊傳學者，皆云周公所記也。'張仲孝友'之類，後人所足耳。"

鄭康成《駁五經異義》曰："某之聞也，《爾雅》者，孔子門人所作以釋六藝之旨，蓋不誤也。"又《鄭志》答張逸曰："《爾雅》之文雜，非一家之著，則孔子門人所作亦非一人。"

魏張揖《進廣雅表》曰："昔在周公，纘述唐虞，宗翼文武，克定四海，勤相成王，六年制禮，以導天下，著《爾雅》一篇，以釋其義。今俗所傳三篇，或言仲尼所增，或言子夏所益，或言叔孫通所補，或言沛郡梁文所考，皆解家所説，先師口傳，疑莫能明也。"

王氏《考證》：舊説此書始于周公以教成王。晁氏曰："《爾雅》，小學之類，附《孝經》非是。"

《四庫提要》曰："《三朝記》稱'孔子教魯哀公學《爾雅》'，則《爾雅》之來遠矣，然不云爲誰作。張揖《進廣雅表》，于作書之人亦無確指。其餘諸家所説，小異大同。今參互考之，曹粹中《放齋詩説》云'《爾雅》，毛公以前其文猶略，至鄭康成時則加詳'。大抵小學家綴輯舊文，遞相增益，周公、孔子皆依託之詞。觀《釋地》有鶌鳩，《釋鳥》又有鶌鳩，同文複出，知非纂自一手。其中釋《詩》者不及十之一，非專爲《詩》作。釋五經者不及十之三四，更非專爲五經作。今觀其文，大抵采諸書訓詁名物之同異，以廣見聞，實自爲一書，不附經義。其取《楚辭》、《莊子》、《列子》、《穆天子傳》、《管子》、《呂氏春秋》、《山海經》、《尸子》、《國語》之文，蓋亦《方言》、《急就》

之流,特說經之家多資以證古義,故從其所重,列之經部耳。"

孫星衍《尸子輯本》序曰:"《尸子》出周秦之間遺文佚說,時足證左經傳。其引《爾雅》天帝后皇之屬十有餘名,可證叔孫通、梁文增補之誤。"

王鳴盛《蛾術編・說錄》曰:"《漢・藝文志》《爾雅》三卷二十篇。三卷者,卷帙繁多,分爲上、中、下。二十篇者,自《釋詁》至《釋畜》凡十九篇,別有《序篇》一篇。郭璞序云:'聖賢閒作,訓詁遞陳。周公倡之于前,子夏和之于後。'《疏》云:'《釋詁》一篇蓋周公所作,《釋言》以下或言仲尼所增,子夏所足。'今《序篇》不知是周公作乎? 仲尼、子夏作乎? 顧廣圻云:《毛詩疏》引《爾雅・序篇》云:'《釋詁》、《釋言》通古今之字,古與今異言也,《釋訓》言形貌也。'郭璞既作注,則《序篇》亦當有注,而今亡之。"

南康謝啓昆《小學考》:《爾雅》,《漢志》三卷二十篇,今本十九篇存。

小雅一篇,古今字一卷。宋祁曰:"'小'字下邵本有'爾'字。"

晁氏《讀書志》:《小爾雅》,孔子古文也,見於孔鮒書。

陳氏《書錄解題》曰:"《漢志》有此書,亦不著名氏。今《館閣書目》云孔鮒撰,蓋即《孔叢子》第十一篇也。曰《廣詁》、《廣言》、《廣訓》、《廣義》、《廣名》、《廣服》、《廣器》、《廣物》、《廣鳥》、《廣獸》,凡十章。又《度量衡》爲十三章,當是好事者析出別行。"

王氏《考證》:《小爾雅》一篇,孔鮒撰,十三章,申衍詁訓,見《孔叢子》李軌解一卷。

《四庫提要存目》曰:"《漢書・藝文志》有《小雅》一篇,無撰人名氏。《隋》、《唐志》並載李軌注《小爾雅》一卷,其書久佚。

今所傳本則《孔叢子》第十一篇鈔出別行者也，分十三章，頗可以資考據。然亦時有舛迕，非《漢志》所稱之舊本。"

謝啓昆《小學考》曰："《小爾雅》非《漢志》之《小雅》，戴氏震論之詳矣。錢君東垣頗信其書，爲校證之，其所校乃宋咸注本也。"

錢大昕《三史拾遺》曰："李善《文選注》引《小爾雅》皆作《小雅》。此書依附《爾雅》而作，本名《小雅》，後人僞造《孔叢》，以此篇竄入，因有《小爾雅》之名，失其舊矣。宋景文所引邵本亦俗儒增入，不可據。"

上虞王煦《疏》曰："謂之小者，蓋廣《爾雅》之未備，附《爾雅》而行，故稱名小也。《漢書·藝文志》《小爾雅》一篇，不著撰人名氏。《館閣書目》云孔鮒撰，蓋即《孔叢子》第十一篇也。"

又曰："《小爾雅》爲先秦古書，漢成、哀間劉向、劉歆編入《録》、《略》，後漢班固列于《藝文志》。自漢迄唐，傳注家皆取以訓釋經義，罔有異詞。而近世東原戴震從而訾之，曰《小爾雅》乃後人皮傳掇拾而成，非古小學遺書。今按《小爾雅》本文，證以漢魏諸儒傳注之義，知東原之説非也。今悉爲辨正，大恉曉然，其有餘義各詳本疏。庶後之讀是書者，不詿誤于不根之説也。"

又曰："漢唐諸儒釋經，凡引《小爾雅》之文，多通稱《爾雅》，亦有稱《小雅》者，一見于陸氏《周頌·潛》釋文，至李善注《文選》則統稱《小雅》，蓋省文也。亦有《小爾雅》所無而見引于他書者，如《易》釋文、《考工記》、《莊子》釋文、玄應《一切經音義》、酈道元《水經注》，或本書佚文，或傳寫之誤。"

章學誠《校讐通義》曰："《孝經》部《古今字》與《小爾雅》爲一類。按《爾雅》訓詁類也，主于義理；《古今字》篆隸類也，主于形體。則《古今字》必當依《史籀》、《倉頡》諸篇爲類，而不當與《爾雅》爲類矣。又二書亦不當入於《孝經》。"_{按《古今字》分別古}今言其同異耳。《毛詩疏》引《爾雅·序篇》云"《釋詁》、《釋言》通古今之字,古與今異言也,《釋訓》言形貌也"。則《古今字》與《爾雅》、《小雅》一類之學,相爲表裏者也,故附于其後。又《爾雅》、《小雅》、《古今字》三書,漢時皆不以爲小學,故附于《五經雜議》之後。

按《小雅》錢宮詹以爲後人竄入《孔叢子》,最爲切理厭心之論,猶《夏小正》、《三朝記》,《大戴》竄入八十五篇中也,未必確是孔鮒,故不具其始末。

又按本志《尚書》家篇敘曰:"《古文尚書》讀應《爾雅》,故解古今語而可知也。"此《古今字》即解古今語之書。

又按《古今字》一卷,謝氏《小學考》失載。今考唐釋玄應《一切經音義》引魏張揖《古今字詁》曰:"古文'愍',今作'閔',同眉殞反。愍,憐也。古文'捷',今作'接',同子葉反。古文'針'、'箴'二形,今作'鍼',同支淫反。古文'袞'、'褱'二形,今作'阿',同烏可反。"其言古今字形相同者,意即此《古今字》。其下反音及訓釋,則張揖之詁。揖書三卷,今不可見。此雖非確證,然亦相去不遠。

又按此條亦是刻書者分析不明,誤連兩書爲一條,與《易》家《古雜》一條《孟氏京房》一條相類。

弟子職一篇
説三篇

顔氏《集注》:應劭曰:"管仲所作,在《管子》書。"

王氏《考證》:《管子·雜篇》第五十九有學則、蚤作、受業、饌饋、乃食、灑掃、執燭、請袵、退習等章,朱文公曰:"竊疑是作內政時,士之子常爲士,因作此以教之。"

明朱長春《管子評》曰:"《弟子職》是古左塾師學規以養蒙求者,故韻格相叶,便於童兒課讀。不知何代何師所著,其文詞近二禮中祝銘之體。意成周設鄉學，頒定教儀，《管子》書中存之，以教五鄉之士之子耳。《少儀》、小學雜述禮節，而此專屬書堂教條，子游示灑掃應對進退，此足略具格式矣。"

莊述祖《集解》序曰："《弟子職》在《管子》書，古者家塾教弟子之法。《漢·藝文志》附石渠論、《爾雅》後，蓋以禮家未之采錄，故特著之六藝。有《說》三篇，今佚。案《別錄》有子法、世子法，《弟子職》記弟子事師之儀節，受業之次叙，亦《曲禮》、《少儀》之支流餘裔也。漢建初論五經引《弟子職》，鄭康成每據以說《禮》，當時尤重之，與六藝同。注《管子》者，或云房玄齡，或云尹知章，要是唐人舊注，猶不失訓詁之恉。朱子《儀禮經傳通解》載《弟子職》亦采舊注，間有與世所傳劉績《補注》同者，不能復爲別出。近洪北江編修所撰《弟子職箋釋》徵引尤博，今並錄之，稍有所增演，名曰《集解》。"

章學誠《校讐通義》曰："《弟子職》必非管子所撰，或古人流傳成法，輯《管子》者采入其書，前人著作此類甚多。"

按此《說》三篇，王氏《考證》以爲《孝經說》。此次于《弟子職》之後，舊本行款文相聯屬，明是《弟子職》之說，莊氏之言是也。

又按此篇凡分二段附著一段：《古孔氏經》及長孫氏、江氏、后氏、翼氏四家《經》爲一段，皆古今文本經也；四家《說》及《雜傳》、《安昌侯說》爲一段，皆傳注之屬也；《孝經》居六藝之末，故凡六藝流亞如《五經雜議》以下六家，並附著于此篇。

凡《孝經》十一家，五十九篇。 按所載有十七家，内四家《經》及《說》前後兩見，當除去，合并計算則猶有十三家。其篇數，若以《爾雅》三卷二十篇合爲二十三篇，則五十九篇，正如其數。然以一書既計其卷數，又計其篇數，必無是例。此二十三篇在班書本是注文，不入算數，其鈔刻書者率意改竄可知。今校定當爲一十三家，三十九篇。又按四家之經，本志言經文皆同，未必如《易》家之施、孟、梁邱，《書》家之歐陽、大小夏侯，

《詩》家之魯、齊、韓，《禮》家之后氏、戴氏，《春秋》家之公羊、穀梁，《論語》家之齊、魯，各爲一本，故但以一卷計算也。

《孝經》者，孔子爲曾子陳孝道也。夫孝，天之經，地之義，民之行也。舉大者言，故曰《孝經》。漢興，長孫氏、博士江翁、少府后倉、諫大夫翼奉、安昌侯張禹傳之，各自名家。經文皆同，唯孔氏壁中古文爲異。"父母生之，續莫大焉"，"故親生之膝下"，諸家説不安處，古文字讀皆異。《四庫提要》曰："《孝經》授受無緒，故陳騤、汪應辰皆疑其僞。今觀其文，去二戴所録爲近，要爲七十子徒之遺書。使河間獻王采入一百三十一篇中，則亦《禮記》之一篇，與《儒行》、《緇衣》轉從其類。惟其各出别行，稱孔子所作，傳録者又分章標目，自名一經，後儒遂以不類《繫辭》、《論語》繩之，亦有由矣。中間孔、鄭兩本互相勝負：始以開元御注用今文，遵制者從鄭；後以朱子《刊誤》用古文，講學者又轉而從孔。要其文句小異，義理不殊，當以黄震之言爲定論。"按《提要》謂授受無緒者，如后倉史但言其通《詩》、《禮》，不言其説《孝經》；張禹亦但言其從施讎問《易》，王吉、庸生問《論語》，亦不言其從誰受《孝經》；而最初之長孫氏，其師授亦不可考，此類是已。黄震之言見《黄氏日鈔》中。

史籀十五篇。周宣王太史作大篆十五篇，建武時亡六篇矣。

本志叙：《史籀篇》者，周時史官教學童書也，與孔氏壁中古文異體。

許慎《説文解字·叙》曰："及宣王大史籀著《大篆》十五篇，與古文或異。至孔子書六經，左丘明述《春秋傳》，皆以古文，厥意可得而説。"金壇段玉裁注曰："大史，官名。籀，人名也。省言之曰史籀。其姓不詳，記傳中凡史官多言史某。而應劭、張懷瓘、顔師古、封演、郭忠恕引《説文》皆作'大史史籀'。或疑大史而史姓，恐未足據。《大篆》十五篇亦曰《史籀篇》，亦曰《史篇》。《王莽傳》'徵天下《史篇》文字'，孟康云'史籀所作十五篇古文書也'。此'古文'二字，當易爲大篆。大篆與倉頡古文或異，見于許書十四篇中者備矣，凡云籀文作某者是也。或之云者不必盡異也，蓋多不改古文者矣。籀文字數不可知。尉律：'諷籀書九千字，乃得爲史。'此籀字訓讀書,與宣王大史籀非可牽合。或因之謂籀文九千字,誤矣。
大篆之名,上別乎古文,下別乎小篆。而爲言曰史篇者,以官
名之。曰籀篇、籀文者,以人名之。而張懷瓘《書斷》乃分大
篆及籀文爲體,尤爲非是,又謂籀文亦名史書,尤非。"

《晋書·衛恒傳》:恒作《四體書勢》,曰:大篆或與古同,或與
古異,世謂之籀書者也。

唐唐元度《論十體書》曰:"秦焚《詩》、《書》,惟《易》與《史篇》
得全。王莽之亂,此篇亡失。建武中,獲九篇。章帝時,王育
爲之解説,所不通者十有二三。晋世此篇廢,今略傳字體
而已。"

宋翟《耆年籀史》曰:"史籀變倉頡之法作大篆,總天下字一以
會意。會意爲書之壞自籀始。"

王氏《考證》:科斗之書始于倉頡,其文至三代不改。周宣王
時,雖史籀有大篆十五篇,猶與科斗並行,故終三代所用者,
惟篆與倉頡二體。盧植曰古文科斗,近于爲實,而厭抑流俗,
降在小學。又曰:"歐陽公指石鼓爲籀書,以前乎籀書,則古
文科斗也。"

謝啓昆《小學考》曰:"按今所傳石鼓文,相承以爲史籀作史篇
亡而文麕有存者。許君《説文解字·叙》曰'今叙篆文合以古
籀',如首文从篆,則重文載古作某,籀作某;若重文載古作
某,篆作某,則首文即从籀可知也。"

馬國翰輯本叙曰:"《史籀篇》許氏《説文》每引之,又《玉篇》所
引籀文皆本許書,間有《説文》所遺者凡十三字,共輯得二百
三十二字,録爲一卷。石鼓文亦史籀作,世有傳本,不復
具録。"

八體六技

本志叙:漢興,蕭何草律,亦著其法,曰:"太史試學童,能諷

書九千字以上,乃得爲史。又以六體試之,課最者以爲尚書御史史書令史。吏民上書,字或不正,輒舉劾。"六體者,古文、奇字、篆書、隸書、繆篆、蟲書,皆所以通知古今文字,摹印章,書幡信也。

許氏《説文·叙》曰:"秦書有八體:一曰大篆,二曰小篆,三曰刻符,四曰蟲書,五曰摹印,六曰署書,七曰殳書,八曰隸書。"又曰:"及亡新居攝,使大司空甄豐等校文書之部。自以爲應制作,頗改定古文。時有六書:一曰古文,孔子壁中書也;二曰奇字,即古文而異者也;三曰篆書,即小篆,秦始皇帝使下杜人程邈所作也;段玉裁曰:"此十三字當在下文'左書即秦隸書'之下。"四曰左書,即秦隸書;五曰繆篆,所以摹印也;六曰鳥蟲書,所以書幡信也。"

《文心雕龍·練字》篇曰:"漢初草律,明著厥法。太史學童,教試六體。"

《隋書·經籍志》:秦世既廢古文,始用八體,有大篆、小篆、刻符、摹印、蟲書、署書、殳書、隸書。漢時以六體教學童,有古文、奇字、篆書、隸書、繆篆、蟲鳥。

王氏《考證》:《尚書正義》云:"秦有八體,亡新六書。"去大篆、刻符、殳書、署書,加古文、奇字。六體乃新莽之制。所謂六技者,疑即亡新六書。《墨藪》:"秦始皇以祈禱名山,作刻符書,題印璽。蕭何作署書,題蒼龍、白虎二闕。"

謝啓昆《小學考》:按八體六技當是漢興所試之八體,合以亡新改定之六書。"技"字似誤,蓋以古文、奇字易大篆、刻符、署書、殳書。其篆書即小篆,左書即隸書,繆篆即摹印,鳥蟲書即蟲書。漢興,所試用秦八體,不止六體,許氏《説文·叙》甚明,故江式《論書表》、孔穎達《書正義》俱從之。班氏《藝文志》既用《七略》載八體六技之目,而叙論以八體爲六體,深所未論,《隋志》亦沿其失。

錢大昕《三史拾遺》曰:"李賡芸曰:'六技當是八篇之譌。小學四十五篇,併此八篇正合四十五篇之數。'又曰:'六體亦八體之誤。據《說文·叙》言王莽時甄豐改定古文時有六體,蕭何時止有八體,無六體也。'"

按謝氏以六技爲六書之誤,李氏又以六技爲八篇之誤,又謂《志》叙六體亦八體之誤。按許氏稱六書者,蓋偶然異文,未可偏執以證班書。此六技爲六書之說不足據。《漢志》每類所條篇卷總數,自唐以來舛譌不一。且書籍相傳亦有無卷數者,安見八體之書必有篇數乎?此六技爲八篇之說亦不足據。班氏叙此一節,大抵皆據《別錄》、《七略》,先言六體課試,次言六體篇目,文相承接,一氣貫注,斷不致誤。此六體爲八體之說更不足據。又諸家以《說文·叙》謂新莽時始有六體。竊謂莽之前已有六體,故劉光禄父子得以著于《錄》、《略》,若在新莽之時,則《錄》、《略》不及著錄,是尤顯而易見者。至《文心雕龍》、《隋·經籍志》之所紀載,並與《漢志》相同,證驗確鑿,又其已事矣。

倉頡一篇。上七章,秦丞相李斯作;爰歷六章,車府令趙高作;博學七章,太史令胡母敬作。

《史記》列傳:李斯者,楚上蔡人也。鄭樵《通志》云斯字通古。從荀卿學帝王之術。學成,西入秦,爲文信侯呂不韋舍人,任以爲郎。拜客卿,至廷尉。始皇并天下,以爲丞相。二世二年七月,具斯五刑,論腰斬咸陽市,夷三族。

又《秦始皇本紀》:趙高故嘗教胡亥書及獄律令法事,胡亥私幸之。始皇時爲中車府令,兼行符璽令事。二世立,以爲郎中令,常侍中用事。李斯已死,拜爲中丞相。二世齊于望夷宮,高使其壻閻樂等麾兵進,二世自殺。立二世兄子公子嬰爲秦王,嬰刺殺高,夷其三族。

唐張懷瓘《書斷》曰:"趙高善史書,教始皇少子胡亥書。"又曰:"胡母敬本櫟陽獄吏,爲太史令,博識古今文字,與程邈、李斯省改大篆。"

本志叙:《倉頡》七章者,秦丞相李斯所作也;《爰歷》六章者,車府令趙高所作也;《博學》七章者,太史令胡母敬所作也;文字皆取《史籀篇》;而篆體復頗異,所謂秦篆者也。是時始有隸書矣,起於官獄多事,苟趨省易,施之于徒隸也。漢興,閭里書師合《倉頡》、《爰歷》、《博學》三篇,斷六十字以爲一章,凡五十五章,并爲《倉頡篇》。

許氏《説文·序》曰:"七國文字異形,秦始皇帝初兼天下,丞相李斯乃奏同之,罷其不與秦文合者。斯作《倉頡篇》,趙高作《爰歷篇》,胡母敬作《博學篇》,皆取史籀、大篆,或頗省改,所謂小篆者也。是時,秦燒滅經書,滌除舊典,大發吏卒,興戍役,官獄職務緐,初有隸書,以趨約易,而古文由此絶矣。"

段玉裁曰:"按小篆既省改古文大篆,隸書又爲小篆之省。秦時二書兼行,而古文大篆遂不行,故曰古文由此絶。秦時刻石皆用小篆,漢初人不識科斗,其證也。"

謝啓昆《小學考》曰:"按李斯作《倉頡篇》,首有倉頡句,遂以名篇,猶史游之《急就》也。《爰歷》、《博學》等名篇放此。鄭注《周禮》引《倉頡·鞄㲉篇》,又引《柯欘》,《説文·叙》稱'幼子承詔',此其篇目之可考也。郭注《爾雅》引《倉頡篇》曰'考妣延年',《顔氏家訓·書證篇》引《倉頡篇》曰'漢兼天下,海内并廁,豨黥韓覆,叛討殘滅',此其語句之可考也。"

馬國翰輯本序曰:"《倉頡篇》成文句者,僅'考妣延年'、'幼子承詔'等七句,餘則兩字、一字而已。兹據合輯,以成文句者列前,兩字者次之,一字者又次之。"按《倉頡篇》輯本尚有任氏大椿、孫氏星衍、陶氏方琦諸家，大抵皆從諸書所引郭璞《三倉解詁》中録出，故兼及訓詁反音，其本文則兩字、一字爲多，其成句者，謝氏所舉數條外，不概見焉。

凡將一篇。司馬相如作。

本書列傳：司馬相如字長卿，蜀郡成都人也。以訾爲郎，事孝景帝，爲武騎常侍。病免，客游梁，數歲，歸居。久之，得召問，奏《上林賦》，天子以爲郎。奉使巴蜀，拜中郎將。後失官。居歲餘，復召爲郎。拜爲孝文園令。病免，家居茂陵，死。

本志叙：武帝時司馬相如作《凡將篇》，無復字。史游作《急就篇》，李長《元尚篇》，皆《倉頡》中正字也。《凡將》則頗有出矣。謂《凡將篇》之字有出于五十五章三千三百字之外者。

《隋書・經籍志》有司馬相如《凡將篇》一卷，亡。《唐・經籍志》：《凡將篇》一卷，司馬相如撰。《唐・藝文志》：司馬相如《凡將篇》一卷。

宋程大昌《演繁露》曰："漢小學家司馬相如作《凡將篇》，其後史游又作《急就篇》。《凡將》今不可見，《藝文類聚》載《凡將》一語曰'鍾磬竽笙筑坎侯'，與《急就》記樂之言所謂'竽瑟箜篌琴筑筝'者，其語度規制全同，率皆立語總事以便小學。《急就》也者，正規模《凡將》也。"

王氏《考證》：《文選・蜀都賦》注引司馬相如《凡將篇》曰"黃潤纖美宜制禪"，《藝文類聚》引《凡將篇》曰"鍾磬竽笙筑坎侯"，《唐志》猶有此書，《説文》引相如説。

謝啓昆《小學考》曰："按《説文・口部》引司馬相如説'淮南宋蔡舞嗙喻'，當即《凡將篇》句。《文選・蜀都賦》注引云'黃潤鮮美宜制禪'，《藝文類聚・樂部》引云'鍾磬笙竽筑坎侯'，陸羽《茶經》引云'鳥啄桔梗芫華，款冬貝母木蘗蔞，芩草芍藥桂漏蘆，蜚廉雚茵荈詫，白斂白芷菖蒲，芒消莞椒茱萸'，皆六字或七字爲句，體同《急就》。惟所云‘白斂白芷’與班《志》云《凡將篇》無復字不合。至《説文·禾部》䅎字引司馬相如曰‘䅎，一莖六穗’，乃其《封禪書》語也。”

張澍《蜀典》曰：“王愔《文字志》云‘司馬相如采日蟲之禽，屈伸其體，升降其勢，以象四時之氣，爲《氣候值時書》’。按《書史》云‘相如作《凡將篇》，抄辨六律，測尋二氣，采日蟲之禽，屈伸其體，升伏其勢，象四時之氣，爲之興降，曰《氣候值時書》’。《酉陽雜俎》云‘南中有蟲名避役，一曰十二辰蟲，狀似蛇醫，脚長，色青，赤肉鬣。暑月常見于籬壁間，俗云見者多稱意。其首倏忽更變爲十二辰狀’，是相如之爲《氣候值時書》，即取十二辰蟲之善變也。許慎《説文》于干支諸字必有曲説陰陽之氣，可見當時好立此義久矣。”按此則《説文》卷末説十二支字或取之《凡將篇》。

馬國翰輯本序曰：“《凡將篇》，《文選注》、《藝文類聚》、陸羽《茶經》、段公路《北户録》皆引之，許氏《説文》亦引其説，並據輯録，詳載《説文》及《集韻》于各字之下，以備參考，且代訓釋焉，凡十五條。”

急就一篇。元帝時黄門令史游作。

本志叙曰：“元帝時黄門令史游作《急就篇》，皆《倉頡》中正字也。”

《後漢書·宦者列傳》序曰：“至元帝之世，史游爲黄門令，勤心納忠，有所補益。其後弘恭、石顯以佞險自進，卒有蕭、周之禍，損穢帝德焉。”

《隋書·經籍志》：《急就章》一卷，漢黄門令史游撰。《唐·經籍志》：《急就章》一卷，史游傳。《唐·藝文志》：史游《急就章》一卷。《宋史·藝文志》同。

張懷瓘《書斷》曰：“章草者，漢黄門令史游所作也。王愔云：

漢元帝時,史游作《急就章》,解散隸體,麤書之,漢俗簡惰,漸以行之。"又曰:"章草之書,字字區別。張芝變爲今草,加其流速,上下牽連。或借上字之終而爲下字之始,呼史游草爲章,因張伯英草而謂也。"

顏師古注本序曰:"司馬相如作《凡將篇》,史游景慕,擬而廣之,元成之間列于祕府。雖復文非清靡,義闕經綸,至于包括品類,錯綜古今,詳其意趣,實有可觀者焉。"

宋黃伯思跋曰:"《倉頡篇》、《爰歷篇》、《博學篇》、《凡將篇》,不可復見,特《急就》存焉者,以昔賢多喜書之故也。其文雖出小學家,而亦西京文氣未衰之際,詞致雅馴,故顏籀賞其清靡。"

陳振孫《書録解題》曰:"其文多古語古字古韻,有足觀者。"

王氏《考證》:《隋》、《唐志》謂之《急就章》,國朝太宗皇帝嘗書此篇。又于顏本外多《齊國》、《山陽》兩章,凡爲章三十有四。此兩章蓋起于東漢。按《急就篇》末説長安中涇渭街術,故此篇亦言洛陽人物之盛以相當,而鄗縣以世祖即位之地,升其名爲高邑,與先漢所改真定、常山並列,此爲後漢人所續不疑。

《四庫提要》曰:"《藝文志》稱游爲元帝時黃門令,蓋宦官也。其始末不可考。其書自始至終無一複字,文詞奧雅,亦非蒙求諸書所及。舊有曹壽、崔浩、劉芳、顏之推注,今皆不傳。惟顏師古注一卷存,王應麟又補注之,釐爲四卷云。"

孫星衍《急就篇考異》序曰:"歷代傳摹《急就》,漢有張芝、崔瑗,魏有鍾繇,吳有皇象,晉有衛夫人、王羲之、索靖,後魏有崔浩,唐有陸柬之。時人又多臨本,宋有太宗御書,黃庭堅、李仁甫、朱文公皆有刻本,元有鄧文原,明有仲溫、俞和。注之者,後漢有曹壽,魏劉芳,周豆盧氏,齊顏之推。今所見法帖有紹聖三年勒石本,所存注解唯顏師古及王應麟本,餘無存焉。或疑史游以元帝時爲《急就章》,而史稱元帝善史書,即爲見其書而善之,是以帝能爲章草,亦或然也。"按《小學考》又有元戴表元《注釋補遺》、明李孝謙《解》、國朝萬光泰《補注》三家。又江都陳本禮作《急就篇探奇》,大旨謂史游勤心納忠,有所補益,所作《急就篇》可當漢元一代詩史,爲之逐章箋釋,訂爲姓名八章、諸物十八章、五官六章、續編二章。首爲《綱目摘略》一篇,摘出漢元一代敝政,以爲知人論世,見史游作書之旨。末附《姓氏考原》一篇,錄篇中姓氏一百三十有八,亦各爲疏其所出。

元尚一篇。成帝時將作大匠李長作。

本志叙曰:"成帝時將作大匠李長《元尚篇》,皆《倉頡》中正字也。"宋祁曰:"李長下當有'作'字。"

　　按李長始末未詳,諸書亦罕有徵引《元尚篇》者,故其遺文佚句無得而傳,但知其篇首有"元尚"二字耳。按《急就》規仿《凡將》,此大抵又仿《急就》,其字則兩家皆取《倉頡》五十五章,就三千三百字之内而各纂其辭,猶揚雄易《倉頡》中重複之字,而別爲《倉頡訓纂》也。

訓纂一篇。揚雄作。

本傳:雄字子雲,蜀郡成都人也。年四十餘來游京師,大司馬車騎將軍王音召以爲門下史,薦雄待詔,歲餘,奏《羽獵賦》,除爲郎,給事黃門,與王莽、劉歆並。哀帝之初,又與董賢同官。當成、哀、平閒,莽、賢皆爲三公,權傾人主,所薦莫不拔擢,而雄三世不徙官。及莽篡位,談説之士用符命稱功德獲封爵者甚衆,雄復不侯,以耆老久次轉爲大夫,恬于勢利迺如是。實好古而樂道,其意欲求文章成名于後世,以爲經莫大于《易》,故作《太玄》;傳莫大于《論語》,作《法言》;史篇莫善于《倉頡》,作《訓纂》。年七十一,天鳳五年卒。段氏《説文注》曰:"《揚雄傳》云'史篇莫善于《倉頡》',是則凡小學之書皆得稱史篇。"

本志叙曰:"元始中,徵天下通小學者以百數,各令記字于庭中。揚雄取其有用者以作《訓纂篇》,順續《倉頡》。"按《平帝本紀》元始五年,徵天下通知逸經、古記、小學、史篇者,遣詣京師。《王莽傳》云"徵天下有《逸禮》、《古書》、史篇文字,通知其意者,詣公車。皆令記説廷中,將令正乖繆,壹異説云"。

許氏《説文》叙曰:"孝宣皇帝時,召通《倉頡》讀者,張敞從受之;涼州刺史杜業、沛人爰禮、講學大夫秦近,亦能言之。孝平皇帝時,徵禮等百餘人,令説文字未央廷中,以禮爲小學元士。黄門侍郎揚雄采以作《訓纂篇》。"

梁庾元威《論書表》曰:"李斯造《倉頡》七章,趙高造《爰歷》六章,胡母敬造《博學》七章,後人分五十五章,以爲《三倉》上卷。至哀帝元壽中揚子雲作《訓纂》,記按當爲"訖"。《滂熹》,爲《三倉》中卷。"按哀帝元壽中,當爲平帝元始中,或初創于元壽中,成就于元始中也。

張懷瓘《書斷》曰:"揚雄作《訓纂篇》三十四章,以纂續《倉頡》。和帝永初中,賈魴又撰異字,用《訓纂》之末字以爲篇,故曰《滂熹篇》。"又曰:"和帝時,賈魴撰《滂熹篇》,以《倉頡》爲上篇,《訓纂》爲中篇,《滂熹》爲下篇,所謂《三倉》也。"

《文心雕龍·練字篇》:及宣成二帝,徵集小學,張敞以正讀傳業,揚雄以奇字纂訓,並貫練雅頌,總閱音義。按此則揚雄取奇字爲《訓纂》,以續《倉頡》,可知雄本傳云"劉歆子棻從雄學奇字",奇字即異字。《書斷》云:"和帝時,賈魴又取異字爲《滂熹篇》。"棻學奇字即指此《訓纂》。訓纂者,纂次成文,即又爲之訓釋歟?

《隋書·經籍志》:《三倉》三卷,郭璞注。秦相李斯作《倉頡篇》,漢揚雄作《訓纂篇》,後漢賈魴作《滂熹篇》,故曰《三倉》。《唐·經籍志》:《三倉》三卷,李斯等撰,郭璞解。《唐·藝文志》:李斯等《三倉》三卷,郭璞解。按《隋志》所載《訓纂》一篇皆編入《三倉》中卷也。

　按《訓纂》成于元始、居攝之間,爲《七略》所不及載。此條蓋班氏所入,而必列之于此,不與後三條《倉頡訓纂》相類

從者，則以其前《凡將》、《急就》、《元尚》三篇皆取于《倉頡》
篇中之字，而此則順續《倉頡》，故連綴于後，明一類之學，
猶禮家入《軍禮司馬法》于《周官經》、《傳》之後也。

別字十三篇

崑山顧炎武《日知録》曰："《後漢書·儒林傳》'讖書非聖人所
作，其中多近鄙別字'。近鄙者，猶今俗用之字。別字者，本
當爲此字而誤爲彼字也。今人謂之白字，乃別音之字轉。"

錢大昕《三史拾遺》曰："《別字》十三篇即揚雄所撰《方言》十
三卷也，本名《輶軒使者絕代語釋別國方言》，或稱《別字》，或
稱《方言》，皆省文。"

元和惠棟《後漢書補注》曰："《東平王蒼傳》'蒼所作書、記、
賦、頌、七言、別字'。《續漢志》曰'凡別字之體，皆從上起，左
右離合'。《藝文志》小學家有《別字》十三篇，或曰別字辨俗
字，尹敏曰'讖書多非聖人所作，其中多近鄙別字'是也，未知
孰是。"

按《續漢·五行志》卷一："獻帝踐阼之初，京師童謠曰：
'千里草，何青青。十日卜，不得生。'案千里草爲董，十日
卜爲卓。凡別字之體，皆從上起，左右離合，無有從下發端
者也。今二字如此者，天意若曰：卓自下摩上，以臣陵君
也。青青者，暴盛之兒也。不得生者，亦旋破亡。"按司馬
彪取董巴、應劭、譙周三家之說以爲《五行志》，此事蓋亦得
之三家者，其言別字之體如此。惠氏取以證東平王別字，
又證以《漢志》之《別字》，要以亭林氏所言爲得其實，錢氏
以爲即是《方言》，《提要》于《方言》條下亦有是說，謝氏《小
學考》遂歸之揚雄，皆非也。

倉頡傳一篇

謝啓昆《小學考》：揚雄《別字》，《漢志》十三篇，佚。揚氏雄

《倉頡傳》,《漢志》一篇,佚。

　　按此兩家書《七略》以之殿末,皆不著撰人,《漢志》因之。而謝氏皆以爲揚雄書,其意蓋以此兩書在揚雄《訓纂》下,是蒙上省文。然考揚雄之書,《志》序言之甚明。此兩書不置一詞,明是別家之書。且小學十家,按魏晉六朝人及唐人所見皆云小學十家,必不致誤。並此兩家方如其數。若實爲揚雄書,則止于八家,此尤顯見者也。《志》云:"《倉頡》多古字,俗師失其讀,宣帝時徵齊人能正讀者,張敞從受之。"《說文·叙》又云:"涼州刺史杜業、沛人爰禮、講學大夫秦近亦能言之。"又《杜鄴傳》張敞子吉、吉子竦並長小學,鄴子林正文字過于鄴、竦,是宣帝以後能正其讀言其義有齊人,史失其名。張敞、杜鄴、爰禮、秦近、張吉、竦、杜林等,疑此傳出此數人之手,以其非一家之言,故不著撰人。《說文·亏部》"平"字下引爰禮說,似出此書。

揚雄　倉頡訓纂一篇

本志叙:揚雄作《訓纂篇》,順續《倉頡》,又易《倉頡》中重複之字,凡八十九章。此猶作《反離騷》,又旁《離騷》作重一篇,名曰《廣騷》。旁,依也,所謂斠酌其本相與放依而馳騁者也。

謝啓昆《小學考》曰:"揚雄《倉頡訓纂》,《隋志》已不列其目,蓋其亡久矣。《說文解字·肉部》臚肫奎,《舛部》舛,《晶部》疊,《系部》絳,《手部》重文拜,《龜部》鼀並引揚雄說,即《訓纂》也。又《甶部》𤰶引杜林以爲竹筥,揚雄以爲蒲器,《斗部》斡,揚雄、杜林說皆以爲軺車輪幹。揚與杜並有《倉頡訓纂》,故許君亦兼引之也。"按此所引與前《訓纂》一篇之文無由識別矣。

馬國翰輯本叙曰:"《訓纂》視《凡將》尤爲僅見,唐釋玄應《一切經音義》引鱓蛇魚句,許氏《說文》引揚雄說十二條,亦《訓纂》文也,凡十四條。"

按志叙云"作《訓纂篇》,順續《倉頡》",謂前《訓纂》一篇三十四章也。又云"易《倉頡》中重復之字,凡八十九章",則取閭里書師所并五十五章之舊本,易其複字而別纂成文,加以訓詁,即此《倉頡訓纂》一篇,皆《七略》所無,班氏所入也。

又按志叙云"臣復續揚雄作十三章,凡一百三章,無復字,六藝羣書所載略備矣"。韋昭曰:"臣,班固自謂也。"按班氏所續十三章不在此志,別詳舊輯《後漢藝文志》中。

杜林　倉頡訓纂一篇

杜林　倉頡故一篇

本書《杜鄴傳》:鄴字子夏,本魏郡繁陽人也。祖及父積功勞皆至郡守,武帝時徙茂陵。鄴少孤,其母張敞女。鄴壯,從敞子吉學問,得其家書。哀帝時,爲涼州刺史,病免。元壽元年,舉方正,未拜,病卒。初,鄴從張吉學,吉子竦又幼孤,從鄴學問,亦著于世,尤長小學。鄴子林,清靜好古,亦有雅材,建武中歷位列卿,至大司空。其正文字過于鄴、竦,故世言小學者由杜公。

《後漢書》本傳:林字伯山,扶風茂陵人也。父鄴,成哀間爲涼州刺史。林少好學沈深,家既多書,又外氏張竦父子喜文采,林從竦受學,博洽多聞,時稱通儒。初爲郡吏。王莽敗,客河西。建武六年,徵拜侍御史。代王良爲大司徒司直。十一年,司直官罷,代郭憲爲光禄勳。後皇太子彊求乞自退,封東海王,重選官屬,以林爲王傅。明年,代丁恭爲少府。二十二年,復爲光禄勳。頃之,代朱浮爲大司空。博雅多通,稱爲任職相。明年薨。

本志叙:《倉頡》多古字,俗師失其讀,宣帝時徵齊人能正讀者,張敞從受之,傳至外孫之子杜林,爲作訓故,並列焉。

《隋書·經籍志》：梁有《倉頡》二卷，後漢司空杜林注，亡。按
杜林卒時，三府猶未去"大"字，此當云大司空。《唐·經籍志》：《倉頡訓
詁》二卷，杜林撰。《唐·藝文志》：杜林《倉頡訓詁》二卷。

謝啓昆《小學考》曰："按《説文解字》《艸部》董荂蘻凗，《巢部》
兽，《而部》耏，《水部》渭，《耳部》耿，《女部》娸娭嫠，《凵部》㘝，
《黽部》鼀，《斗部》斡，並引杜林説，《史記索隱》引杜林云'豿
似貉，白色'，皆《倉頡故》之文也。"

馬國翰輯本序曰："杜伯山《倉頡訓詁》，今惟許氏《説文》引其
説，他書亦間有引者，合輯爲帙。"又孫氏星衍、任氏大椿並輯入《倉頡
篇》，見《岱南閣叢書》及《小學鉤沈》中。

按《隋志》引《七錄》但云《倉頡》二卷，杜林注。兩《唐志》作
《訓詁》，亦並二卷，卷數與本志相符，蓋合《訓纂》及《故》而
一之。其書似取《倉頡》五十五篇別爲纂次成文，而又爲故
訓于後，猶千字文始于梁周興嗣，而諸家多有重次其文而
爲之注釋，見于《隋》、《唐志》也。林實後漢人，班氏修志時
其人已蚤卒，書已行世，因並附入，非通例也。

又按此篇凡分二段：《史籀》至《訓纂》七家，皆古今字書之
屬，爲一段；《別字》以下五書，皆解釋古今字體字義之類，
爲一段。

凡小學十家，四十五篇。入揚雄、杜林二家三篇。按所載凡十二條，
內揚雄、杜林各重出一條，當爲十條，條爲一家，此云十家，其數相符。其篇數除《八體六
技》無篇卷外，則止于三十七篇，溢出八篇，故李氏賡芸欲以《八體》八篇就其數，實不然
也。今校定當爲十家，內一家無篇數，三十七篇。又按班氏注入揚雄、杜林二家三篇，此
三篇當爲四篇，刻書者以最後三條明著揚雄、杜林字，以爲即此二家三篇，因妄改爲
"三"，而不知其前尚有揚雄《訓纂》一篇也。揚雄至王莽天鳳中始卒，當哀帝時劉歆奏進
《七略》，其人猶在，例不錄生存人；故《七略》于雄所作惟載其賦四篇，因成帝時奏御，又
爲劉向所論定者，故載及之。餘書概不之及，皆班氏所續入，如《詩賦略》入賦八篇，儒家
入《太玄》等三十八篇，而于此小學家則入《訓纂》、《倉頡訓纂》各一篇也。

《易》曰:"上古結繩而治,後世聖人易之以書契,百官以治,萬民以察,蓋取諸《夬》。""夬,揚于王庭",言其宣揚于王者朝廷,其用最大也。古者八歲入小學,故《周官》保氏掌養國子,教之六書,謂象形、象事、象意、象聲、轉注、假借,造字之本也。漢興,蕭何草律,亦著其法,曰:"太史試學童,能諷書九千字以上,乃得爲史。又以六體試之,課最者以爲尚書御史史書令史。吏民上書,字或不正,輒舉劾。"按以上皆班氏所引尉律之文,《百官公卿表》云御史中丞內領侍御史員十五人,受公卿奏事舉劾按章。六體者,古文、奇字、篆書、隸書、繆篆、蟲書,皆所以通知古今文字,摹印章,書幡信也。古制,書必同文,不知則闕,問諸故老,至于衰世,是非無正,人用其私。故孔子曰:"吾猶及史之闕文也,今亡矣夫!"蓋傷其寖不正。《史籀篇》者,周時史官教學童書也,與孔氏壁中古文異體。《倉頡》七章者,秦丞相李斯所作也;《爰歷》六章者,車府令趙高所作也;《博學》七章者,太史令胡母敬所作也;文字多取《史籀篇》,而篆體復頗異,所謂秦篆者也。是時始建隸書矣,起于官獄多事,苟趨省易,施之于徒隸也。漢興,閭里書師合《倉頡》、《爰歷》、《博學》三篇,斷六十字以爲一章,凡五十五章,並爲《倉頡篇》。武帝時司馬相如作《凡將篇》,無復字。元帝時黃門令史游作《急就篇》,成帝時將作大匠李長《元尚篇》,皆《倉頡》中正字也。宋祁曰:"李長下當有'作'字。"《凡將》則頗有出矣。至元始中,徵天下通小學者以百數,各令記字于庭中。揚雄取其有用者以作《訓纂篇》,順續《倉頡》,又易《倉頡》中重復之字,凡八十九章。臣復續揚雄作十三章,凡一百三章,無復字,韋昭曰:"臣,班固自謂也。作十三章,後人不別,疑在《倉頡》下篇三十四章中。"按《倉頡》下篇謂《三倉》下篇也。張懷瓘《書斷》曰:"和帝時,賈魴取固所續章而廣之,爲三十四章,用《訓纂》之末字以爲篇目,故曰《滂熹篇》。"又按五十五章加三十四章,又加十三章,當爲一百二章。此云一百三章,"三"當爲"二"。六藝羣書所載略備矣。多古字,俗師失其讀，宣帝時徵齊人能正讀者，張敞從受之，傳至外孫之子杜林，爲作訓故，並列焉。

凡六藝一百三家，三千一百二十三篇。入三家，一百五十九篇；出重十一篇。按此所載家數、篇數，以上九種都凡之數覈之，並相符合。然皆非其實也。今詳加審定，當爲一百三十一家，內一家無篇數，三千七十四篇，圖一，缺二十八家，溢出四十八篇，然亦未敢信其必是也。入三家，一百五十九篇者，尚書家入劉向《稽疑》一篇，禮家入《軍禮司馬法》百五十五篇，小學家入揚雄、杜林二家四篇。尚書家本有劉向《五行傳》一家當除去，故但《司馬法》、揚雄、杜林三家計之，而小學家所入四篇後人妄改爲三篇，此當云入三家，一百六十篇。出重十一篇者，樂家出淮南、劉向等《琴頌》七篇，春秋家省《太史公》四篇也。

六藝之文：《樂》以和神，仁之表也；《詩》以正言，義之用也；《禮》以明體，明者著見，故無訓也；《書》以廣聽，知之術也；《春秋》以斷事，信之符也。五者，蓋五常之道，相須而備，而《易》爲之原。故曰"《易》不可見，則乾坤或幾乎息矣"，言與天地爲終始也。至于五學，世有變改，猶五行之更用事焉。古之學者耕且養，二年而通一藝，存其大體，玩經文而已，是故用日少而畜德多，三十而五經立也。後世經傳既已乖離，博學者又不思多聞闕疑之義，而務碎義逃難，便辭巧說，破壞形體；說五字之文，至于二三萬言。後進彌以馳逐，故幼童而守一藝，白首而後能言；安其所習，毀所不見，終以自蔽。此學者之大患也。序六藝爲九種。按宋本于每篇篇敘、每略總敘，皆與前一條所載都凡之數連屬而書，蓋班氏舊例如此，行款自是古雅。今本乃悉改爲分條，並敘文亦改其舊款，以其無關宏旨，因亦不復更張焉。

漢書藝文志條理卷二之上

晏子八篇。名嬰，謚平仲，相齊景公，孔子稱善與人交，有列傳。

《史記·管晏列傳》：晏平仲嬰者，萊之夷維人也。事齊靈公、
莊公、景公，以節儉力行重于齊。三世顯名于諸侯。太史公
曰：吾讀《晏子春秋》，詳哉其言之也。既見其著書，欲觀其行
事，故次其傳。至其書，世多有之，是以不論，論其軼事。方
晏子伏莊公尸哭之，成禮然後去，豈所謂"見義不爲無勇"者
耶？至其諫説，犯君之顔，此所謂"進思盡忠，退思補過"者
哉！假令晏子而在，余雖爲之執鞭，所忻慕焉。按《傳贊》正義引
《七略》云《晏子春秋》七篇，蓋《七録》之誤，正義所引多是《七録》，今本往往誤爲《七
略》也。

《七略別録》：護左都水使者光禄大夫臣向言：所校中書《晏
子》十一篇，臣向謹與長社尉臣參校讎太史書五篇，臣向書一
篇，參書十三篇。凡中外書三十篇，爲八百三十八章。除復
重二十二篇，六百三十八章，定著八篇，二百一十五章，外書
無有三十六章，中書無有七十一章，中外皆有以相定，中書以
"夭"爲"芳"，又爲"備"，"先"爲"牛"，"章"爲"長"，如此類者，
多謹頗略櫛，皆已定，以殺青，書可繕寫。晏子名嬰，謚平仲，
萊人。萊者，今東萊地也。晏子博聞彊記，通于古今，事齊靈
公、莊公、景公，以節儉力行，盡忠極諫，道齊國，君得以正行，
百姓得以附親，不用則退耕于野，用則必不詘。義不可脅以
邪，白刃雖交胸，終不受崔杼之劫。諫齊君懸而進，順而刻，
及使諸侯，莫能詘其辭，其博通如此，蓋次管仲。内能親親，
外能厚賢，居相國之位，受萬鍾之禄，故親戚待其禄而衣食五

百餘家，處士待而舉火者亦甚衆，晏子衣苴布之衣，麋鹿之
裘，駕敝車疲馬，盡以禄給親戚朋友，齊人以此重之。晏子蓋
短，其書六篇，皆忠諫其君，文章可觀，義理可法，皆合六經之
義。又有復重，文辭頗異，不敢遺失，復列以爲一篇。又有頗
不合經術，似非晏子言，疑後世辯士所爲者，故亦不敢失，復
以爲一篇，凡八篇。其六篇，可常置旁御觀。謹第録，臣向昧
死上。

《隋志》子部儒家：《晏子春秋》七卷，齊大夫晏嬰撰。《唐·經
籍志》：《晏子春秋》七卷，晏嬰撰。《藝文志》同。《宋史·藝
文志》：《晏子春秋》十二卷。按《隋》、《唐志》七卷是《七録》本，《宋志》十
二卷是別本，今傳八卷乃劉向《別録》本。

《崇文總目》：《晏子春秋》十二卷，晏嬰撰。《晏子》八篇，今
亡。此書蓋後人采嬰行事爲之，以爲嬰撰則非也。

晁氏《讀書志》墨家：《晏子春秋》十二卷，齊晏嬰也。嬰相景
公，此書著其行事及諫諍之言，昔司馬遷讀而高之，而莫知其
所爲書。或曰：晏子爲之，而人接焉。或曰：晏子之後爲之。
唐柳宗元謂遷之言不然，以爲墨子之徒有齊人者爲之，墨好
儉，晏子以儉名于世，故墨子之徒尊著其事以增高爲己術者，
且其旨多尚同、兼愛、非樂、節用、非厚葬久喪、非儒、明鬼，皆
出《墨子》。又往往言墨子聞其道而稱之，此甚顯白。自向、
歆、彪、固皆録之儒家，非是。按班彪但爲《後傳》，未有志表等篇，此橫插
入彪，乃柳氏行文失考之誤。後宜列之墨家，今從宗元之説。

《玉海·藝文》：《中興書目》曰："《晏子春秋》十二卷，或以爲
後人采嬰行事爲書，故卷多于前志。"

陳氏《書録解題》曰："《晏子春秋》十二卷，齊大夫平仲晏嬰
撰。《漢志》八卷，但曰《晏子》。《隋》、《唐》七卷，始號《晏子
春秋》。今卷數不同，未知果本書否。按太史公已稱《晏子春秋》，在二

劉《録》、《略》之前，非始于《隋》、《唐志》也。

《四庫提要》曰："劉向、班固俱列之儒家，惟柳宗元以爲墨子之徒有齊人者爲之。薛季宣《浪語集》又以爲《孔叢子》詰墨諸條今皆見《晏子》書中，則嬰之學實出于墨。蓋嬰雖略在墨翟之前，而史角止魯實在惠公之時，見《吕氏春秋·仲春紀·當染篇》，故嬰能先宗其説也。《漢志》、《隋志》皆八篇，按《隋志》祇七篇。陳氏、晁氏書目乃皆十二卷，蓋篇帙已多有更改矣。此爲明李氏綿眇閣刻本，内篇分《諫上》、《諫下》、《問上》、《問下》、《雜上》、《雜下》六篇，外篇分上下二篇，與《漢志》八篇之數相合，猶略近古焉。"

《四庫簡明目録》曰："《晏子春秋》八卷，撰人名氏無考，舊題晏嬰撰者，誤也。書中皆述嬰遺事，實魏徵《諫録》、李絳《論事集》之流，與著書立説者迥别。列之儒家，于宗旨固非；列之墨家，于體裁亦未允；改隸傳記，庶得其真。"

元和顧廣圻後序曰："嘗謂古書無唐以前人注者易多脱誤，《晏子春秋》其一也。孫伯淵觀察始校定，爲撰《音義》。盧抱經先生《羣書拾補》中《晏子》即據其本，引伸觸類，頗復增益。最後觀察得元刻本，以贈吴山尊學士，于是學士屬廣圻重刻于揚州。《别録》前有都凡，每篇有章次題目，外篇每章有定著之故，悉復劉向之舊，洵爲是書傳一善本已。"

子思二十三篇。名伋，孔子孫，爲魯繆公師。

子思子始末具《六藝》禮家。

《隋書·音樂志》：梁武天監元年，散騎常侍、尚書僕射沈約奏曰："漢初典章滅絶，諸儒捃拾溝渠牆壁之間，得片簡遺文，與禮事相關者，即編次以爲禮，皆非聖人之言。《中庸》、《表記》、《坊記》、《緇衣》皆取《子思子》。"

又《經籍志》：《子思子》七卷，魯穆公師孔伋撰。《唐·經籍志》:《子思子》八卷,孔伋撰。《唐·藝文志》七卷,注云孔伋。《宋史·藝文志》:《子思子》七卷。

晁氏《讀書志》:《子思子》七卷,魯孔伋子思撰。載孟軻問牧民之道何先? 子思曰:“先利之。”孟軻曰:“君子之教民者,亦仁義而已,何必曰利?”子思曰:“仁義者固所以利之也,上不仁則下不得其所,上不義則樂爲詐,此爲不利大矣,故《易》曰:‘利者,義之和也。’”又曰:“利用安身以崇德也,此皆利之大者也。”温公采之著于《通鑑》。夫利者有二:有一己之私利,有衆人之公利。子思所取公利也,其所援《易》之言是。孟子所鄙私利也,亦《易》所謂小人不見利不勸之利也。言雖相反,而意則同,不當以優劣論。

鄧名世《古今姓氏書辨證》曰:“《子思子》有公丘懿子,衞人,與子思論人主自臧則衆謀不進事。”

王氏《考證》:沈約謂《禮記·中庸》、《表記》、《坊記》、《緇衣》皆取《子思子》。《文選》注引《子思子》“民以君爲心,君以民爲體”,又引《詩》云“昔吾有先正,其言明且清。國家以寧,都邑以成”。《初學記》引“東户季子之時,道上鴈行而不拾遺,耕耘餘糧,宿諸畝首”。今有一卷,乃取諸《孔叢子》,非本書也。

　　按馬總《意林》載《子思子》九條,明陳第《世善堂書目》猶載七卷。

曾子十八篇。名參,孔子弟子。

《史記·仲尼弟子列傳》:曾參,南武城人,字子輿。少孔子四十六歲。孔子以爲能通孝道,故授之業。作《孝經》。死于魯。張守節正義:《韓詩外傳》云:“曾子曰:‘吾嘗仕爲吏,禄不過鍾釜,尚猶欣欣而喜者,非以爲多也,樂道養親也。親没之後,吾嘗南游於越,得尊官,堂高九仞,榱提三尺,躶轂百乘,然猶北向而泣者,非爲賤也,悲不見吾親也。’”

《大戴記·衛將軍文子篇》盧辯注曰:"曾參,魯之南武城人。齊聘以相,楚迎以令尹,晋迎以上卿,不應其命也。"

《隋書·經籍志》:《曾子》二卷目一卷,魯國曾參撰。《唐·經籍志》:《曾子》二卷,曾參撰。《唐·藝文志》同。《宋史·藝文志》:《曾子》二卷。

晁氏《讀書志》:曾子者,魯曾參也。舊稱曾參所撰。其《大孝篇》中乃有樂正子春事,當是其門人所纂爾。今書二卷,凡十篇,視《漢志》亡八篇,視《隋志》亡目一篇。考其書已見于《大戴禮》。

陳氏《書録解題》:《曾子》二卷,凡十篇,具《大戴禮》,後人從其中録出別行。

《玉海·藝文》:《中興書目》曰:"參與弟子公明儀、樂正子春、單居離、曾元、曾華之徒,論述立身孝行之要,天地萬物之理。今十篇自《修身》至《天圓》皆見于《大戴禮》,蓋後人摭出爲二卷。劉清之集録七篇:内篇一,外篇、雜篇各三。"

《四庫》著録《大戴禮記》提要曰:"《藝文志》《曾子》十八篇,久逸。是書猶存其十篇,自《立事》至《天圓》,篇題上悉冠以'曾子'者是也。"

儀徵阮元注釋本歸安嚴杰題記曰:"宫保師注釋是書,正諸家之得失,辨文字之異同,可謂第一善册。師于中西天算考覈尤深,《天員》一篇更非他人之所能及。"

《書目答問》:《曾子》注釋四卷,阮元文選樓本、學海堂本,即《大戴禮》之十篇。

漆雕子十三篇。孔子弟子漆雕启後。

《韓非子·顯學篇》曰:"世之顯學,儒墨也。儒之所至,孔丘也。自孔子之死也,有子張之儒,有子思之儒,有顏氏之儒,有孟氏之儒,有漆雕氏之儒。"

晋陶潛《聖賢羣輔録》曰："漆雕氏傳《禮》爲道，爲恭儉莊敬之儒。"

鄭樵《通志·氏族略》曰："漆雕氏不知其本，《史記》漆雕徒父、漆雕開、漆雕哆並仲尼弟子。"

王氏《考證》：《史記》列傳漆雕開字子開。蓋名啓字子開，《史》避景帝諱也。《論語》注以開爲名著書者，其後也。《韓非子》曰："孔子之後，儒分爲八，有漆雕氏之儒。"

《經義考·承師篇》曰："按七十子漆雕氏居其三：蔡漆雕子開，字子若，《史記》作子開；漆雕子徒父，《家語》名從字子文，或云字子有；魯漆雕子哆，字子斂。"

馬國翰輯本序曰："陶潛《聖賢羣輔録》云'漆雕氏傳《禮》爲道'，蓋孔子以《禮》傳開，開之後世習其學，因述開言以成此書。《隋》、《唐志》均不著目，佚已久。考《韓非子》引漆雕之議，王充《論衡》稱其言性，又《家語》載孔子問漆雕憑一節，《說苑》亦載之作，漆雕馬人，意者憑名，馬人其字，以孔子歎美其言，而稱爲漆雕氏之子，或即著書之人歟？並據輯録。其說不色撓不目逃，行曲則違于臧獲，行直則怒于諸侯，與孟子述北宮黝之養勇、曾子謂子襄自反而縮語意吻合，意孟子述其語，至言人性有善有惡，與宓子、世碩、公孫尼同旨。雖有異乎孟子性善之說，各尊所聞，初不害其爲儒家也。"

按《史記》列傳不言漆雕氏何許人，《集解》以爲魯人，《家語·弟子解》以爲蔡人，則此漆雕子非魯人即蔡人也。

宓子十六篇。名不齊，字子賤，孔子弟子。

《仲尼弟子列傳》：宓不齊字子賤。少孔子四十九歲。孔子謂"子賤君子哉！魯無君子，斯焉取斯？"子賤爲單父宰，反命于孔子，曰："此國有賢不齊者五人，教不齊所以治者。"孔子曰："惜哉不齊所治者小，所治者大則庶幾矣。"集解：孔安國曰：

魯人。索隱：《家語》"少孔子三十歲"，此云"四十九"，不同。又《家語》"不齊所父事者三人，所兄事者五人，所友者十一人"，與此不同。

馬國翰輯本序曰："不齊仕至單父宰，見《家語》及《史記》列傳。《漢志》儒家《宓子》十六篇，《隋》、《唐志》不著錄，佚已久。《家語》、《韓非子》、《呂氏春秋》、《淮南子》、《說苑》諸書時引佚說，彼此互有同異。茲據參訂，錄爲一帙，記單父治績爲多，仁愛濟之以才智，可爲從政者法。"

景子三篇。說宓子語，似其弟子。

鄧名世《古今姓氏書辨證》：景氏出自姜姓，齊景公之後，以諡爲氏，景丑、景春皆其裔也。戰國時，景氏世爲楚相，或云楚之公族別爲景氏。邵思《姓解》云："景本與楚同族，羋姓也。後自稱景氏。《風俗通》有景鳳，楚有景差。"《氏族略》云："昭、屈、景，楚之三族也。昭氏、景氏則以諡爲族者也。"

馬國翰輯本序曰："《漢志》儒家有《景子》三篇，說宓子語，似其弟子，《隋》、《唐志》不著錄，佚已久。考《韓詩外傳》、《淮南子》載宓子語各一節，俱有論斷，與班固所云'說宓子語'者正合。據補，依《漢志》與宓子比次，明其淵源有自云。"

世子二十一篇。名碩，陳人也，七十子之弟子。

鄧名世《古今姓氏書辨證》：世氏出自春秋衞世叔氏之後，去"叔"爲世氏。《漢·藝文志》陳人世碩著《世子》二十一篇。

《論衡·養性篇》：周人世碩以爲人性有善有惡，在所養也，故世子作《養書》一篇。宓子賤、漆雕開、公孫尼子之徒，亦論情性，與世子相出入，皆言性有善有惡。孟子作《性善》之篇，以爲"人性皆善，及其不善，物亂之也"。

又曰："自孟子以下，至劉子政，鴻儒博生，聞見多矣，然而論情性竟無定是。唯世碩、公孫尼子之徒，頗得其正。"

馬國翰輯本序曰:"《漢志》儒家《世子》二十一篇,《隋志》不及著録,佚已久。唯董仲舒《春秋繁露》、王充《論衡》引之,並據采録,附充説以備參證。充謂世子言人性有善有惡云云,作《養書》一篇。又謂宓子賤、漆雕開、公孫尼子之徒,説情性與世子相出入。復舉孟子、荀卿、揚子雲、劉子政等説,皆言非實,而以世碩及公孫尼子爲得正。按碩亦聖門之徒,雖其持論與子輿氏不同,而各尊所聞,要亦如游、夏門人之論歟?"

魏文侯六篇

《史記·魏世家》:魏桓子與韓康子、趙襄子共伐滅智伯,分其地。桓子之孫曰文侯,都魏。句。文侯元年,秦靈公之元年也。與韓武子、趙桓子、周威王同時。文侯師田子方。二十二年,魏、趙、韓列爲諸侯。文侯受子夏經藝,客段干木。秦嘗欲伐魏,或曰:"魏君賢人是禮,國人稱仁,上下和合,未可圖也。"文侯由此得譽于諸侯。任西門豹守鄴,而河内稱治。三十八年,文侯卒。

本志樂家篇叙曰:"六國之君,魏文侯最爲好古。"本書《古今人表》魏文侯列第四等中上,梁玉繩《考》曰:"魏文侯始見《禮·樂記》,《戰國·秦》、《魏策》。《魏世家》,桓子孫名斯,亦曰孺子㺒,立二十一年爲侯。又十七年卒,凡三十八年。葬汾州孝義縣西五里。案《世本》桓子生文侯,惟《世家》以文侯爲桓子孫,未定孰是。文侯之名,《史表》、《世本》並作斯,《國策》吳注作勘,乃斯之譌也。《唐表》七十二中謂名都,殊非。蓋《世家》云'桓子之孫曰文侯都魏',讀者誤絶'都'字爲句,以'魏'字連下'文侯元年'作一句。又各本攙徐廣注于'都'字下,遂錯認爲名耳。"

馬國翰輯本序曰:"《漢志》儒家《魏文侯》六篇,《隋》、《唐志》皆不著録,佚已久。考《禮·樂記》載魏文侯問樂一篇,按劉向《別錄》《樂記》二十三篇,《魏文侯》爲第十一篇,知此篇爲文侯本書,而河間獻王輯入《樂記》也。又《戰國策》、《吕氏春秋》、《韓詩外傳》、《淮南子》、《新序》、《説苑》、《通典》諸書亟引《魏文侯》,皆佚文之散見者,並據裒輯二十四節,録爲一卷。中多格言,湛深儒術,而容直納諫之高風,尊賢下士之盛德,尤足垂範後世焉。"

　　按魏文侯有《孝經傳》,王深寧氏以爲在《孝經雜傳》四篇中,然亦疑在此六篇中也。

李克七篇。子夏弟子,爲魏文侯相。

陸璣《詩疏》曰:"孔子删《詩》,授卜商。商爲之序,以授魯人曾申。申授魏人李克。克授魯人孟仲子。仲子授根牟子。根牟子授趙人荀卿。"

本書《人表》李克列第四等中上,梁玉繩《考》曰:"李克始見《吕覽·適威》,《史·魏世家》、《韓詩外傳》十又作里克。里、李古通,《吕覽·舉難》又作季充,因形近而譌,子夏弟子。"

王氏《考證》:《韓詩外傳》、《説苑》魏文侯問李克,《文選·魏都賦》注引《李克書》。

馬國翰輯本序曰:"《釋文·叙録》云'子夏傳曾申。申傳魏人李克'。案曾申,曾子之子,克先從曾申受《詩》,爲子夏再傳弟子。後子夏居魏,親從問業,故班固以爲子夏弟子也。其書《隋》、《唐志》不著録,佚已久。惟劉淵林《魏都賦》注引一條,明標《李克書》,考《吕氏春秋》、《淮南子》、《韓詩外傳》、《史記》、《新序》、《説苑》亟引李克對文侯語,雖互有同異,要皆從本書取之。兹據輯録,凡七節。其論皆能握政術之要,叙次文侯書後,即君臣同心共治,可想見西河之教澤焉。"

公孫尼子二十八篇。七十子之弟子。

《隋書·經籍志》:《公孫尼子》一卷。尼似孔子弟子。《唐書·經籍志》：《公孫尼子》一卷，公孫尼撰。《唐·藝文志》：
《公孫尼子》一卷。

《禮·樂記》正義曰：“公孫尼子次撰《樂記》，通天地，貫人情，
辨政治。”

王氏《考證》：《公孫尼子》二十八篇，《隋志》一卷，云似孔子弟
子。沈約謂《樂記》取公孫尼子。劉瓛曰：“《緇衣》，公孫尼子
所作也。”馬總《意林》引之。

馬國翰輯本序曰：“馬總《意林》引六節，標目云《公孫文子》一
卷。‘文’爲‘尼’字之誤。《隋書·音樂志》引沈約奏答，謂
《樂記》取《公孫尼子》。《禮記》正義引劉瓛云：‘《緇衣》，公孫
尼子作。’除二篇今存《戴記》外，餘皆佚矣。兹從《意林》、《御
覽》及《春秋繁露》、《北堂書鈔》、《初學記》諸書輯錄。王充謂
其説情性與世碩相出入，皆言性有善有惡，與孟子性善之旨
不合。然董廣川引公孫之養氣，與孟子養氣互相發明，則其
異同可考也。中有兩引《尼書》即《樂記》語，可證沈説之有
據。朱子嘗舉《樂記》‘天高地下’六句，以爲‘漢儒醇如仲舒
如何説得到這裏去，想必古來流傳得此個文字如此’，此雖不
以沈説爲信，而觀于廣川誦述，則當日之心實見折服，以斯斷
《尼書》焉，可矣。”

孟子十一篇。名軻，鄒人，子思弟子，有列傳。

顏氏《集注》曰：“《聖證論》云軻字子居，而此志無字，未詳其
所得。”

《史記·孟荀列傳》：太史公曰：余讀《孟子書》，至梁惠王問
“何以利吾國”，未嘗不廢書歎也。曰：嗟乎，利誠亂之始也！
孟軻，鄒人也。受業子思之門人。索隱曰：“王邵以‘人’爲衍字，則以軻
親受業孔伋之門也。今言‘門人’者，乃受業于子思之弟子也。”道既通，游事齊
宣王，宣王不能用。適梁，梁惠王不果所言，則見以爲迂遠而

闊於事情。當是之時,秦用商君,富國彊兵;楚、魏用吳起,戰勝弱敵;齊威王、宣王用孫子、田忌之徒,而諸侯東面朝齊。天下方務於合從連衡,以攻伐爲賢,而孟軻乃述唐、虞、三代之德,是以所如者不合。退而與萬章之徒序《詩》、《書》,述仲尼之意,作《孟子》七篇。

又《魏世家》:魏文侯立三十八年卒,子擊立,是爲武侯。武侯立十六年卒,子罃立,是爲惠王。惠王三十一年,徙治大梁。三十五年,惠王數敗於軍旅,卑禮厚幣以招賢者。鄒衍、淳于髡、孟軻皆至梁。

趙岐《題辭》曰:"孟子,鄒人也,名軻,字則未聞也。或曰:孟子,魯公族孟孫之後。生有淑質,夙喪其父,幼被慈母三遷之教,長師孔子之孫子思,治儒術之道,通五經,尤長於《詩》、《書》。則慕仲尼,周流憂世,遂以儒道游於諸侯,思濟斯民。時君終莫能聽納其説。於是退而論集,所與高第弟子公孫丑、萬章之徒難疑答問,又自撰其法度之言,著書七篇,二百六十一章,三萬四千六百八十五字。又有《外書》四篇:《性善》、《辨文》、《説孝經》、《爲正》。其文不能弘深,不與内篇相似,似非孟子本真,後世依倣而託之者也。逮至亡秦焚滅經術,其書號爲諸子,故篇籍得不泯絶。漢興,開延道德,孝文皇帝欲廣游學之路,《論語》、《孝經》、《孟子》、《爾雅》皆置博士。後罷傳記博士,獨立五經而已。迄今諸經通義得引《孟子》以明事,謂之博文。"

王肅《聖證論》曰:"學者不知孟軻字,按《子思書》及《孔叢子》有孟子居,則是軻也。軻少居坎軻,字子居也。"《廣韻》注:孟子居貧轗軻,故名軻字子居。

王應麟《困學紀聞》曰:"孟子字未聞,《孔叢子》之子車注一作子居,亦稱字子輿,疑皆傅會。"梁玉繩《人表考》曰:"孟氏出自魯桓公子

仲孫之後，爲諱弑閔公之故，更爲孟氏。名軻，字子居，亦曰子車，亦曰子輿，亦曰孟
叟，亦曰孟生，騶人也。父名激，字公宜，母仉氏，一云李氏。孟子于周烈王四年四月
二日生，赧王二十六年十一月十五冬至日卒，年八十四。娶田氏，葬騶城北。按孟子
生卒年月日及父母妻姓名，無書傳可考，余嘗見明人所纂《孟氏譜》，其載年名如此，
以爲譜傳自孟子四十五代孫孟寧。寧，宋元豐時人。"

王氏《考證》：趙岐《題辭》著書七篇，又有《外書》四篇，《志》
云十一篇，并《外書》也。《外書》今不傳，《論衡》、《法言》、
《説苑》、《御覽》、《顏氏家訓》、《史通》、李善注《文選》、《史·
六國表》注、《漢書·伍被傳》、《藝文類聚》、《坊記》注皆引
《外書》。

元馬廷鸞《外書序》曰："坊間有四家孟子注，曰揚子雲也，韓
文公也，李習之也，熙時子也。中興史志以爲依託，信也。孟
子《外書》四篇，趙臺卿不取也，故不顯於世。四家注依託不
足傳，而孟子《外書》不可不傳也，故序而存之也。"

按《經義考》引應劭曰"孟子著書《中》、《外》十一篇"，蓋《中
書》七篇，《外書》四篇。當劉中壘叙錄是書時，亦必如《晏
子春秋·外篇》云"不敢遺失"，仲遠據叙錄之言也。《外
書》不知何人所輯，南匯吳省蘭刻入《藝海珠塵》中，曰《性
善辨》凡十五章，曰《文説》凡十七章，曰《孝經》凡二十章，
曰《爲正》凡八章，末注云以下闕。

孫卿子三十三篇。名況，趙人，爲齊稷下祭酒，有列傳。

《七略別錄》曰："《勸學篇》第一至《賦篇》第三十二，右孫卿
《新書》定著三十二篇。護左都水使者、光禄大夫臣向言：所
校讎中《孫卿書》凡三百二十二篇，以相校除復重二百九十
篇，定著三十二篇，皆以定殺青簡，書可繕寫。孫卿，趙人，名
況。方齊宣王、威王之時，聚天下賢士於稷下，尊寵之。若鄒
衍、田駢、淳于髡之屬甚衆，號曰別大夫，皆世所稱，咸作書刺
世。是時，孫卿有秀才，年五十，始來游學。諸子之事，皆以

爲非先王之法也。孫卿善爲《詩》、《禮》、《易》、《春秋》。至齊
襄王時，孫卿最爲老師，齊尚修列大夫之缺，而孫卿三爲祭酒
焉。齊人或讒孫卿，乃適楚，楚相春申君以爲蘭陵令。人或
謂春申君曰：‘湯以七十里，文王以百里。孫卿，賢者也，今與
之百里地，楚其危乎！’春申君謝之，孫卿去，之趙。後客或爲
春申君曰：‘伊尹去夏入殷，殷王而夏亡；管仲去魯入齊，魯
弱而齊強；故賢者所在，君尊國安。今孫卿，天下賢人，所去
之國，其不安乎！’春申君使人聘孫卿，孫卿遺春申君書，刺楚
國，因爲歌賦，以遺春申君。春申君恨，復固謝孫卿，孫卿乃
行，復爲蘭陵令。春申君死而孫卿廢，因家蘭陵。李斯嘗爲
弟子，已而相秦。及韓非號韓子，又浮邱伯，皆受業，爲名儒。
又按魯人大毛公、武威張倉亦皆以《詩》、《春秋》受。孫卿之應聘諸侯，于見
秦昭王，昭王方喜戰伐，而孫卿以三王之法説之，及秦相應
侯，皆不能用也。至趙，與孫臏議兵趙孝成王前。孫臏爲變
詐之兵，孫卿以王兵難之，不能對也。卒不能用。孫卿道守
禮義，行應繩墨，安貧賤。孟子者，亦大儒，以人之性善。孫
卿後孟子百餘年，孫卿以爲人性惡，故作《性惡》一篇，以非孟
子。蘇秦、張儀以邪道説諸侯，以大貴顯。孫卿退而笑之曰：
‘夫不以其道進者，必不以其道亡。’至漢興，江都相董仲舒亦
大儒，作書美孫卿。孫卿卒不用于世，老于蘭陵，疾濁世之
政，亡國亂君相屬，不遂大道而營乎巫祝，信機祥，鄙儒小拘
如莊周等又滑稽亂俗，於是推儒、墨、道德之行事，興壞序列，
著數萬言而卒，葬蘭陵。而趙亦有公孫龍爲‘堅白’、‘同異’
之辨，處子之言，魏有李悝，盡地力之教，楚有尸子、長盧子、
芊子，皆著書，然非先王之法也，皆不循孔氏之術。唯孟軻、
孫卿爲能尊仲尼。蘭陵多善爲學，蓋以孫卿也。長老至今稱
之曰：‘蘭陵人喜字爲卿，蓋以法孫卿也。’孟子、孫卿、董先生

皆小五伯，以爲仲尼之門，五尺童子皆羞稱五伯。如人君能
用孫卿，庶幾於王，然世終莫能用，而六國之君殘滅，秦國大
亂，卒以亡。觀孫卿之書，其陳王道甚易行，疾世莫能用。其
言悽愴，甚可痛也。嗚呼！使斯人卒終於閭巷，而功業不得
見於世，哀哉！可爲實涕。其書比於記傳，可以爲法。謹第
錄。臣向昧死上言。"按《史記》列傳之文，此敘無不盡之，且多有出於史文之
外者。其于本書亦綜攬，其大旨略具，諸書引《別錄》、《七略》之文有數條，蓋出于此。
《隋書·經籍志》：《孫卿子》十二卷，楚蘭陵令荀況撰。《唐·
經籍志》：《孫卿子》十二卷，荀況撰。《唐·藝文志》：《荀卿
子》十二卷，注云荀況。《宋·藝文志》：《荀卿篇》二十卷，戰
國趙人荀況書。

晁氏《讀書志》：漢劉向校定，除其重復，著三十二篇，爲十二
卷，題曰《新書》。唐人楊倞始爲之注，更《新書》爲《荀子》，易
其篇第，析爲二十卷。

《玉海·藝文》：今書自《勸學》至《堯問》三十三篇，楊倞注分
爲二十卷，篇第頗有移易，使以類相從，改《孫卿新書》爲《荀
卿子》。

《四庫提要》曰："況之著書，主于明周孔之教，崇禮而勸學。
其中最爲口實者，莫過于《非十二子》及《性惡》兩篇。王應麟
《困學紀聞》據《韓詩外傳》所引，卿但非十子，而無子思、孟
子，以今本爲其徒李斯等所增。不知子思、孟子後來論定爲
聖賢耳，其在當時，固亦卿之曹偶，是猶朱、陸之相非，不足訝
也。至其以性爲惡，以善爲僞，誠未免于理未融。然卿恐人
恃性善之說，任自然而廢學，因性不可恃，當勉力于先王之
教。故其言曰：'凡性者，天之所就也，不可學，不可事。禮義
者，聖人之所生也，人之所學而能，所事而成者也。不可學，
不可事而在人者，謂之性；可學而能，可事而成之在人者，謂

之僞：是性僞之分也。’其辨白僞字甚明。楊倞注亦曰：‘僞，爲也。凡非天性而人作爲之者，皆謂之僞。故僞字人旁加爲，亦會意字也。’其説亦合卿本意。後人昧於訓詁，誤以爲真僞之僞，遂譁然掊擊，謂卿蔑視禮義，如老、莊之所言。是非惟未睹其全書，即《性惡》一篇自首二句以外，亦未竟讀矣。平心而論，卿之學源出孔門，在諸子之中最爲近正，是其所長；主持太甚，詞義或至于過當，是其所短。韓愈大醇小疵之説，要爲定論。餘皆好惡之詞也。”

嘉善謝墉叙曰：“小戴所傳《三年問》全出《禮論篇》，《樂記》、《鄉飲酒義》所引俱出《樂論篇》，《聘義》子貢問貴玉賤珉亦與《德行篇》大同。大戴所傳《禮三本篇》亦出《禮論篇》，《勸學》即《荀子》首篇，而以《宥生篇》末見大水一則，附之哀公問五義，出《哀公篇》之首，則知荀子所著載在二戴《記》者尚多，而本書或反缺佚。”

按《七略》兵權謀家有《孫卿子》，班氏以其重複省之。嚴氏可均《三代文編》叙録曰：“荀子名況，趙人，時相尊而號爲卿，方音改易，又稱孫卿。”然則荀、孫乃音聲遞轉之誤，或謂漢人稱孫卿以宣帝諱詢避嫌名者，殊不然也。

芉子十八篇。名嬰，齊人，七十子之後。

顏氏《集注》曰：“芉，音弭。”

《史記·孟荀列傳》曰：“趙有公孫龍、劇子之言，魏有李悝，楚有尸子、長盧，阿之吁子焉。自如孟子至于吁子，世多有其書，故不論其傳云。”徐廣曰：“阿者，今之東阿。”索隱曰：“吁音芉。《別録》作‘芉子’，今‘吁’亦如字。”正義曰：“案：東齊州也。《藝文志》云‘《吁子》十八篇，名嬰，齊人，七十子之後’。顏師古云音弭。案：是齊人，阿又屬齊，恐顏公誤也。”案《正義》文似有敓誤。

嘉興沈濤《銅熨斗齋隨筆》曰："芉當作吁，《孟荀傳》'阿之吁子'，今本作'吁'，誤。"又曰："小司馬張守節所見《漢書》本皆作'吁'，不作'芉'。作芉者，蓋劉向《別録》。案：芉、吁並同，故《史》與《別録》亦相異而相同。芉亦作芈，吁亦或作哶，《楚世家》陸終生子六人，六曰季連，吁姓，楚其後也。此芉子蓋與楚同姓，或楚人而居于齊之東阿者。"

内業十五篇。不知作書者。

王氏《考證》：按《管子》有《内業篇》，此書恐亦其類。

馬國翰曰："《内業》一卷，周管夷吾述。《漢志》儒家有《内業》十五篇，注'不知作書者'。《隋》、《唐志》皆不著録，佚已久。考《管子》第四十九篇標題《内業》，皆發明大道之蘊旨，與他篇不相類。蓋古有成書，而管子述之。案《漢志》《孝經》十一家有《弟子職》一篇，今亦在《管子》第五十九，以此例推知，皆誦述前人，故此篇在《區言》五，《弟子職》在《雜篇》十，明非管子所自作也。兹據補録，仍釐爲十五篇，以合《漢志》，不題姓名，闕疑也。"

周史六弢六篇。惠、襄之間，或曰顯王時，或曰孔子問焉。

顏氏《集注》曰："即今之《六韜》也，蓋言取天下及軍旅之事。弢字與韜同也。"

王氏《考證》曰："《周師六弢》六篇，師古曰：'即今之《六韜》。'《通鑑外紀》云：'《志》在儒家，非兵書也。'《館閣書目》：'《周史六弢》恐別是一書。'"

《四庫》兵家提要曰："《莊子·徐無鬼》篇稱《金版六弢》。《經典釋文》曰：'司馬彪、崔譔云《金版六弢經》，《周書》篇名，本又作《六韜》，謂《太公》文、武、虎、豹、龍、犬也。'則戰國之初原有《六弢》，然即以爲《太公六韜》，未知所據。《漢書·藝文志》兵家不著録，惟儒家有《周史六弢》六篇，班固自注曰：

'惠、襄之間，或曰顯王時，或曰孔子問焉。'則《六弢》別爲一書。顏師古注以今之《六韜》當之，毋亦因陸德明之説而牽合附會歟？"

沈濤《銅熨斗齋隨筆》曰："'《周史六弢》六篇。惠、襄之間，或曰顯王時，或曰孔子問焉。'師古曰：'即今之《六韜》也。'濤按今《六韜》乃文王、武王問太公兵戰之事，而此列之儒家，則非今之《六韜》也。'六'乃'大'字之誤，《古今人表》有周史大弢，古字書無'弢'字，《篇》、《韻》始有之，案謂《玉篇》、《廣韻》也。當爲'弢'字之誤。《莊子·則陽》篇'仲尼問于太史大弢'，蓋即其人。此乃其所著書，故班氏有'孔子問焉'之説。顏氏以爲太公之《六韜》，誤矣。今之《六韜》當在《太公》二百三十七篇之内。"

案周史大弢見《人表》第六等中下，列周景王、悼王時，爲春秋魯昭公之世，與孔子同時，上距惠、襄之間，下至顯王之際，皆一百數十年，實不相及。唯云"孔子問焉"，則與《人表》叙次時代相合。又《莊子》有"仲尼問于太史大弢"，則確爲大弢無疑。沈氏所考信有徵矣。孫伯淵先生校刊《六韜》，編入《平津觀叢書》，其序反覆辨證，謂即此《周史六弢》，蓋考之未審，不可從也。

周政六篇。周時法度政教。

周法九篇。法天地，立百官。

章學誠《校讎通義》曰："儒家有《周政》六篇，《周法》九篇，其書不傳，班固注《周政》云'周時法度政教'，注《周法》云'法天地，立百官'，則二書蓋官禮之遺也。附之《禮經》之下爲宜，入于儒家非也。"

案班氏仍《録》、《略》之舊，列于儒家，必有其故，後人未見其書，未可斷以爲非。

河間周制十八篇。似河間獻王所述也。

《金樓子·説蕃篇》：王又爲《周制》二十篇。四庫館校輯附案曰：“《漢書·藝文志》《河間周制》十八篇，今作二十篇，與《漢書》不同。”

《經義考·周禮類》曰：“案《漢志》儒家別有《周政》六篇，《周法》九篇，《河間周制》十八篇，注云‘獻王所述’，似與《周官》相表裏，惜乎其皆亡也！”

案《周史六弢》及《周政》、《周法》、《周制》四書，似皆河間獻王所奏進，而《周制》又似獻玉綜述爲書也。周之故府，篇籍多矣，家邦既隕，或亦有散在民間者，獻王購以金帛，遂多爲所得，如《毛詩經》及《故訓傳》、《禮古經》、《古記》、《明堂陰陽》、《王史氏記》、《周官經》、《傳》、《司馬法》、《樂記》、《雅歌詩》、《左氏經傳》、《三朝記》，皆獻之漢朝，此亦其類也歟？又案《禮樂志》言“叔孫通既没之後，河間獻王采禮樂古事，稍稍增輯，至五百餘篇。今學者不能昭見，但推士禮以及天子，説義又頗謬異，故君臣長幼交接之道寖以不章”。此或五百餘篇之殘膡，亦未可知也。

讕言十篇。不知作者，陳人君法度。

顏氏《集注》曰：“説者引《孔子家語》云孔穿所造，非也。”

馬國翰曰：“《漢志》儒家《讕言》十篇，注‘不知作者，陳人君法度’，師古曰：‘説者引《孔子家語》云孔穿所造，非也。’案《家語·後序》云：‘子直生子高，名穿，亦著儒家語十二篇，名曰《讕言》。’《集韻》去聲二十九換讕、調、諫三字並列，注云‘詆讕，誣言相被也，或从柬，从間’，然則讕與調通加草者，隸古之別也。書名既同，復並稱儒家，且以《孔叢子》所載子高之言觀之，其答信陵君祈勝之禮，對魏王人主所以爲患，及古之善爲國，至於無訟之間，又與齊君論車裂之刑，所言皆人君法度事,則《讕言》審爲穿書矣。班固云'不知作者',蓋劉向校定《七略》時,《孔叢子》晦而未顯,《漢志》本諸《七略》,無從取證。東漢之季,《孔叢子》顯出,故王肅注《家語》據以爲説。魏晉儒者遂據肅説以解《漢志》,在當日實有考見,不知顏監何以斷其非也。兹即從《孔叢子》録出凡三篇,依舊説題周孔穿撰,先聖家學可於此探其淵源云。"案孔穿《古今人表》列第四等,注云"子思玄孫",馬氏以此爲穿書,與顏監異,究未知爲孰是也。

功議四篇。不知作者,論功德事。

《功議》未詳。

寧越一篇。中牟人,爲周威王師。

《吕氏春秋·博志篇》:孔、墨、寧越,皆布衣之士也。慮于天下,以爲無若先王之術者,故日夜學之。有便於學者,無不爲也;有不便於學者,無肯爲也。寧越,中牟之鄙人也,苦耕稼之勞,謂其友曰:"何爲而可以免此苦也?"其友曰:"莫若學,學三十歲則可以達矣。"寧越曰:"請以十歲。人將休,吾將不敢休;人將卧,吾將不敢卧。"十五歲而周威公師之。注云:"威公,西周君也。"矢之速也,而不過二里止也;步之遲也,而百歲不止也。今以寧越之材而久不止,其爲諸侯師,豈不宜哉?

《秦始皇本紀》引賈生之言曰:"當是時,齊有孟嘗,趙有平原,楚有春申,魏有信陵。約從離衡,並韓、魏、燕、楚、齊、趙、宋、衛、中山之衆。於是六國之士有寧越、徐尚、蘇秦、杜赫之屬爲之謀。"索隱曰:"寧越,趙人。"

馬國翰輯本序曰:"《淮南子·道應訓》以寧戚事誤屬寧越,潘基慶《古逸書》又以寧越事誤屬寧戚,且以周威公爲齊威公,尤大誤也。《漢志》儒家有《寧越》一篇,《隋》、《唐志》皆不著録,佚已久。考《吕氏春秋》、《説苑》引其説,輯録二節,並附事蹟爲一卷。以苗賁皇爲楚平王之士,並以城濮、鄢陵二戰屬之，舛踳殊甚，辭氣亦染游説風習，名列於儒，蓋不没其日夜勤學之功力云。"

王孫子一篇。一曰巧心。

《隋書·經籍志》：梁有《王孫子》一卷，亡。

王氏《考證》：《王孫子》，《七録》一卷。馬總《意林》引之，《太平御覽》、《藝文類聚》亦引之。

嚴可均輯本序曰："《漢志》儒家'《王孫子》一篇，一曰《巧心》'。《隋志》一卷，《意林》亦一卷，僅有目録，而所載《王孫子》文爛脱，校《意林》者乃割《莊子·雜篇》以充之，實非《王孫子》也。《唐志》不著録。今從《北堂書鈔》等書采出二十四事，省併複重，僅得五事，愛是先秦古書，繕寫而爲之叙曰：'王孫，姓也，不知其名。巧心，亦未詳繹其言，蓋七十子之後言治道者。《漢志》儒五十三家，今略存十家，而子思、曾子、公孫尼子、魯仲連子、賈山五家，尚未全亡，《王孫子》得見者，僅三百九十九字耳，然而君人者可懸諸坐隅。夫爲國而不受諫，不節財而暴民，如國何？'"

馬國翰輯本序曰："王孫氏，其名不傳，事蹟亦無考。以《漢》、《隋志》叙次其書，知爲戰國時人。一曰《巧心》，蓋其書之別稱，如揚子之《法言》、文中子之《中説》矣。《意林》存目而無其書。《藝文類聚》、《太平御覽》引其佚説，而彼此殊異，參互考定，完然可讀者尚得五節，録爲一卷。書主愛民爲説，如衞靈、楚莊、趙簡子之事。又《春秋》內外傳所未載者，且舉孔子、子貢之論以爲斷。其人蓋七國之翹楚也。"

公孫固一篇。十八章。齊閔王失國，問之，固因爲陳古今成敗也。

《史記·十二諸侯年表》曰："孔子次《春秋》，左邱明成《左氏春秋》，鐸椒爲《鐸氏微》，虞卿爲《虞氏春秋》，吕不韋爲《吕氏春秋》。及如荀卿、孟子、公孫固、韓非之徒，各往往捃摭《春秋》之文以著書，不可勝紀。"索隱曰："荀況、孟軻、韓非皆著書，自稱'子'。宋有公孫固，無所述。此固蓋齊人韓固，傳《詩》者也。"案《索隱》謂宋有公孫固者，指宋襄公時大司馬固，見《左·僖二十二年傳》及注，齊桓公時人，此公孫固齊閔王時，相去凡三百五十餘年。至齊人韓固傳《詩》，又似轅固之譌，轅固生漢景、武時人，《索隱》此條皆非是，由於未嘗參考《藝文志》之失也。

按《田敬仲世家》齊宣王卒，子湣王地立。湣王四十年，燕、秦、楚、三晉合謀，各出銳師以伐我。燕將樂毅遂入臨淄，盡取齊之寶藏器。湣王出亡，之衛。衛君辟宮舍之，稱臣而共具。湣王不遜，衛人侵之。湣王去，走鄒、魯，有驕色，鄒、魯君弗納，遂走莒。楚使淖齒將兵救齊，因相齊湣王。淖齒遂殺湣王而與燕共分齊之侵地鹵器。《燕世家》云："燕兵入臨淄，燒其宮室宗廟。齊城之不下者，唯聊、莒、即墨，其餘皆屬燕。湣王死於莒宮。"班氏稱閔王失國，即此《人表》第八等下中齊愍王，宣王子，閔、愍、湣並通。公孫固當是齊人，其書蓋即作於是時，周赧王三十一年也。

李氏春秋二篇

《經義考·擬經篇》：李氏，失名，《春秋》，《漢志》二篇，佚。

馬國翰曰："《漢志》儒家《李氏春秋》二篇，敘次在公孫固、羊子之間。公孫固，齊閔王失國，問之。羊子，秦博士。然則李氏亦戰國時人也。其書《隋》、《唐志》不著錄，佚已久。考《呂氏春秋·勿躬》篇引《李子》一節，不言名字，當是《李氏春秋》佚文。泛論名理，以《春秋》取號者，其亦《虞氏春秋》之類歟？"

羊子四篇。百章。故秦博士。

《廣韻》十陽"羊"字注：羊，又姓。戰國策有羊千者，著書顯名。案“策”似“時”字之誤。

邵思《姓解》：泰山羊氏，《左傳》羊舌職大夫之後，子孫有單姓者，戰國時有羊千，著書顯名。

鄭樵《氏族略》：羊舌氏，姬姓，晋之公族也。靖侯之後，食采於此，故爲羊舌大夫。有四族，皆彊家。羊舌，晋邑名。羊氏即羊舌氏之後。春秋末始單爲羊氏。秦亂，徙居泰山。戰國有羊千著書。案《氏姓》諸書皆曰羊千，或實名千，或“千”爲“子”字之誤，無以詳知。

章學誠《校讎通義》曰：“《漢志》計書多以篇名，間有計及章數者，小學叙例稱《倉頡》諸書也。至于叙次目録而以章計者，惟儒家《公孫固》一篇注十八章，《羊子》四篇注百章而已。其如何詳略，恐劉、班當日亦未有深意也。”

董子一篇。名無心，難墨子。

《隋書·經籍志》：《董子》一卷，戰國時董無心撰。《唐·經籍志》：《董子》二卷，董無心撰。《唐·藝文志》：《董子》一卷，注云董無心。《宋史·藝文志》：《董子》一卷，董無心撰。晁氏《讀書志》：《董子》一卷，周董無心撰，皇朝吳祕注。無心在戰國時著書，闢墨子。

《玉海·藝文》：董子，戰國時人。宋朝吳祕注一卷，《中興書目》一卷。與學墨者纏子辯上同、兼愛、上賢、明鬼之非，纏子屈焉。《論衡》引董子難纏子。

錢大昕《三史拾遺》曰：“董無心蓋六國時人，王充《論衡》、應劭《風俗通》俱引董無心説。”

馬國翰輯本序曰：“無心，不詳何人。明陳第《世善堂書目》有之。今復求索，不可得矣。唯王充《論衡·福虛篇》引其與纏子論難一節。又《文選注》、《意林》引《纏子》内有董無心語，循公孫龍與孔穿論臧三耳，兩家書並載之，例取補缺遺存，其說可與詰墨競爽,孟子所謂聖人之徒與。”

俟子一篇

顔氏《集注》:李奇曰:“或作《侔子》。”

《廣韻》引《風俗通·姓氏篇》:俟氏有俟子,古賢人,著書。

鄭樵《氏族略》:俟氏,《風俗通》俟子,著書,六國時人。

邵思《姓解》:《風俗通》云:“古賢者俟子,著書八篇。”

鄧名世《古今姓氏書辨證》:《風俗通》古賢人俟子。《漢·藝文志》有《俟子》一篇。李奇注曰:“或作《侔子》。”此必俟氏也。

按《廣韻》、《氏族略》及鄧氏《辨證》引《風俗通》俟子著書,皆不言篇數,唯邵思《姓解》云八篇,與《志》不合,未詳孰是。或一篇之中分子目八篇歟?

徐子四十二篇。宋外黄人。

《史記·魏世家》:惠王三十年,魏伐趙,趙告急齊。齊宣王用孫子計,救趙擊魏。魏遂大興師,使龐涓將,而令太子申爲上將軍。過外黄,外黄徐子謂太子曰:“臣有百戰百勝之術。”太子曰:“可得聞乎?”客曰:“固願效之。”曰:“太子自將攻齊,大勝並莒,則富不過有魏,貴不益爲王。若戰不勝齊,則萬世無魏。此臣之百戰百勝之術也。”太子曰:“諾,請必從公之言而還矣。”客曰:“太子雖欲還,恐不得矣。”太子因欲還,其御曰:“將出而還,與北同。”太子果與齊人戰,敗於馬陵。齊虜魏太子申,殺將軍涓,軍遂大破。案此即《孟子·梁惠王》言“東敗于齊,長子死焉”之事,亦見《戰國·魏策》,文句互有異同。

劉向《别録》曰:“徐子,外黄人也。外黄時屬宋。”

《古今人表》徐子列第五等中中,梁玉繩曰:“徐子始見《魏策》、《史·魏世家》。案本書《藝文志》《徐子》注云‘宋外黄人’,《策》、《史》言外黄徐子説太子申百戰百勝之術,《表》列

魏惠王時當即此,恐非孟子弟子徐子及《韓子·外儲説左》趙
襄子力士中牟徐子也。"

《經義考·承師篇》曰:"徐辟,趙岐曰孟子弟子,又曰《人表》
孟子居第二等,其弟子一十九人,公孫丑居第三等,萬章、樂
正子、告子、高子居第四等,徐子居第五等,餘不與焉。"案朱氏以
《人表》徐子爲孟子弟子,梁氏以爲不然。今考《人表》徐子猶在孟子之前二行,不與
公孫丑等相類從,似班氏不以此徐子爲孟子弟子也。梁氏之説爲長。

魯仲連子十四篇。有列傳。

《史記》本傳:魯仲連者,齊人也。好奇偉俶儻之畫策,而不肯
仕官任職,好持高節。游于趙。趙孝成王時,秦使白起破趙
長平之軍前後四十餘萬,秦兵東圍邯鄲。魏安釐王使將軍晉
鄙救趙,畏秦,不進。魏王使客將軍新垣衍間入邯鄲,因平原
君謂趙王,使尊秦昭王爲帝。于是魯仲連乃見平原君,曰:
"梁客新垣衍安在?吾請爲君責而歸之。"于是衍不敢復言帝
秦。會魏公子無忌奪晉鄙軍救趙,秦軍遂引而去。于是平原
君欲封魯連,魯連辭讓使者三,終不肯受。平原君乃置酒,酒
酣起前,以千金爲壽。魯連笑曰:"所謂貴于天下之士者,爲
人排患釋難解紛亂而無取也。即有取者,是商賈之事也,而
連不忍爲也。"遂辭平原君而去,終身不復見。其後二十餘
年,燕將攻下聊城,聊城人或讒之燕,燕將懼誅,因保守聊城,
不敢歸。齊田單攻聊城歲餘,不下。魯連乃爲書,約之矢以
射城中,遺燕將書。燕將見魯連書,泣三日,猶預不能決。乃
自殺。田單遂屠聊城。歸而言魯連,欲爵之。魯連逃隱于海
上,曰:"吾與富貴而詘于人,寧貧賤而輕世肆志焉。"太史公
曰:"魯連其指意雖不合大義,然余多其在布衣之位,蕩然肆
志,不詘于諸侯,談説于當世,折卿相之權。"

本書《人表》魯仲連列第二等上中,梁玉繩曰:"魯仲連始見

《戰國·齊》、《趙策》，魯氏伯禽之後。仲連，齊人，亦曰魯連，亦曰魯仲子，亦曰魯連先生，葬青州高苑縣西北五里。”

《隋書·經籍志》：《魯連子》五卷，録一卷。魯連，齊人，不仕，稱爲先生。《唐·經籍志》：《魯連子》五卷，魯仲連撰。《藝文志》一卷。《宋·藝文志》：《魯仲連子》五卷，戰國齊人。

《黄氏日鈔》曰：“魯仲連闢新垣衍帝秦之説，引鄒魯不納齊愍王之事爲證，可謂深切著明矣。然解邯鄲之圍者，信陵君力也，非仲連口舌之争所能解也。射書聊城，使其將自殺，而城見屠，此不過爲田單謀耳。縱當時無仲連書，聊城無救，勢亦必亡，亦非甚有功于田單也。使連能説單無屠聊城，而約其將降；或説燕王無殺其將，以救聊城之命，皆可也。連釋此不爲，射書何爲哉？惟不以爵賞自累，而輕世肆志，故得優遊天下，如飛鳥翔空然，然直以爲天下士，則未也。”案仲連之説新垣衍，衍不敢復言帝秦，秦將聞之，爲卻軍五十里，是信陵未來之前，邯鄲圍已少解矣，其功固不小也。其遺燕將書，原約其全師歸燕，或棄燕歸齊，非不欲全一城之命。其後燕將自殺，田單屠聊，非仲連意計所及。黄氏不揣其本末，而苛論古人，殆不足據。

《玉海·藝文》：《中興書目》五卷，退隱海上，論著此書。

王氏《考證》：《春秋正義》、《史記正義》、《文選注》、《太平御覽》引之。

嚴可均輯本曰：“魯仲連，齊人，邯鄲圍解，聊城已拔，趙勝、田單欲封之，皆不受，逃隱海上，莫知所終。有《魯連子》，《漢志》儒家十四篇，《隋志》、《意林》、《舊唐志》皆五卷，《新唐志》一卷，《宋志》五卷，已後不著録。今輯凡三十二條。”

馬國翰輯本序曰：“《戰國策》載其六篇，其《卻秦軍》、《説燕將》二篇《史記》亦載，文句不同，參互校訂。又搜采《意林》、《御覽》等書，得佚文二十五節，合録一卷。指意在於勢數，未能純粹合賢聖之義，然高才遠致，讀其書，想見其爲人矣。”

平原君七篇。朱建也。

《史》、《漢》列傳：平原君朱建者，楚人也。故嘗爲淮南王黥布相，有罪去，後復事布。布欲反時，問建，建諫止之。布不聽，遂反。漢既誅布，聞建諫之，高祖賜建號平原君，家徙長安。爲人辯有口，刻廉剛直，行不苟合，義不取容。辟陽侯　^{師古}曰："審食其也。"行不正，得幸呂太后。孝惠帝大怒，下吏，欲誅之。平原君爲見孝惠幸臣閎籍孺，説之，籍孺從其計，言帝，出辟陽侯。辟陽侯於諸呂至深。孝文時，淮南厲王殺辟陽侯，以黨諸呂故。孝文聞其客朱建爲其策，使吏捕欲治。吏至門，建自到。帝聞而惜之，曰："吾無殺建意也。"乃召其子，拜爲中大夫。使匈奴，單于無禮，迺罵單于，遂死匈奴中。太史公曰："平原君子與余善，是以得具論之。"《索隱》曰："其子拜爲中大夫者，即與太史公善者也。"

馬國翰曰："按建本傳只記其救辟陽侯事，與鄒陽説竇長君絶相類，要皆戰國之餘習，乃班《志》于鄒陽入從橫家，于平原君則入儒，必其佚篇多雅正語，今不可見矣。第取本傳中《説閎籍孺》一篇，附載事蹟，聊備觀覽云爾。"

沈濤《銅熨斗齋隨筆》曰："書既爲建所作，不應廁魯連、虞卿之間，蓋後人誤以爲六國之平原君，而移易其次第。"

按自分條刊刻以來，割裂破碎，多非本來舊第，如此一條當在《孝文傳》之後。《詩賦略》有朱建賦二篇，次枚皋、莊忽奇之間。又一本作《平原老》，今攷高帝賜號平原君，太史公亦曰平原君，又云"平原君子與余善"，則作"老"字者非也。

虞氏春秋十五篇。虞卿也。

虞卿有《虞氏微傳》二篇，見《六藝》春秋家。

本傳：虞卿既以魏齊之故，不重萬户侯卿相之印，與魏齊間行，卒去趙，困于梁。魏齊已死，不得意，乃著書，上采《春秋》，下觀近世，曰《節義》、《稱號》、《揣摩》、《政謀》，凡八篇。以刺譏國家得失，傳之曰《虞氏春秋》。太史公曰：“虞卿料事揣情，爲趙畫策，何其工也！及不忍魏齊，卒困大梁，庸夫且知其不可，況賢人乎？然虞卿非窮愁，亦不能著書以自見于後世云。”

《史記·十二諸侯年表》：趙孝成王時，其相虞卿上采《春秋》，下觀近世，亦著八篇，爲《虞氏春秋》。正義曰：“按其文八篇，《藝文志》云十五篇，虞卿撰。”

《孔叢子·執節篇》：虞卿著書，名曰《春秋》。魏齊曰：“子無然也！《春秋》，孔聖所以名經也。今子之書大抵談説而已，亦以爲名何？”答曰：“經者，取其事常也，可常則爲經矣。且不爲孔子，其無經乎？”齊問子順。子順曰：“無傷也。魯之史記曰《春秋》，經因以爲名焉。又晏子之書亦曰《春秋》，不嫌同名也。”

《黄氏日鈔》曰：“虞卿棄趙卿相，而與故交魏齊俱困大梁，以著《虞氏春秋》，其必有決烈之見，而豈其愚也哉？”

馬國翰輯本序曰：“虞卿名字里居皆無考。《虞氏》，《漢志》十五篇，入儒家，《隋》、《唐志》皆不著録，佚已久。《戰國策》載其《論割六城與秦之失》及《許魏合從》二篇，《史記》取之入本傳，劉向《新序》亦采二篇于《善謀》上篇，蓋本書《謀篇》之遺文也。兹據訂正錯簡，互考異同，録爲一卷。大旨主於合從，亦未離戰國説士之習，班《志》列入儒家者，其以傳《左氏春秋》，而荀況、張倉、賈誼之學淵源有自乎？”

章學誠《校讎通義》曰：“儒家《虞氏春秋》十五篇，司馬遷《十二諸侯年表序》作八篇。或初止八篇，而劉向校書，爲之分析篇次，未可知也。”

高祖傳十三篇。與大臣述古語及詔策也。

本書《高帝紀》：初，高祖不修文學，而性明達，好謀，能聽，自監門戍卒，見之如舊。初順民心，作三章之約。天下既定，命蕭何次律令，韓信申軍法，張倉定章程，叔孫通制禮儀，陸賈造《新語》。又與功臣剖符作誓，丹書鐵券，金匱石室，藏之宗廟。雖日不暇給，規摹弘遠矣。

又《魏相傳》：相代韋賢爲丞相，數表采《陰陽》及《明堂月令》奏之，曰：“天子之義，必純取法天地，而觀於先聖。高皇帝所述書《天子所服第八》曰：‘大謁者臣章受詔長樂宮，曰：“令羣臣議天子所服，以安治天下。”相國臣何、御史大夫臣昌謹與將軍臣陵、太子太傅臣通等議：師古曰：“蕭何、周昌、王陵、叔孫通也。”“春夏秋冬天子所服，當法天地之數，中得人和。自天子王侯有土之君，下及兆民，能法天地，順四時，以治國家，身亡既殃，年壽永究，是奉宗廟安天下之大禮也。臣請法之。中謁者趙堯舉春，李舜舉夏，倪湯舉秋，貢禹舉冬，四人各職一時。”大謁者襄章奏，制曰“可”。’”應劭曰：“四時各舉所施行政事。”服虔曰：“主一時衣服禮物朝祭百事也。”師古曰：“服說是也。”

《玉海·聖文·雜御製篇》：《隋志》梁有《漢高祖手詔》一卷，《古文苑》有《高祖手敕太子》五條。

嚴可均《全漢文篇》叙錄曰：“《漢志》儒家《高帝傳》十三篇，魏相表奏高皇帝所述書《天子所服第八》即十三篇之一也。其他見於諸史傳記者，有詔二十二篇，手敕、賜書、告、諭、令、答、鐵券、盟、誓等十五篇，總凡三十八篇。”

陸賈二十三篇

陸賈有《楚漢春秋》，見《六藝》春秋家。

《史記》本傳：陸生時時前說稱《詩》、《書》。高帝罵之曰：“迺公居馬上而得之，安事《詩》、《書》！”陸生曰：“居馬上得之，寧可以馬上治之乎？且湯武逆取而以順守之，文武並用，長久之術也。昔者吳王夫差、智伯極武而亡；秦任刑法不變,卒滅趙氏。鄭氏曰："秦之先造父封于趙城,其後以爲姓。"鄉使秦已并天下,行仁義,法先聖,陛下安得而有之?"高帝不懌而有慙色,迺謂陸生曰："試爲我著秦所以失天下,吾所以得之者何,及古成敗之國。"陸生迺粗述存亡之徵,凡著十二篇。每奏一篇,高帝未嘗不稱善,左右呼萬歲,號其書曰"新語"。太史公曰："余讀陸生《新語》書十二篇,固當世之辯士。"張守節曰："《七錄》云:'《新語》二卷,陸賈撰。'"師古曰："今其書見存。"

《黃氏日鈔》曰："陸賈以《詩》、《書》說高帝,一時羣臣無有也。以呂氏欲王諸呂而病免,復傅會將相,以誅諸呂,亦一時羣臣無有也。動靜合時措之宜,而功烈泯無形之表,漢初儒生未有賈比也。"

《隋書・經籍志》:《新語》二卷,陸賈撰。《唐・經籍志》同。

《藝文志》:陸賈《新語》二卷。《宋・藝文志》雜家著錄同。

王氏《考證》:今存《道基》、《術事》、《輔政》、《無爲》、《資賢》、《至德》、《懷慮》七篇。

《四庫提要》曰："《漢書》賈本傳稱著《新語》十二篇,《藝文志》儒家二十七篇,蓋兼他所論述計之。《隋志》二卷,此本卷數與《隋志》合,篇數與本傳合。然王充《論衡・本性篇》引《陸賈》,今本無其文。又《穀梁傳》至漢武帝時始出,而《道基》篇末乃引'《穀梁傳》曰',時代尤相牴牾。其殆後人依托,非賈原本歟?案《穀梁春秋》始自魯申公傳之,申公與陸大夫同時,容或有見其書者。又《玉海》稱今存七篇,此本十有二篇,乃反多于宋本,亦不可解。或後人因不完之本,補綴五篇,以合本傳舊目也。今但據其書論之,則大旨皆崇王道,黜霸術,歸本于修身用人。其稱引《老子》者,惟《思務》篇引'上德不德'一語,餘皆以孔氏爲宗,所援據多《春秋》、《論語》之文,漢儒自董仲舒外,未有如是之醇正也。流傳既久，其真其贋，存而不論可矣。所載衛公子鱄奔晉一條，與《三傳》皆不合，莫詳所本。中多闕文，亦無可校補。所稱文公種米、曾子駕羊諸事，皆不知其何説。又據犫噎報之語，訓詁亦不可通。古書佚亡，今不盡見，闕所不知可也。”

嚴可均校錄序曰：“《崇文總目》、晁《志》、陳《錄》皆不著。王伯厚云今存七篇，蓋宋時此書佚而復出，出亦不全。至明弘治間，莆陽李廷梧得十二篇足本，刻版于桐鄉縣治。或疑明本反多于王伯厚所見，恐是後人補綴。今知不然者，《羣書治要》載有八篇，其《辨惑》、《本行》、《明誡》、《思務》四篇，皆非王伯厚所見，而與明本相同，足知多出五篇，是隋唐原本。至《論衡·本性篇》引陸賈曰‘天地生人也’一條，今十二篇無此文。《論衡》但云《陸賈》，不云《新語》，或當在《漢志》之二十三篇中。又《穀梁傳》曰‘仁者以治親，義者以利尊’，乃是《穀梁》舊傳，故今《傳》無此文。因知瑕邱江公所受于魯申公者，其後本復經改造，非穀梁赤之舊也。漢代子書，《新語》最純最早，貴仁義，賤刑威，述《詩》、《書》、《春秋》、《論語》，紹孟、荀而開賈、董，卓然儒者之言，史遷目爲辯士，未足以盡之。其詞皆協韻，流傳既久，轉寫多訛，今據明各本，以《治要》之八篇，及《文選注》、《意林》等書，改正刪補，疑者闕之，間有管見一二，輒附案語臆定。”

案明程榮《漢魏叢書》所刻即據弘治十五年莆陽李廷梧刊本，其篇目曰：《道基》第一、《術事》第二、《輔政》第三、《無爲》第四、《辨惑》第五、《慎微》第六、《資質》第七、《至德》第八、《懷慮》第九、《本行》第十、《明誡》第十一、《思務》第十二。王氏所見七篇，蓋缺《辨惑》、《慎微》、《本行》、《明誡》、《思務》五篇。中多斷爛，末篇缺文尤多，嚴氏所校之本，今亦未見。

又案《七略》兵權謀家有《陸賈》,班氏以其重複省之。

劉敬三篇

本書《高帝紀》:五年二月甲午,上尊號。漢王即皇帝位于汜水之陽。乃西都洛陽。夏五月,兵皆罷。戍卒婁敬求見。說上曰:"陛下取天下與周異,都洛陽不便,不如入關,據秦之固。"上以問張良,良因勸上。是日,車駕西都長安。

又列傳:婁敬,齊人也。漢五年,戍隴西,過雒陽,高帝在焉。敬脫輓輅,見齊人虞將軍曰:"臣願見上言便宜。"虞將軍入言上,上召見,賜食。已而問敬,敬說入關。上疑未能決。及留侯明言入關便,即日駕西都關中。于是上曰:"本言都秦地者婁敬,婁者劉也。"賜姓劉氏,拜爲郎中,號奉春君。七年,使匈奴,還言不可擊。上怒,械繫敬廣武。遂往,至平城,匈奴果出奇兵圍帝白登,七日然後得解。乃赦敬,封二千户,爲關内侯,號建信侯。敬又言:"匈奴未可以武服,獨可以計久遠子孫爲臣耳。陛下誠能以嫡長公主妻單于,可毋戰而漸臣也。"上乃取家人子爲公主,妻單于。使敬往結和親。敬從匈奴來,因言"匈奴河南白羊、樓煩王,去長安近者七百里,輕騎一日一夕可以至。今都關中,實少人。北近胡寇。臣願陛下徙齊諸田,楚昭、屈、景,燕、趙、韓、魏後,及豪傑名家,且實關中。無事,可以備胡;諸侯有變,亦可率以東伐。此彊本弱末之術也。"上曰:"善。"乃使劉敬徙所言關中十萬餘口。《本紀》九年十一月,徙齊楚大族昭氏、屈氏、景氏、懷氏、田氏五姓關中,與利田宅。師古曰:"今高陵、櫟陽諸田,華陰、好畤諸景,及三輔諸懷尚多,皆此時所徙也。"

馬國翰曰:"《漢志》儒家《劉敬》三篇,《隋》、《唐志》不著目。其《說都秦》、《說和親》、《說徙民》皆見本傳中,今據錄之。敬之爲策,大抵權宜救時之計。然漢兼王霸以爲家法,則當日之列于儒家者,蓋有由矣。"

嚴可均《全漢文編》曰："晋段灼引婁敬《上書諫高祖》,《北堂書鈔》一百四《三輔故事》引婁敬《作丹書鐵券與匈奴分土界》。"按此二篇與馬氏所輯三篇,或即是書之佚文,未可知也。

孝文傳十一篇。文帝所稱及詔策。

王氏《考證》:《史記·文帝紀》凡詔皆稱上曰,以其出于帝之實意也。

嚴可均《全漢文編》曰:"《史》、《漢》本紀、《封禪書》、《律書》、《郊祀志》、《刑法志》、《淮南王傳》、《周勃傳》、《鼂錯》、《賈捐之傳》、《匈奴傳》、《續漢·禮儀志》注、《宋書·禮志》引文帝制二篇,詔三十四篇,賜書、璽書、酎金律等文六篇,凡四十二篇。"

賈山八篇

本書列傳:賈山,潁川人也。祖父袪,故魏王時博士弟子也。師古曰:"六國時魏也。"山受學袪,所言涉獵書記,不能爲醇儒。嘗給事潁陰侯爲騎。按《功臣侯表》,潁陰侯灌嬰也。孝文時,言治亂之道,惜秦爲諭,名曰《至言》。其辭曰:"臣聞爲人臣者,盡忠竭愚,以直諫主,不避死亡之誅者,臣山是也。臣不敢以久遠諭,願借秦爲諭,唯陛下少加意焉。"其後文帝除鑄錢令,山復上書諫,以爲變先帝法,非是。又誦淮南王無大罪,宜急令反國。又言柴唐子爲不善,足以戒。鄧展曰:"《淮南傳》棘蒲侯柴武太子柴奇與士伍開章謀反。"臣召南《考證》曰:"此文應云'柴武子',疑'唐'字訛。"章下詰責,對以爲"錢者,亡用器也,而可以易富貴。富貴者,人主之操柄也,令民爲之,是與人主共操柄,不可長也"。其言多激切,善指事意,然終不加罰,所以廣諫争之路也。其後復禁鑄錢云。

《黄氏日鈔》曰:"山以文帝賢君,不免田獵之娛,故勸以親賢講學爲務,所以致君之意極善。《傳》言'不能爲醇儒',蓋謂其不專守一經耳,非以其行己不醇也。"

《玉海・藝文》:《賈山傳》言治亂之道,借秦爲諭,名曰《至言》。大概謂聖主以和顔受諫而興,秦以不聞過失而亡。時孝文二年冬十一月癸卯,日食,詔舉直言極諫。《通鑑綱目》賈山上書附是月。

馬國翰曰:"《漢志》儒家《賈山》八篇,今只傳《至言》一篇。若《諫文帝除鑄錢》、《訟淮南王》、《言柴唐子》三疏,當在八篇中,而世不傳。本傳全載《至言》,據錄爲卷。真西山稱其爲忠臣防微之論,而以陳善閉邪許之。王伯厚謂山之才亞于賈誼,其學粹於鼂錯。乃班書以涉獵書記,不能爲醇儒斷之,豈其然乎?"

太常蓼侯孔臧十篇。父聚,高祖時以功臣封,臧嗣爵。

本書《功臣侯表》:蓼夷侯孔藂,以執盾前元年從起碭,以左司馬入漢,爲將軍,三以都尉擊項籍,屬韓信,侯。高帝六年正月丙午封,三十年薨。孝文九年,侯臧嗣,四十五年,元朔三年,坐爲太常衣冠道橋壞不得度,免。

《連叢子》曰:"臧歷位九卿,遷御史大夫。辭曰:'臣世以經學爲家,乞爲太常,與安國紀綱古訓。'武帝難違其意,遂拜太常,禮賜如三公,著書十篇。"

賈誼五十八篇

《史記》本傳:賈生名誼,雒陽人也。年十八,以能誦詩屬書聞于郡中。文帝召以爲博士。超遷,一歲中至大中大夫。天子議以任公卿之位。絳、灌、東陽侯、馮敬之屬盡害之,乃以爲長沙王太傅。數年,爲梁懷王太傅。賈生數上疏,言諸侯或連數郡,非古之制,可稍削之。文帝不聽。居數年,懷王騎,墮馬而死,無後。賈生自傷爲傅無狀,哭泣歲餘,亦死。時年三十二。

本書傳贊曰:"劉向稱'賈誼言三代與秦治亂之意,其論甚美,通達國體，雖古之伊、管未能遠過也。使時見用，功化必盛。
爲庸臣所害，甚可悼痛'。按此數語似《別錄》文。追觀孝文玄默躬
行以移風俗，誼之所陳略施行矣。及欲改定制度，以漢爲土
德，色尚黃，數用五，及欲試屬國，施五餌三表以係單于，其術
固已疏矣。誼亦天年早終，雖不至公卿，未爲不遇也。凡所
著述五十八篇，掇其切于世事者著于傳云。"

《隋書·經籍志》：《賈子》十卷，錄一卷，漢梁王太傅賈誼撰。
《唐·經籍志》：《賈子》九卷，賈誼撰。《藝文志》：賈誼《新
書》十卷。《宋史·藝文志》雜家著錄同。

《崇文總目》：《賈子》九卷，漢賈誼撰。傳本七十二篇，劉向删
定爲五十八篇，按此説必得于《別錄》。《隋》、《唐》皆九卷，今別本或
爲十卷。《四庫提要》："考今《隋》、《唐志》皆作十卷，無九卷之説。蓋校刊《隋》、
《唐書》者，未見《崇文總目》，反據今本追改之，明人傳刻古書往往如是，不足怪也。"

晁氏《讀書志》：《新書》十卷，漢賈誼撰。誼著《事勢》、《連
語》、《雜事》凡五十八篇。考之《漢書》，誼之著述未嘗散軼，
然與班固所載時時不同。既云掇其切于世者，容有潤益刊
削，無足怪也。獨其説經多異義，而《詩》尤甚，以《騶虞》爲太
子之宥宮，以《靈臺》爲神靈之靈，與《毛氏》殊不同，學者不可
不知也。案賈之時，《詩》唯有《魯》、《齊》、《韓》三家，毛學不行，無怪其然矣。

陳氏《書錄解題》曰："《賈子》十一卷，《漢志》五十八篇。今書
首載《過秦論》，末爲《弔湘賦》，餘皆錄《漢書》語。且略節本
傳于第十一卷中，其非《漢書》所有者，輒淺駁不足觀，決非誼
本書也。"

《黃氏日鈔》曰："賈誼天資甚高，議論甚偉，一時無與比者。
其後經畫漢世變故，皆誼遺策。"

《四庫提要》曰："今本僅五十六篇，又《問孝》一篇有錄無書，
實五十五篇，已非北宋本之舊。又首載《過秦論》，而末無《弔

湘賦》，亦無附録之第十一卷，且併非南宋時本矣。其書多取誼本傳所載之文，割裂其章段，顛倒其次第，而加以標題，殊瞀亂無條理。疑《過秦論》、《治安策》等本皆爲五十八篇之一，後原本散佚，好事者因取本傳所有諸篇，離析其文，各爲標目，以足五十八篇之數，故餖飣至此。其書不全真，亦不全僞。陳振孫以爲決非誼書，非篤論也。且其中爲《漢書》所不載者，雖往往類《説苑》、《新序》、《韓詩外傳》，然如青史氏之記，具載胎教之古禮。《修政語》上下兩篇，多帝王之遺訓。《保傅篇》、《容經篇》並敷陳古典，具有原本。其解《詩》之《騶虞》，《易》之潛龍、亢龍，亦深得經義。又安可盡以淺駁不粹目之哉！雖殘闕失次，要不能以斷爛棄之矣。”

杭東里人盧文弨校刊序曰：“此書必出于其徒之所纂集，篇中稱懷王問于賈君，又《勸學》一篇語其門人，皆可爲明證，但多爲鈔胥所增竄。凡《漢書》所有者，此皆割裂倒，致不可讀。唯《傅職》、《輔佐》、《容經》、《道術》、《論政》諸篇在《漢書》外者，古雅淵奧，非後人所能僞撰。陳氏反謂其淺駁，豈可謂之知言者哉？”

河間獻王對上下三雍宮三篇

《史記·五宗世家》：河間獻王德，孝景帝前二年用皇子爲河間王。好儒學，被服造次必于儒者。山東諸儒多從之游。二十六年卒。集解曰：“駰案《漢名臣奏》：杜業奏曰：‘河間獻王經術通明，積德累行，天下雄俊衆儒皆歸之。孝武帝時，獻王朝。問以五策，獻王輒對無窮。’”

本書《景十三王傳》：武帝時，獻王來朝，獻雅樂，對三雍宮及詔策所問三十餘事。其對推道術而言，得事之中，文約指明。

《金樓子·說蕃篇》：昔蕃屏之盛德者則劉德，字君道，造次儒服，卓爾不羣。武帝在位，來朝，對辟雍、明堂、靈臺，故世謂之《三雍對》也，及詔策所問三十餘事。按獻王字君道唯見於此。

《後漢書·張純傳》：純代杜林爲大司空，以聖王之建辟雍，所以崇尊禮義，既富而教者也。乃案七經讖、明堂圖、河間《古辟雍記》，欲具奏之。注：武帝時，河間獻王德對三雍宮，有其書記也。

《黃氏日鈔》曰：“景十三王，惟河間最賢，其學甚正。雖當時士大夫亦鮮及之，餘率驕恣自滅。”

《玉海·郊祀明堂篇》：《黃圖》，漢明堂在長安西南七里，靈臺在西北八里，本清臺後更名辟廱，在西北七里，河間獻王對三雍宮即此。

《四庫全書》著録劉向《説苑》提要曰：“古籍散佚多賴此以存，如《漢志》河間獻王三篇，《隋志》已不著録，而此書所載四條，尚足見其議論醇正，不愧儒宗。”

馬國翰輯本序曰：“《説苑·君道篇》、《建本篇》引四節，據輯，並取《春秋繁露》所載問《孝經》一節附後。其説稱述古聖，粹然儒者之言。唯于伐有苗云：‘天下聞之，皆非禹之義，而歸舜之德。’又引子貢問爲政，孔子曰：‘富之，既富，乃教之也。’與《尚書》、《論語》異。案王充《論衡》云‘今時稱《論語》二十篇，又失《齊》、《魯》、《河間》九篇。①本三十篇，分布亡失’云云。然則獻王所見《論語》爲河間本，②所謂《古論語》也。其據《尚書》亦當是真古文説，未可執今所傳之本以爲引稱舛誤也。”

董仲舒百二十三篇

董仲舒有《公羊治獄》，見《六藝》春秋家。

本書列傳：仲舒所著，皆明經術之意，及上疏條教，凡百二十

---

① “魯”，原訛作“魚”。

② “爲”，原作“被”，據二〇〇五年廣陵書社影印光緒十年楚南湘遠堂刻本《玉函山房輯佚書》改。

三篇,傳于後世。贊曰:劉向稱"董仲舒有王佐之才,雖伊吕無以加,筦晏之屬,伯者之佐,殆不及也"。至向子歆以爲"伊吕乃聖人之耦,王者不得則不興。故顔淵死,孔子曰:'噫! 天喪予。'唯此一人爲能當之,自宰我、子贛、子游、子夏不與焉。仲舒遭秦滅學之後,六經離析,下帷發憤,潛心大業,令後學者有所統壹,爲羣儒首。然考其師友淵源所漸,猶未及虞游夏,而曰筦晏弗及,伊吕不加,過矣"。至向曾孫龔,篤論君子也,以歆之言爲然。案《後漢·蘇竟傳》竟與劉歆兄子龔書。龔字孟公,長安人,善論議,扶風馬援、班彪並器重之。注引《三輔決録注》曰:"班叔皮與京兆丞郭季通書曰:'劉孟公藏器于身,用心篤固,實瑚璉之器,宗廟之寶也。'"蓋劉向之孫,此"曾"字衍。

《黄氏日鈔》曰:"自孟子没後,學聖人之學者惟仲舒。其天資粹美,用意純篤,漢唐諸儒,鮮其比者。使幸而及門于孔氏,親承聖訓,庶幾四科之流亞歟。"

王氏《考證》:後漢明德馬后尤善《董仲舒書》,其見于傳注者,有《救日食祝》、《止雨書》、《雨雹對》。按王氏以《春秋繁露》歸之,此書已詳辨于《拾補》春秋家,此不具論。

兒寬九篇

本書列傳:兒寬,千乘人也。治《尚書》,事歐陽生。以郡國選詣博士,受業孔安國。以射策爲掌故,功次補廷尉文學卒史。善屬文。張湯爲廷尉,寬爲奏讞掾。及湯爲御史大夫,以寬爲掾,舉侍御史。擢爲中大夫,遷左內史。寬既治民農業,奏開六輔渠,定水令以廣溉田。拜爲御史大夫,從東封泰山。後詔寬與太史令司馬遷等共定漢《太初曆》。居位九歲,以官卒。

又《劉向傳》:向上封事曰:"孝武帝時,兒寬有重罪繫,按道侯韓説諫曰:'前吾邱壽王死,陛下至今恨之;今殺寬,後將復大恨矣!'上感其言,遂貰寬,復用之,位至御史大夫,御史大夫未有及寬者也。"

又《儒林·歐陽生傳》：寬有俊才，初見武帝，語經學。上曰："吾始以《尚書》爲樸學，弗好，及聞寬説，可觀。"乃從寬問一篇。歐陽大小夏侯氏學皆出于寬。

《黄氏日鈔》曰："寬爲内史，勸學農桑，緩刑罰，殆循吏也。而曲説附會，以贊封禪之决，卒與相如同科，惜夫！"按講學家以封禪爲紕政，故黄氏有是言。

嚴可均《全漢文編》曰："本傳有《議封禪對》一篇，《封泰山還登明堂上壽》一篇，《律曆志上》有《改正朔議》一篇。"按兒寬遺文略可考見者僅此，前兩篇當在禮家《封禪議對》十九篇中，《改正朔議》或當在此書。馬氏《玉函山房》取《封禪議》、《正朔議》兩篇以爲兒寬書。

公孫弘十篇

本書列傳：公孫弘，菑川薛人也。少時爲獄吏，有罪，免。家貧，牧豕海上。年四十餘，乃學《春秋》雜説。武帝初即位，招賢良文學士，是時弘年六十，以賢良徵爲博士。使匈奴，還報，不合意，乃移病免歸。元光五年，復徵賢良文學。時對者百餘人，太常奏弘第居下。天子擢弘對第一。召見，拜爲博士，待詔金馬門。每朝會議，開陳其端，使人主自擇，不肯面折廷争。于是上察其行慎厚，辯論有餘，習文法吏事，緣飾以儒術，上説之，一歲中至左内史。弘爲人談笑多聞，常稱以爲人主病不廣大，人臣病不儉節。爲内史數年，遷御史大夫。時又東置蒼海，北築朔方之郡。弘數諫，以爲罷弊中國以奉無用之地。于是上迺使朱買臣等難弘置朔方之便。發十策，弘不得一。弘迺謝曰："山東鄙人，不知其便若是，願罷西南夷、蒼海，專奉朔方。"上迺許之。元朔中，代薛澤爲丞相。先是，漢常以列侯爲丞相，唯弘無爵，于是下詔，以高平之平津鄉户六百五十封丞相弘爲平津侯。其後以爲故事，至丞相封,自弘始也。時上方興功業,婁舉賢良。弘自見爲舉首,起徒步,數年至宰相封侯,于是起客館,開東閣以延賢人,與參謀議。凡爲丞相御史六歲,年八十,終丞相位。贊曰:"漢之得人,于兹爲盛,儒雅則公孫弘、董仲舒、兒寬。"

又《儒林·轅固傳》:武帝初即位,復以賢良徵。時固已九十餘矣。公孫弘亦徵,仄目而事固。固曰:"公孫子,務正學以言,無曲學以阿世!"又《胡母生傳》:年老歸教于齊,齊之言《春秋》者宗事之,公孫弘亦頗受焉。

《西京雜記》曰:"公孫弘著《公孫子》,言刑名事,亦謂字直百金。"

《黄氏日鈔》曰:"弘言西南夷事不聽,自是不復廷爭。難以置朔方之便,即謝以不知其便若是。弘之曲學阿世,大率類是。"又曰:"買臣發十策,弘不得一。弘非不能得也,希旨而僞屈耳。"

嚴可均《全漢文編》:"《史記》、《漢書》本傳、《儒林傳》、《吾邱壽王傳》、《郭解傳》所載,有公孫弘《賢良策》、《上疏言治道》、《對册書問治道》、《上書乞骸骨》、《上言徙汲黯爲右内史》、《奏禁民挾弓弩》、《請爲博士置弟子員議》、《郭解罪議》,又《藝文類聚》六十九載弘《答東方朔書》,凡九篇,其遺文可見者如此。"

馬國翰輯本序曰:"《漢志》儒家《公孫弘》十篇,今不傳。本傳載其對策、上疏、對問之語,《藝文類聚》、《太平御覽》亦引之,並據輯録,凡五十篇。"

　案《史記·平津侯列傳》云字季,《西京雜記》載鄒長倩《與公孫弘書》稱其字曰子卿。本書《恩澤侯表》云"平津獻侯公孫弘,元朔三年十一月乙丑封,六年薨",則其諡曰獻。《史》、《漢》本傳皆未及。

終軍八篇

本書列傳：終軍字子雲，濟南人也。少好學，以辨博能屬文聞于郡中。年十八，選爲博士弟子。至長安上書言事。武帝異其文，拜爲謁者給事中。使行郡國，所見便宜以聞。還奏事，上甚説。當發使使匈奴，軍自請願奉佐明使。詔聞狀，上奇軍對，擢爲諫大夫。南越與漢和親，迺遣軍使南越。軍説越王，越王聽許，請舉國内屬。天子大説，令使者留填撫之。越相吕嘉不欲内屬，發兵攻殺其王，及漢使者皆死。軍死時年二十餘，故世謂之"終童"。

嚴可均《全漢文編》：《終軍傳》有《白麟奇木對》一篇，《奉詔詰徐偃矯制狀》一篇，《自請使匈奴》、《使南越》各一篇。

馬國翰輯本序曰："《漢志》儒家《終軍》八篇，今見本傳者四篇，餘皆散佚不可復見，兹據輯録。其文若不經意，而音節自諧宜，林希元歎爲天與之奇才，而惜其年之不永也。"

吾邱壽王六篇

本書列傳：吾邱壽王字子贛，趙人也。年少，以善格五召待詔。詔使從中大夫董仲舒受《春秋》，高材通明。遷侍中中郎，坐法免。上書謝罪，願養馬黄門，上不許。後願守塞捍寇難，復不許。久之，上疏願擊匈奴，詔問狀，壽王對良善，復召爲郎。稍遷，拜爲東郡都尉。徵入爲光禄大夫侍中。丞相公孫弘奏言民不得挾弓弩，上下其議。壽王對以爲不便。書奏，上以難丞相弘。弘詘服焉。後坐事誅。

又《東方朔傳》：迺使太中大夫吾邱壽王與待詔能用算者二人，舉籍阿城以南，盩屋以東，宜春以西，提封頃畝，及其賈直，欲除以爲上林苑，屬之南山。又詔中尉、左右内史表屬縣草田，欲以償鄠杜之民。吾邱壽王奏事，上大説稱善。

馬國翰輯本序曰："本傳載《駁公孫弘》及《説鼎》二篇，《藝文

類聚》載論一篇，《北堂書鈔》亦引其説，並據輯録。黃東發謂
買臣、壽王皆武帝私人令折難大臣者，壽王難禁弓矢，視難朔
方者優矣，然寶鼎非周鼎之説，則俳優取寵爾。"

虞邱説一篇。難孫卿也。

馬國翰《吾邱壽王書》輯本序曰："《漢志》儒家有《吾邱壽王》
六篇，《虞邱説》一篇。虞、吾古字通用，皆壽王所撰著也。"

　　案《世本》云："虞邱，齊大夫采邑。"又曰："虞邱，齊大夫虞
邱氏之後。"張澍輯注曰："晋、楚皆有虞邱氏。"《左·襄十
六年傳》晋虞邱書爲乘馬御。《史記》孫叔敖，楚之處士，虞
邱相進于王，以自代。《説苑》虞邱子爲令尹，在莊王時。
虞邱，一作吾邱。又案《氏族略》云"晋大夫虞邱子著書"，
似因晋虞邱書傳譌。此虞邱名説，未詳其始末。《志》列吾
邱壽王、莊助之間，則武帝時人。馬氏以爲即吾邱壽王，殆
以此説爲所説之書，然例以上下文，殊不然也。

莊助四篇

本書列傳：嚴助，會稽吳人，嚴夫子子也，張晏曰："夫子，嚴忌也。"
或言族家子也。郡舉賢良，對策百餘人，武帝善助對，繇是獨
擢助爲中大夫。後得朱買臣、吾邱壽王、司馬相如、主父偃、
徐樂、嚴安、東方朔、枚皋、膠倉、終軍、嚴葱奇等，並在左右。
是時征伐四夷，開置邊郡，軍旅數發，内改制度，朝廷多事，婁
舉賢良文學之士。公孫弘起徒步，數年至丞相，開東閣，延賢
人與謀議，朝覲奏事，因言國家便宜。上令助等與大臣辯論，
中外相應以義理之文，大臣數詘。其尤親幸者，東方朔、枚
皋、嚴助、吾丘壽王、司馬相如。相如常稱疾避事。朔、皋不
根持論，上頗俳優畜之。唯助與壽王見任用，而助最先進。
建元三年，閩越舉兵圍東甌。遣助以節發兵會稽，浮海救東
甌。未至，閩越引兵罷。後三歲，閩越復興兵擊南越。南越

守天子約，不敢擅發兵，而上書以聞。上多其義，大爲發興，遣兩將軍將兵誅閩越。淮南王安上書諫。會閩越王弟餘善殺王以降。漢兵罷。上嘉淮南之意，迺令助諭意風指于南越。又諭淮南，助由是與淮南王相結而還。助侍燕從容，上問助居鄉里時，助對曰："家貧，爲友壻富人所辱。"上問所欲，對願爲會稽太守。于是拜爲會稽太守。三年計最，因留爲侍中。後淮南王來朝，厚賂遺助，交私論議。及淮南反，事與助相連，上薄其罪，欲弗誅。廷尉張湯争，以爲助出入禁門，腹心之臣，而外與諸侯交私如此，不誅，後不可治。助竟棄市。

案本傳載《諭意淮南王》一篇，《上書謝罪》一篇，此篇史節其文。又淮南王《諫伐閩越》一篇，古書多有附載他人文字，此三篇或當在是書四篇中。

臣彭四篇

臣彭無考。

案此佚其姓氏爵里，在《録》、《略》亦不得其詳，故唯就其所署題曰"臣彭"耳。大抵亦與虞邱説同爲武帝時人。

鈎盾冗從李步昌八篇。宣帝時數言事。

王氏《考證》：《百官表》少府有鈎盾令丞，注："鈎盾主近苑囿。"《枚皋傳》"與冗從争"，注："冗從，散職。"

案《詩賦略》中有李步昌賦二篇，蓋宣帝時奏御，固能文之士也。

儒家言十八篇。不知作者。

案此似劉中壘裒録無名氏之説以爲一編，其下道家、陰陽家、法家、雜家皆有之，並同此例。

桓寬　鹽鐵論六十篇

本書《昭帝紀》：始元六年二月，詔有司問郡國所舉賢良文學民所疾苦，議罷鹽鐵榷酤。又本紀贊曰："始元、元鳳之間，匈奴和親，百姓充實。舉賢良文學，問民所疾苦，議鹽鐵而罷榷酤。”

又《食貨志》：昭帝即位六年，詔郡國舉賢良文學之士，問以民所疾苦，教化之要。皆對願罷鹽鐵酒榷均輸官，毋與天下爭利，視以儉節，然後教化可興。御史大夫桑弘羊難，以爲此國家大業，所以制四夷，安邊足用之本，不可廢也。迺與丞相千秋共奏罷酒酤。

又《車千秋傳》：昭帝世，國家少事，百姓稍益充實。始元六年，詔郡國舉賢良文學士，問以民所疾苦，于是鹽鐵之議起焉。

又傳贊曰：“謂鹽鐵議者，起始元中，徵文學賢良問以治亂，皆對願罷郡國鹽鐵酒榷均輸，務本抑末，毋與天下爭利，然後教化可興。御史大夫弘羊以爲此迺所以安邊竟，制四夷，國家大業，不可廢也。當時相詰難，頗有其議文。至宣帝時，汝南桓寬次公治《公羊春秋》，舉爲郎，至廬江太守丞，博通善屬文，推衍鹽鐵之議，增廣條目，極其論難，著數萬言，亦欲以究治亂，成一家之法焉。其辭曰：‘觀公卿賢良文學之議，“異乎吾所聞”。聞汝南朱生言，_{按本書作朱子伯}。當此之時，英俊並進，賢良茂陵唐生、文學魯國萬生之徒六十有餘人咸聚闕庭，舒六藝之風，陳治平之原，知者贊其慮，仁者明其施，勇者見其斷，辯者騁其辭，斷斷焉，行行焉，雖未詳備，斯可略觀矣。中山劉子推_{按本書作“子雍”}。言王道，矯當世，反諸正，彬彬然弘博君子也。九江祝生奮史魚之節，發憤懣，譏公卿，介然直而不撓，可謂不畏彊圉矣。桑大夫據當世，合時變，上權利之略，雖非正法，鉅儒宿學不能自解，博物通達之士也。然攝公卿之柄，不師古始，放于末利，處非其位，行非其道，果隕其性，以及厥宗。_{師古曰：“性，生也，謂與上官桀謀反誅也。”}車丞相履伊呂之列，當軸處中，括囊不言，容身而去，彼哉！彼哉！若夫丞相、御史兩府之士，不能正議以輔宰相，成同類，長同行，阿意苟合，以説其上，"斗筲之徒，何足選也！"'"

顔氏《集注》曰："寬字次公，汝南人也。孝昭帝時，丞相御史
與諸賢良文學論鹽鐵事，寬撰次之。"

《隋書·經籍志》：《鹽鐵論》十卷，漢廬江府丞桓寬撰。《唐·
經籍志》：《鹽鐵論》十卷，桓寬撰。《藝文志》：桓寬《鹽鐵論》
十卷。《宋史·藝文志》同。

陳氏《書録解題》曰："凡六十篇，其末曰《雜論》，班書取以爲
論贊。"

王氏《考證》曰："今十卷，《本論》第一至《雜論》第六十。"

《四庫提要》曰："《鹽鐵論》十二卷，凡六十篇。篇各標目，反
覆問答，首尾相屬。後罷榷酤，而鹽鐵則如舊，故寬作是書。
惟以'鹽鐵'爲名，蓋惜其不盡行也。所論皆食貨之事，而言
皆述先王，稱六經，故諸史皆列之儒家。明嘉靖癸丑，華亭張
之象爲之注。"

**劉向所序六十七篇。《新序》、《説苑》、《世説》、《列女傳頌
圖》也。**

劉向有《五行傳記》，始末見《六藝》尚書家。

本書《楚元王附傳》：元帝即位，太傅蕭望之爲前將軍，少傅周
堪爲諸吏光禄大夫，皆領尚書事，甚見尊任。更生爲散騎宗
正給事中，與侍中金敞拾遺于左右。四人同心輔政，而中書
宦官弘恭、石顯弄權。更生坐免爲庶人，望之坐使子上書，
恭、顯白令詣獄置對。望之自殺。天子甚悼恨之，乃擢周堪
爲光禄勳，堪弟子張猛光禄大夫給事中。堪希得見。會疾
瘖，不能言而卒。顯誣譖猛，令自殺于公車。更生傷之，乃著
《疾讒》、《摘要》、《救危》及《世頌》，凡八篇，依興古事，悼己及
同類也。案此八篇似即《世説》，在元帝時中廢十餘年中所作。四書之中，此爲最
先。成帝即位，顯等伏辜，更生乃復進用，改名向。領校中五

經祕書。向睹俗彌奢淫,而趙、衞之屬起微賤,踰禮制。師古曰:
"趙皇后、昭儀、衞婕妤也。"向以爲王教由内及外,自近者始。故采取
《詩》、《書》所載賢妃貞婦,興國顯家可法則,及孽嬖亂亡者,
序次爲《列女傳》,凡八篇,以戒天子。及采傳記行事,著《新
序》、《説苑》凡五十篇奏之。案本傳《世説》最先作,次《五行傳》,次《列女
傳》,次《新序》,次《説苑》。

《七略別録》曰:"《新序》三十卷,河平四年都水使者諫議大夫
劉向上言。"又曰:"《新序》總一百八十三章,陽朔元年二月癸
卯上。"案此條見《意林》及晁《志》、王氏《考證》。四庫館校勘《意林》曰:"此蓋奏
上《新序》文,馬氏録以弁首。"

又曰:"護左都水使者、光禄大夫臣向言:所校中書《説苑雜
事》及臣向書、民間書,誣盧文弨《羣書拾補》曰:"案《論語》'焉可誣也',
《漢書·薛宣傳》作'可憮'。蘇林曰:'憮,同也,兼也。'晉灼曰:'憮音誣。'此'誣'與
'憮'同義。"校讎,其事類衆多,章句相溷,或上下謬亂,難分別次
序。除去與《新序》複重者,其餘者淺薄不中義理,別集以爲
百家,後按當爲"復"。令以類相從,一一條別篇目,更以造新事
十萬言以上。凡二十篇,七百八十四章,號曰《新苑》,皆可
觀。臣向昧死。"《羣書拾補》曰:"當有'謹上'二字。"又曰:"《説苑》鴻
嘉四年三月己亥上。"按此據宋本《叙録》及晁《志》、王氏《考證》,諸家輯本皆
未之及,故附記所出。又按《新苑》疑《新説苑》,敚"説"字。其言"所校中書《説苑雜
事》",則《説苑雜事》乃中書舊名,此重編其書,故曰《新説苑》,猶重編《國語》稱《新國
語》也。

又曰:"臣向與黄門侍郎歆所校《列女傳》種類相從,爲七篇,
以著禍福榮辱之效,是非得失之分,畫之于屏風四堵。"按《別録》
佚文今可考見者唯此三書,其《世説》之録不可得而見矣。

《隋書·經籍志》:《新序》三十卷,録一卷,劉向撰。《説苑》二
十卷,劉向撰。又史部雜傳篇:《列女傳》十五卷,劉向撰,曹
大家注。《新》、《舊唐書·志》《新序》、《説苑》各三十卷。《宋·志》雜家《新序》十

卷，《説苑》二十卷。《舊唐志》《列女傳》二卷，《新唐志》十五卷，曹大家注。《宋史·志》《古列女傳》九卷。

王氏《考證》：《新序》三十卷，曾鞏校定十卷，《雜事》至《善謀》。《説苑》二十卷，《君道》至《反質》。《崇文總目》存者五篇，曾鞏復得十五篇，與舊爲二十篇。李德芻云：“闕《反質》一卷，鞏分《修文》爲上下，以足二十卷。後高麗進一卷，遂足。”《世説》未詳。本傳：“著《疾讒》、《摘要》、《救危》及《世頌》凡八篇，依歸古事，悼己及同類也。”今其書不傳。

《崇文總目》：《列女傳》八篇：一曰《母儀》，二曰《賢明》，三曰《仁智》，四曰《貞順》，五曰《節義》，六曰《辯通》，七曰《孽嬖》，八曰《傳頌》。

宋曾鞏叙録云：“曹大家注《列女傳》，離其七篇爲十四，與《頌義》凡十五篇，而益以陳嬰母及東漢以來凡十六事，非向書本然也。”

《四庫提要》曰：“《隋志》《新序》三十卷，録一卷。曾鞏校書序則云‘今可見者十篇’。此本《雜事》五卷、《刺奢》一卷、《節士》二卷、《善謀》二卷，即曾鞏校定之舊。《崇文總目》云‘所載皆戰國秦漢間事’，以今考之，春秋時事尤多，漢事不過數條。大抵采百家傳記以類相從，故頗與《春秋》內外傳、《戰國策》、《太史公書》互相出入。”

又《簡明目録》曰：“唐以前本皆三十卷，宋以後本皆十卷，蓋不知爲合併，爲殘闕也。所録皆春秋至漢初軼事可爲法戒者，雖傳聞異詞，姓名時代或有牴牾，要其大旨主于正紀綱，迪教化，不失爲儒者之言。”

《提要》又曰：“晁公武《讀書志》云：‘劉向《説苑》以《君道》、《臣術》、《建本》、《立節》、《貴德》、《復恩》、《政理》、《尊賢》、《正諫》、《法誡》、《善説》、《奉使》、《權謀》、《至公》、《指武》、

《談叢》、《雜言》、《辨物》、《修文》爲目，闕第二十卷。'今本第十《法誡篇》作《敬慎》，而《修文篇》後有《反質篇》。陸游《渭南集》記李德芻之言，謂得高麗所進本補成完書，則宋時已有此本，晁公武偶未見也。其書皆録遺聞佚事足爲法戒之資者，其例略如《詩外傳》。"

又《簡明目録》曰："《説苑》與《新序》體例相同，大旨亦復相類，其所以分爲兩書之故，莫之能詳。中有一事而兩書異詞者，蓋采摭羣書，各據其所見，既莫定其孰是，寧傳疑而兩存也。"謹按兩書所本不同，故分別其目。

嚴可均《全漢文編》曰："《新序》三十卷，見存十卷，不録。録其佚文，凡五十二條。《説苑》二十卷，今見存，不録。録其佚文，凡二十四條。"

《書目答問》：《附圖列女傳》七卷，續一卷，阮刻仿宋本。顧之逵小讀書堆本亦精，無圖。

案《説苑》本中祕書《説苑雜事》，《別録》有明文。《新序》則莫詳所自，唯《晋書・陸喜傳》載喜自叙云"劉向省《新語》而作《新序》"，則舊有《新語》之書，省其複重，別編爲《新序》。喜所言必得之于《別録》也，是《新序》本于《新語》審矣。唯《世説》則終無碻證。

揚雄所序三十八篇。《**太玄**》十九，《**法言**》十三，《**樂**》四，《**箴**》二。

揚雄有《訓纂》、《倉頡訓纂》，始末見《六藝》小學家。

劉向《別録》揚雄經目有《玄首》、《玄衝》、《玄錯》、《玄測》、《玄舒》、《玄瑩》、《玄數》、《玄文》、《玄掜》、《玄圖》、《玄告》、《玄問》，合十二篇。

劉向《別傳》曰："揚信字子烏，雄第二子，幼而聰慧。雄笇《玄經》不會，子烏令作九數而得之。雄又儗《易》'羝羊觸藩'，彌日不就。子烏曰：‘大人何不云“荷戈入榛”。’”按《法言·問神篇》云：“苗而不秀者，吾家之童烏乎？九齡而與我《玄》文。”又按以上兩條見蕭該《漢書音義》及《御覽》三百八十五。《別傳》疑是《別録》中之《別傳》，王儉作《七志》，每人各次以傳，蓋即用《別録》體例也。然考劉中壘卒于成、哀之間，而子雲于哀帝時方草《太玄》，書尚未成，何由于《別録》中載其篇目？又考《別録》載揚雄書唯《詩賦略》中四賦，因成帝時奏御，得著于《録》。意者其時子烏已死，劉氏于著録四賦，因而附記其事歟？又蕭氏引《別録》有《玄舒》，又云有《玄問》，合十二篇，與本傳本書並異，顏氏已辨之。然中壘所記在子雲未成書之時，其間容有與定本互異，不足怪也。

桓譚《新論》曰：“揚子雲爲郎，居長安，素貧。比歲亡其兩男，哀痛之，皆持歸葬于蜀，以此困乏。雄察達聖道，明于死生，宜不下季札。然而慕怨死子，不能以義割恩，自令多費，而致困貧也。”

本傳：哀帝時，丁、傅、董賢用事，諸附離之者或起家至二千石。時雄方草《太玄》，有以自守，泊如也。而大潭思渾天，參摹而四分之，極于八十一。旁則三摹九据，極之七百二十九贊，亦自然之道也。故觀《易》者，見其卦而名之；觀《玄》者，數其畫而定之。《玄首》四重者，非卦也，數也。其用自天元推一晝一夜陰陽數度律曆之紀，九九大運，與天終始。故《玄》三方、九州、二十七部、八十一家、二百四十三表、七百二十九贊，分爲三卷，曰一二三，與《泰初曆》相應，亦有顓頊之曆焉。撢之以三策，開之以休咎，絣之以象類，播之以人事，文之以五行，擬之以道德仁義禮知。無主無名，要合五經，苟非其事，文不虛生。爲其泰曼漶而不可知，故有《首》、《衝》、《錯》、《測》、《攡》、《瑩》、《數》、《文》、《掜》、《圖》、《告》十一篇，皆以解剝玄體，離散其文，章句尚不存焉。又贊曰：“其意以爲經莫大于《易》，故作《太玄》。劉歆亦嘗觀之，謂雄曰：‘空自苦！今學者有禄利，然尚不能明《易》，又如《玄》何？吾恐後人用覆醬瓿也。’雄笑而不應。”又曰：“自雄之没至今四十餘年，其《法言》大行，而《玄》終不顯，然篇籍具存。"

荀悅《漢紀》曰："雄乃依《易》著《太玄經》，義合五經，而辭解剝玄體，十一篇，復爲章句。"

《隋書·經籍志》：梁有揚子《太玄經》九卷，揚雄自作章句，亡。

《四庫提要》曰："《漢志》稱《太玄》十九，其本傳則稱'《太玄》三方、九州、二十七部、八十一家、二百四十三表、七百二十九贊，分爲三卷，曰一二三，與《太初曆》相應'，又稱'有《首》、《衝》、《錯》、《測》、《攡》、《瑩》、《數》、《文》、《捪》、《圖》、《告》十一篇，皆以解剝玄體，離散其文，章句尚不存焉'，與《藝文志》十九篇之説已相違異。桓譚《新論》則稱《太玄經》三篇傳十二篇，<small>按此條見范書《張衡傳》注。</small>合之乃十五篇，較本傳又多一篇。案阮孝緒稱《太玄經》九卷，雄自作章句，疑《漢志》所云十九篇，乃合其章句言之。今章句已佚，故篇數有異。至《新論》則世無傳本，惟諸書遞相援引，或謁十一爲十二耳。<small>按其初有《玄問》一篇，故十二篇，見前《別録》。</small>以今本校之，其篇名篇數一一與本傳皆合，固未嘗有敚佚也。注其書者，自漢以來惟宋衷、陸績最著，至晋范望，乃因二家之注勒爲一編。雄書本擬《易》而作，以《家》準《卦》，以《首》準《彖》，以《贊》準《爻》，以《測》準《象》，以《文》準《文言》，以《攡》、《瑩》、《捪》、《圖》、《告》準《繫辭》，以《數》準《説卦》，以《衝》準《序卦》，以《錯》準《雜卦》，全仿《周易》古本經傳，各自爲篇。望作注時，析《玄首》一篇分冠八十一家之前，析《玄測》一篇分繫七百二十九贊之下，始變其舊，至今仍之。"以上《太玄》十九。

本傳又曰："雄見諸子各以其知舛馳，大氏詆訾聖人，即爲怪迂，析辨詭辭，以撓世事，雖小辨，終破大道而或衆，使溺于所聞而不自知其非也。及太史公記六國，歷楚漢，訖麟止，不與聖人同，是非頗謬于經。故人時有問雄者，常用法應之，譔以爲十三卷，象《論語》，號曰《法言》。《法言》文多不著，獨著其目，曰：《學行》第一、《吾子》第二、《修身》第三、《問道》第四、《問神》第五、《問明》第六、《寡見》第七、《五伯》第八、《先知》第九、《重黎》第十、《淵騫》第十一、《君子》第十二、《孝至》第十三。以爲傳莫大于《論語》，故作《法言》。鉅鹿侯芭常從雄居，按"芭"下敓"子"字，詳見舊輯《後漢藝文志》詩家。受其《太玄》、《法言》焉。"

《隋書·經籍志》：《揚子法言》十五卷，揚雄撰。梁有《揚子法言》六卷，侯苞注，亡。按"苞"即"芭"之通轉。《唐·經籍志》：《揚子法言》六卷，揚雄撰。《藝文志》同。

《四庫提要》曰："《藝文志》注云《法言》十三，雄本傳具列其目，凡所列漢人著述未有若是之詳者，蓋當時甚重雄書也。自程子始謂其曼衍而無斷，優柔而不決，蘇軾始謂其以艱深之詞文淺易之說，至朱子作《通鑑綱目》，始書莽大夫揚雄死，雄之人品著作遂皆爲儒者所輕。若北宋之前，則大抵以爲孟、荀之亞，故司馬光作《潛虛》以擬《太玄》，而又采諸儒之說以注《法言》。"

又《簡明目錄》曰："雄《長楊》諸賦文章殊絶，《訓纂》諸書于小學亦深，惟此書摹仿《論語》徒爲貌似，不知光何取而注之，殆以尊聖人，談王道，持論猶近正歟？"以上《法言》十三。

王氏《考證》曰："揚雄所序《樂》四未詳，雄有《琴清英》。"

王謨《漢魏遺書鈔》曰："《琴清英》乃《樂書》四篇之一，今鈔出《水經注》一條、《藝文類聚》一條、郭茂倩《樂府》一條、《御覽》一條、馬驌《繹史》一條。"

馬國翰《玉函山房輯佚書》曰："《漢志》載揚雄所序三十八篇有《樂》四篇，《琴清英》其一也。清英猶言菁華，《昭明文選》

序云'略其蕪穢,集其清英'亦此義,《水經注》引揚雄《琴清英》,蓋雄諸樂篇散失,後魏時存者唯此。《隋》、《唐志》均不著錄,則亦佚矣。輯錄得六節。"案《王莽傳》元始四年立《樂經》,《論衡·超奇篇》謂蜀郡陽城衡所作。《隋志》有《樂經》四卷,不著撰人,或以爲即陽城衡之書。今案本志云"《樂》四",疑即王莽在平帝時所立,當時成書不一其人,故王仲任歸之陽城衡,班孟堅歸之揚雄,猶《論語集解》同撰者五人,諸史志歸之何晏,《晋書》歸之鄭沖也。以上《樂》四。

本傳又曰:"雄意以爲箴莫善于《虞箴》,作《州箴》。"晋灼曰:"九州之箴也。"

後漢崔瑗《叙箴》曰:"昔揚子雲讀《春秋傳》《虞人箴》而善之,于是作《九州》及《二十五官箴》。箴規匡救,言君德之所宜,斯乃體國之宗也。"

《後漢書·胡廣傳》:"初揚雄依《虞箴》作《十二州二十五官箴》,其九箴亡闕。"

《文心雕龍·銘箴篇》:揚雄稽古,始範《虞箴》,作卿尹州牧二十五篇。

王氏《考證》:《館閣書目》:《二十四箴》一卷,《州箴》十二,《衛尉》等箴十二。晁氏曰:"雄見莽更易百官,變置郡縣,制度大亂,士皆忘去節義,以從諛取利,乃作司空、尚書、光祿勳、衛尉、廷尉、太僕、大司農、大鴻臚、將作大匠、博士、城門校尉、上林苑令等箴,及荆、揚、充、豫、徐、青、幽、冀、并、雍、益、交十二州箴,皆勸人臣執忠守節,可爲萬世戒。"

嚴可均《重編揚子雲集》叙曰:"《後漢·胡廣傳》稱《十二州箴二十五官箴》,其九篇亡闕。今除《初學記》之《潤州箴》、《御覽》之《河南尹箴》誤入不錄外,得整篇二十八,如後漢原數。又五篇有闕文,四篇亡,知所謂亡闕者,有亡有闕,非九篇俱亡之謂。自古言儒術者,曰荀孟,曰荀揚,而桓譚、陸績推揚爲聖人，未免過當，要是荀子後第一人。宋儒以《劇秦美新》爲詢病，大書莽大夫。《春秋》責備賢者，于世教有功，固非鮮淺，然而革除之際，實難言之。漢承秦，賈生《過秦》千古名論；新承漢，子雲不劇漢而劇秦，有微詞焉，亦非苟作。後儒學問文章曾不及子雲千一，其于仕莽，悲其遇焉可也。”以上《箋》二。

案是篇章段凡四：晏子與孔子同時，時代最先，故以此一家居首，以下自《子思子》至《芊子》，皆孔門及七十子弟子之所譔述，凡一十二家，是爲第一段；《內業》以下至《功議》七家，多周室故府之遺文，莫詳其作者，爲第二段；《寧越》至《虞氏春秋》十一家，爲周秦六國近代人之所作，其平原君朱建一家，舊當在漢人之中，爲後人妄移次第，是爲第三段；《高祖傳》以下至揚雄二十一家，則西漢一代天子王侯卿大夫之所論叙，迄于王莽之世，爲第四段終焉。又疑《別錄》至《儒家言》而止，其後二書爲《七略》所續入。

右儒五十三家，八百三十六篇。入揚雄一家三十八篇。案所載凡五十二條，條爲一家，實止于五十二家。《穀梁》序疏引此條亦云五十二家，此云五十三家，“三”當爲“二”，其篇數則缺少十一篇。今校定當爲五十二家，八百四十七篇。

儒家者流，蓋出于司徒之官，助人君順陰陽明教化者也。游文于六經之中，留意于仁義之際，祖述堯舜，憲章文武，宗師仲尼，以重其言，于道最爲高。孔子曰：“如有所譽，其有所試。”唐虞之隆，殷周之盛，仲尼之業，已試之效者也。然惑者既失精微，而辟者又隨時抑揚，違離道本，苟以譁衆取寵。後進循之，是以五經乖析，儒學寖衰，此辟儒之患。師古曰：“辟讀曰僻。”《隋·經籍志》篇叙曰：“儒者，所以助人君明教化者也。聖人之教，非家至而戶說，故有儒宣而明之。其大抵本于仁義及五常之道，黃帝、堯、舜、禹、湯、文、武，咸由此則。《周官》，太宰以九兩繫邦國之人，其四曰儒，是也。其後陵夷衰亂，儒道廢闕。仲尼祖述前代，修正六經，三千之徒,並受其義。至于戰國,孟軻、子思、荀卿之流,宗而師之,各有著述,發明其指。所謂中庸之教,百王不易者也。俗儒爲之,不顧其本,苟欲譁衆,多設問難,便辭巧説,亂其大體,致令學者難曉,故曰'博而寡要'。"按《隋志》篇叙蘊括太史公《六家要旨》及《七略》、《別録》之言,于本志互相發明,故附著于篇末。

伊尹五十一篇。湯相。

《史·殷本紀》:伊尹名阿衡。阿衡欲干湯而無由,乃爲有莘氏媵臣,負鼎俎,以滋味説湯,致于王道。或曰,伊尹處士,湯使人聘迎之,五反然後肯往從湯,言素王及九主之事。湯舉任以國政。伊尹去湯適夏。既醜有夏,復歸于亳。入自北門,遇女鳩、女房,作《女鳩女房》。湯踐天子位,平定海内,伊尹作《咸有一德》。湯崩,太子太丁未立而卒,于是迺立太丁之弟外丙。帝外丙即位二年,崩,立外丙之弟仲壬。帝中壬即位四年,崩,伊尹迺立太丁之子太甲。太甲,成湯嫡長孫也。帝太甲元年,伊尹作《伊訓》,作《肆命》,作《徂后》。帝太甲既立三年,不明,暴虐,不遵湯法,亂德,於是伊尹放之於桐宮。三年,伊尹攝行政當國,以朝諸侯。帝太甲居桐宮三年,悔過自責,反善,於是伊尹迺迎帝太甲而授之政。帝太甲修德,諸侯咸歸殷,百姓以寧。伊尹嘉之,乃作《太甲訓》三篇,褒帝太甲,稱太宗。太宗崩,子沃丁立。沃丁之時,伊尹卒。既葬伊尹於亳,咎單遂訓伊尹事,作《沃丁》。

劉向《別録》曰:"九主者,有法君、專君、授君、勞君、等君、寄君、破君、國君、三歲社君,凡九品,圖畫其形。"索隱曰:"按:素王者,太素上皇,其道質素,故稱素王。九主者,三皇、五帝及夏禹也。或曰,九主謂九皇也。然案劉向所稱九主,載之《七録》,按當是《七略》。名稱甚奇,不知所憑據耳。法君,謂用法嚴急之君,若秦孝公及始皇等也。勞君,謂勤勞天下,若禹、稷等也。等君,等者平也,謂定等威,均禄賞,若高祖封功臣,

侯雍齒也。授君，謂人君不能自理，而政歸其臣，若燕王噲授子
之，禹授益之比也。專君，謂專己獨斷，不任賢臣，若漢宣之比
也。破君，謂輕敵致寇，國滅君死，若楚戊、吳濞等是也。寄君，
謂人困於下，主驕於上，離析可待，故孟軻謂之‘寄君’也。國
君，‘國’當爲‘固’，謂完城郭，利甲兵，而不修德，若三苗、智伯
之類也。三歲社君，謂在襁褓而主社稷，若周成王、漢昭、平
等是也。”按《別錄》此條是裴駰《集解》所引，《索隱》引法君以下云云，亦是裴駰爲
之，司馬貞取以重申前説耳。而其説頗謬，叙次亦不依《別錄》，未詳其故。

本書《人表》伊尹列第二等上中仁人。梁玉繩曰：“伊尹始見
《商書》。伊，氏。尹，字。名摯，力牧之後。母居伊水上，生
於空桑，黑而短，蓬而髯，豐上兌下，僂身下聲，爲湯右相。亦
曰伊子，亦曰依伯，亦曰伊生，亦曰依公，亦曰尹摯，亦曰阿
衡，亦曰猗衡，亦曰太阿，亦曰保衡，亦曰元聖，亦曰小臣，亦
曰小子。年百餘歲，以沃丁八年卒，大霧三日。沃丁葬以天
子禮。冢在濟陰己氏平利鄉。”

高誘《淮南子·修務篇》注：伊尹處於有莘之野，執鼎俎，和五
味，以干湯，欲調陰陽行其道。

王氏《考證》曰：“《説苑·臣術篇》、《吕氏春秋》皆引伊尹對湯
問，《周書·王會》有伊尹朝獻《商書》。愚謂孟子稱伊尹曰：
‘天之生此民也，使先知覺後知，使先覺覺後覺。予，天民之
先覺者也，非予覺之，而誰也？’伊尹所謂道，豈老氏所謂道
乎？《志》于兵權謀省《伊尹》、《太公》而入道家，蓋戰國權謀
之士著書而託之伊尹也。《湯誓》序曰：‘伊尹相湯伐桀，升自
陑。’孔安國謂出其不意，豈知伊尹者哉？傳伊尹之言者，孟
子一人而已。”

嚴可均《全上古三代文編》曰：“伊尹名摯，姓伊字尹，有侁之
空桑人。初仕桀，歸相湯，爲阿衡，太甲尊爲保衡。《漢志》道

家有《伊尹》五十一篇。今輯存《伊訓》五條、《四方獻令》一篇、《對湯問》四條。"

馬國翰輯本序曰:"孟子辨伊尹割烹要湯之事,云'伊尹耕于有莘之野,而樂堯、舜之道焉',云'湯使人以幣聘之',云'湯三使往聘之',出處詳明如此,史遷誤信戰國游士之談,而以爲媵臣負鼎俎,重誣之也。《漢志》道家《伊尹》五十一篇,注'湯相'。又小説家《伊尹説》二十七篇,注'其語淺薄,似依託也。'《隋》、《唐志》均不著録,佚已久。兹從《逸周書》、《呂氏春秋》、《齊民要術》、《七略》、《别録》、《説苑》、《尸子》等書輯得十一篇。其有篇目可考者五篇:曰《四方令》,曰《本味》,曰《先己》,曰《九主》,曰《區田法》。餘俱收入《雜篇》,録爲一帙。《四方令》、《區田法》及論公卿大夫列士體國經野,與周公規模不異。《本味》一篇要即鹽梅和羹之旨,而以奇偉之筆出之,不知者遂以割烹傅會,而有庖人酒保之枝辭也。至於九主之名及阻職貢之策,與戰國術士語近,殆所謂依託者乎?今亦不能區分,依班志入道家云。"

按道家之言託始黄帝,史言伊尹從湯言素王之事,蓋亦述黄、虞之言爲多,此其所以爲道家之祖,而老子猶其後起者也。又太史公《素王妙論》云:"管子設輕重九府,行伊尹之術,則桓公以霸。"是管仲《輕重》、《九府》等篇本之於伊尹是書。

《太公》二百三十七篇。呂望爲周師尚父,本有道者。或有近世又以爲太公術者所增加也。《謀》八十一篇,《言》七十一篇,《兵》八十五篇。

《史記·齊太公世家》:太公望吕尚者,東海上人。其先祖嘗爲四嶽,佐禹平水土甚有功。虞夏之際封於吕,或封於申,姓姜氏。夏商之時,申、吕或封枝庶子孫,或爲庶人,尚其後苗裔也。本姓姜氏,從其封姓,故曰吕尚。吕尚蓋嘗窮困,年老矣,以魚釣奸周西伯。西伯出獵,遇太公于渭之陽,與語大說,曰:"自吾先君太公曰:'當有聖人適周,周以興。'子真是耶?吾太公望子久矣。"故號之曰'太公望',載與俱歸,立爲師。或曰,太公博聞,嘗事紂。紂無道,去之。游說諸侯,無所遇,而卒西歸周西伯。或曰,呂尚處士,隱海濱。周西伯拘羑里,散宜生、閎夭素知而招呂尚。呂尚亦曰:"吾聞西伯賢,又善養老,盍往焉。"三人者爲西伯求美女奇物,獻之于紂,以贖西伯。西伯得以出,反國。言呂尚所以事周雖異,然要之爲文武師。周西伯昌之脫羑里歸,與呂尚陰謀修德以傾商政,其事多兵權與奇計,故後世之言兵及周之陰權皆宗太公爲本謀。西伯政平,斷虞芮之訟,伐崇、密須、犬夷,大作豐邑。天下三分,其二歸周者,太公之謀計居多。又曰:武王平商王天下,師尚父謀居多。于是封師尚父于齊營邱,東就國。及周成王少時,管蔡作亂,淮夷畔周,乃使召康公命太公曰:"東至海,西至河,南至穆陵,北至無棣,五侯九伯實得征之。"齊由此得征伐,爲大國。都營邱。蓋太公之卒百有餘年,子丁公呂伋立。

又《周本紀》:武王即位,太公望爲師。既克殷罷兵西歸,于是封功臣謀士,而師尚父爲首,封尚父于營邱曰齊。

劉向《別錄》曰:"師之,尚之,父之,故曰師尚父。父亦男子之美稱也。"

劉歆《七略》曰:"太公《金版玉匱》,雖近世之文,然多善者。"本書《人表》師尚父列第二等上中。梁玉繩曰:"始見《詩·大明》、《逸書·克殷篇》。炎帝之裔伯夷,掌四岳,有功,封之于呂,子孫從其封姓。本姓姜,師尚父其後也。名望,字子牙,號太公,故曰太公望,亦曰呂太公望,亦曰呂望,亦曰周望,亦曰呂牙,亦曰姜牙,亦曰呂尚,亦曰太公尚,亦曰望尚,亦曰姜望,亦曰師望,亦曰姜公,亦曰姜老。河内汲人,封于齊。卒年百餘歲,葬鎬京,陪文武之墓。唐上元元年尊爲武成王,宋大中祥符元年加謚昭烈武成王。

嚴可均《全三代文編》曰:"齊太公姓姜,亦姓吕,名尚,字牙,東海人,四嶽之後。初事商王紂,去隱東海,後歸周。周文王以爲師,號曰太公望。武王嗣位,以爲司馬,號曰師尚父。既克商,封于齊,以侯爵就國。成王嗣位,命得專征伐。一云,受封後留爲太師,薨年百餘歲,傳國二十八世。《漢志》《太公謀》八十一篇、《言》七十一篇、《兵》八十五篇,在道家。《隋志》盡歸兵家,有《太公六韜》六卷,《陰謀》六卷,《陰符鈐録》一卷,《金匱》二卷,《兵法》三卷,又六卷,按《隋志》又云梁有《太公雜兵書》六卷。《伏謀陰陽謀》一卷,案《隋志》伏謀作伏符。《三宫兵法》一卷,《太乙三宫兵法立成圖》二卷,《書禁忌立成集》二卷,《枕中記》一卷,《周書陰符》九卷。案《周書陰符》,《隋志》不云太公,據《戰國策》蘇秦得太公《陰符之謀》,《史記》作《周書陰符》,明是一卷,蓋即《漢志》之《太公謀》八十一篇。云《周書》者,周時史官紀述也。"又曰:"今所行《六韜》是宋元豐間删定,凡六十篇,見存不録。録其佚文,綜凡六十八條,又輯存《政語》一篇,《對武王問》二條,《四輔》一條,《陰謀》五條,《金匱》三十九條,《陰符》十二條,《兵法》二十條,《決事占》三條,《陰祕》十四條。"

按兩《唐志》又有《太公陰謀三十六用》一卷,似即《隋志》之《伏符陰陽謀》。《日本國見在書目》有《太公謀》三十六卷,即《陰謀三十六用》一卷,敓"陰"字、"用"字、"一"字。又《唐·藝文志》有《太公當敵》一卷,《御覽》十一引《太公對敵權變順逆法》,即所謂《當敵》一卷歟?凡此皆隋以後之散佚别見者。又按史言武王即位九年,東伐,以觀諸侯集否。至孟津,諸

侯不期而會者八百。還師，與太公作此《太誓》。則《太誓》
之篇漢時當亦在此書。

又按《七略》兵權謀家有《伊尹》、《太公》，班氏以其重複省
之。王氏《考證》以爲省入道家，一若班氏從兵家移入道家
者，非也。

辛甲二十九篇。紂臣，七十五諫而去，周封之。

《左·襄四年傳》：魏絳曰："昔周辛甲之爲太史也，命百官，
官箴王闕。"杜預曰："辛甲，周武王太史。"孔穎達曰："《晋
語》稱文王訪于辛、尹，賈逵以爲辛甲、尹佚，則辛甲，文王之
臣，而下及武王。"

劉向《別録》曰："辛甲，故殷之臣，事紂。蓋七十五諫而不聽，
去至周。召公與語，賢之，告文王，文王親自迎之，以爲公卿，
封長子。長子今上黨所治縣是也。"按《地理志》上黨郡長子，周史辛甲
所封。

本書《人表》辛甲列第三等上下。梁玉繩曰："辛甲始見《左·
襄四》。夏后啓封支子于莘，莘、辛聲近，遂爲辛氏。辛甲故
事紂，七十五諫而不聽，去至周，封于長子。《晋語》所謂文王
訪于辛尹者也，亦稱辛公甲。"

《文心雕龍·銘箴篇》：箴者，所以攻疾防患，喻鍼石也。斯文
之興，盛于三代。夏商二箴，餘句頗存。及周之辛甲《百官
箴》一篇，體義備焉。迄至春秋，微而未絶。

馬國翰輯本序曰："《漢志》道家有《辛甲》二十九篇，《隋》、《唐
志》不著録，佚已久。考《左氏傳》魏絳述其《虞人之箴》，《韓
非子·説林》引其與周公議伐商蓋之語，是佚説之僅存者，據
輯，並附考爲卷。《虞箴》似《太公金匱》、《陰謀》所載武王諸
銘，其言兵亦略似，班志以此書與太公書同入道家，知非取課
虛而叩寂也。

鬻子二十二篇。名熊，爲周師，自文王以下問焉，周封爲楚祖。

《史·周本紀》：西伯遵后稷、公劉之業，則古公、公季之法，士多歸之。伯夷、叔齊在孤竹，往歸之。太顛、閎夭、散宜生、鬻子、辛甲大夫之徒皆往歸之。

又《楚世家》：楚之先祖出自帝顓頊高陽。高陽者，黃帝之孫，昌意之子也。高陽生稱，稱生卷章，卷章生重黎。重黎爲帝嚳高辛居火正。帝嚳命曰祝融。共工氏作亂，帝嚳使重黎誅之而不盡。帝乃以庚寅日誅重黎，而以其弟吳回爲重黎後，復居火正，爲祝融。吳回生陸終。陸終生子六人，其六曰季連，芈姓，楚其後也。季連生附沮，附沮生穴熊。其後中微，或在中國，或在蠻夷，弗能紀其世。周文王之時，季連之苗裔曰鬻熊。子事文王，蚤卒。其子曰熊麗。熊麗生熊狂，熊狂生熊繹。熊繹當周成王之時，舉文、武勤勞之後嗣，而封熊繹于楚蠻，封以子男之田，姓芈氏，居丹陽。楚子熊繹與魯公伯禽、衛康叔子牟、晉侯燮、齊太公子呂伋俱事成王。《漢書·地理志》周成王時，封文武先師鬻熊之曾孫熊繹于荊蠻，爲楚子，居丹陽。

劉向《別錄》曰："鬻子名熊，封于楚。"按此一條見《周本紀》集解，疑引之者誤節其文。

本書《人表》粥熊列第三等上下。梁玉繩曰："粥熊始見《列子·天瑞》，本作鬻熊，祝融十二世孫。楚先封鬻，夏商間因爲姓。名熊。亦曰鬻熊子，亦曰鬻子。年九十見文王，爲文、武師，周封爲楚祖。"

《文心雕龍·諸子篇》：鬻熊知道，而文王咨詢，餘文遺事，録爲鬻子。子之肇始，莫先于茲。

《隋書·經籍志》：《鬻子》一卷，周文王師鬻熊撰。《唐書·藝文志》：《鬻子》一卷。《宋史·藝文志》雜家：《鬻熊子》一卷。

長洲宋翔鳳《過庭録》曰："《鬻子》書已不傳,今傳逢行珪注
《鬻子》,乃是僞書。惟賈誼《新書·修政語》二篇當采自《鬻
子》,凡文王以下問者皆在下篇,其上篇載黃帝、顓頊、帝嚳、
堯、舜、禹、湯之言,皆鬻子所述,以告文王以下者也。道家之言
皆託始黃帝,故《七略》以爲人君南面之術,固治天下之書也。"
嚴可均輯本序曰："《漢志》道家《鬻子》二十二篇,今世流傳僅
唐永徽中逢行珪注本,凡十四篇,爲一卷。注甚疏蔓,又分篇
瑣碎,所題甲乙,故作偵倒屬亂,以瞀惑後人。宋又有陸佃校
本,分行珪十四篇爲十五篇,瑣碎尤甚,又棼其次第,不足存。
案《羣書治要》所載起訖如行珪,而第二篇至第十三篇聯爲一
篇,則行珪十四篇僅當三篇。《意林》稱今一卷六篇,末後所
載多出'昔文王見鬻子'一條,則行珪十四篇未足六篇。鬻子
年九十見文王,而其書有成王問,及康叔封衞事,蓋《鬻子》非
專記鬻熊之語,故其書于文王、周公、康叔皆曰'昔者'。昔
者,後乎鬻子言之也。古書不必手著,《鬻子》蓋康王、昭王後
周史臣所録,或鬻子子孫記述先世嘉言爲楚國之令典,即《史
記》序傳所謂'重黎業之,吳回接之。殷之季世,鬻熊諜之。
周用熊繹,熊渠是續'者也。昭十二年《左傳》楚靈王曰:'昔
我先王熊繹,跋涉山林,以事天子。'是楚之始封爲熊繹,非鬻
熊,與《楚世家》正同。劉向博極羣書,《周本紀》集解引《別
録》乃言鬻子名熊,封于楚,與《左傳》、《史記》違異,不若《漢
志》周封爲楚祖之無語病也。諸子以《鬻子》爲最早,惜世無
善本,乃蒐輯羣書,重加編録,闕增益遺,改正譌誤,定著一
卷。先采《列子》,次采賈誼書,後載今本,補以唐宋人類書。
其行珪注及篇題任其別行,所不取焉。"
又《三代文編》:鬻熊,姓芈名熊,祝融之後,陸終第六子,季連
之裔。年九十見文王,文王以爲師,至武王、成王皆師事之。

成王大封異姓，會先卒，子熊麗、孫熊狂亦卒，因封其曾孫熊
繹于楚。子孫皆以熊爲氏，傳三十一世，四十三君。有《鬻
子》一卷十四篇，以《羣書治要》校之，實三篇，^①見存不錄，錄
其佚文，凡十四條。

筦子八十六篇。名夷吾，相齊桓公，九合諸侯，不以兵車也，有
列傳。

《七略別錄》：護左都水使者光禄大夫臣向言：所校讎中《筦
子書》三百八十九篇，太中大夫卜圭書二十七篇，臣富參書四
十一篇，射聲校尉立書十一篇，太史書九十六篇，凡中外書五
百六十四篇，以校，除復重四百八十四篇，定著八十六篇，殺
青而書，可繕寫也。筦子者，潁上人也，名夷吾，號仲父。少
時嘗與鮑叔牙游，鮑叔知其賢。管子貧困，常欺叔牙，叔牙終
善之。鮑叔事齊公子小白，管子事公子糾。及小白立，爲桓
公，子糾死，管仲囚，鮑叔薦管仲。管仲既任政于齊，齊桓公
以霸，九合諸侯，一匡天下，管仲之謀也。故管仲曰："吾始困
時，與鮑叔分財，多自予，鮑叔不以我爲貪，知吾貧也。嘗爲
鮑叔謀事而更窮困，鮑叔不以我爲愚，知我有利有不利也。
公子糾敗，召忽死之，吾幽囚受辱，鮑叔不以我爲無恥，知吾
不羞小節，而恥功名不顯于天下也。生我者父母，知我者鮑
叔。"鮑叔既進管仲，而己下之。子孫世禄于齊，有封邑者十
餘世，常爲名大夫。管子既相，以區區之齊在海濱，通貨積
財，富國彊兵，與俗同好醜。故其書稱曰："倉廩實而知禮節，
衣食足而知榮辱，上服度則六親固。四維不張，國乃滅亡。
下令猶流水之原，令順人心。"故論卑而易行。俗所欲，因予
之；俗所否，因去之。其爲政也，善因禍爲福，轉敗爲功。貴

---

①　"實"，原訛作"貫"，據嚴可均《全上古三代文》改。

輕重，慎權衡。桓公怒少姬，南襲蔡，管仲因伐楚，責包茅不入貢于周室。桓公北征山戎，管仲因而令燕修召公之政。柯之會，桓公背曹沫之盟，管仲因而信之，諸侯歸之。管仲聘于周，不敢受上卿之命，以讓高、國。是時，諸侯爲管仲城穀，以爲之采邑。《春秋》書之，褒賢也。管仲富擬公室，有三歸、反坫，齊人不以爲侈。管仲卒，齊國遵其政，常彊于諸侯。孔子曰："微管仲，吾其被髮左衽矣。"太史公曰："余讀《管子·牧民》、《山高》、《乘馬》、《輕重》、《九府》，詳哉言之也。"又曰："'將順其美，匡救其惡，故上下能相親愛'，豈管仲之謂乎？"《九府書》，民間無有。《山高》，一名《形勢》。凡《管子書》務富國安民，道約言要，可以曉合經義。臣向謹録第上。按《史記·管晏列傳》之文，此叙皆引及之，與《孫卿書叙録》相類，故略彼取此。又《史記》傳贊正義引《七略》云"《管子》十八篇，在法家"，當是《七録》之誤，與《晏子春秋》稱《七略》者同也。

本書《食貨志》：太公爲周立《九府》。太公退，又行之于齊。至管仲相桓公，通輕重之權。桓公遂用區區之齊合諸侯，顯伯名。顏氏《集注》曰："周官大府、玉府、內府、外府、泉府、天府、職內、職金、職幣，皆掌財幣之官，故云九府。"

又《刑法志》：齊桓公任用管仲，問行伯用師之道，管仲于是乃作內政而寓軍令焉。其教已成，外攘夷狄，內尊天子，以安諸夏。

又《古今人表》管仲列第二等上中。梁玉繩曰："管仲始見《左·莊九》、《齊語》。管，氏。仲，字。謚敬，名夷吾。又作筦。管氏出自周穆王莊仲山之子，潁上人。齊桓公號爲仲父，亦作仲甫，亦曰管氏，亦曰管子，亦曰管叔，亦曰管生，亦曰管敬子，亦曰管敬仲，亦曰管夷吾，亦單稱管。葬臨淄南牛山上。宋徽宗宣和五年，封爲涿水侯。"

《隋志》法家：《管子》十九卷，齊相管夷吾撰。《唐·經籍志》：

《管子》十八卷,管夷吾撰。《唐·藝文志》十九卷,注云"管仲"。《宋·藝文志》二十四卷,齊管夷吾撰。

晁氏《讀書志》:劉向所定凡九十六篇,<small>按當爲八十六篇。</small>今亡十篇。

陳氏《書錄解題》曰:"案《漢志》八十六篇,列于道家。《隋》、《唐志》著之法家之首。管子似非法家,而世皆稱管商,豈以其標術用心之同故耶?然以爲道家則不類,今從《隋》、《唐志》。"

王氏《考證》:石林葉氏曰:"其間頗多與《鬼谷子》相亂。管子自序其事,亦泛濫不切,疑皆戰國策士相附益。"蘇氏《古史》謂多申韓之言,非管子之正。

《四庫》法家提要曰:"劉恕《通鑑外紀》引《傅子》曰:'管仲之書,過半便是後之好事者所加,乃説管仲死後事,《輕重篇》尤復鄙俗。'葉適《水心集》亦曰:'《管子》非一人之筆,亦非一時之書。以其言毛嬙、西施、吳王好劍推之,當是春秋末年。'今考其文,大抵後人附會多于仲之本書。其他姑無論,即仲卒于桓公之前,而篇中處處稱桓公,其不出仲手已無疑義。書中稱'經言'者九篇,稱'外言'者八篇,稱'内言'者九篇,稱'短語'者十九篇,稱'區言'者五篇,稱'雜篇'者十一篇,稱'管子解'者五篇,稱'管子輕重'者十九篇。意其中孰爲手撰,孰爲記其緒言如語錄之類,孰爲述其逸事如家傳之類,孰爲推其義旨如箋疏之類,當時必有分别。觀其五篇明題'管子解'者可以類推,必由後人混而一之,致滋疑竇耳。原本八十六篇,今佚十篇。"

　　按《七略》兵權謀家有《筦子》,班氏以其重複省之。

老子鄰氏經傳四篇。姓李,名耳,鄰氏傳其學。

老子傅氏經説三十七篇。述老子學。

老子徐氏經説六篇。字少季,臨淮人,傳《老子》。

《史記》列傳:老子者,楚苦縣厲鄉曲仁里人也。姓李,名耳,字伯陽，謚曰耼，周守藏室之史也。孔子適周，問禮于老子。老子修道德，其學以自隱無名爲務。居周久之，見周之衰，迺遂去。至關，關令尹喜曰："子將隱矣，彊爲我著書。"于是老子迺著書上下篇，言道德之意五千餘言而去，莫知其所終。蓋老子百有六十餘歲，或言二百餘歲，以其修道而養壽也。老子，隱君子也。老子之子名宗，宗爲魏將，封于段干。宗子注，注子宮，宮玄孫假，假仕于漢孝文帝。而假之子解爲膠西王卬太傅，因家于齊焉。世之學老子者則絀儒學，儒學亦絀老子。"道不同不相爲謀"，豈謂是耶？李耳無爲自化，清静自正。<small>按《釋文》引《史記》云字耼，又云曲里人，一云陳國相人，與今本異。</small>

《古今人表》今本老子列第一等上上聖人，仲尼之次。梁玉繩曰："老子列第四等，生即皓然，故號老子。名耳，字耼，今本《史記》有'字伯陽'句，乃後人妄竄，《索隱》辨之。葬槐里。唐乾封元年，追號太上玄元皇帝。天寶二年，加號大聖祖。天寶八年，加號聖祖大道玄元皇帝。宋大中祥符六年，加號太上老君混元上德皇帝。今本老子有列在第一等者，考《舊唐書·禮儀志》天寶元年'詔史記《古今人表》玄元皇帝昇入上聖'，宋趙希弁《讀書附志》言徽宗詔《史記·老子傳》升列傳之首，自爲一帙。《前漢·古今人表》列于上聖，是唐、宋人改刊，非班氏原本也。"

《隋書·經籍志》：《老子道德經》二卷，周柱下史李耳撰。又道佛篇曰："漢時諸子，道書之流有三十七家。《老子》二篇，最得深旨。"《唐·經籍志》：《老子》二卷，老子撰。《唐·藝文志》：《老子道德經》二卷，注云"李耳"。

宋翔鳳《過庭錄》曰："漢人言黃老，知老子亦出黃帝。"又曰："老子著書以明黃帝自然之治，即《禮運篇》所謂'大道之行，故先道德而後仁義'。孔子定六經，明禹、湯、文、武、成王、周公之治,即《禮運》所謂'大道既隱,天下爲家,故申明仁義禮智以救斯世'。故黃老之學與孔子之傳相爲表裏者也。"

章學誠《校讎通義》曰:"道家部《老子鄰氏經傳》四篇、《傅氏經説》三十七篇、《徐氏經説》六篇。按老子本書今傳《道》、《德》上下二篇,共八十一章,《漢志》不載本書篇次,則劉、班之疏也。"按《鄰氏經傳》四篇者,本經二篇,鄰氏傳二篇,經傳合爲一編,故下注"姓李名耳"。《漢志》于篇數、章數多不及載,不獨此書,蓋其時有《別録》有《七略》言之已詳,《志》在簡要,故悉從其略,是劉、班未見其疏,章氏蓋一隅之見爾。

案《史記·樂毅傳》樂氏之族有樂臣公者,善修黃帝、老子之言,顯聞于齊,稱賢師。又傳贊曰:"其本師號曰河上丈人,不知其所出。河上丈人教安期生,安期生教毛翕公,毛翕公教樂瑕公,樂瑕公教樂臣公,樂臣公教蓋公。蓋公教于齊高密、膠西,爲曹相國師。"《隋·經籍志》曰:"曹參始薦蓋公言黃老,文帝宗之。自是相傳,道學衆矣。"又本書《外戚傳》:"竇太后好黃老言,景帝及諸竇不得不讀《老子》,尊其術。"是當文、景、武帝之初,黃老之學最盛,此鄰氏、傅氏、徐氏三家當在其時,蓋蓋公之後、劉向之前有此三家之學,《釋文》及《隋志》皆不著録。

劉向　説老子四篇

劉向有《五行傳記》,始末見《六藝》尚書家。

宋董思靖《道德經集解·序説》曰:"《老子》,劉向定著二篇八十一章,上經三十四章,下經四十七章。葛洪等又加損益,乃云天以四時成,故上經四九三十六章;地以五行成,故下經五九四十五章,通應九九之數。而從此分章,遂失中壘舊制矣。"

案董思靖或及見《別録》,故能言分篇上下及章次數目如此，又中壘是書大抵與《五行傳記》、《琴頌》、《新國語》、《新序》、《説苑》、《世説》、《列女傳頌圖》、賦諸篇，皆當時奏御之書，故《七略》備載其目。他如《稽疑論》、《春秋穀梁傳》、《五經通義》、《五經要義》、《孝子圖傳》、《列士傳》、《列仙傳》、《楚辭天問解》、《五紀論》等書，皆私家譔就，故《七略》皆不之及。

文子九篇。老子弟子，與孔子並時，而稱周平王問，似依託者也。

劉向《別録》曰："《墨子》書有文子。文子，子夏之弟子，問于墨子。"_{按此似疑而未決之辭。}

本書《人表》文子列第五等中中。梁玉繩曰："文子不傳其名字，《困學紀聞》十辨文子非周平王時人。檢《文子·道德篇》平王問一條，無'周'字，末云寡人敬聞命，其非周王甚審。《通考》引周氏《涉筆》以爲楚平王，極碻。《士仁篇》有王良，更足驗爲楚平王時人。班氏所見之《文子》，或是誤本，遂疑《文子》書有依託，而于此表仍列周平時，蓋疑以傳疑之意也。"

《隋書·經籍志》：《文子》十二卷。文子，老子弟子。《七略》有九篇，梁《七録》十卷。亡。《唐·經籍志》：《文子》十二卷。《藝文志》同。又曰："天寶元年詔號《文子》爲《通玄真經》。"

《宋·藝文志》：《文子》十二卷，舊書目云周文子撰。

晁氏《讀書志》：李暹注《文子》十二卷，其傳曰："姓辛，葵邱濮上人，號曰計然，范蠡師事之。本受業于老子，録其遺言爲十二篇云。"案劉向《録》《文子》九篇而已，《唐志》録、暹注與今篇次同，豈暹析之歟？

陳氏《書録解題》曰："案《史記·貨殖傳》徐廣注：'計然，范蠡師，名鈃。'裴駰曰：'計然，葵邱濮上人，姓辛，字文子，默希子引以爲據。'_{按元魏時李暹注書先有是説，默希子因之。}以文子爲計然

之字,不可考信。柳子厚亦辨其爲駁書,而亦頗有取焉。默
希子,唐徐靈府自號也。"

《玉海·藝文》曰:"今本十二篇,《道原》至《上禮》,元魏李暹
注、唐徐靈府注、朱玄注。"

《四庫提要》曰:"《漢志》道家《文子》九篇,《隋志》載《文子》十
二篇,二志所載不過篇數有多寡耳,無異説也。因《史記·貨
殖傳》有范蠡師計然語,又因裴駰《集解》有'計然,姓辛,字文
子,其先晋國公子'語,北魏李暹作《文子注》,遂以計然、文子
合爲一人。文子乃有姓有名,謂之計鈃,謬之甚矣!"

《四庫簡明目録》曰:"文子不知其名字,《漢志》但稱老聃弟子
而已,或曰計然者,誤也。書凡十二篇,皆述老聃之説。柳宗
元稱其多竊取他書以合之,然要是唐以前之古本也。"

孫星衍《問字堂集·文子序》曰:"黄老之學存于《文子》,西漢
用以治世,當時諸臣皆能稱道其説,故其書最顯。諸子散佚,
獨此有完本在《道藏》中,其傳不絶,亦其力也。今《文子》十
二卷,實《七略》舊本,《藝文志》稱九篇者,疑古以《上仁》、《上
義》、《上禮》三篇爲一篇,以配《下德》耳。注蓋謂文子生不與
周平王同時,而書中稱之,乃託爲問答,非謂其書由後人僞
託。宋人誤會其言,遂疑此書出于後世也。"案孫序解釋注文最得班
氏本意。序又謂文子即計然,則仍沿李暹之誤。考《古今人表》文子、計然兩人先後
並出,則確爲兩人,非一人可知。

蜎子十三篇。名淵,楚人,老子弟子。

《史記·田完世家》:齊宣王喜文學游説之士,自如騶衍、環淵
之徒七十六人,皆賜列第,爲上大夫,不治而議論。

又《孟荀列傳》:環淵,楚人。學黄老道德之術,因發明序其指
意。與慎到、田駢、接子皆有所論。環淵著上下篇。

劉歆《七略》曰:"蜎子,名淵,楚人也。"

本書《人表》蜎子列第六等中下。梁玉繩曰："蜎子亦見本書《藝文志》，即楚人環淵，老子弟子，蜎姓。案班氏本劉歆《七略》，以淵爲老子弟子，故置魯昭公世。然《史》稱淵在稷下先生之列，當齊宣王時，未知孰信。又《淮南·原道》有娟嬛，《文選·七發》作便蜎，李善注引《淮南》作蜎嬛，引《宋玉集》作玄淵，謂與蜎子是一人。考高誘云'娟嬛，古善釣人名，故同詹何並舉'，善以爲一人，恐誤。"

應劭《風俗通·姓氏篇》：環氏出楚環列之尹，後以爲氏。楚有賢者環淵，著書上下篇。張澍輯注曰："環淵亦即蜎淵也。隗囂將環安、公孫述將環饒，吳有環濟，著要略。"

關尹子九篇。名喜，爲關吏，老子過關，喜去吏而從之。

《七略別錄》：護左都水使者光禄大夫臣劉向言：所校中祕書《關尹子》九篇，臣向校讎太常存七篇，臣向本九篇，臣向輒除錯不可考增闕斷續者九篇，成，皆殺青，可繕寫。關尹子名喜，號關尹子，或曰關令子。隱德行，人易之，嘗請老子著《道德經》上下篇。列禦寇、莊周皆稱道家書。篇皆寓名，有章，章首皆有"關尹子曰"四字，篇篇敘異，章章義異，其旨同。辭與《老》、《列》、《莊》異，其歸同。渾質崖戾，汪洋大肆，然有式則，使人泠泠輕輕，不使人狂。蓋公授曹相國參，曹相國薨，書葬。至孝武皇帝時，有方士來，以七篇上，上以仙處之。淮南王安好道聚書，有此不出。臣向父德因治淮南王事得之。臣向幼好焉，寂士清人，能重愛黄老清静，不可闕。臣向昧死上。永始二年八月庚子護左都水使者光禄大夫臣向謹進上。

<small>嚴可均《全漢文編》曰："《關尹子叙錄》疑宋人依記。"又襄平李鍇《尚史·諸子傳》引劉向《別錄》曰："關尹子名嘉，列子師之，多所請問。莊子稱爲博大真人。"不知所引見于何書，與此文異。</small>

劉向《列仙傳》：關令尹喜者，周大夫也。善內學星宿，服精

華,隱德行仁,時人莫知。老子西游,喜先見其氣,知真人當
過,候物色而迹之,果得老子。老子亦知其奇,爲著書。與老
子俱至流沙之西,服具勝實,莫知其所終。亦著書九篇,名
《關令子》。

《吕氏春秋·不二篇》曰:"關尹貴清。"高誘曰:"關尹,關正
也,名喜,作道書九篇。能相風角,知將有神人,而老子到。
喜説之,請著《上至經》五千言,而從之游也。"案《上至經》,或漢時別
有此稱,然總疑上下經之誤也。

陳氏《書録解題》:《關尹子》九卷,周關令尹喜。蓋與老子同
時,啓老子著書言道德者。案《漢志》有《關尹子》九篇,而
《隋》、《唐》及國史志皆不著録,意其書亡久矣。徐藏子禮得
之于永嘉孫定,首載劉向校定序,篇末有葛洪後序,未知孫定
從何傳授,殆皆依託也。序亦不類向文。

《四庫提要》曰:"案《經典釋文》載尹喜字公度。李道謙《終南
祖庭仙真内傳》稱終南樓觀爲尹喜故居,則秦人也。考《漢
志》有《關尹子》九篇,劉向《列仙傳》作《關令子》,而《隋》、《唐
志》皆不著録,則其佚久矣。南宋時,徐藏子禮始得本于永嘉
孫定家,前有劉向校定序,稱蓋公授曹參云云。與《漢書》所
載得《淮南鴻寶祕書》者不同,疑即假借此事以附會之,故宋
濂《諸子辨》以爲文既與向不類,事亦無據,疑即定之所爲。
然定爲南宋人,而《墨莊漫録》載黄庭堅詩'尋師訪道魚千里'
句,已稱用《關尹子》語,則其書未必出于定,或唐末五代間方
士解文章者所爲也。此本分一宇、二柱、三極、四符、五鑑、六
匕、七釜、八籌、九樂九篇。"

又《簡明目録》曰:"《關尹子》一卷,舊本題周尹喜撰。《漢志》
著録,而《隋》、《唐志》皆不載,知原本久佚,此本出宋人依託。
然在僞書之中,頗有理致有詞采,猶能文者所爲。"

莊子五十二篇。名周，宋人。

《史·老莊列傳》：莊子者，蒙人也，名周。周嘗爲蒙漆園吏，與梁惠王、齊宣王同時。其學無所不闚，然其要本歸于老子之言。故其著書十餘萬言，大抵率寓言也。作《漁父》、《盜跖》、《胠篋》，以詆訿孔子之徒，以明老子之術。《畏累虛》、《亢桑子》之屬，皆空語無事實。然善屬書離辭，指事類情，用剽剝儒、墨，雖當世宿學不能自解免也。其言洸洋自恣以適己，故自王公大人不能器之。楚威王聞莊周賢，使使厚幣迎之，許以爲相。莊周笑謂楚使者曰：“千金，重利；卿相，尊位也。子獨不見郊祭之犧牛乎？養食之數歲，衣以文繡，以入太廟。當是之時，雖欲爲孤豚，豈可得乎？子亟去，無污我。我寧游戲污瀆之中自快，無爲有國者所羈，終身不仕，以快吾志焉。”

劉向《別録》曰：“莊子，宋之蒙人也。又作人姓名，使相與語，是寄辭于其人，故《莊子》有《寓言篇》。”

本書《人表》嚴周列第六等中下。梁玉繩曰：“嚴周字子休，楚莊王之後。亦曰莊叟，亦曰莊生。墓在濛州東二里。唐天寶元年，號爲南華真人。宋宣和元年，詔封微妙元通真君，配享混元皇帝。元至元三年，加封南華至極雄文弘道真君。”

《釋文·叙録》曰：“《漢書·藝文志》‘《莊子》五十二篇’，即司馬彪、孟氏所注是也。”又曰：“司馬彪注二十一卷五十二篇，內篇七，外篇二十八，雜篇十四，解說三，爲音三卷。孟氏注十八卷五十二篇。”按孟注無音三卷，故十八卷。《唐書·藝文志》：天寶元年詔號《莊子》爲《南華真經》。

列子八卷。名圄寇，先莊子，莊子稱之。

《七略別録》曰：“《天瑞》第一，《黃帝》第二，《周穆王》第三，《仲尼》第四，一曰《極知》。《湯問》第五，《力命》第六，《楊朱》第七，一曰《達生》。《説符》第八，右新書定著八篇。護左都水使者

光禄大夫臣向言：所校中書《列子》五篇，臣向謹與長社尉臣
參校讎，太常書三篇，太史書四篇，臣向書六篇，臣參書二篇，
内外書凡二十篇以校，除複重十二篇，定著八篇，中書多，外
書少。章亂布在諸篇中，或字誤以‘盡’爲‘進’，以‘賢’爲
‘形’，如此者衆。及在新書有棧，音剪。校讎從中書，已定，皆
以殺青，書可繕寫。列子者，鄭人也，與鄭繆公同時，蓋有道
者也。其學本于黄帝、老子，號曰道家。道家者，秉要執本，
清虚無爲，及其治身接物，務崇不競，合于六經。而《穆王》、
《湯問》二篇，迂誕怪詭，非君子之言也。至于《力命》篇一推
分命，《楊子》之篇唯貴放逸，二義乖背，不似一家之書。然各
有所明，亦有可觀者。孝景皇帝時貴黄老術，此書頗行于
世。及後遺落，散在民間，未有傳者，且多寓言，與莊周相
類，故太史公司馬遷不爲列傳。謹第録，臣向昧死上。護左
都水使者光禄大夫臣向所校《列子書録》，永始三年八月壬
寅上。”

皇甫謐《高士傳》：列禦寇者，鄭人也，隱居不仕。鄭穆公時，
子陽爲相，專任刑。列禦寇乃絶迹窮巷，面有饑色。或告子
陽曰：“列禦寇蓋有道之士也，居君之國而窮，君無乃不好士
乎?”子陽使官載粟數十乘以與之。禦寇出見使，再拜而辭
之。居一年，鄭人殺子陽，其黨皆死，禦寇安然獨全，終身不
仕。著書八篇，言道家之意，號曰《列子》。

《吕氏春秋·不二篇》：列子貴虚。高誘曰：“列子，體道人
也，壺子弟子。”按此言壺子者，壺邱子林也。

《隋書·經籍志》：《列子》八卷，鄭之隱人列禦寇撰。《唐書·
藝文志》：天寶元年詔號《列子》爲《沖虚真經》。晁氏《讀書
志》曰：“景德中加‘至德’之號。”

唐柳宗元《辨列子》曰：“劉向古稱博極羣書，然其録《列子》獨

曰‘鄭穆公時人’。穆公在列子前幾百歲，《列子》書言鄭國皆
云子產、鄧析，不知向何以言之如此。《史記》鄭繻公二十四
年，鄭殺其相駟子陽，子陽正與列子同時，是歲魯穆公十年，
不知向言魯穆公時遂誤爲鄭耶？不然，何乖錯至如是。其後
張湛徒知怪《列子》書言穆公後事，亦不能推知其時。王氏《考
證》曰：“或謂鄭繻公字誤爲繆公。”莊周放依其辭，其稱夏棘、狙公、紀
渻子、季咸等，皆出《列子》。其文辭類《莊子》，而尤質厚。其
書亦多增竄，非其實。《楊朱》、《力命》疑楊子書。其言魏牟、
孔穿，皆出列子後，不可信。然觀其辭，亦足通知古之多異
術也。”

鄭樵《通志·氏族略》曰：“列禦氏，不詳其本。鄭穆公時列禦
寇著書。”按此以列禦爲氏，與本志注“名圄寇”者相違異。

王氏《考證》：東萊呂氏曰：“以《列子》所載‘楊朱遇老子，老
子中道而歎’一章觀之，則朱受學于老子不疑。朱之言見于
《列子》者固多，後人所附益爲我之説，亦略可見也。”石林葉
氏曰：“《天瑞》、《黃帝》篇與佛書相表裏。”呂氏曰：“《列子》
多引《黃帝書》，蓋古之微言傳久而差者。‘玄牝’一章，今見
《老子》，此戰國秦漢所以並言黃老也。”

《四庫提要》曰：“柳宗元《辨列子》言‘魏牟、孔穿皆出列子後，
不可信’。其後高似孫《緯略》遂疑列子爲鴻濛雲將之流，並
無其人。今考《湯問》篇中有鄒衍吹律事，不止魏牟、孔穿。
其不出禦寇之手，更無疑義。然考《尸子·廣澤篇》曰：‘墨子
貴兼，孔子貴公，皇子貴衷，田子貴均，列子貴虛，料子貴別
囿，其學之相非也數世矣。’是當時實有列子，非莊周之寓名。
又《穆天子傳》出于晉太康中，爲漢魏人之所未睹。而此書
《周穆王篇》所敘駕八駿，造父爲御，至巨蒐，登崐崙，見西王
母于瑤池事，一一與傳相合。此非劉向之時所能僞造，可信

確爲秦以前書。唯其書皆稱‘子列子曰’，則決爲傳其學者所追記。其雜記列子後事，正如《莊子》記莊子死，《管子》稱吳王、西施，《商子》稱秦孝公耳，不足爲怪。”

老成子十八篇

《世本·氏姓篇》：老成氏，宋有大夫老成方。張澍輯注曰：“《列仙傳》老成子從尹文先生學幻者，在齊定公時，《氏族略》云：‘老成子著書十篇，言黃老之道。’甄鸞注《數術記遺》云：‘四維者，老成子所造也。’”又曰：“宋有老氏出戴公，後有老成氏，《廣韻》引作‘考’，疑非是。《列子·周穆王篇》有老成子，《廣韻》引《列子》又作‘考成’，是古考、老通也。”

本書《人表》第六等中下孝成子。梁玉繩曰：“老成子始見《列子·周穆王篇》。翟教授曰：《藝文志》《老成子》在道家，蓋亦老子之徒，‘孝’字譌。”

　按《元和姓纂》云：“老城氏，或爲考城子，古賢人也，著書，述黃老之道。《列子》有考城子，幼學于尹先生。”《氏族略》引文同。“幼學”似“學幻”之譌。又《姓纂》及《廣韻》、《氏族略》別出老成氏，並言老成方仕宋，爲大夫，著書十篇，言黃老之道。豈著書者即爲老成方乎？其言十篇與此十八篇不合，不可知已。

長盧子九篇。楚人。

《史記·孟荀列傳》：楚有尸子、長盧，世多有其書，故不論其傳。索隱曰：“長盧，未詳。”

鄭樵《氏族略》曰：“長盧氏，不知其本。《列子》楚賢者長盧氏著書。”

王狄子一篇

王狄子未詳。

　按氏姓諸書亦無王狄氏，豈姓王名狄，如韓非、鄧析之稱子者歟？

公子牟四篇。魏之公子也，先莊子，莊子稱之。

《列子·仲尼篇》：中山公子牟者，魏國之賢公子也，好與賢人遊。張湛注曰："公子牟，文侯子，作書四篇，號曰道家。魏伐得中山，以邑子牟，因曰中山公子牟也。"

《荀卿·非十二子篇》曰："縱情性，安恣睢，禽獸之行，楊注曰："言任情性所爲而不知禮義，則與禽獸無異，故曰禽獸行。"不足以合文通治，然而其持之有故，其言之成理，足以欺惑衆愚，是它囂、魏牟也。"楊倞曰："魏牟，魏公子，封于中山。《莊子》有公子牟，稱莊子之言以折公孫龍，據即與莊子同時也。又《列子》稱公子牟解公孫龍之言。公孫龍，平原君之客，而張湛以爲文侯子，據年代非也。《説苑》曰'公子牟東行，穰侯送之'，未知何者爲定也。"按《魏世家》魏文侯十七年伐中山，使子擊守之。文侯三十八年卒，子擊立，是爲武侯。武侯十六年卒，子罃立，是爲惠王。惠王二十八年，中山君相魏。張湛蓋以此中山君爲即公子牟，故謂文侯子，其時代亦頗相近，相魏之時年當在七八十矣，張説似未可非也。又曰："妄稱古之人亦有如此者，故曰持之有故。又其言論能成文理，故曰言之成理，足以欺惑愚人衆人矣。"

本書《人表》魏公子牟列第六等中下，公孫龍之次。梁玉繩曰："魏公子牟始見《趙策》、《列子·仲尼》、《莊子·秋水》，即魏牟，魏國之賢公子，魏得中山，以邑子牟，故曰公子魏牟，亦曰中山公子牟，亦曰范魏牟。"

馬國翰輯本序曰："《漢志》道家《公子牟》四篇，魏之公子也。其書《隋》、《唐志》皆不著目，佚已久。兹從《莊子》、《戰國策》、《吕氏春秋》、《説苑》所引掇撫，犕可補四篇之缺，理見其大，清辯滔滔，宜乎折《堅白》、《異同》之論，使公孫龍口呿而舌舉也。"

田子二十五篇。名駢，齊人，游稷下，號天口駢。

《尸子·廣澤篇》曰："田子貴均。"

《吕氏春秋·不二篇》：陳駢貴齊。高誘曰："陳駢，齊人也，作道書二十五篇。貴齊，齊死生，等古今也。"

《史記·田敬仲世家》：齊宣王喜游説文學之士，自如騶衍、淳于髡、田駢、環淵之徒七十六人，皆賜列第，爲上大夫，是以齊稷下學士復盛，且數百千人。又《孟荀列傳》：自騶衍與齊之稷下先生，如淳于髡、環淵、田駢之徒，言治亂之事，以干世主，豈可勝道哉！又曰："田駢，齊人。環淵，楚人。皆學黄老道德之術，因發明序其指意。"

劉向《別録》曰："稷，齊城門名。談説之士期會于稷門下者甚衆，故曰稷下。"又《七略》曰："齊田駢好談論，故齊人爲語曰天口駢。天口者，言田駢子不可窮其口若事天。"

本書《人表》田駢列第五等中中。梁玉繩曰："田駢始見《齊策》、《莊子·天下》、《荀子·非十二子》，又名廣，齊人，亦曰田子，亦曰陳駢，亦曰陳駢子。"按《七略》又稱曰田駢子。

唐楊倞《荀子·非十二子篇》注：田駢，齊人，游稷下，著書十五篇。按敓"二"字。其學本黄老，大歸名法。

馬國翰輯本序曰："《漢志》道家《田子》二十五篇，《隋》、《唐志》皆不著録，佚已久。兹從《吕氏春秋》輯得佚説三篇，其一篇與《淮南子》所引互有詳略異同，參訂校補，並附考爲卷。"

老萊子十六篇。楚人，與孔子同時。

《史記·老子列傳》：或曰：老萊子亦楚人，著書十五篇，言道家之用，與孔子同時云。張守節曰："太史公疑老子或是老萊子，故書之。"

又《仲尼弟子列傳》：孔子之所嚴事：于周則老子；于衞，蘧伯玉；于齊，晏平仲；于楚，老萊子。

《大戴記·衞將軍文子篇》：孔子曰："德恭而行信，終日言，不在尤之内，在尤之外，貧而樂也，蓋老萊子之行也。"盧辯曰："楚人，隱者也。"

劉向《別録》曰："老萊子，古之壽者。"

劉向《列女傳》：楚老萊子逃世，耕于蒙山之陽，葭牆蓬室，木牀著席，衣緼食菽，墾山播種。人或言之楚王曰："老萊，賢士也。"王欲聘以璧帛，恐不來，楚王于是駕至萊子之門。萊子方織畚。王曰："寡人愚陋，獨守宗廟，願先生幸臨之。"老萊子曰："僕山野之人，不足守政。"王復曰："守國之孤，願變先生之志。"老萊子曰："諾！"王去。其妻載畚萊，挾薪樵而來，曰："何車迹之衆也？"老萊子曰："楚王欲使吾守國之政。"妻曰："許之乎？"曰："然"。妻曰："妾聞之，可食以酒肉者可隨以鞭棰，可擬以官禄者可隨以鈇鉞。今先生食人酒肉，受人官禄，爲人所制也。能免于患乎？妾不能爲人所制！"投其畚萊而去。老萊子曰："子還！吾爲子更慮。"遂行不顧，至江南而止，曰："鳥獸之解毛，可績而衣之，据其遺粒，足以食也。"老萊子乃隨其妻而居之，民從而家者，一年成落，三年成聚。君子謂老萊子妻果于從善。

皇甫謐《高士傳》：老萊子者，楚人也。仲尼嘗聞其論而蹙然改容焉。著書十五篇，言道家之用，人莫知其所宗也。

《太平御覽》四百十三：師覺授《孝子傳》曰："老萊子者，楚人。行年七十，父母俱存，至孝蒸蒸。常著班蘭之衣，爲親取飲，上堂脚趺，恐傷父母之心，僵仆爲嬰兒啼。孔子曰：'父母老，常年不稱老，爲其傷老也。若老萊子者，可謂不失孺子之心矣。'"

鄭樵《氏族略》曰："老萊氏，不詳其本。老萊子，楚賢人，著書。"

馬國翰輯本序曰："《漢志》道家《老萊子》十六篇。《隋》、《唐志》皆不著録，佚已久。兹從《莊子》、《孔叢子》、《尸子》、皇甫謐《高士傳》輯得四節，附考爲卷。家苑斯先生《繹史》云：'以矜知規仲尼，以齒舌喻剛柔，老聃之説也。《國策》稱老萊子教孔子事君，而《孔叢》則云語子思，若至穆公之世萊子猶在，其壽亦長矣。《史記》附老萊子于《老子列傳》之内，疑爲二人乎？抑兩人耶？何其言之相同也！'翰按《史記》云'老萊子亦楚人'，明與老子同國。孫綽《游天台山賦》'躡二老之玄蹤'注：二老，老子、老萊子也。二老道同，故以之合傳。矜知規仲尼，以《莊子》引之，自是老萊語，後人誤爲老聃。《國策》或謂齊黄曰：'公不聞老萊子之教孔子事君乎？'但言孔子，亦即指子思，非仲尼也。"

黔婁子四篇。 齊隱士，守道不詘，威王下之。

劉向《列女傳》：魯黔婁先生死，曾子與門人往弔之。哭之曰："嗟乎！先生之終也，何以爲謚？"其妻曰："以'康'爲謚。"曾子曰："先生在時，食不充口，衣不蓋形，死則手足不斂，旁無酒肉。生不得其美，死不得其榮，何樂于此而謚爲'康'乎？"其妻曰："昔先生君嘗欲授之政，以爲國相，辭而不爲，是有餘貴也；君嘗賜之粟三千鍾，先生辭而不受，是有餘富也。彼先生者，甘天下之淡味，安天下之卑位，不戚戚于貧賤，不忻忻于富貴，求仁得仁，求義得義，其謚爲'康'，不亦宜乎？"曾子曰："唯斯人也而有斯婦。"君子謂黔婁妻爲樂貧行道。

皇甫謐《高士傳》：黔婁先生者，齊人也。修身清節，不求進于諸侯。魯恭公聞其賢，遣使致禮，賜粟三千鍾，欲以爲相，辭不受。齊王又禮之，以黄金百斤聘爲卿，又不就。著書四篇，言道家之務，號《黔婁子》，終身不屈，以壽終。

邵思《姓解》曰："《漢書·藝文志》齊有隱士贛婁子著書五篇。"鄧名世《古今姓氏書辨證》同，《廣韻》無"五篇"字。此所據大抵本之《風俗通·姓氏篇》，或東漢時應劭所見《贛婁子》有五篇也。贛婁、黔婁，猶老成、考成之類。

鄭樵《氏族略》：黔婁氏，不詳其本。《列女傳》黔婁先生，古賢士。

馬國翰曰：“《漢志》道家《黔婁子》四篇，《隋》、《唐志》不著目，佚已久。諸家亦無引述之者，惟曹氏庭棟搜采孔子及羣弟子言行，仿薛據《孔子集語》作《逸語》，中引黔婁子述聖言一節，記原憲事一節。所據之書當爲不傳祕本，既不可考，姑依錄之，並附考爲卷。”

宮孫子二篇

顏氏《集注》曰：“宮孫，姓也，不知名。”

鄭樵《氏族略》：室孫氏，王室之孫也。古有室孫子著書。《姓纂》云：“今棣州有室孫氏。”

鄧名世《古今姓氏書辨證》曰：“《漢·藝文志》有宮孫子著書，或云室孫氏。宮訛爲‘室’。”

　　按《氏族略》有室孫氏，無宮孫氏，據鄧名世言，則室孫氏即宮孫氏。

鶡冠子一篇。楚人，居深山，以鶡爲冠。

劉向《別錄》曰：“鶡冠子常居深山，以鶡爲冠，故號鶡冠子。”

應劭《風俗通·姓氏篇》：鶡冠氏，賓人，以鶡冠爲姓。鶡冠子著書。

《太平御覽·逸民部》：袁淑《真隱傳》：鶡冠子，或曰楚人，隱居幽山，衣弊履穿，以鶡爲冠，莫測其名，因服成號。著書言道家事，馮煖常師事之。煖後顯于趙，鶡冠子懼其薦己也，乃與煖絕。按此言馮煖者，即龐煖也。

《隋書·經籍志》：《鶡冠子》三卷，楚之隱人。《唐·經籍志》：《鶡冠子》三卷，鶡冠子撰。《唐·藝文志》：《鶡冠子》三卷。《宋史·藝文志》：《鶡冠子》三卷，不知姓名。《漢志》云楚人，居深山，以鶡羽爲冠，因號云。

《崇文總目》曰："今書十五篇,述三才變通古今治亂之道,唐世嘗辨此書後出,非古所謂《鶡冠子》者。"

《四庫提要》雜家:劉勰《文心雕龍》稱"鶡冠綿綿,亟發深言"。韓愈稱其《博選篇》四稽五至之説,《學問篇》一壺千金之語,且謂其施于國家,功德豈少。柳宗元乃詆爲言盡鄙淺,謂其《世兵篇》多同《鵩賦》,據司馬遷所引賈生二語,以決其僞。然古人著書往往偶用舊文,古人引證亦往往偶隨所見,未可以單文孤證遽斷其僞。惟《漢志》作一篇,而《隋志》以下皆三卷,或後來有所附益,則未可知耳。其説雖雜州名,而大旨本原于道德,其文亦博辯宏肆。自六朝至唐,劉勰最號知文,而韓愈最號知道,二子稱之,宗元乃以爲鄙淺,過矣。此本爲陸佃所注,凡十九篇。按《文心雕龍·事類篇》云:"觀乎屈宋屬篇,雖引古事而莫取舊詞。唯賈誼《鵩賦》,始用《鶡冠》之説。"此謂賈生引《鶡冠子》。柳氏謂好事者僞爲其書,反用《鵩賦》以文飾之,非誼有取也。蓋亦高明之過也。

案《七略》兵權謀家有《鶡冠子》,班氏以其重復省之。梁玉繩《瞥記》卷五引翟晴江《涉獵隨筆》云:"鶡冠疑鷂冠之譌。《逸周書》曰:'知天文者冠鷂冠,以鷂能知天晴雨也。'《禮圖》謂之術士冠。《鶡冠》書述三才變通,其篇目有《天則》、《天權》、《能天》,他如《環流》、《玉鈇》、《泰鴻》、《泰録》等篇,率多談天之文。"然考《鶡冠》書舊亦入之兵家,安知其人不好武而冠鶡冠以自表乎?翟教授之言太穿鑿,不可据。

周訓十四篇

劉向《別録》曰:"人間小書,其言俗薄。"按《別録》本文當是"民間",此蓋顏監避諱所改也。

黃帝四經四篇

《隋·經籍志》道佛篇曰:"漢時諸子,道書之流有三十七家,大旨皆去健羨,處沖虛而已。其《黃帝》四篇,《老子》二篇,最得深旨。"

王氏《考證》：黃帝、老子之書謂之黃老，《列子》引《黃帝書》，《呂氏春秋》引"黃帝言"，又曰"嘗得學黃帝之所以誨顓頊矣"，賈誼、淮南子引"黃帝曰"云云。

嚴可均《全上古文編》：黃帝姓公孫，名軒轅。一云姓姬，始服軒冕，號軒轅氏。一云居軒轅之邱，因以爲號。亦云帝軒氏，一云帝鴻氏，一云歸藏氏。有熊國君少典氏之子，亦號有熊氏。伐炎帝，殺蚩尤，以土德王，稱黃帝。在位百年，年百一十一。今輯《道言》凡六條，《政語》凡二條，《戒》一條，《丹書戒》一條，《誨顓頊》一條。

案太史公《素王妙論》曰："諸稱富者，非貴其身，得志也乃貴，恩覆子孫，澤及鄉里也。黃帝設五法，布之天下，用之無窮。蓋世有能知者，莫不尊親，如范子可謂曉之矣。范蠡行十術之計，二十一年之間三致千萬，再散與貧。"案《黃帝五法》當在此書中。

黃帝銘六篇

《文心雕龍·銘箴篇》：銘者，名也。昔帝軒刻輿几以弼違，先聖鑒戒，其來久矣。

王氏《考證》：《皇覽·記陰謀》言《黃帝金人器銘》，《金人銘》蓋六篇之一也。蔡邕《銘論》："黃帝有巾機之法。"《皇王大紀》曰："黃帝作《輿几之箴》以警宴安，作《巾几之銘》以戒逸欲。"

章學誠《校讎通義》曰："《漢志》道家《黃帝銘》六篇，其書今既不可見。考《皇覽》《黃帝金人器銘》及《皇王大紀》所謂《輿几之箴》、《巾几之銘》，則六篇之旨可想見也。"

嚴可均《全上古文編》：《漢志》道家有《黃帝銘》六篇，《路史·疏仡記》引《巾几銘》，《説苑·敬慎篇》引《金人銘》。案《巾几銘》，《後漢·朱穆傳》注"黄帝作巾几之法，"即此《金人銘》。舊無撰人，據《太公陰謀》、《太公金匱》知即《黄帝六銘》之一，《金匱》僅載銘首廿餘字，今取《説苑》足之。

黄帝君臣十篇。起六國時，與《老子》相似也。

雜黄帝五十八篇。六國時賢者所作。

《淮南子·修務篇》：世俗之人多尊古而賤今，故爲道者必託之于神農、黄帝而後能人説。亂世闇主，高遠其所從來，因而貴之。爲學者蔽于論而尊其所聞，相與危坐而稱之，正領而誦之。此見是非之分不明。

王氏《考證》：朱文公曰："黄帝聰明神聖，得之于天，天下之理無不知，天下之事無不能。上而天地陰陽造化發育之原，下而保神練氣愈疾引年之術，庶物萬事之理，巨細精粗，洞然于胸次，是以其言有及之者，而世之言此者，因自託焉，以信其説于後世。至戰國時，方術之士遂筆之書，以相傳授。如《列子》所引，與《素問》《握奇》之屬，蓋必有粗得遺言之彷彿者，如許行所道神農之言耳。《周官》外史掌三皇五帝之書，恐不但若此而已。"

力牧二十二篇。六國時所作，託之力牧。力牧，黄帝相。

《史·五帝本紀》：舉風后、力牧、常先，大鴻以治民。裴駰集解：班固曰："力牧，黄帝相也。"

本書《人表》力牧居第二等上中仁人。梁玉繩曰："力牧始見《列子·黄帝》、《淮南·覽冥》。姓力，名牧。牧又作墨。"

《淮南子·覽冥篇》：黄帝治天下，力牧、太山稽輔之，以日月之行，律治陰陽之氣；節四時之度，正律曆之數；別男女，異雌雄，明上下，等貴賤；使彊不掩弱，衆不暴寡；人民保命而不夭，歲時孰而不凶；田者不侵畔，漁者不争隈；道不拾遺，市不豫賈；城郭不關，邑無盗賊；鄙旅之人，相讓以財；狗彘吐菽粟于路，而無忿争之心。

皇甫謐《帝王世紀》：力牧者，黄帝將也。蚩尤作亂，黄帝徵諸侯，使力牧、神皇直討之，捡于涿鹿之野，使應龍殺之，凡五十二戰而天下大服。

孫子十六篇。六國時。

本書《人表》孫子居第五等中中。梁玉繩曰："孫子惟見《莊子·達生篇》，名休。又梁學昌《庭立紀聞》云《藝文志》道家《孫子》十六卷，當即其人。"

鄧名世《古今姓氏書辨證》：《莊子》有子扁慶子爲孫休師。

案《人表》于吴孫武之外列此孫子于田太公和魏武侯之時，與春秋時孫武自别，亦與此言六國相合，蓋即此孫子。《莊子·達生篇》引其語當出是書，然自司馬彪以來，注《莊子》書者皆略而不言，其始末不可考。德清俞樾《莊子人名考》亦但言孫休《釋文》無説云。

捷子二篇。齊人，武帝時説。按此條據《風俗通》所引，則班氏原注當爲"齊人，六國時"，此云"武帝時説"者，因下文而寫誤也。

《史·田完世家》：齊宣王喜文學游説之士，自如騶衍、淳于髠、田駢、接子、慎到、環淵之徒七十六人，皆賜列第，爲上大夫，不治而議論。又《孟荀列傳》：田駢、接子、環淵，皆學黄老道德之術，因發明序其指意。環淵著上下篇，而田駢、接子皆有所論焉。又曰：接子，齊人。

本書《人表》捷子居第五等中中。梁玉繩曰："捷子又作接子，始見《莊子·則陽》、《田完世家》、《孟荀傳》，《藝文志》注謂'武帝時説'，恐誤。接、捷古通。"

應劭《風俗通·姓氏篇》：捷氏，邾公子捷菑之後。《漢·藝文志》有《捷子》二篇，六國時人。張澍輯注曰："案捷子，齊人，一作接子，云武帝時人，誤。又案《淮南子》黄帝臣捷剟，是捷姓不始于捷菑也。"

王氏《考證》:《史記》"接子,齊人,與慎到、田駢同時,皆學黃老"。《藝文志》云"武帝時説",當考。

襄平李鍇《尚史·諸子傳》:《鹽鐵論》"滑王矜功不休,百姓不堪。慎到、捷子亡去,田駢如薛,孫卿適楚"。案孫卿,襄王時乃適楚,説誤。按桓次公言,知捷子亦必及見孫卿也。

沈濤《銅熨斗齋隨筆》曰:"捷子著書在戰國時,而云'武帝時説',案下文'《曹羽》二篇,楚人,武帝時説于齊王',則四字乃涉下而誤衍耳。"

曹羽二篇。楚人,武帝時説于齊王。

曹羽無考。

案武帝時,齊王有齊懿王壽、齊厲王次景,並高帝子齊悼惠王肥之後也。元朔中,亡後,國除。又有齊懷王閎,武帝子也。元封元年,亡後,國除。即主父偃相齊時脅王而自殺者。自是之後無齊王。又考齊悼惠王母,曹氏也,似曹羽于齊王爲外屬,其説于齊王當在懿王、厲王之時歟?

郎中嬰齊十二篇。武帝時。

劉向《別錄》曰:"嬰齊,故待詔,不知其姓,數從游觀,名能爲文。"

案《詩賦略》中有郎中臣嬰齊賦十篇,次司馬遷之後。

臣君子二篇。蜀人。

張澍《蜀典·姓氏篇》:《漢書·藝文志》道家有《臣君子》一篇,蜀人。案《書》序有《疑至》、《臣扈》。臣,姓;扈,名也。《唐·宰相世系表》言臣扈、祖己皆仲虺之冑裔。唐有臣悦,著《平陳紀》。五代漢有臣綜,官安東將軍。今蜀無此氏。

案張氏所考,則著書者臣姓而稱爲君子,猶鄭人而號爲長者。其列于鄭長者之前,則大抵六國時人,與下四家別爲一類者歟？

鄭長者一篇。六國時。先韓子，韓子稱之。

劉向《別録》曰："鄭長者，鄭人，不知姓名。"

唐釋慧苑《華嚴音義》引《風俗通》曰："春秋之末，鄭有賢人著書一篇，號《鄭長者》。謂年長德艾，事長于人，以之爲長者故也。"

《御覽·逸民部》：袁淑《真隱傳》：鄭長者，隱德無名，著書一篇，言道家事，韓非稱之，世傳是長者之辭，因以爲名。王氏《考證》曰："見《韓非子·外儲説》。"

馬國翰輯本序曰："《漢志》道家《鄭長者》一篇，《別録》云'不知姓名'，《隋》、《唐志》皆不著録，佚已久。《韓非子·外儲説》引一則是佚篇中語，據録，以存一家。"

楚子三篇

楚子無考。

案臣姓而稱爲君子，鄭人而號爲長者，則此殆以楚人而尊爲子者歟？

道家言二篇。近世，不知作者。

案此亦似劉中壘所裒録，如《儒家言》十八篇之類也。

又案是篇皆黃老之學，其章段分而爲七：《伊尹》、《太公》、《辛甲》、《鬻子》、《筦子》，此五家在老氏之前，道家之書之最先者，爲第一段；《老子》鄰氏、傅氏、徐氏及劉向《經傳》、《經説》四家，皆解釋《老子》本書，爲第二段；《文子》以下至《田子》十家，皆本老氏宗旨而別自爲書，《莊》、《列》其最著者也，爲第三段；老萊與老子同時，而黔婁、宮孫、鶡冠或宗其學，故提出別爲一類，而以民間相傳之《周訓》附之，此五家爲第四段；《黃帝》至《捷子》七家，皆六國時人所述，或託黃帝，或託力牧，而孫子、捷子之書，大抵亦近于黃帝，故次之于此，爲第五段；《曹羽》、《嬰齊》兩家，則漢人之書也，爲第六段；《臣君子》、《鄭長者》、《楚子》三家，似皆周秦六國時人，其書體裁或異，故別爲類從；殿以劉中壘所録《道家言》一家，爲第七段終焉。

右道三十七家，九百九十三篇。按此言家數不誤，其篇數則溢出一百九十二篇。今校定當爲八百一篇。

道家者流，蓋出于史官，歷記成敗存亡禍福古今之道，然後知秉要執本，清虛以自守，卑弱以自持，此君人南面之術也。合于堯之克攘，《易》之嗛嗛，一謙而四益，此其所長也。及放者爲之，則欲絶去禮樂，兼棄仁義，曰獨任清虛可以爲治。太史公司馬談《論六家要旨》曰：“道家使人精神專一，動合無形，瞻足萬物。其爲術也，因陰陽之大順，采儒墨之善，撮名法之要，與時遷移，因物變化，立俗使事，無所不宜，指約而易操，事少而功多。”《隋書·經籍志》曰：“道者，蓋爲萬物之奥，聖人之至賾也。《易》曰：‘一陰一陽之謂道。’又曰：‘仁者見之謂之仁，智者見之謂之智，百姓日用而不知。’夫陰陽者，天地之謂也。天地變化，萬物蠢生，則有經營之迹。至于道者，精微淳粹，而莫知其體，處陰與陰無一，在陽與陽不二。仁者資道以成仁，道非仁之謂也；智者資道以爲智，道非智之謂也；百姓資道而日用，不知其用也。聖人體道成性，清虛自守，爲而不恃，長而不宰，故能不勞聰明而人自化，不假修營而功自成。其玄德深遠，言象不測。先王懼人之惑，置于方外，六經之義，是所罕言。《周官》九兩，其三曰師，蓋近之矣。然自黄帝以下，聖哲之士，所言道者，傳之其人，世無師説。漢時，曹參始薦蓋公能言黄老，文帝宗之。自是相傳，道學衆矣。下士爲之，不推其本，苟以異俗爲高，狂狷爲尚，迂誕譎怪而失其真。”

漢書藝文志條理卷二之下

宋司星子韋三篇。景公之史。

《史記・宋世家》：景公頭曼立三十七年，熒惑守心。心，宋之分野也。景公憂之。司星子韋曰：“可移于相。”景公曰：“相，吾之股肱。”曰：“可移于民。”景公曰：“君者待民。”曰：“可移于歲。”公曰：“歲饑民困，吾誰爲君！”子韋曰：“天高聽卑。君有君人之言三，熒惑宜有動。”于是候之，果徙三度。又《天官書》曰：“昔之傳天數者，于宋子韋。”

劉向《新序・雜事》第四篇：宋景公時，熒惑在心，懼，召子韋而問曰：“熒惑在心，何也？”子韋曰：“熒惑，天罰也。心，宋分野也。禍當君身。雖然，可移于宰相。”公曰：“宰相所使治國也；而移死焉，不詳。寡人請自當也。”子韋曰：“可移于民。”公曰：“民死，將誰君乎？寧獨死耳。”子韋曰：“可移于歲。”公曰：“歲饑民餓必死。爲人君欲殺其民以自活，其誰以我爲君乎？是寡人之命固盡矣。子無復言矣。”子韋還走，北面再拜曰：“臣敢賀君。天之處高而聽卑，君有仁人之言三，天必三賞君。今夕星必徙舍，君延壽二十一歲。”公曰：“子何以知之？”對曰：“君有三善，故三賞，星必三舍，舍行七星，星當一年，三七二十一，故曰延壽二十一年。臣請伏于殿下以伺之，星不徙，臣請死之。”公曰：“可。”是夕也，星三徙舍，如子韋言。

《論衡・變虛篇》：案《子韋書録序奏》亦言：“子韋曰：‘君出三善言，熒惑宜有動。’于是候之，果徙舍。”不言“三”。世增言“三”，既空增三舍之數，又虛生二十一年之壽也。按王仲任見此書《序錄》，自"子韋曰"至"果徙舍"數語，碻爲《別錄》佚文。

本書《人表》宋子韋居第五等中。梁玉繩曰："宋子韋始見
《呂氏春秋·制樂》、《淮南·道應》、《新序》四。宋景公之史，
賜姓子，名曰韋，亦曰司星子韋，亦曰司馬子韋。"

秦王嘉《拾遺記》：宋景公之世，有善星文者，許以上大夫之
位。有野人披草負笈而進，曰："君愛陰陽之術，好象緯之祕，
請見。"景公乃延之崇堂。語未來之兆，已往之事。夜觀星望
氣，晝執算披圖。景公謝曰："今國喪亂，微君何以輔之？"曰：
"德之不鈞，亂將及矣。修德以來人，則天應之祥，人美其
化。"景公曰："善。"賜姓子氏，名之曰韋，即子韋也。蕭綺曰：
"宋子韋司天部，妙觀星緯，抑亦梓慎、裨竈之儔。景公待之
若神。《春秋》因生以賜姓，亦緣事以之顯名，號司星氏。至
六國之末，著陰陽之書。"按此則是書乃六國之末子韋後人所錄，猶《公》、
《穀》皆數傳而後著于竹帛也。

馬國翰輯本序曰："《漢志》陰陽家有《宋司星子韋》三篇，今其
書亡。惟《呂氏春秋》、《淮南子》、劉向《新序》並引熒惑徙舍
一節，王充《論衡》亦載之，以爲'空增三舍之數，又虛生二十
一年之壽'。案向典校中祕書，故有《別錄》之奏，《新序》同出
向手，所述原文詳于《錄》奏，考以《呂覽》、《淮南》當得其實，
未可執此疑彼，仲任必執以爲虛誣，何其謬哉？"

公檮生終始十四篇。傳鄒奭《始終》書。按此條據鄧名世所引，則班氏原
注當爲"傳黃帝《終始》書"，此云"鄒奭《始終》"，寫誤也。

《廣韻》一東"公"字注：公，又複姓，《漢書·藝文志》有公檮子
著書。按《廣韻》以兵技巧家之公孫子爲公勝生，以是篇之公檮生爲公檮子，並顛
倒寫誤也。

鄧名世《古今姓氏書辯證》：公檮氏，《漢·藝文志》有《公檮生
終始》十四篇，傳黃帝《終始》之術。

沈濤《銅熨斗齋隨筆》曰："褚先生引《黃帝終始傳》按見《史記·三代世表》。曰'漢興百有餘年,有人不短不長,出自燕之鄉'云云。《索隱》曰:'蓋謂五行讖緯之説,若今之童謡也。'濤案小司馬説非是,《終始傳》即終始五德之傳,《封禪書》公孫臣上書曰'推終始傳,則漢當土德',疑即《黃帝終始傳》。《漢志》有《公檮生終始》十四篇即其類也。"按褚少孫所引《黃帝終始傳》,似武、昭時方士依託爲之,非即此本也。

按章氏《校讎通義》有曰:"陰陽家《公檮生終始》十四篇,在《鄒子終始》五十六篇之前,而班固注云'公檮傳鄒奭《始終》書',豈可使創書之人居傳書之人後乎? 今考鄧氏《姓氏辨證》,班氏原注'傳黃帝《終始》書',今注乃轉寫之誤,是爲傳《終始》書之最初者。又《終始》之書不始傳于鄒奭,而鄒奭之書亦不名《終始》,是亦足以證寫誤之實。"據章氏以鄒衍、鄒奭爲創書之人,非也。

公孫發二十二篇。六國時。

公孫發未詳。

按此以叙次先後言之,則其人在鄒衍之前,似即爲公檮生之學,蒙上"終始"二字者歟?

鄒子四十九篇。名衍,齊人,爲燕昭王師,居稷下,號談天衍。

鄒子終始五十六篇

《史記·孟子列傳》:齊有三鄒子。其前鄒忌,先孟子。其次鄒衍,後孟子。鄒衍睹有國者益淫侈,不能尚德,若《大雅》整之于身,施及黎庶矣。乃深觀陰陽消息而作怪迂之變,《終始》、《大聖》之篇十餘萬言。其語閎大不經,必先驗小物,推而大之,至于無垠。先序今以上至黃帝,學者所共術,大並世盛衰,索隱:言其並大體隨代盛衰,觀時而説事。因載其機祥度制,推而遠之,至天地未生,窈冥不可考而原也。先列中國名山大川,通谷禽獸，水土所殖，物類所珍，因而推之，及海外人之所不能睹。稱引天地剖判以來，五德轉移，治各有宜，而符應若茲。以爲儒者所謂中國者，于天下乃八十一分居其一分耳。中國名曰赤縣神州。赤縣神州內自有九州，禹之序九州是也，不得爲州數。中國外如赤縣神州者九，乃所謂九州也。于是有裨海環之，人民禽獸莫能相通者，如一區中者，乃謂一州。如此者九，乃有大瀛海環其外，天地之際也。其術皆此類也。然要其歸，必止乎仁義節儉，君臣上下六親之施始也濫耳。王公大人初見其術，懼然顧化，其後不能行之。是以騶子重于齊。適梁，梁惠王郊迎，執賓主之禮。適趙，平原君側行襒席。如燕，昭王擁彗先驅，請列弟子之座而受業，築碣石宮，身親往師之。作《主運》。其游諸侯見尊禮如此。又《荀卿傳》：騶衍之術迂大而閎辯，故齊人頌曰"談天衍"。按史公言此二書之大要如此。

又《曆書》曰："是時獨有鄒衍，明于五德之傳，而散消息之分，以顯諸侯。"

又《封禪書》曰："自齊威、宣之時，騶子之徒論著終始五德之運，及秦帝而齊人奏之，故始皇采用之。"又曰："騶衍以陰陽主運顯于諸侯，按《陰陽》、《主運》似即此兩書首一篇篇目也。而燕齊海上之方士傳其術不能通，然則怪迂阿諛苟合之徒自此興，不可勝數也。"如淳曰："今其書有五德各以所勝爲行。"又曰："其書有《主運》。五行相次轉用事，隨方面爲服也。"按史言《終始》、《大聖》之篇，則《大聖》亦是篇名。

劉向《別錄》：方士傳言，鄒衍在燕，燕有谷，地美而寒，不生五穀。鄒子居之，吹律而溫氣至，而黍生，今名黍谷。又曰："騶衍之所言五德終始，天地廣大，盡言天事，故曰'談天'。"又曰："《鄒子書》有《主運篇》。"

劉歆《七略》曰："方士傳言鄒子在燕,其游,諸侯畏之,皆郊迎而擁彗."又曰:"鄒子有《五德終始》,言土德從所不勝,木德繼之,金德次之,火德次之,水德次之."

本書《人表》鄒衍列第五等中.梁玉繩曰:"鄒衍始見《燕策》、《列子‧湯問》.又作騶,又作鄹,亦曰鄒子,齊人,葬齊州章邱縣東十里."

馬國翰輯本序曰:"《漢志》陰陽家有《鄒子》四十九篇,又《鄒子終始》五十六篇,《隋》、《唐志》皆不著録,佚已久.兹從《史記》及諸書所引輯録爲一帙."

《文心雕龍‧諸子篇》:騶子養政于天文.

　按本書《曆志》云"丞相屬寶、長安單安國、安陵杯育治《終始》",則昭帝時猶有傳習者.司馬貞《索隱》有曰:"桓寬、王充並以衍之所言迂怪虛妄,熒惑六國之君,因納其異説,所謂'匹夫而熒惑諸侯'也."

乘丘子五篇。六國時。

《廣韻》十八尤"丘"字注:《藝文志》有桑丘公.

邵思《姓解》:《漢書‧藝文志》有桑丘生.

鄭樵《氏族略》:桑邱氏,蓋以地爲氏者.《漢書》桑邱公著書五篇.《姓纂》云"今下邳有此姓".

鄧名世《古今姓氏書辨證》:王子年《拾遺記》曰:"少皥號曰窮桑氏,亦曰桑丘氏.六國時桑丘子著陰陽書,即其裔也."

　按氏姓諸書有桑邱氏,無乘邱氏.隸寫"桑"或作"桒","乘"或作"乗",故往往訛"桒"爲"乗".漢之桑欽、桑弘,《釋文》亦云"一作乗欽、乗弘",此乘邱子亦桒邱子之譌.

杜文公五篇。六國時。

劉向《別録》曰:"杜文公,韓人也."

黄帝泰素二十篇。六國時韓諸公子所作。

劉向《別録》曰：“或言韓諸公孫之所作也。言陰陽五行以爲黄帝之道也，故曰泰素。”

按《史·殷本紀》“伊尹從湯，言素王及九主之事”，《索隱》曰：“素王者，太素上王，其道質素，故曰素王。”此言《泰素》，其義亦猶是爾。

南公三十一篇。六國時。

《史·項羽本紀》：居鄹人范增説項梁曰：“夫秦滅六國，楚最無罪。自懷王入秦不反，楚人憐之至今，故楚南公曰‘楚雖三户，亡秦必楚’也。”徐廣曰：“南公，楚人也，善言陰陽。”文穎曰：“南方老人也。”《正義》：虞喜《志林》云：“南公者，道士，識廢興之數，知亡秦者必于楚。”《漢書·藝文志》云《南公》十三篇，六國時人，在陰陽家流。又曰：“服虔云‘三户，漳水津也’。孟康云‘津峽名也，在鄴西三十里’。《括地志》云‘濁漳水又東經葛公亭北，經三户峽，爲三户津，在相州滏陽縣界’。然則南公辨陰陽，識廢興之數，知秦亡必于三户，故出此言。後項羽果渡三户津破章邯軍，降章邯，秦遂亡。是南公之善識。”按此引《藝文志》云《南公》十三篇者，寫誤也。

《御覽·逸民部》：袁淑《真隱傳》曰：“南公者，楚人也，埋名藏用，世莫能識。居國南鄙，因以爲號，著書言陰陽事。”

鄭樵《氏族略》：南公氏，戰國時有南公子，著書三十一篇，言五行陰陽事，蓋衛南公子之後。按《秦本紀》，秦武王時有南公揭，則秦亦有南公氏，然文穎、袁淑皆以此南公非姓氏，莫得而詳已。

容成子十四篇

王氏《考證》曰：“《莊子·則陽篇》：容成氏曰‘除日無歲，无内无外。’”

德清俞樾《莊子人名考》：《則陽篇》之容成氏，《釋文》曰‘老子師也'。按《漢書·藝文志》陰陽家有《容成子》十四篇，房中家又有《容成陰道》二十六卷，此即老子之師也。又曰："合諸説觀之，容成氏有三：上古之君，一也；黃帝之臣，二也；老子之師，三也。然老子生年亦究不可考，其師或即黃帝之臣乎？未可知矣。"

　　按此書列在南公之次，張倉之前。南公，楚懷王時人。張倉，秦漢時人。謂爲老子之師，似不然矣。或六國之末別有其人號容成子，著書言陰陽律曆終始五行者歟？

張倉十六篇。丞相北平侯。

《史》、《漢》本傳：張倉，陽武人也，好書律曆。秦時爲御史，主柱下方書。有罪，亡歸。沛公略地過陽武，倉以客從攻南陽。遂西入武關，至咸陽。入漢中，爲常山守，爲代相、趙相。從攻臧荼有功，封北平侯。遷爲計相。明習天下圖書計籍，又善用算律曆。後以淮南相爲御史大夫。與絳侯等尊立孝文皇帝。孝文四年，代灌嬰爲丞相。倉爲計相時，緒正律曆。推五德之運，以爲漢當水德之時，上黑。吹律調樂，入之音聲，及以比定律令。若百工，天下作程品。至于爲丞相，卒就之。故漢家言律曆者本張倉。倉尤好書，無所不觀，無所不通，而尤邃律曆。文帝後元年病免。孝景五年薨，謚曰文侯。年百餘歲。著書十八篇，言陰陽律曆事。又《年表》：倉以客從起武陽，至霸上，爲常山守，得陳餘，爲代相，徙趙相，以代相侯。爲計相四歲，淮南相十四歲，御史大夫五歲，丞相十五歲。高帝六年八月丁丑封千二百户，封五十年薨。如淳曰："計相，官名。但知計會。"《索隱》曰："主天下書計及計吏。"

《史·十二諸侯年表》曰："漢相張倉曆譜五德。"《索隱》曰："按張倉著《終始五德傳》也。"

王氏《考證》：本傳著書十八篇，與《志》篇數不同。按其餘二篇疑在曆譜家《律曆數法》三卷中。

鄒奭子十二篇。 齊人,號曰雕龍奭。

《史·孟荀列傳》:齊有三騶子。其前騶忌,先孟子。其次騶衍,後孟子。騶奭者,齊諸騶子,亦頗采騶衍之術以紀文。于是齊王嘉之,自如淳于髡以下,皆命曰列大夫,爲開第康莊之衢,高門大屋,尊寵之。覽天下諸侯賓客,言齊能致天下賢士也。又曰:“荀卿年五十始來游學于齊。騶衍之術迂大而閎辯;奭也文具難施;淳于髡久與處,時有得善言。故齊人頌曰:‘談天衍,雕龍奭,炙轂過髡。’”

劉向《別録》曰:“鄒奭者,頗采鄒衍之術,迂大而閎辯,文具難勝。齊人美之,頌曰:‘談天衍,雕龍奭,炙轂輠髡。’鄒衍之所言五德終始,天地廣大,盡言天事,故曰‘談天’。鄒奭修衍之文,飾若雕鏤龍文,故曰‘雕龍’。輠者,車之盛膏器也。炙之雖盡,猶有餘流者。言淳于髡智不盡如炙輠也。”

劉歆《七略》曰:“鄒赫子,齊人,齊爲言曰‘雕龍赫’。赫言鄒衍之術,文飾之,若雕鏤龍文。”

閭丘子十三篇。 名快,魏人,在南公前。

《世本·氏姓篇》:閭丘氏,齊大夫閭丘嬰之後。齊宣王時,有閭丘卬、閭丘光。張澍輯注曰:“閭丘嬰,齊莊公近臣子明,事見《左傳》。閭丘卬、閭丘光均見《説苑》。”

鄭樵《氏族略》:齊宣王時,有閭丘卬、閭丘光。漢有廷尉閭邱勳,後漢太常閭邱遵,魏有閭邱決,著書十二篇。按鄭氏叙次於曹魏之時,又以“快”爲“決”、“十三篇”爲“十二篇”,並沿林寶《元和姓纂》之誤,失于校正也。

按本書《人表》第四等有閭丘光,梁氏引孫侍御曰:“‘光’乃‘先’字之譌,漢人稱先生每單稱先。閭邱先生,齊宣王時人,見《説苑·善説篇》。或曰《人表》傳寫脱‘生’字。”按此閭邱快疑即閭邱先生,時代亦復近似。嵇康《高士傳》摭《説苑》之文以爲傳。

馮促十三篇。鄭人。

鄭樵《氏族略》：《世本》云："馮氏，歸姓，鄭大夫馮簡子之後。"《姓纂》云："周文王第十五子畢公高之後。畢萬封魏，支孫食采于馮城，因氏焉。"

按《氏族略》又云："卿大夫立邑，故以邑爲氏。"此馮氏屬之鄭邑，與本注鄭人相合，馮促其即鄭大夫馮簡子之後歟？

簡子見《左·襄三十一年傳》，能斷大事，與子産同時。

將鉅子五篇。六國時。先南公，南公稱之。

應劭《風俗通·姓氏篇》：將具氏，齊太公子將具之後，見《國語》。《漢·藝文志》六國時將具子彰著書五篇。張澍輯注曰："按'太公子'，一引作'齊公子'，今《藝文志》作'將鉅子'。"

林寶《元和姓纂》曰："將具彰著子書五篇。"

鄭樵《氏族略》：將具氏，姜姓。《英賢傳》云"齊太公子將具之後，見《國語》"。將鉅氏，即將具氏之訛也。《漢·藝文志》六國時將具子彰著書五篇。

按應仲遠所見《漢志》則爲"將具子彰"，今本作"鉅"，似寫誤，又敚"彰"字。

五曹官制五篇。漢制，似賈誼所條。

《史·屈賈列傳》：賈生以爲漢興至孝文二十餘年，天下和洽，而固當改正朔，易服色，法制度，定官名，興禮樂，乃悉草具其儀法，色尚黃，數用五，爲官名，悉更秦之法。按《漢書》作"悉更奏之"。孝文帝初即位，謙讓未遑也。諸律令所更定，及列侯悉就國，其説皆自賈生發之。

本書《禮樂志》：至文帝時，賈誼以爲漢承秦之敗俗，廢禮義，捐廉恥。漢興至今二十餘年，宜定制度，興禮樂，然後諸侯軌道，百姓素樸，獄訟衰息。迺草具其儀，天子説焉。而大臣絳、灌之屬害之，故其議遂寢。

本書傳贊曰："誼之所陳略施行矣。及欲改定制度，以漢爲土德，色上黃，數用五，及欲試屬國，施五餌三表以係單于，其術固已疏矣。"

章學誠《校讎通義》曰："《五曹官制》五篇列陰陽家，其書今不可考。然觀班固注云'漢制，似賈誼所條'，則當入于官禮，今附入陰陽家言，豈有當耶？大約此類皆因終始五德之意，故附于陰陽。"

按本書《魏相傳》，相數條漢興已來國家便宜行事，及賢臣賈誼、鼂錯、董仲舒等所言，奏請施行之。又數表采《易陰陽》及《明堂月令》奏之，曰："《易》曰：'天地以順動，故日月不過，四時不忒；聖王以順動，故刑罰清而民服。'天地變化，必繇陰陽，陰陽之分，以日爲紀。日冬夏至，則八風之序立，萬物之性成，各有常職，不得相干。東方之神太昊，乘《震》執規司春；南方之神炎帝，乘《離》執衡司夏；西方之神少昊，乘《兑》執矩司秋；北方之神顓頊，乘《坎》執權司冬；中央之神黃帝，乘《坤》、《艮》執繩司土。兹五帝所司，各有時也。東方之卦不可以治西方，南方之卦不可以治北方。春興《兑》治則饑，秋興《震》治則華，冬興《離》治則泄，夏興《坎》治則雹。明王謹于尊天，慎于養人，故立羲和之官以乘四時，節授民事。臣愚以爲陰陽者，王事之本，羣生之命，自古賢聖未有不繇者也。"此《五曹官制》本陰陽五行以爲言，而羲和官守所有事，故《七略》入之此門。

周伯十一篇。齊人，六國時。

衞侯官十二篇。近世，不知作者。

周伯、衞侯官並未詳。

于長天下忠臣九篇。平陰人，近世。

劉向《別錄》曰："傳天下忠臣。"

章學誠《校讎通義》曰："于長《天下忠臣》九篇入陰陽家，前人已有議其非者。或曰：其書今已不傳，無由知其義例。然劉向《別錄》云'傳天下忠臣'，則其書亦可以想見矣。蓋《七略》未立史部，而傳記一門之撰著，惟有劉向《列女》與此二書耳，附于《春秋》而別爲之説，猶愈于攙入陰陽家言也。"

公孫渾邪十五篇。平曲侯。

本書《景武昭宣元成哀功臣侯表》：平曲侯公孫渾邪，以將軍擊吳楚，用隴西太守侯。景帝六年四月己巳封。《史記·惠景間侯者年表》云"戶三千二百二十"。五年中四年《史表》作"中元四年"。有罪免。又《公孫賀傳》：賀，北地義渠人也。祖父昆邪，景帝時爲隴西守，以將軍擊吳楚有功，封平曲侯，著書十餘篇。師古曰："《藝文志》陰陽家有《公孫渾邪》十五篇是也。"又《李廣傳》廣爲上谷太守，數與匈奴戰。典屬國公孫昆邪爲上泣曰："李廣材氣，天下無雙，自負其能，數與虜确，恐亡之。"上乃徙廣爲上郡太守。

雜陰陽三十八篇。不知作者。

按此如儒家之《儒家言》十八篇、道家之《道家言》二篇相類，皆劉中壘裒錄無名氏之説類次于篇末者。

又按陰陽家之書，自《宋司星子韋》始傳黃帝五德終始之書，自《公檮生》始，以迄漢之《張倉》，凡十家十一部，其學術大略相同，故彙次爲一類；《鄒奭子》至《五曹官制》五家，其學又略相同，故又彙次爲一類；《周伯》、《衛侯官》、《天下忠臣》三家，大抵皆制度官品傳記之流，或皆屬于羲和之官，故又彙爲一類；而入之此篇《公孫》以下二家，皆雜論陰陽，又別爲一類。綜爲四類，是篇之章段如此。

右陰陽二十一家，三百六十九篇。按所載凡廿一條，條爲一家，正合二十一家。然《鄒子》及《鄒子終始》當合并爲一，則溢出一家。其篇數亦溢出一篇。今校定當爲二十家，三百六十八篇。

陰陽家者流，蓋出于羲和之官，敬順昊天，曆象日月星辰，敬授民時，此其所長也。及拘者爲之，則牽于禁忌，泥於小數，舍人事而任鬼神。《史記·自序》太史公《論六家之要指》曰："竊觀陰陽之術，大詳而衆忌諱，使人拘而多所畏；然其序四時之大順，不可失也。夫陰陽四時、八位、十二度、二十四節各有教令，順之者昌，逆之者不死則亡。未必然也，故曰'使人拘而多畏'。夫春生夏長，秋收冬藏，此天道之大經也，弗順則無以爲天下綱紀，故曰'四時之大順，不可失也'。"本書《司馬遷傳》注：李奇曰："陰陽之術，月令星官，是其枝葉也。"張晏曰："八位，八卦位也。十二度，十二次也。二十四節，就中氣也。各有禁，謂月令也。"按張晏所見《漢書》當作"各有禁令"，今作"教令"，史異文。按此陰陽家與《數術略》之五行家相表裏，故五行篇叙有云："其法亦起五德終始。"《隋志》五行篇亦云："'天生五材，廢一不可'，是以聖人推其終始，以通神明之變。"

李子三十二篇。名悝，相魏文侯，富國彊兵。

《史·孟荀列傳》：魏有李悝，盡地力之教。《正義》曰："《藝文志》：'《李子》三十二篇。'"

劉向《別録》曰："李悝務盡地力。"

本書《食貨志》：陵夷至于戰國，貴詐力而賤仁義，先富有而後禮讓。是時李悝爲魏文侯作盡地力之教，行之魏國，國以富彊。

本書《人表》李悝列第三等上下智人。梁玉繩曰："李悝始見《呂覽·驕恣》、《史·孟荀傳》。亦曰李子，相魏文侯。案悝盡地力之教，是商鞅流也，何以列第三？"

《晉書·刑法志》：魏文侯師李悝撰次諸國法，著《法經》六篇，然皆罪名之制也。按晉張斐《律序》云"鄭鑄《刑書》，晉作《執秩》，趙制《國律》，楚造《僕區》"，此類皆諸國法律之名，爲李悝所取裁者歟？

《唐六典·刑部》注：魏文侯師李悝集諸國刑書造《法經》六篇：一《盜法》，二《賊法》，三《囚法》，四《捕法》，五《集法》，六《具法》。

孫星衍《嘉穀堂集·李子法經序》曰："李悝《法經》六篇存唐

律中，即《藝文志》之《李子》三十二篇在法家者。後人援其書入律令，故隋以後志經籍者不載。"

嚴可均《全三代文編》曰："李悝事魏文侯，爲上地守，尋入相。《韓非子·内儲説上》引李悝習射令，《漢書·食貨志》引盡地力之教二條。"

商君二十九篇。名鞅，姬姓，衞後也，相秦孝公，有列傳。

《史》本傳：商君者，衞之諸庶孽公子也，名鞅，姓公孫氏，其祖本姬姓也。鞅少好刑名之學，事魏相公叔痤爲中庶子。痤卒，鞅西入秦。秦孝公以爲左庶長，定變法之令。太子犯法。衞鞅曰："太子不可施刑，刑其傅公子虔，黥其師公孫賈。"行之十年，秦民大説，道不拾遺，山無盗賊，家給人足。民勇于公戰，怯于私鬭，鄉邑大治。于是以鞅爲大良造。爲田開阡陌封疆，而賦税平。平斗桶權衡丈尺。行之四年，公子虔復犯約，劓之。居五年，秦人富彊，天子致胙于孝公，諸侯畢賀。秦封之於、商十五邑，號爲商君。商君相秦十年，宗室貴戚多怨望者。秦孝公卒，太子立。公子虔之徒告商君欲反，發兵攻商君。秦惠王車裂商君以徇，曰："莫如商鞅反者！"遂滅商君之家。太史公曰："商君，其天資刻薄人也。余嘗讀商君開塞耕戰書，與其人行事相類。卒受惡名于秦，有以也夫！"

《史·秦本紀》：孝公元年，衞鞅入秦。三年，衞鞅説孝公變法修刑，内務耕稼，外勸戰死之賞罰，孝公善之。甘龍、杜摯等弗然，相與爭之。卒用鞅法，百姓苦之；居三年，百姓便之。乃拜鞅爲左庶長。二十二年，封鞅爲列侯，號商君。二十四年，孝公卒，子惠文君立。是歲，誅衞鞅。鞅之初爲秦施法，法不行，太子犯禁。鞅曰："法之不行，自于貴戚。君必欲行法，先于太子。太子不可黥，黥其傅師。"于是法大用，秦人治。及太子立，宗室多怨鞅，鞅亡，因以爲反，而卒車裂以徇秦國。

本書《人表》商鞅居第四等中上。梁玉繩曰："商鞅始見《史》
本傳。衞庶孽公子,名鞅,氏公孫。秦孝公以爲相,封之于
商,號商君,亦曰公孫鞅,亦曰衞鞅。惠王車裂之。案鞅刻薄
少恩,其書言民不可學問,以《禮》、《樂》、《詩》、《書》等爲六
蝨。若鞅者,何以居中上哉?"

本書《刑法志》:陵夷至于戰國,韓任申子,秦用商鞅,連相坐
之法,造參夷之誅,增加肉刑、大辟,有鑿顛、抽脅、鑊烹之刑。

又《食貨志》曰:"及秦孝公用商君,壞井田,開阡陌,急耕戰之
賞,雖非古道,猶以務本之故,傾鄰國而雄諸侯。然王制遂
滅,僭差亡度。庶人之富者累鉅萬,而貧者食糟糠;有國彊者
兼州域,而弱者喪社稷。"

《晋書·刑法志》:李悝著《法經》六篇,商君受之以相秦。《魏
書·刑法志》曰:"商君以《法經》六篇入説于秦,設參夷之誅,
連相坐之法。"

《隋書·經籍志》:《商君書》五卷,秦相衞鞅撰。《唐·經籍
志》:《商子》五卷,商鞅撰。《唐·藝文志》:《商君書》五卷,
商鞅,或作商子。《宋史·藝文志》:《商子》五卷,衞公孫
鞅撰。

晁氏《讀書志》:太史公既論鞅刻薄少恩,又讀鞅開塞書,謂與
其行事相類。今考其書,《開塞》乃第七篇,謂"道塞久矣,今
欲開之,必刑九而賞一。刑用于將過,則大邪不生;賞施于告
姦,則細過不失,則國治矣"。由此觀之,鞅之術無他,特恃告
訐而止耳。故其治,不告姦者與降敵同罰,告姦者與殺敵同
賞,此秦俗所以日壞,至于父子相夷,而鞅不能自脱也。太史
公言信不誣矣。

《四庫簡明目録》曰:"《商子》五卷,舊本題秦商鞅撰。周氏
《涉筆》謂'其書多附會後事,擬取他詞,非本所論著'。今案

開卷稱孝公之諡，則謂不出鞅手良信。然其詞峻厲而刻深，雖非鞅作，亦必其徒述說之，非秦以後人所爲也。《漢志》二十九篇，至宋佚其三篇，今有錄無書者又二篇。”

申子六篇。名不害，京人，相韓昭侯，終其身諸侯不敢侵韓。

《史記·韓世家》：昭侯八年，申不害相韓，修術行道，國內以治，諸侯不來侵伐。二十二年，申不害死。

《史·老莊申韓列傳》：申不害者，京人也，故鄭之賤臣。學術以干韓昭侯，昭侯爲相。內修政教，外應諸侯，十五年，終申子之身，國治兵彊，無侵韓者。申子之學本于黃老而主刑名。著書二篇，號曰《申子》。

劉向《別錄》曰：“京，今河南京縣也。”又曰：“今民間所有上下二篇，中書六篇，皆合二篇，已過太史公所記。”又曰：“申子學號刑名。刑名者，循名以責實，其尊君卑臣，崇上抑下，合于六經也。宣帝好觀其《君臣》篇。”又曰：“孝宣皇帝重申不害《君臣》篇，使黃門郎張子喬正其字。”

馬總《意林》引劉向云：“申子名不害，河東人，鄭時賤臣。挾術以干韓昭侯，秦兵不敢至。學本黃老，急刻無恩，非霸王之事。”按此亦《別錄》文也。

本書《人表》申子列第四等中上。梁玉繩曰：“申子始見《韓策》、《荀子·解蔽》。名不害，鄭之京人。又第六等又列申子，不知何人。《呂覽·審應》有周申向，亦呼申子，乃申不害之族，豈即是歟？”

《隋書·經籍志》：梁有《申子》三卷，韓相申不害撰，亡。

《唐·經籍志》：《申子》三卷，申不害撰。《唐·藝文志》同。

馬國翰輯本序曰：“馬總《意林》六節，首有劉向一節，是《七略別錄》語。茲更搜輯，合二十四節。”

嚴可均輯本序曰：“《淮南·要略》云‘申子者，韓昭釐之佐。

韓,晋別國也,地墽民險,而介于大國之間。晋國之故禮未滅,韓國之新法重出;先君之令未收,後君之令又下。新故相反,前後相繆,百官背亂,不知所用,故刑名之書生焉'。《泰族訓》云'今商鞅之《開塞》,申子之《三符》,韓非之《孤憤》',注'申不害治韓,有三符驗之術也'。案《三符》當是《申子》篇名。《申子》,《七錄》云三卷,《隋志》不著錄,舊、新《唐志》、《意林》皆三卷,宋不著錄,明陳第《世善堂書目》有三卷,今復不著錄。余從《羣書治要》寫出一篇,刺取各書引見之文,依《意林》次第之,其篇名可考者曰《君臣》,曰《大體》及《三符》也,餘三篇不知也。"

處子九篇

顔氏《集注》:《史記》云趙有處子。

《史·孟荀列傳》:趙有公孫龍之辯,劇子之言。《集解》引徐廣曰:"按應劭《氏姓注》直云'處子'也。"《索隱》曰:"著書之人姓劇氏而稱子也,前史不記其名,故趙有劇孟及劇辛也。"按劇辛,六國時人,與此相近。劇孟乃漢文景時人,相去遠矣。

應劭《風俗通·姓氏篇》:處氏,《史記》趙有辯士處子著書,故有處姓也。漢有北海太守處興。張澍輯注曰:"案《路史》伯益之後有處氏。"

林寶《元和姓纂》曰:"《藝文志》劇子著書。"按此引本志又作劇,與今本異文。

鄭樵《氏族略》:處氏,不得其所系。《漢書·藝文志》趙有辯士處子著書,《風俗通》有處興,爲北海太守,望出潁川。

王氏《考證》:《風俗通》"漢有北海太守處興",蓋處子之後,《史記正義》"趙有劇孟、劇辛",是有劇姓。

按《史》、《漢》舊本或作劇,或作處,唐宋人已莫衷一是,今更無得而詳矣。

慎子四十二篇。 名到，先申韓，申韓稱之。

《荀卿・非十二子篇》：尚法而無法，下修而好作，上則取聽于上，下則取從于俗，終日言成文典，及紃注"紃"與"循"同。則偄然無所歸宿，不可以經國定分；然而其持之有故，其言之成理，以欺惑愚衆，是慎到、田駢也。按田駢見前道家。

《史・孟荀列傳》：慎到，趙人。田駢、接子，齊人。環淵，楚人。皆學黃老道德之術，因發明序其指意。故慎到著十二論。徐廣曰："今《慎子》，劉向所定，有四十一篇。"按接子、環淵並見前道家。據史公言，則《慎子》書中有《十二論》，乃道家言也。

本書《人表》慎子列第六等中下。梁玉繩曰："慎子始見《荀子・天論》、《解蔽》、《呂覽・慎勢》。即慎到，亦作順，趙人，葬曹州濟陰縣西南四里。又案《戰國策》，楚有慎子，爲襄王傅。魯亦有慎子，見《孟子》，此與莊惠並列，則非此人也。"

應劭《風俗通・姓氏篇》：慎氏，慎到爲韓大夫，著《慎子》三十篇。張澍輯注曰："慎到，趙人。《藝文志》作'著書四十二篇'，仲瑗云'三十篇'，疑訛。又按《左・哀十六年》'吳伐慎，白公敗之'。《九域志》'慎，楚縣，白公之邑'。故白公救慎，是以邑爲氏者。"

《荀子・修身篇》楊倞注：齊宣王時處士慎到，其術本黃老而歸刑名，先申韓，其意相似，多明不尚賢不使能之道，著書四十一篇。

《隋書・經籍志》：《慎子》十卷，戰國時處士慎到撰。《唐・經籍志》：《慎子》十卷，慎到撰，滕輔注。《藝文志》同。《宋史・藝文志》：《慎子》一卷，慎到撰。

陳氏《書錄解題》曰："《漢志》四十二篇，《唐志》十卷，滕輔注。今麻沙刻本纔五篇，固非全書。慎到，趙人，今《中興館閣書目》乃曰'瀏陽人'。瀏陽在今潭州，吳時始置縣，與趙南北了不相涉，蓋據書坊所稱，不知何謂也。《崇文總目》言三十七篇。"

《文獻通考》：周氏《涉筆》曰："稷下能言者如慎到，最爲屏去繆悠，翦削枝葉，本道而附于情，主法而責于上，非田駢、尹文之徒所能及。五篇雖簡約，而明白純正，統本貫末。孟子言王政不合，慎子言名法不用，而騶忌一説遇合，不知何所明也。"

王氏《考證》：《館閣書目》一卷，案《漢志》四十二篇，今三十七篇亡，惟有《威德》、《因循》、《民雜》、《德立》、《君人》五篇，滕輔注。

《四庫》雜家提要曰："《莊子·天下篇》曰'慎到之道，非生人之行，而至死人之理'云云，是《慎子》之學近乎釋氏，然《漢志》列之法家。今考其書，大旨欲因物理之當然，各定一法而守之，不求于法之外，亦不寬于法之中，則上下相安，可以清靜而治。然法所不行，勢必刑以齊之。道德之爲刑名，此其轉關，所以申、韓多稱之也。今本分五篇，而又多删削，蓋明人摭拾殘賸，重爲編次。觀'孝子不生慈父之家，忠臣不生聖君之下'二句，前後兩見，知爲雜錄而成，失除重複矣。"

嚴可均輯本序曰："《漢志》法家《慎子》四十二篇，《隋志》、舊、新《唐志》皆十卷，滕輔注。《崇文總目》三十七篇，《書錄解題》稱麻沙刻本纔五篇，余所見明刻本亦皆五篇。今從《羣書治要》寫出七篇，有注，即滕輔注。其多出之篇曰《知忠》，曰《君臣》，其《威德》篇又多出二百五十三字。雖亦節本，視陳振孫所見本爲勝，因刺取各書引見之文校補譌脱，其遺文短段不能成篇者，凡四十四事，附於後。"

韓子五十五篇。名非，韓諸公子，使秦，李斯害而殺之。

《史·老莊申韓列傳》：韓非者，韓之諸公子也。喜刑名法術之學，而其歸本於黃老。非爲人口吃，不能道説，而善著書。與李斯俱事荀卿，斯自以爲不如非。非見韓之削弱，數以書諫韓王，韓王不能用。於是韓非疾治國不務修明其法制，執勢以御其臣下，富國彊兵而以求人任賢，反舉浮淫之蠹而加之於功實之上。以爲儒者用文亂法，而俠者以武犯禁。寬則寵名譽之人，急則用介胄之士。今者所養非所用，所用非所養。悲廉直不容于邪枉之臣，觀往者得失之變，故作《孤憤》、《五蠹》、《内外儲》、《説林》、《説難》十餘萬言。然韓非知説之難，爲《説難》者甚具。終死於秦，不能自脱。人或傳其書至秦。秦王見《孤憤》、《五蠹》之書，曰："嗟乎，寡人得見此人與之遊，死不恨矣！"李斯曰："此韓非之所著書也。"秦因急攻韓。韓王始不用非；及急，迺遣非使秦。秦王悦之，未信用。李斯、姚賈害之，毁之曰："韓非，韓之諸公子也。今王欲并諸侯，非終爲韓不爲秦，此人之情也。今王不用，久留而歸之，此自遺患也，不如以過法誅之。"秦王以爲然，下吏治非。李斯使人遺非藥，使自殺。韓非欲自陳，不得見。秦王後悔之，使人赦之，非已死矣。申子、韓子皆著書，傳於後世，學者多有。余獨悲韓子爲《説難》而不能自脱耳。《韓世家》：王安五年，秦攻韓。韓急使韓非使秦，秦留非，因殺之。《秦始皇本紀》：十四年，韓非使秦，秦用李斯謀留非，非死雲陽。本書《人表》韓非列第四等中上，秦始皇時。

馬總《意林》引劉向云："秦始皇重韓非書，曰：'寡人得與此人遊，死不恨矣。'李斯、姚賈害之，與藥，令自殺。始皇悔，遣救之，已不及。"今重刊宋本有《序》一篇，皆《史記》文，或以爲即劉氏《叙録》，然無碻證，未敢信，疑是王儉《七志》之文。

張守節《正義》曰："韓非見王安不用忠良，令國削弱，故觀往古有國之君，則得失之變異，而作《韓子》二十卷。"

司馬貞《索隱》曰："非所著書：《孤憤》，憤孤直不容于時也。

《五蠹》,蠹政之事有五也。《内儲》言明君執術以制臣下,利之在己,故曰‘内’也;《外儲》言明君觀聽臣下之言行,以斷其賞罰,賞罰在彼,故曰‘外’也。《説林》者,廣説諸事,其多若林,故曰‘説林’也。《説難》者,説前人行事與己不同而詰難之。”又曰:“言游説之道爲難,故曰《説難》。其書詞甚高,故史公特載之。”

《隋書·經籍志》:《韓子》二十卷,目一卷,韓非撰。《唐·經籍志》:《韓子》二十卷,韓非撰。《藝文志》同。《宋史·藝文志》同。

陳氏《書録解題》曰:“《韓子》二十卷,韓諸公子韓非撰。《漢志》五十五篇,今同。所謂《孤憤》、《説難》之屬皆在焉。”

王氏《考證》:沙隨程氏曰:“非書有《存韓篇》,故李斯言非終爲韓不爲秦也。後人誤以范雎書廁于其間,乃有舉韓之論。《通鑑》謂非欲覆宗國,則非也。”又曰:“韓安國受《韓子》雜説。”

《四庫提要》曰:“非之著書,當在未入秦前。入秦之後,計其間未必有暇著書。今書冠以《初見秦》,次以《存韓》,皆入秦後事。且《存韓》一篇,終以李斯駁非之議,及斯《上韓王書》,其事與文皆爲未畢。疑非所著書,本各自爲篇,非歿之後,其徒收拾編次,以成一帙。故在韓在秦之作,均爲收録,併其私記未完之稿,亦收入書中。名爲非撰,實非非所手定也。”按今本次第必非劉氏所校定,自《别録》亡後,遂不可復知。

《書目答問》:《韓非子》二十卷,附《識誤》三卷。吳鼒校刻本,又明趙用賢校《管》、《韓》合刻本即《十子》本,又明周孔教刻大字本。

游棣子一篇

鄭樵《氏族略》:游棣氏,不詳其本系。《英賢傳》游棣子著書一篇，言法家事。按孫氏星衍輯《元和姓纂》云："補禄子著書一篇，言法家事。"今考《氏族略》，蓋補禄子與游棣子因上下文而寫誤也。

鄧名世《古今姓氏書辯證》：《漢·藝文志》法家有《游棣子》一篇，師古曰"棣音徒計反"。案師古不言姓游棣，恐姓游名棣也，如韓非、鄧析子然。

鼂錯三十一篇

本書列傳：鼂錯，潁川人也。學申商刑名于軹張恢生所，與雒陽宋孟及劉帶《史記》作劉禮。同師。以文學爲太常掌故。錯爲人陗直刻深。孝文時，爲太子舍人，門大夫，遷博士。上書言皇太子宜知術數，上善之，于是拜錯爲太子家令。以其辯得幸太子，太子家號曰"智囊"。是時匈奴彊，數寇邊，錯上言兵事三章，文帝嘉之，賜璽書寵答焉。錯復言守邊備塞，勸農力本，當世急務二事。後詔舉賢良文學士。時賈誼已死，對策者百餘人，惟錯爲高第，繇是遷中大夫。錯又言宜削諸侯事，及法令可更定者，書凡三十篇。孝文雖不盡聽，然奇其才。景帝即位，以錯爲内史。遷御史大夫，請諸侯之罪過，削其支郡。所更令三十章，諸侯讙譁。吳楚七國俱反，以誅錯爲名。以竇嬰、袁盎言當。錯大逆要斬，父母妻子同産無少長皆棄市。

又《本紀》：孝景三年春正月，吳王濞、膠西王卬、楚王戊、趙王遂、濟南王辟光、菑川王賢、膠東王雄渠皆舉兵反。大赦天下。遣太尉亞夫、大將軍竇嬰將兵擊之。斬御史大夫鼂錯以謝七國。又《百官公卿表》：孝景二年八月丁巳，左内史鼂錯爲御史大夫，三年正月壬子，錯有罪，要斬。

《隋書·經籍志》：梁有《鼂氏新書》三卷，漢御史大夫鼂錯撰，亡。《唐·經籍志》：《晁氏新書》三卷，晁錯撰。《藝文志》：《晁氏新書》七卷。按《新唐志》七卷者，似并其集三卷録一卷合爲一表也。

《黃氏日鈔》曰："晁錯，孟子所謂盆成括之流。且其言兵事、徙民實塞等議，蔚有文華。至賢良策則絕無義理。蓋小小計數則可奉大對，非所長也。文帝賜民田租，卻自入粟一事始，不爲無補于漢。"

馬國翰輯本序曰："《漢志》法家《鼂錯》三十一篇。馬總《意林》載三卷，僅録三節；《文選注》、《太平御覽》引四節，或作《朝子》，佚文可見者僅此。考本傳載其上言對策凡五篇，'又言宜削諸侯，及法令可更者，書凡三十篇'，則五篇皆新書中文可知，並輯録之。"

燕十事十篇。 不知作者。

法家言二篇。 不知作者。

　　按此兩家皆以無撰人時代可紀，故次之于末簡。《法家言》二篇，則亦如儒家、道家、陰陽家之例。

右法十家，二百一十七篇。 按此篇家數、篇敷並不誤。

法家者流，蓋出于理官，信賞必罰，以輔禮制。《易》曰"先王以明罰飭法"，此其所長也。及刻者爲之，則無教化，去仁愛，專任刑法而欲以致治，至於殘害至親，傷恩薄厚。 顏氏《集注》曰："薄厚者，變厚爲薄。"《史記》太史公《論六家要指》曰："法家嚴而少恩，然其正君臣上下之分，不可改矣。"又曰："法家不別親疏，不殊貴賤，一斷于法，則親親尊尊之恩絕矣。可以行一時之計，而不可長用也，故曰'嚴而少恩'。若尊主卑臣，明分職不得相踰越，雖百家弗能改也。"《隋書·經籍志》曰："法者，人君所以禁淫慝，齊不軌，而輔于治者也。《易》著'先王明罰飭法'，《書》美'明于五刑，以弼五教'。《周官》，司寇'掌建國之三典，以佐王刑邦國，詰四方'；司刑'以五刑之法，麗萬民之罪'是也。刻者爲之，則杜哀矜，絕仁愛，欲以威劫爲化，殘忍爲治，乃至傷恩害親。"

鄧析二篇。 鄭人，與子産並時。

《左氏傳·定公九年》：鄭駟歂殺鄧析，而用其《竹刑》。杜預曰："鄧析，鄭大夫。欲改鄭所鑄舊制，不受君命，而私造刑法，書之于竹簡，故云'竹刑'。"孔穎達曰："昭六年，子産鑄刑書于鼎。令鄧析別造《竹刑》，明是改鄭所鑄舊制。若用君命遣造，則是國家法制，鄧析不得獨專其名，知其不受君命而私造刑書。書之于竹，謂之《竹刑》。駟歂用其刑書，則其法可取，殺之不爲作此書也。下云棄其邪可也，則鄧析不當私作刑書而殺，蓋別有當死之罪，駟歂不矜免之耳。"

《列子·仲尼篇》：鄭之圃澤多賢，東里多才。圃澤有伯豐子者，行過東里，遇鄧析。張湛注曰："鄧析，鄭國辯智之士，執兩可之說，而時無抗者，作竹書。子産用之也。"_{案此則鄧析鄭之東里人，與子産同鄉里者也。}

劉向《別錄》：臣所校中《鄧析書》四篇，臣叙書一篇，_{案"臣叙"，據《崇文總目》似"臣歆"之譌。}凡中外書五篇，以相校，除復重爲一篇，皆定，殺青而書，可繕寫也。鄧析者，鄭人也。好刑名，操兩可之說，設無窮之辭。當子産之世，數難子産之治。記或云：子産起而戮之。于《春秋左氏傳》，昭公二十年而子産卒，子太叔嗣爲政。定公八年，太叔卒，駟歂嗣爲政。明年，乃殺鄧析，而用其竹刑。君子謂："子然于是乎不忠，苟有可以加于國家，棄其邪可也。"《靜女》之三章，取彤管焉。《竿旄》"何以告之"，取其忠也。故用其道，不棄其人。《詩》之"蔽芾甘棠，勿翦勿伐，召伯所茇"，思其人，猶愛其樹也，況用其道，不恤其人乎？子然無以勸能矣。_{以上皆引《左傳》文。}竹刑，簡法也，久遠，世無其書。子産卒後二十年而鄧析死，傳說或稱子産誅鄧析，非也。_{案《列子·力命》、《呂覽·離謂》及《孫卿書》皆有是說，故《別錄》引《左氏傳》辯之。}其論《無厚》者，言之異同，與公孫龍同類，謹第上。_{《意林》引劉向云"非子産殺鄧析，推《春秋》驗之"。}

《隋書·經籍志》：《鄧析子》一卷。析，鄭大夫。《唐·經籍志》：《鄧析子》一卷，鄧析撰。《唐·藝文志》：《鄧析子》一卷。《宋史·藝文志》：《鄧析子》二卷，鄭人。

《崇文總目》：鄧析子，戰國時人。案"戰國"當爲"春秋"。《漢志》二篇，初析著書四篇，劉歆有目有一篇，案"目有"似"自有"之譌。凡五篇，歆復校爲二篇。

晁氏《讀書志》曰："析之學蓋兼名法家，今其書大旨訐而刻，真其言也。而其間時勦取他書，頗駁雜不倫，豈後人附益之歟？"

王氏《考證》：今《無厚》、《轉辭》二篇。《韓非子》曰"堅白無厚之辭章，而憲令之法息"，《淮南鴻烈》曰"鄧析巧辯而亂法"，《荀子·非十二子》與惠施並言。

《四庫》雜家提要曰：《漢志》作二篇，今本仍分《無厚》、《轉辭》二篇，而併爲一卷。然其文節次不相屬，似亦掇拾之本也。其言頗同于申韓，亦頗同于黄老。其大旨主于勢，統于尊，事覈于實，于法家爲近，故竹刑爲鄭所用也。至于'聖人不死，大盜不止'一條，其文與《莊子》同。析遠在莊子以前，不應預有勦説，而《莊子》所載又不云鄧析之言，或篇章殘闕，人摭《莊子》以足之歟？"

嚴可均校本序曰："《漢志》名家《鄧析》二篇，《隋志》、舊、新《唐志》皆一卷，《意林》一卷二篇，《崇文總目》言劉歆校爲二篇。今本二篇即歆所分，而前有劉向奏稱'除復重爲一篇'者，蓋歆書冠以向奏，唐本相承如此也。或言此奏當爲歆作，知不然者，《意林》及楊倞注《荀子》皆云向，不云歆也。先秦古書佚失者多，《鄧析》幸而僅存，即言不盡醇，要各有所見，自成一家。《左氏》好惡合于聖人，而于鄧析比之静女彤管、召伯甘棠，或非過譽。流傳久遠，轉寫多訛，因據各書引見改補五十餘事，疑者闕之。舊三十二章，今合并爲三十一章，節次或不相屬，而詞恉完具，各書徵引尠出此外。唯《御覽》八十《荷子》引《鄧析》言曰：'古詩云："堯舜至聖，身如脯腊。

桀紂無道,肌膚二尺。"'今本無之,當是佚敚,或如《呂氏春秋》、《淮南》所載,元不在二篇中,亦未可知也。"

尹文子一篇。說齊宣王。先公孫龍。

《莊子·天下篇》:不累于俗,不飾于物,不苟于人,不忮于衆,願天下之安寧以活民命,人我之養畢足而止,以此白心,古之道術有在于是者。宋鈃、尹文聞其風而悦之。作爲華山之冠以自表。崔譔曰:"尹文,齊宣王時人,著書一篇。華山上下均平,作冠象之,表己心均平也。"

《世本·氏姓篇》:尹文氏,齊有尹文子,著書五篇。張澍輯注曰:"澍案高誘《呂氏春秋》注:尹文,齊人,作名書一篇。"

《呂氏春秋·正名篇》:尹文見齊王。高誘曰:"尹文,齊人,作名書一篇。在公孫龍前,公孫龍稱之。"

劉向《別録》曰:"尹文子與宋鈃俱游稷下。"宋《中興書目》曰:"尹文子,齊人,劉向以其學本于黄老,居稷下,與宋鈃、彭蒙、田駢等同學于公孫龍。"又王氏《考證》引洪氏曰:"劉歆云:'其學本于黄老。'"案此引向、歆云云,似皆本《録》、《略》之文。

本書《人表》尹文子列第四等中上。梁玉繩曰:"尹文子始見本書《藝文志》。亦曰尹文,齊宣王時人。尹文,複姓。《廣韻》注、《列子·周穆王篇》有尹文先生,豈其先歟?"

馬總《意林》:山陽仲長氏序云:"文子出于周之尹氏,齊宣王時居稷下。余黄初末始到京師,繆熙伯以此書見示,聊定之。"《中興書目》曰:"魏黄初末,山陽仲長氏得其書,始詮次爲上下二篇。"

《文心雕龍·諸子篇》:情辯以澤,文子擅其能;辭約而精,尹文得其要。

《隋書·經籍志》:《尹文子》二卷。尹文,周之處士,游齊稷下。

《唐·經籍志》:《尹文子》二卷,尹文子撰。《唐·藝文志》:《尹文子》一卷。《宋史·藝文志》:《尹文子》一卷。齊人。

鄧名世《古今姓氏書辯證》：尹文氏，齊定公時有尹文先生，即考成子從之學幻者。《漢志》名家有《尹文子》，説齊宣王時事。在公孫龍前，劉向云“與宋鈃俱游稷下”者。

《四庫》雜家提要曰：“前有魏黃初末山陽仲長氏序，稱條次撰定爲上下篇。此本亦題《大道》上篇、《大道》下篇，與序文相符，而通爲一卷，蓋後人所合并也。《莊子·天下篇》以尹文、田駢並稱，顏師古注《漢書》謂齊宣王時人。考劉向《説苑》載文與宣王問答，顏蓋據此。然《呂氏春秋》又載其與湣王問答事，殆宣王稷下舊人，至湣王時猶在歟？其書本名家者流，大旨指陳治道，欲自處于虛静，而萬事萬物則一一綜覈其實，故其言出入于黃老申韓之間，周氏《涉筆》謂其自道以至名，自名以至法，蓋得其實。”

公孫龍子十四篇。趙人。

《列子·仲尼篇》：樂正子輿曰：“公孫龍之爲人也，行無師，學無友，佞給而不中，漫衍而無家，好怪而妄言，欲惑人之心，屈人之口，與韓檀等肆之。”張湛注曰：“韓檀，人姓名，共習其業。《莊子》云桓國、公孫龍能勝人之口，不能服人之心，辯者之固。”按《莊子·天下篇》桓國作桓團，成玄英疏曰“姓桓名團”。按桓團亦即《列子》之韓檀也。

《史·孟荀列傳》：趙亦有公孫龍爲堅白同異之辯。又《平原君列傳》：平原君厚待公孫龍，公孫龍善爲堅白之辯。及鄒衍過趙，言至道，乃絀公孫龍。

劉向《別録》曰：“齊使鄒衍過趙，平原君見公孫龍及其徒綦毋子之屬，論‘白馬非馬’之辯，以問鄒子。鄒子曰：‘不可。彼天下之辯有五勝三至，而辭正爲下。辯者，別殊類使不相害，序異端使不相亂，抒意通指，明其所謂，使人與知焉，不務相迷也。故勝者不失其所守，不勝者得其所求，若是，故辯可爲也。及至煩文以相假，飾辭以相悖，巧譬以相移，引人聲使不得及其意，如此，害大道。夫繳紛爭言而競後息，不能無害君子。'坐皆稱善。"又曰："公孫龍持白馬之論以度關。"<small>按《韓詩外傳》亦有此文，在《別録》之前，而字句或異。</small>

本書《人表》公孫龍居第六等中下。梁玉繩曰："始見《趙策》、《列子·仲尼》、《莊子·秋水》、《天下》。字子秉，趙人。"

《文心雕龍·諸子篇》：公孫之白馬孤犢，辭巧理拙。魏牟比之鳲鳥，非妄貶也。

《隋書·經籍志》道家：《守白論》一卷。<small>不著撰人，蓋即是書。</small>

《唐·經籍志》：《公孫龍子》三卷，公孫龍撰。《唐·藝文志》：《公孫龍子》三卷。《宋史·藝文志》：《公孫龍子》一卷，趙人。

陳氏《書録解題》：對公孫龍謂白馬非馬堅白之辯，其爲説淺陋迂僻，不知何以惑當時之聽。《漢志》十四篇，今書六篇，首叙孔穿事，文意重複。

王氏《考證》：《淮南鴻烈》曰："公孫龍粲于辭而貿名。"揚子曰："公孫龍詭辭數萬。"東萊呂氏曰："告子彼長而我長之，彼白而我白之。斯言也，蓋堅白同異之祖。孟子累章辯析，歷舉玉雪羽馬人五白之説，借其矛而伐之，而其技窮。"

《四庫》雜家提要曰："《漢志》著録十四篇，至宋亡八篇，今僅存《跡府》、《白馬》、《指物》、《通變》、《堅白》、《名實》凡六篇。其書大旨疾名器乖實，乃假指物以混是非，借白馬而齊物我，冀時君有悟而正名實，故諸史皆列于名家。《淮南鴻烈》稱'公孫龍粲于辭而貿名'，揚子《法言》稱'公孫龍詭辭數萬'，蓋其持論雄贍，實足以聳動天下，故當時莊、列、荀卿並著其言，爲學術之一。特品目稱謂之間，紛然不可數計，龍必欲一一核其真，而理究不足以相勝，故言愈辯而名實愈不可正。然其書出自先秦，義雖詼誕，而文頗博辯。陳振孫概以淺陋迂僻譏之,則又過矣。"

成公生五篇。與黃公等同時。

劉向《別録》曰:"成公生與李斯子由同時,由爲三川守,成公生游談不仕。"—引"仕"作"住"。

鄭樵《氏族略》曰:"以爵謚爲氏者,有成公氏,姬姓,衞成公之後,以謚爲氏。"

鄧名世《古今姓氏書辯證》:成公氏,李利涉《編古命氏》曰:"出自姬姓,周昭王子成公男之後。《漢·藝文志》有成公生,與李斯子由同時而不仕。"

按此條班氏注"與黃公等同時",明是在黃公之前,惠子之後。今列惠子之前,似寫者顛倒亂之。

惠子一篇。名施,與莊子並時。

《莊子·天下篇》:惠施多方。其書五車,其道舛駁,其言也不中。又曰:"惠施日以知與人之辯,卒以善辯爲名。"

荀卿《非十二子篇》:不法先王,不是禮義,而好治怪說,玩琦辭,甚察而不惠,辯而無用,多事而寡功,不可以爲治綱紀;然而其持之有故,其言之成理,足以欺惑愚衆,是惠施、鄧析也。

《呂氏春秋·淫辭篇》:惠子爲魏惠王爲法,爲法已成,以示諸民人,民人皆善之。獻之惠王,惠王善之。高誘曰:"惠王,孟子所見梁惠王也。惠施,宋人也,仕魏爲惠王相也。"

本書《人表》惠施列第六等中下。梁玉繩曰:"惠施始見《楚》、《魏策》、《莊子·天下》、《荀子·不苟》、《非十二子》。惠又作慧,亦曰惠公,亦曰惠子,宋人,爲魏惠王相。惠王請令周太史更著其名爲仲父,墓在滑州。"

鄭樵《氏族略》:惠氏,姬姓,周惠王支孫,以謚爲氏。戰國有惠施,爲梁相。

王氏《考證》:西山真氏曰:"莊生所述諸子,墨翟、禽滑釐其

一也，宋鈃、尹文其二也，彭蒙、田駢、慎到其三也，關尹、老聃
其四也，莊周其五也，惠施其六也。異端之盛，莫甚于此時。"
馬國翰輯本序曰："《戰國策》魏惠王、襄王、哀王皆紀其事言，
則爲相在惠、襄之世，至哀王時猶存也。《漢志》名家《惠子》
一篇，《隋》、《唐志》皆不著目，佚已久。茲從羣書所引輯録十
四節。"

黃公四篇。名疵，爲秦博士，作歌詩，在秦時歌詩中。

《廣韻》一東"公"字注："又複姓，秦有博士黃公庇。"_{按此作"庇"，}
_{似刊誤也。"}

　　按《秦始皇本紀》："三十六年，使博士爲《仙真人詩》，及行
　　所游天下，傳令樂人歌弦之。"黃公疵爲博士，蓋即是時也。

毛公九篇。趙人，與公孫龍等並游平原君趙勝家。

《史·信陵君列傳》：魏公子無忌者，魏昭王少子也。公子既
矯魏王令奪晉鄙軍存趙，獨與客留趙。聞趙有處士毛公藏于
博徒，薛公藏于賣漿家，公子欲見兩人，兩人自匿不肯見。公
子聞所在，乃間步往從此兩人游，甚歡。平原君聞之，謂其夫
人曰："始吾聞夫人弟公子天下無雙，今乃妄從博徒賣漿者
游，公子妄人耳。"夫人以告公子。公子曰："無忌自在大梁
時，常聞此兩人賢，至趙，恐不得見。以無忌從之游，尚恐其
不我欲也。"公子留趙十年不歸。秦聞公子在趙，日夜出兵東
伐魏。魏王患之，使使往請公子。公子恐其怒之，乃誡門下：
"有敢爲魏王使通者，死。"賓客莫敢勸。毛公、薛公往見公子
曰："公子所以重于趙，名聞諸侯者，徒以有魏。今秦攻魏，魏
急而公子不恤，使秦破大梁而夷先王之宗廟，公子當何面目
立天下乎？"語未及卒，公子立變色，告車趣駕歸救魏。
劉向《別録》曰："《毛公》九篇，論堅白同異，以爲可以治天下，
此蓋《史記》所云'毛公藏于博徒，薛公藏于賣醪家'者。"

按毛公在六國時,而劉氏、班氏列其書于黃公之次者,或其徒編次成書在六國之後,或亦轉寫亂其舊次。

右名七家,三十六篇。按是篇家數、篇數並不誤。

名家者流,蓋出于禮官。古者名位不同,禮亦異數。孔子曰:"必也正名乎! 名不正則言不順,言不順則事不成。"此其所長也。及警者爲之,則苟鉤鈲析亂而已。晉灼曰:"警,訐也。"師古曰:"鈲,破也。"《史記》太史公《論六家要旨》曰:"名家使人儉而善失真,然其正名實,不可不察也。"又曰:"名家苛察繳繞,使人不得反其意,專決于名而失人情,故曰'使人儉而善失真'。若夫控名責實,參伍不失,此不可不察也。"《隋書•經籍志》曰:"名者,所以正百物,叙尊卑,列貴賤,各控名而責實,無相僭濫者也。《春秋傳》曰:'古者名位不同,節文異數。'孔子曰:'名不正則言不順,言不順則事不成。'《周官》,宗伯'以九儀之命,正邦國之位,辯其名物之類'是也。拘者爲之,則苟察繳繞,滯於析辭而失大體。"

尹佚二篇。周臣,在成、康時也。

《史•周本紀》:武王至商國,入,至紂死所。明日,除道,修社。師尚父牽牲,尹佚筴祝。又曰:"命南宮括、史佚展九鼎保玉。"《正義》曰:"尹佚讀筴書祝文以祭社也。"徐廣曰:"保,一作寶。"

《大戴記•保傅篇》:《明堂之位》曰:"篤仁而好學,多聞而道慎,天子疑則問,應而不窮者,謂之道。道者,導天子以道者也。常立于前,是周公也。誠立而敢斷,輔善而相義者,謂之充。充者,充天子之志也。常立于左,是太公也。絜廉而切直,匡過而諫邪者,謂之弼。弼者,拂天子之過者也。常立于右,是召公也。博聞彊記,接給而善對者,謂之承。承者,承天子之遺忘者也。常立于後,是史佚也。"故成王中立而聽朝,則四聖維之,是以慮無失計,而舉無過事。盧辯曰:"接給,謂應所而給也。史佚,周太史尹佚也。"

本書《人表》史佚列第二等上中仁人。梁玉繩曰:"始見《逸書·世俘解》、《禮·曾子問》、《左·僖十五》、《周語下》。周文武時太史。佚，又作逸。亦曰尹佚，與太公、周、召稱四聖。《通志·氏族略》云：'少昊之子封于尹城，因以爲氏。子孫世爲周卿士，食采于尹。'考《左·昭廿三》'王子朝入于尹，單、劉伐尹'，疏謂'尹子食采于尹，世爲卿士'。然則尹佚乃少昊之裔，而周尹氏乃史佚之後也。"

王氏《考證》曰："尹佚，周史也，而爲墨家之首。今書亡不可考。按《呂氏春秋》'魯惠公使宰讓請郊廟之禮于天子，天子使史角往，惠公止之。其後在于魯，墨子學焉'，意者史角之後託于佚歟？"

嚴可均《三代文編》：尹佚亦稱史佚，周初太史，事武王、成王、康王。《逸周書》及《史記》引武王即位筴，《説苑》引史佚對成王問，《左傳》引史佚之言四條，又引《史佚之志》。

馬國翰輯本序曰："《漢志》墨家《尹佚》二篇，《隋》、《唐志》皆不著録，散亡已久。惟《左傳》、《國語》引其言，《淮南子》引成王問政，《説苑》亦引之。又《逸周書》、《史記》載佚策祝，皆其佚文，並據輯録。据《大戴記》則史佚固聖人之流亞，諸書所載亦皆格言大訓，不知班《志》何以入其書于墨家之首，意或以墨家者流出于清廟之守，佚爲周太史，故探源而定之歟？"

按史佚之後有史角，而墨翟學于史角，之後其道盛行于世，遂以墨名其家，而其初出于清廟之守者也。清廟之守之爲書者，自尹佚始，故是類以尹佚爲之首。武王即位告天，尹佚筴祝，而是篇篇叙所謂"茅屋采椽，養三老五更，選士大射，宗祀嚴父，順四時而行，以孝視天下"，皆清廟之守之所有事也。

田俅子三篇。先韓子。蘇林曰："俅音仇。"

《呂氏春秋·首時篇》：墨者有田鳩欲見秦惠王，留秦三年而弗得見。客有言于楚王者，往見楚王，楚王説之，與將軍之節

以如秦,至,因見惠王。高誘曰:"田鳩,齊人,學墨子術。惠
王,孝公之子駟也。"亦見《淮南子·道應篇》。

本書《人表》第四等中上田俅子。梁玉繩曰:"田俅子惟見本
書《藝文志》墨家。《吕覽·首時》言'墨者田鳩見秦惠王',注
'田鳩,齊人'。《韓子·外儲説左上》及《問田篇》亦稱之。
鳩、俅音近,疑爲一人。"

《隋書·經籍志》:梁有《田俅子》一卷,亡。

馬國翰輯本序曰:"《漢志》墨家《田俅子》三篇,《隋志》云'梁
有《田俅子》一卷',《唐志》不著錄,佚已久。案《韓非子》引田
鳩説二節,家宛斯先生《繹史》云田鳩即田俅,《吕氏春秋》亦
引墨者田鳩事合。以《藝文類聚》、《白六帖》、《文選注》、《御
覽》所引輯得八節。"

我子一篇

劉向《别録》曰:"我子爲墨子之學。"

本書《人表》第四等中上我子。梁玉繩曰:"我子惟見本書《藝
文志》墨家。《廣韻》注云'我,姓'。"

應劭《風俗通·姓氏篇》:我氏,六國時有我子,著書,爲墨子
之學。張澍輯注曰:"《藝文志》有《我子》一篇。"

邵思《姓解》:古賢者我子著書五篇。按此言五篇者,或劉氏《叙録》有
"中外書五篇,除複重定著一篇"之語,因而致誤歟?《氏族略》云"我氏,不詳其
所系。"

隨巢子六篇。墨翟弟子。

太史公司馬談《論六家要指》曰:"墨者儉而難遵。"《正義》曰:
"韋云:'墨翟之術也,尚儉,後有隨巢子傳其術也。'"

本書《人表》第四等中上隨巢子。梁玉繩曰:"隨巢子惟見本
書《藝文志》墨家。隨巢當是氏,或謂隨名巢,無據。"

《文心雕龍·諸子篇》:墨翟、隨巢,意顯而語質。

《隋書·經籍志》：《隨巢子》一卷。巢似墨翟弟子。按此以巢爲名。《唐·藝文志》：《隋巢子》一卷。

鄧名世《古今姓氏書辯證》：隨巢氏，《漢·藝文志》有《隨巢子》六篇，注云"墨翟弟子"。謹按姓書未有此氏，而當時有胡非子、隨巢子皆師墨氏，則隨巢合爲人氏。

馬國翰輯本序曰："《漢志》墨家有《隨巢子》六篇，《隋》、《唐志》皆以一卷著録，今佚。《意林》引其二節，又從諸書所引輯十三節，以類編次，多言災祥禍福。其論鬼神之能，亦即《中庸》體物而不可遺之義，而謂鬼神賢于聖人，過爲奇語，醇駁分焉已。"

胡非子三篇。墨翟弟子。

本書《人表》胡非子居第四等中上。梁玉繩曰："胡非子惟見本書《藝文志》墨家。胡非，複姓。《廣韻》注云：'胡公之後有公子非，因以爲氏。'則胡非子齊人也。"

應劭《風俗通·姓氏篇》：胡非氏，胡公之後有公子非，其後子孫因以胡非爲氏。戰國有胡非子著書。張澍輯注曰："胡非子，墨翟弟子。《藝文志》有《胡非子》三篇。"《氏族略》云："胡非氏，嬀姓。陳胡公後有公子非，其後子孫爲胡非氏。"

《隋書·經籍志》：《胡非子》一卷。非似墨翟弟子。按此又以非爲名。《唐·經籍志》：胡非子一卷，胡非子撰。《唐·藝文志》：《胡非子》一卷。

馬國翰輯本序曰："《漢志》墨家《胡非子》三篇，《隋》、《唐志》皆著録一卷，今佚。馬總《意林》亦載一卷，而止引其《説五勇》一篇，文句多敓略，校《太平御覽》所引補足。又搜輯三節，合爲卷。《五勇》與《莊子》相出入，《説弓矢》亦本《韓非子》矛盾之喻，戰國人文字相襲，往往而然也。"按韓非子在戰國之末，于戰國諸子中爲最後。胡非子爲墨翟弟子，則遠在其前，當是韓非襲胡非。

墨子七十一篇。名翟,爲宋大夫,在孔子後。

《吕氏春秋·當染篇》:魯惠公使宰讓請郊廟之禮于天子,桓王使史角往,惠公止之,其後在于魯,墨子學焉。高誘曰:"惠公,魯孝公之子,隱公之父。墨子,名翟,魯人,作書七十一篇,以墨道開之。"梁玉繩《吕子校補》曰:"桓王當作平王,惠公卒于平王四十八年,與桓王不相接,《竹書》請禮在平王四十二年。"

《史·孟荀列傳》:蓋墨翟,宋之大夫,善守禦,爲節用。或曰並孔子時,或曰在其後。《索隱》曰:"按《別録》云:'墨子書有文子。文子,子夏之弟子,問于墨子。'如此,則墨子者,在七十子後也。"范書《張衡傳》注:《衡集》云"公輸班與墨翟並當子思時,出仲尼後。"

本書《人表》墨翟列第四等中上。梁玉繩曰:"墨翟始見《孟子》、《戰國·齊策》。宋之大夫,魯人,姓墨,本墨胎氏所改,名翟。亦曰墨氏,亦曰墨子,亦曰子墨子,亦曰翟子。案《孟子》楊墨並言,諸子每云孔墨,《抱朴子·名實篇》稱班墨,則墨其姓也。《墨子·耕柱》、《貴義》、《公孟》、《魯問》及《吕覽·高義》多自稱翟,則翟其名也。乃元伊世珍《瑯環記》引賈子《説林》,失名。謂'墨子姓翟名烏,其母夢日中赤烏入室,驚覺生烏,遂名之',誕不足信。"

《隋書·經籍志》:《墨子》十五卷,目一卷,宋大夫墨翟撰。
《唐書·經籍志》:《墨子》十五卷,墨翟撰。《唐·藝文志》同。
《宋·藝文志》同。

馬端臨《文獻·經籍考》曰:"按自夫子没而異端起,老、莊、楊、墨、蘇、張、申、商之徒,各以其知舛馳,至孟子始辭而闢之。然觀七篇之書,所以距楊墨者甚至而闊略于餘子,何也?蓋楊朱、墨翟之言,未嘗不本仁祖義,尚賢尊德,而擇之不精,語之不詳,其流弊遂至于無父無君,正孔子所謂'似是而非'者,不容不深鋤而力辯之。韓文公謂'儒墨同是堯舜,同非桀紂’，以爲二家本相爲用，而咎末學之辯。嗚呼！孰知惟其似同而實異者，正所當辯乎！”

《四庫》雜家提要曰：“《隋》、《唐志》稱墨翟撰。然其書中多稱子墨子，則門人之言，非所自著。今本七十一篇之中，佚《節用下》、《節葬上》、《節葬中》、《明鬼上》、《明鬼下》、《非樂中》、《非樂下》、《非儒上》，凡八篇，存六十三篇。墨家者流，史罕著録，蓋以孟子所闢，無人肯居其名。然佛氏之教，其清静取諸老，其慈悲則取諸墨。韓愈《送浮屠文暢序》稱儒名墨行、墨名儒行，以佛爲墨，蓋得其真。而《讀墨子》一篇，乃稱墨必用孔，孔必用墨，開後人三教歸一之説，未爲篤論。特在彼法之中，能自嗇其身，而時時利濟于物，亦有足以自立者。故其教得列于九流，而其書亦至今不泯耳。第五十二篇以下皆兵家言，其文古奧，或不可句讀，與全書爲不類。疑因五十一篇言公輸般九攻、墨子九拒之事，其徒因采摭其術，附記其末。觀其稱弟子禽滑釐等三百人，已持守固之器在宋城上，是能傳其術之徵矣。”_{《淮南·泰族篇》云：“墨子服役者百八十人，皆可使赴火蹈刃，死不遺踵，化之所致也。”}

又《簡明目録》曰：“觀其近理亂真之處，然後知儒墨異同之所以然，則亦不必廢觀也。”

　　按《七略》兵技巧家有《墨子》，班氏以其重複省之。蓋書中本有兵家言，今本猶略可考見，故任步兵取以入技巧。

右墨六家，八十六篇。_{按此篇家數、篇數並不誤。}

墨家者流，蓋出于清廟之守。茅屋采椽，是以貴儉；養三老五更，是以兼愛；選士大射，是以上賢；宗祀嚴父，是以右鬼；順四時而行，是以非命；以孝視天下，是以上同：此其所長也。及蔽者爲之，見儉之利，因以非禮，推兼愛之意，而不知別親疏。_{顏氏《集注》曰：“《墨子》有《節用》、《兼愛》、《上賢》、《明鬼神》、《非命》、《上同》等諸篇，故志}

歷序其本意也。"太史公《論六家要旨》曰："墨者儉而難遵，是以其事不可徧循；然其彊本節用，不可廢也。"又曰："墨者亦尚堯舜道，言其德行曰：'堂高三尺，土階三等，茅茨不翦，采椽不刮。食土簋，啜土刑，糲粱之食，藜藿之羹。夏日葛衣，冬日鹿裘。'其送死，桐棺三寸，舉音不盡其哀。教喪禮，必以此爲萬民之率。使天下法若此，則尊卑無別也。夫世異時移，事業不必同，故曰'儉而難遵'。要曰彊本節用，則人給家足之道也。此墨子之所長，雖百家弗能廢也。"《隋·經籍志》曰："墨者，強本節用之術也。上述堯、舜、夏禹之行，茅茨不翦，糲粱之食，桐棺三寸，貴儉兼愛，嚴父上德，以孝示天下，右鬼神而非命。《漢書》以爲本出清廟之守。然則《周官》宗伯'掌建邦之天神地祇人鬼'，肆師'掌立國祀及兆中廟中之禁令'，是其職也。愚者爲之，則守于節儉，不達時變，推心兼愛，而混於親疏也。"

蘇子三十一篇。名秦，有列傳。

《史》本傳：蘇秦者，東周雒陽人也。東事師于齊，而習之于鬼谷先生。出游數歲，大困而歸。自傷，閉室不出，出其書徧觀之。得周書《陰符》，伏而讀之。期年，以出揣摩，曰："此可以説當世之君矣。"求説周顯王，弗信。乃西之秦。秦方誅商鞅，疾辯士，弗用。乃東之趙。趙弗説之。去游燕，歲餘而後得見燕文侯。説燕與趙從親，文侯于是資蘇秦車馬金帛以至趙。説趙肅侯一韓、魏、齊、楚、燕、趙從親，以畔秦。令天下之將相會于洹水之上，通質，刳白馬而盟。趙王乃飾車百乘，黃金千鎰，白璧百雙，錦繡千純，以約諸侯。于是説韓宣惠王、魏襄王、齊宣王、楚威王，六國從合而并力焉。蘇秦爲從約長，并相六國。既約，歸趙，趙肅侯封爲武安君，乃投從約書于秦。秦兵不敢闚函谷關十五年。其後，從約解，齊宣王以爲客卿。齊大夫多與蘇秦爭寵者，而使人刺蘇秦，死。蘇秦之弟曰代，代弟蘇厲，見兄遂，亦皆學。及蘇秦死，代乃求見燕王，欲襲故事。蘇代復重于燕。燕使約諸侯從親如蘇秦時，或從或不，而天下由此宗蘇氏之從約。代、厲皆以壽死，名顯諸侯。太史公曰："蘇秦兄弟三人，皆游説諸侯以顯名，其術長于權變。而蘇秦被反間以死，天下共笑之，諱學其術。

然世言蘇秦多異，異時事有類之者皆附之蘇秦。夫蘇秦起閭閻，連六國從親，此其智有過人者。吾故列其行事，次其時序，毋令獨蒙惡聲焉。”

本書《人表》蘇秦列第六等中下。梁玉繩曰：“蘇秦屢見《戰國策》及《荀子·臣道》。東周雒陽人，居乘軒里。蓋蘇忿生之後，字季子。亦曰蘇子，亦曰蘇公，亦曰蘇生，亦曰蘇君，亦曰蘇季。封武安君。葬雒陽城東御道北孝義里西北隅。”

馬國翰輯本序曰：“《漢志》‘《蘇子》三十一篇’，《隋》、《唐志》不著，佚亡已久。茲從《戰國·秦策》、《燕策》、《趙策》、《韓策》、《魏策》、《齊策》、《楚策》、《史記》列傳輯錄，凡一十七篇。”

　按《七略》兵權謀家有《蘇子》，班氏以其重複省之。

張子十篇。名儀，有列傳。

《史》本傳：張儀者，魏人也。始嘗與蘇秦俱事鬼谷先生學術，蘇秦自以不及張儀。儀已學而游説諸侯。秦惠王以爲客卿，遂相秦。相秦凡四歲。後二年而免相，相魏以爲秦，欲令魏先事秦而諸侯效之。魏哀王乃倍從約而因儀請成于秦。儀歸，復相秦。又相楚。秦惠王封儀五邑，號曰武信君。惠王卒，武王不説張儀，羣臣多讒張儀。儀懼誅，因説王入儀之梁。儀相魏一歲，卒于魏。太史公曰：“三晉多權變之士，夫言從衡彊秦者大抵皆三晉之人也。夫張儀之行事甚于蘇秦，然世惡蘇秦者，以其先死，而儀振暴其短以扶其説，成其衡道。要之，此兩人真傾危之士哉！”《索隱》曰：“蘇秦相六國，令從親而擯秦；張儀相六國，使連衡而事秦，故蘇爲合從，張爲連衡也。”

本書《人表》張儀列第六等中下。梁玉繩曰：“張儀屢見《戰國策》及《孟子》、《荀子》。魏氏餘子亦曰張子，封武信君，葬開封縣東北七里。”

又《武帝本紀》：建元元年，丞相綰奏：“所舉賢良，或治申、商、韓非、蘇秦、張儀之言，亂國政，請皆罷。”奏可。

《黄氏日鈔》曰：“蘇秦之説六國，爲六國也，忠于六國者也。張儀之説六國，非爲六國，爲秦也。欺詐諸侯如侮嬰兒，雖均之捭闔，而儀又秦之罪人矣。”

王氏《考證》：東萊吕氏曰：“戰國游説之風，蘇秦、張儀、公孫衍實倡之。秦，周人也。儀與衍，皆魏人也。故言權變辯智之士，必曰三晋兩周云。”

龐煖二篇。爲燕將。案此似爲“趙將”之譌。

《史·趙世家》：悼襄王三年，龐煖將，攻燕，禽其將劇辛。四年，龐煖將趙、楚、魏、燕之鋭師，攻秦蕞，不拔；移攻徐，取饒安。

又《燕世家》：今王喜十二年，劇辛故居趙，與龐煖善，已而亡走燕。燕見趙數困于秦，而廉頗去，令龐煖將也，欲因趙弊攻之。問劇辛，辛曰：“龐煖易與耳。”燕使劇辛將擊趙，趙使龐煖擊之，取燕軍二萬，殺劇辛。

本書《人表》龐煖列第六等中下。梁玉繩曰：“龐煖始見《鶡冠子·世賢》、《趙世家》、《李牧傳》。又作援。亦曰龐子。《李牧傳》索隱以爲即馮煖，非也。”

梁玉繩《瞥記》五：《漢志》有《龐煖》二篇，久不傳。今觀《鶡冠子》，則二篇全在其中，即《世賢篇》、《武靈王篇》是。煖，趙人，蓋鶡冠弟子，凡書中所云“龐子”即煖也。按《武靈王篇》乃龐煥之言，宋陸佃解云“龐煥，蓋龐煖之兄”。又按此二篇見《鶡冠子》者，大抵是節文，恐非《漢志》二篇之舊矣。

闕子一篇

應劭《風俗通·姓氏篇》：闕氏，承闕黨童子之後，《漢書·藝文志》縱橫家有闕子著書一篇。

嚴可均輯本序曰："《漢志》縱橫家《闕子》一篇，《隋志》梁有《補闕子》十卷，梁元帝撰。今散見于各書者，凡十九事，省併複重，僅得五事。諸引皆稱《闕子》，不稱《補闕》，劉逵注《吳都賦》、酈元注《水經·睢水》並采用之，當是先秦古書，非梁《補》也。"

馬國翰輯本序曰："《漢志》縱橫十二家有《闕子》一篇，在龐煖之後，秦零陵令信之前，當爲六國時人。《隋志》云'梁有《補闕子》十卷，梁元帝撰'，蓋梁時《闕子》書已不傳，故元帝補之。兹從《藝文類聚》、《御覽》諸書輯録六節。其二事酈道元《水經注》引之，似是原書。此外四節未知出於原書，抑爲梁帝所補。"

國筮子十七篇

國筮子未詳。

按《廣韻》二十五德"國"字注："國，又姓，太公之後。《左傳》齊有國氏，代爲上卿。"此國筮子或爲姓名，如鄧析子之類；或爲別號，如關尹子之類，均無由考見矣。

秦零陵令信一篇。難秦相李斯。

洪亮吉《曉讀書齋二録》曰："劉逵《吳都賦》注引秦零陵令上書云'荊軻挾匕首卒刺陛下'云云，是零陵令信有《上始皇書》，又有《難李斯書》也。"

嚴可均《全秦文編》曰："零陵令信失其姓，始皇時爲零陵令，《文選注》有秦零陵令《上始皇書》。案《漢志》縱橫家有'秦零陵令信一篇，難秦相李斯'，即此。"

《蒯子》五篇。名通。

《史記·田儋傳》贊曰："蒯通者，善爲長短説，論戰國之權變，爲八十一首。通善齊人安期生，安期生嘗干項羽，項羽不能用其筴。已而項羽欲封此兩人，兩人終不肯受，亡去。"《索隱》曰："長短説者，言欲令此事長，則長説之；短，則短説之：故《戰國策》亦名'短長書'是也。"

本書列傳：蒯通，范陽人也，本與武帝同諱。楚漢初起，武臣略定趙地，號武信君。通説范陽令徐公歸武臣。後漢將韓信虜魏王，破趙、代，降燕，定三國，引兵將東擊齊。聞漢王使酈食其説下齊，信欲止。通説信襲歷下軍，遂至臨淄。齊王廣以酈生爲欺己而烹之，因敗走。信遂定齊地，自立爲齊假王。漢方困于滎陽，遣張良即立信爲齊王，以安固之。項王亦遣武涉説信，欲與連和。蒯通知天下權在信，欲説信令背漢，參分天下，鼎足而立。信猶與不忍背漢，又自以功多，漢不奪我齊，遂謝通。通説不聽，惶恐，乃陽狂爲巫。天下既定，信以罪廢爲淮陰侯，謀反被誅，臨死歎曰："悔不用蒯通之言，死於女子之手！"高帝曰："是齊辯士。"迺詔召蒯通。通至，乃赦之。至齊悼惠王時，曹參爲相，禮下賢人，請通爲客。通進齊處士東郭先生、梁石君，皆以爲上賓。通論戰國時説士權變，亦自序其説，凡八十一首，號曰《雋永》。師古曰："雋，肥肉也。永，長也。言其所論甘美，而義深長也。通本名徹，史家追書爲通。"

《黄氏日鈔》曰："蒯通口給不在儀、秦下，會真主出興，故無所售其姦。"

馬國翰輯本序曰："《藝文志》縱横家有《蒯子》五篇，《隋》、《唐志》不著録，其書久佚。所謂論戰國説士之文，不可復見。本傳所載説徐公、説韓信、曹相國，當是自序本文，兹據輯録。夫利口覆邦，聖人所惡，班氏贊謂：'一説而喪三雋，應劭曰："亨酈食其，敗田横，驕韓信也。"其得不亨者，幸也。'黄東發謂'通口辯不在儀、秦下'。其奇謀雄辯亦足與《國策》同傳已。"

章學誠《校讎通義》曰："蒯通之書，自號《雋永》，今著録止稱《蒯子》，且傳云'自序其説八十一首'，而著録僅稱五篇，不爲注語以別白之，則班、劉之疏也。"按謂班氏之疎則有之，若劉氏則《七略別録》今不可見，何由知其皆無別白乎？

　　按《七略》兵權謀家有《蒯通》，班氏以其重複省之。

鄒陽七篇

本書列傳：鄒陽，齊人也。漢興，諸侯王皆自治民聘賢。吳王濞招致四方游士，陽與吳嚴忌、枚乘等俱仕吳，皆以文辯著名。久之，吳王以太子事怨望，稱疾不朝，陰有邪謀，陽奏書諫。爲其事尚隱，惡指斥言，故先引秦爲諭，因道胡、越、齊、趙、淮南之難，然後迺致其意。吳王不内其言。是時，景帝少弟梁孝王貴盛，亦待士。於是鄒陽、枚乘、嚴忌知吳不可説，皆去之梁，從孝王游。陽爲人有知略，忼慨不苟合，介於羊勝、公孫詭之間。勝等疾陽，惡之孝王。孝王怒，下陽吏，將殺之。陽客游以讒見禽，恐死而負累，迺從獄中上書。書奏孝王，孝王立出之，卒爲上客。初，勝、詭欲使王求爲漢嗣，王又嘗上書，願自使梁國士衆築甬道朝太后。爰盎等皆以爲不可。梁王令人刺殺盎。上疑梁殺之，使者冠蓋相望責梁王。梁王始與勝、詭有謀，陽争以爲不可，故見讒。枚先生、嚴夫子皆不敢諫。及梁事敗，勝、詭死，孝王恐誅，迺思陽言，深辭謝之，齎以千金，令求方略解罪於上者。陽乃之長安，見王長君，事得不治。

《黃氏日鈔》曰："鄒陽、枚乘本未免戰國游士之餘習，能持正論可嘉，諫吳王書尤明切。"

馬國翰輯本序曰："陽生漢文景之世，六國餘習未能盡除，故其言論雖正，而時與《戰國策》文字相近，《漢志》列之從横家，以此故也。書本七篇，《史記》僅載其《獄中上書》，《漢書》並載《諫吳王》及《説王長君》二篇，據録，次蒯子之後云。"

主父偃二十八篇

本書列傳：主父偃，齊國臨淄人也。學長短從橫術，晚乃學
《易》、《春秋》、百家之言。游齊諸子間，師古曰："諸子，諸侯王子。"
諸儒生相與排擯，不容于齊。家貧，假貸無所得，北游燕、趙、
中山，皆莫能厚，甚困。以諸侯莫足游者，元光元年，迺西入
關見衞將軍。師古曰："衞青。"衞將軍數言上，上不省。資用乏，
留久，諸侯賓客多厭之，迺上書闕下。朝奏，暮召入見。所言
九事，其八事爲律令，一事諫伐匈奴，迺拜偃爲郎中。偃數上
疏言事，遷謁者，中郎，中大夫。歲中四遷。偃説上"令諸侯
得推恩分子弟，以地侯之。彼人人喜得所願，上以德施，實分
其國，必稍自銷弱矣"。于是上從其計。又説上徙天下豪傑
兼并之家實茂陵，上又從之。尊立衞皇后及發燕王定國陰
事，偃有功焉。大臣皆畏其口，賂遺累千金。偃盛言朔方，遂
置朔方郡。元朔中，偃言齊王内有淫失之行，上拜偃爲齊相。
至齊，迺使人告王與姊姦事動王。王以爲終不得脱，恐效燕
王論死，迺自殺。偃始爲布衣時，嘗游燕、趙，及其貴，發燕
事。趙王恐其爲國患，欲上書言其陰事，爲居中，不敢發。及
其爲齊相，出關，即使人上書，告偃受諸侯金，以故諸侯子多
以得封者。及齊王以自殺聞，上大怒，以爲偃劫其王令自殺，
迺徵下吏治。偃服受金，實不劫齊王令自殺。上欲勿誅，公
孫弘争，迺遂族偃。

又《儒林傳》易家：魯周霸、莒衡胡、臨淄主父偃皆以《易》至
大官。

《黄氏日鈔》曰："主父偃姦險無賴小人，惟《諫伐匈奴》一書，
不當以人廢言。然他日勸築朔方襲蒙恬故事者，即今日舉秦
事以諫伐匈奴之偃也，何耶？其勸分王諸侯，則掇拾賈生之

緒餘也；其勸徙豪民實茂陵，則剽竊婁敬之陳言也。何能爲漢廷決一策耶？偃之爲人也，其自取覆滅也，固宜爲偃之族者可悲耳。”

馬國翰輯本序曰：“偃蓋反覆傾危之士，出處大略與蘇秦相埒。嘗自言：‘丈夫生不五鼎食，死則五鼎亨耳！吾日暮，故倒行逆施之。’負才任氣，卒不得其死，然則禍由自取也。《漢志》從橫家有《主父偃》二十八篇，今存本傳者四篇，上書所言九事，八事爲律令，不傳，諫伐匈奴一節，可謂盡言。其説上使諸侯分封子弟，以弱其勢，亦賈誼之議。然誼不見用，偃竊之而得行焉，則乘乎時勢之既驗也。至其議徙豪民、置朔方，皆與時政有裨。兹據録之，毋以人廢言，其可乎？”

徐樂一篇

本書《主公偃傳》：是時，徐樂亦上書言世務。書奏，上召見，拜樂爲郎中。又曰：徐樂，燕郡無終人。殿板《考證》：顧炎武曰：“《地理志》無燕郡，而無終屬右北平。考燕王定國以元朔二年秋，有罪自殺，國除。而元狩六年夏四月，始立皇子旦爲燕王。其間爲燕郡者十年，而《志》軼之也。徐樂上書當在此時，而無終于其時屬燕郡，後改屬右北平耳。”

《黄氏日鈔》曰：“徐樂《土傾瓦解》一書，大要可觀，惜其駁處多。”按宋時功令避寫不祥文字，故黄氏改本文“土崩”作“土傾”。

馬國翰輯本序曰：“《藝文志》從橫家有《徐樂》一篇，今其傳中不叙他事，僅載上書一篇，《志》所稱者即此也。黄東發曰：‘《土崩瓦解》一書，大要可觀，惜其駁處多。’真西山亦曰：‘樂之告武帝也，欲明安危之機，銷未形之患，則凡幾微之際，皆所當謹也。顧乃以瓦解之勢爲不必慮，而欲其自恣于游畋聲色之間，豈忠臣之言哉？大抵縱橫之士逞其高談雄辯，軌于理者絶少。’二公之論切中其病，然其言隱而危，其詞微而婉，亦足自成一家之説，故據本傳録之。”

莊安一篇

本書《主公偃傳》：是時，徐樂、嚴安亦俱上書言世務。書奏，上召見三人，謂曰："公皆安在？何相見之晚也！"迺拜偃、樂、安皆爲郎中。又曰："嚴安者，臨菑人也。以故丞相史上書。後以安爲騎馬令。"師古曰："主天子之騎馬也。"

《黃氏日鈔》曰："嚴安一書，言武帝靡敝中國，結怨夷狄，而其後則謂郡守之權非特六卿，豈慮根本既耗，或有乘時而起者耶？"

殿本《考證》：顧炎武曰："鄧伯羔謂安自姓嚴，然《藝文志》曰'《莊安》一篇'，是安亦姓莊也。《志》之稱莊安，班氏所未及改也。"

馬國翰輯本序曰："《藝文志》縱橫家有《莊安》一篇，莊安即嚴安。本傳亦僅標其爵里，以所上書備載之，與《徐樂傳》同。上書之文，即縱橫家《莊安》一篇也。安與主父偃雖同時以上書拜郎中，而安過偃遠甚。偃救其末，安正其本。其言薄賦斂，箴帝之利心也；緩刑罰，藥帝之慘心也；省徭役，約帝之侈心也。至'用兵乃人臣之利，非天下之長策'二語，尤足關要；'功生事者之口'，更爲切要之論。《志》與主父偃、徐樂並列縱橫家，兹亦編次二家之後云。"

待詔金馬聊倉三篇。趙人，武帝時。

顏氏《集注》曰："《嚴助傳》作膠倉，而此志作聊，《志》、《傳》不同，未知孰是。"

本書《嚴助傳》：武帝時，助與朱買臣、吾丘壽王、司馬相如、主父偃、徐樂、嚴安、東方朔、枚臯、膠倉、終軍、嚴葱奇等，並在左右。

應劭《風俗通·姓氏篇》：聊氏，漢有聊倉，爲侍中，著子書，號"聊子"。張澍輯注曰："聊，齊地，殆大夫食采，子孫以爲氏也。聊倉,《嚴助傳》作膠倉。"

梁玉繩《瞥記》三:膠鬲之姓甚少,漢武帝時有趙人膠倉,見
《嚴助》、《東方朔傳》,而《藝文志》作聊倉,疑以音近而異。
《廣韻》引《風俗通》亦作聊倉,蓋仍《漢志》,未必是兩人。

案《風俗通》又云"又有聊某,爲潁川太守,著《萬姓譜》",則確
爲聊氏。聊氏之先或出自膠鬲,故亦作膠。膠倉始以待詔金
馬門而至侍中,其書亦曰《聊子》,唯應仲遠得見而知之。

右從橫十二家,百七篇。按此篇家數、篇數並不誤。

從橫家者流,蓋出于行人之官。孔子曰:"誦《詩》三百,使于四
方,不能顓對,雖多亦奚以爲?"又曰:"使乎,使乎!"言其當權事
制宜,受命而不受辭,此其所長也。及邪人爲之,則上詐諼而棄
其信。《隋書·經籍志》曰:"從橫者,所以明辯説,善辭令,以通上下之志者也。《漢
書》以爲本出行人之官,受命出疆,臨事而制。《周官》,掌交'以節與幣,巡邦國之諸侯及
萬姓之聚,導王之德意志慮,使辟行之,而和諸侯之好,達萬民之説;諭以九税之利,九
儀之親,九牧之維,九禁之難,九戎之威'是也。佞人爲之,則便辭利口,傾危變詐,至于
賊害忠信,覆邦亂家。"

孔甲盤盂二十六篇。黄帝之史,或曰夏帝孔甲,似皆非。

劉歆《七略》曰:"《盤盂》書者,其傳言孔甲爲之。孔甲,黄帝
之史也。書盤盂中,爲誡法,或于鼎名曰銘。"

本書《田蚡傳》:蚡辯有口,學《盤盂》諸書。應劭曰:"黄帝史
孔甲所作也,凡二十九篇,書盤盂中,所以爲法戒也。"孟康
曰:"孔甲《盤盂》二十六篇,雜家書,兼儒墨名法者也。"

王氏《考證》:蔡邕《銘論》:"黄帝有巾机之法,孔甲有槃杅之
誡。"梁簡文帝云:"《盤盂》寓殷高之辭。"

大禼三十七篇。傳言禹所作,其文似後世語。顏氏《集注》:禼,古禹
字。宋祁曰:"一作命。"

洪邁《容齋三筆》曰:"大禹謨、訓舍《虞》、《夏》二書外,他無所
載。《漢·藝文志》雜家者流,有《大禼》三十七篇,云'傳言禹

所作,其文似後世語'。禼,古禹字也,意必依傲而作之者。然亦周漢間人所爲,今寂而無傳,亦可惜也。"

王氏《考證》:賈誼書《修政語》引大禹曰:"民無食也,則我弗能使也。功成而不利于民,我弗能勸也。"又曰:"太史公《大宛傳》云'《禹本紀》言河出崑崙'。"

嚴可均《全三代文編》曰:"夏禹,姓姒,名文命,蜀之石紐人,顓頊六世孫,堯以爲司空,封夏伯,因稱伯禹。後受舜禪,號有夏氏,始降稱王,亦曰夏后氏。攝位二十年,即位十年,謚曰禹,亦稱神禹。"又曰:"大禹,《墨子·兼愛篇下》引《禹誓》,《周書·大聚篇》引《禹禁》,賈誼《新書·修政語》上引《政語》,《周書·文傳篇》引《夏箴》二條,又引《開望》。孔晁曰:'《夏箴》,夏禹之箴,戒書也。《開望》,古書名也。'《鶡子》引《篋簽銘》,《尚書大傳·鴻範五行傳》引《氾六沴》,可考見者凡八條。"

按嚴氏所録諸佚文當出此書。又後漢王逸注《離騷》引《禹大傳》曰:"洧盤之水出崦嵫之山。"《禹大傳》及《禹本紀》或當是此書篇目,又《岣嶁碑文》或亦當在此書。

伍子胥八篇。名員,春秋時爲吳將,忠直遇讒死。

《史》本傳:伍子胥者,楚人也,名員。員父曰伍奢。兄曰伍尚。楚平王殺奢與尚。伍胥亡奔宋,奔鄭,至晉,復還鄭,入吳。吳王闔廬召爲行人。闔廬九年,與孫武伐楚。乘勝而前,五戰,遂至郢。楚昭王出奔。隨吳王入郢,伍子胥求昭王不得,乃掘楚平王墓,出其尸,鞭之三百。夫差既立,因太宰嚭之讒,賜屬鏤之劍自到死。吳王取其尸盛以鴟夷革,浮之江中。吳人憐之,爲立祠于江上,因命曰胥山。

又《吳世家》:王僚五年,楚之亡臣伍子胥來奔。公子光客之,知光有他志,乃求勇士專諸見之光。光喜,乃客伍子胥。子胥退而耕于野，以待專諸之事。十三年，公子光使專諸刺王僚，自立，是爲吳王闔廬。闔廬元年，舉伍子胥爲行人，而與謀國事。楚誅伯州犂，其孫伯嚭亡奔吳，吳以爲大夫。三年，吳王闔廬與子胥、伯嚭將兵伐楚，拔舒。四年，伐楚，取六與灊。六年，大敗楚軍于豫章，取居巢。九年，悉興師伐楚，五戰入郢，子胥、伯嚭鞭平王之尸，以報父仇。十九年，吳伐越，越敗之姑蘇，傷吳王指，病傷而死。太子夫差立。夫差元年，以大夫伯嚭爲太宰。二年，越王句踐使大夫種因太宰嚭行成，子胥諫不聽。七年，夫差興師北伐齊，子胥諫不聽。十一年，句踐朝吳，厚獻遺之。吳王喜，子胥懼，又諫，不聽，使子胥于齊。子胥屬其子于齊鮑氏，吳王聞之大怒，賜子胥屬鏤之劍以死。

本書《人表》伍子胥列第四等中上。梁玉繩曰：“子胥始見《左·昭三十一》，名員，伍奢子，伍尚弟。適吳，吳與之申地，故曰申胥，亦曰伍胥，亦曰申子，亦曰申氏，亦曰伍子。元成宗大德三年，封爲忠孝威惠顯聖王。”

鄧名世《古今姓氏書辯證》：伍氏，出自春秋時楚莊王嬖人伍參，以賢智升爲大夫。生舉，食邑于椒，謂之椒舉。其子曰椒鳴，得父邑。而奢以連尹爲太子建太傅。費無極譖之，王逐太子，而煞伍奢及其子棠君尚。尚弟員，字子胥，奔吳，事闔廬，爲卿。破楚入郢，以報父讎。吳王夫差時，忠諫不見聽，屬子于齊，爲王孫氏。

　　按《左傳》、《國語》、《吕氏春秋》、《吳越春秋》、《越絶書》及《吳》、《越世家》、本傳所載子胥言行，容有見于是書。

子晚子三十五篇。齊人，好議兵，與《司馬法》相似。

　　鄧名世《古今姓氏書辯證》：《英賢傳》云“子俛子，齊人，著書五篇，論兵法與穰苴同。”按此謂五篇，或敓“三十”字。

章學誠《校讎通義》曰:"雜家《子晚子》三十五篇,注云'好議兵,似《司馬法》',何以不入兵家耶?"按不入兵家,亦必有故,未可執注文一語而概其全書也。

　　按子晚子不知爲複姓,爲別號,又或爲弟子録其書者之稱,均不得而詳矣。

由余三篇。戎人,秦穆公聘以爲大夫。

《史·秦本紀》:繆公三十四年,戎王使由余于秦。由余,其先晋人也,亡入戎,能晋言。聞繆公賢,故使由余觀秦。秦繆公示以宫室、積聚。由余曰:"使鬼爲之,則勞神矣。使人爲之,亦苦民矣。"繆公怪之,問曰:"中國以詩書禮樂法度爲政,然尚時亂,今戎夷無此,何以爲治,不亦難乎?"由余笑曰:"此乃中國所以亂也。夫自上聖黄帝作爲禮樂法度,身以先之,僅以小治。及其後世,日以驕淫。阻法度之威,以責督于下,下罷極則以仁義怨望于上,上下交争怨而相篡弑,至於滅宗,皆以此類也。夫戎夷不然。上含淳德以遇其下,下懷忠信以事其上,一國之政猶一身之治,不知所以治,此真聖人之治也。"于是繆公退而問内史廖曰:"孤聞鄰國有聖人,敵國之憂也。今由余賢,寡人之害,將奈之何?"内史廖曰:"戎王處僻匿,未聞中國之聲。君試遺其女樂,以奪其志,爲由余請,以疏其間,留而莫遣,以失其期。戎王怪之,必疑由余。君臣有間,乃可虜也。且戎王好樂,必怠于政。"繆公曰:"善。"因與由余曲席而坐,傳器而食,問其地形與其兵勢盡眘,而後令内史廖以女樂二八遺戎王。戎王受而説之,終年不還。于是秦乃歸由余。由余數諫不聽,繆公又使人間要由余,由余遂去降秦。繆公以客禮禮之,問伐戎之形。三十七年,秦用由余謀伐戎王,益國十二,開地千里,遂霸西戎。天子使召公過賀繆公以金鼓。

本書《人表》繇余列第四等中上。梁玉繩曰："由余始見《韓子·十過》、《呂氏春秋·不苟》、《韓詩外傳》九、《史·秦紀》、《李斯傳》。姓由，繇讀與由同。"

馬國翰輯本序曰："《漢志》雜家《由余》三篇，《隋》、《唐志》皆不著録。考《史記》載其對秦繆公之問，《韓非子》、《説苑》並引以儆説道，賈誼《新書》引其待下有禮之説，佚篇略存，並據輯録。"

尉繚子二十九篇。六國時。

劉向《別録》曰："繚爲商君學。"

《隋書·經籍志》：《尉繚子》五卷。梁并録六卷。尉繚，梁惠王時人。《唐·經籍志》：《尉繚子》六卷，尉繚子撰。《唐·藝文志》：《尉繚子》六卷。

《四庫》兵家提要曰"其人當六國時，不知其本末。或曰魏人，以《天官篇》有梁惠王問知之。或又曰齊人，鬼谷子之弟子。劉向《別録》又云繚爲南君學，未詳孰是也。按"南君"實"商君"之譌。《漢志》雜家有《尉繚》二十九篇，兵形勢家別有《尉繚》三十一篇。今雜家亡"云云。

章學誠《校讎通義》曰："書有同名而異實者，必著其同異之故，而辯別其疑似焉。兵形勢家之《尉繚》三十一篇，與雜家之《尉繚》二十九篇同名，著録之家當別白而條著者也。"

梁玉繩《瞥記》五：諸子中有《尉繚子》，疑即《尸子》所謂"料子貴別"者也。《漢志》雜家《尉繚》二十九篇，先《尸子》。兵家《尉繚》三十一篇，先《魏公子》，蓋兩人。尸佼所稱，非爲始皇國尉者。

按《秦始皇本紀》有大梁人尉繚來，説秦王，秦王以爲秦國尉。其時爲始皇十年，與李斯同官，已在六國之末。此尉繚叙次在由余之後，尸子、呂不韋之上，則遠在其前，非大梁人尉繚可知。梁氏所疑近得其似。

尸子二十篇。名佼,魯人,秦相商君師之。鞅死,佼逃入蜀。

《史·孟荀列傳》：楚有尸子、長盧,世多有其書,故不論其傳云。

劉向《別錄》曰："太史公曰'楚有尸子',疑謂其在蜀。今案《尸子》書,晋人也,名佼,秦相衛鞅客也。衛鞅商君謀事畫計,立法理民,未嘗不與佼規也。商君被刑,佼恐并誅,乃亡逃入蜀,自爲造此二十篇,凡六萬餘言,卒因葬蜀。"

本書《人表》尸子列第五等中中。梁玉繩曰："尸子始見《穀梁·隱五》。名佼,商君師之。鞅死,逃入蜀,卒因葬蜀。案《史記集解》引劉向《別錄》云'佼,晋人',《後漢書·吕強傳》注同,當是也。乃《史》作楚人,《藝文志》作魯人,蓋因其逃亡在蜀,魯後屬楚故耳。"

《隋書·經籍志》：《尸子》二十卷,目一卷。梁十九卷。秦相衛鞅上客尸佼撰。其九篇亡,魏黃初中續。《唐·經籍志》：《尸子》二十卷,尸佼撰。《藝文志》同。

《後漢書·宦者·吕強傳》注：《尸子書》二十篇,十九篇陳道德仁義之紀,一篇言九州險阻,水泉所起。

王氏《考證》：李淑《書目》存四卷,《館閣書目》止存二篇,合爲一卷。《爾雅》疏引《廣澤》、《仁意》、《綽子》篇,《穀梁傳》、《宋書·禮志》引《尸子》。

孫星衍輯本序曰："尸子著書于周末,凡二十篇,《藝文志》列之雜家,後亡九篇,魏黃初中續之。至南宋而全書散佚。章孝廉宗源刺取書傳,輯成此帙,寄予補訂,後歸家郎中馮翼所。越數年,莊進士述祖以惠氏棟輯本見詒。許民部宗彥又得《羣書治要》,錄十三篇寄余。及余閱書傳,亦頗有舊編遺漏者,因屬洪明經頤煊重編爲二卷,再刊于濟南。篇目：曰

《勸學》，曰《貴言》，曰《四儀》，曰《明堂》，曰《分》，曰《發蒙》，曰《恕》，曰《治天下》，曰《仁意》，曰《廣》，曰《綽子》，曰《處道》，曰《神明》，曰《廣澤》，曰《止楚師》，曰《君治》。"

蕭山汪繼培輯本序曰："《尸子》，近所傳者有震澤任氏本，元和惠氏本，陽湖孫氏本。迺集平昔疏記以相比較，稍加釐訂，以《羣書治要》所載十三篇爲上卷，其不載《治要》而散見諸書者爲下卷。按劉向《別錄》稱《尸子》書凡六萬餘言，今兹撰錄蓋十失其八，可爲歎息。劉勰謂其'兼綜雜術，術通而文鈍'。今原書散佚，未究大恉，諸家徵說，率皆采擷精華，翦落枝葉，單詞賸誼，轉可寶愛。"

吕氏春秋二十六篇。秦相吕不韋輯智略士作。

《史》本傳：吕不韋者，陽翟大賈也。往來販賤賣貴，家累千金。秦昭王以安國君爲太子。安國君中男名子楚，爲質子于趙。不韋聞安國君愛幸華陽夫人，華陽夫人無子。不韋乃行千金入秦，説華陽夫人姊立子楚爲嫡嗣。昭王薨，太子安國君立爲王，華陽夫人爲王后，子楚爲太子。秦王立一年，薨，謐爲孝文王。太子子楚代立，是爲莊襄王。莊襄王元年，以不韋爲丞相，封爲文信侯，食河南洛陽十萬户。莊襄王即位三年，薨，太子政立爲王，尊不韋爲相國，號稱"仲父"。當是時，魏有信陵君，楚有春申君，趙有平原君，齊有孟嘗君，皆下士喜賓客以相傾。不韋以秦之强，羞不如，亦招致士，厚遇之，至食客三千人。是時諸侯多辯士，如荀卿之徒，著書布天下。不韋乃使其客人人著所聞，集論以爲八覽、六論、十二紀，二十餘萬言。以爲備天地萬物古今之事，號曰《吕氏春秋》。布咸陽市門，懸千金其上，延諸侯游士賓客有能增損一字者予千金。始皇十年十月，以嫪毐事免，就國河南。歲餘，諸侯賓客使者相望于道，請文信侯。秦王恐其爲變，乃賜書，與家屬徙處蜀。不韋自度稍侵，恐誅，乃飲酖而死。

又《十二諸侯年表》：呂不韋者，秦莊襄王相，亦上觀尚古，刪拾《春秋》，集六國時事，以爲八覽、六論、十二紀，爲《呂氏春秋》。

本書《人表》呂不韋列第五等中中。梁玉繩曰：“不韋始見《秦》、《楚策》。濮陽人，封文信侯，亦曰呂子，亦曰呂氏。始皇稱爲仲父，飲酖死，葬洛陽北邙道西。妻先葬，故其冢名呂母也。”

高誘注書序曰：“此書所尚，以道德爲標的，以無爲爲綱紀，以忠義爲品式，以公方爲檢格，與孟軻、孫卿、淮南、楊雄相表裏也，是以著在《録》、《略》。誘家有此書，尋繹案省，大出諸子之右，故依先師舊訓，輒乃爲之解焉。”

王氏《考證》：東萊呂氏曰：“不韋《春秋》成于始皇八年，按《呂氏春秋》‘維秦八年，歲在涒灘，秋，甲子朔，朔之日，良人請問《十二紀》’，此其書成之歲月也。”

《四庫提要》曰：“《藝文志》載《呂氏春秋》二十六篇，今本凡十二紀、八覽、六論，紀所統子目六十一，覽所統子目六十三，論所統子目三十六，實一百六十篇，《漢志》蓋舉其綱也。其十二紀即《禮記》之《月令》，顧以十二月割爲十二篇，每篇之後各間以他文四篇，惟夏令多言樂，秋令多言兵，似乎有義，其餘則絶不可曉。先儒無説，莫之詳矣。又每紀皆附四篇，而《季冬紀》獨五篇，末一篇標識年月，題曰《序意》，爲十二紀之總論。殆所謂紀者猶内篇，而覽與論者爲外篇、雜篇歟？不韋固小人，而是書較諸子之言獨爲醇正，大抵以儒爲主，而參以道家、墨家，故多引六籍之文與孔子、曾子之言，其他如莊、列之言不取其放誕恣肆者，墨翟之言不取其非儒明鬼者，而縱橫之術、刑名之説一無及焉。其持論頗爲不苟，論者鄙其爲人，因不甚重其書，非公論也。"

淮南内二十一篇。王安。

淮南外三十三篇

顏氏《集注》曰："《内篇》論道，《外篇》雜説。"

本書《諸侯王表》：淮南屬王長，高帝子。高帝十一年十月庚午立，二十三年，孝文六年，謀反，廢徙蜀，死雍。又曰："孝文十六年四月丙寅，王安以屬王子阜陵侯紹封，四十二年，元狩元年，謀反，自殺。"

又《武帝本紀》：元狩元年冬十一月，淮南王安、衡山王賜謀反，誅黨與死者數萬人。

又《列傳》：淮南王安爲人好書，鼓琴，不喜弋獵狗馬馳騁，亦欲以行陰德，拊循百姓，流名譽。招致賓客方術之士數千人，作爲《内書》二十一篇，《外書》甚衆。時武帝方好藝文，以安屬爲諸父，辯博善爲文辭，甚尊重之。每爲報書及賜，常召司馬相如等視草迺遣。初，安入朝，獻所作《内篇》，新出，上愛祕之。

高誘注書序曰："初，安爲人辯達，善屬文。天下方術之士多往歸焉。于是遂與蘇非、李尚、左吳、田由、雷被、毛被、伍被、晋昌等八人，及諸儒大山、小山之徒，共講論道德，總統仁義，而著此書。其旨近老子，淡泊無爲，蹈虛守静，出入經道。言其大也，則燾天載地，説其細也，則淪于無垠，及古今治亂，存亡禍福，世間詭異瓌奇之事。其義也著，其文也富，物事之類，無所不載，然其大較歸之于道，號曰'鴻烈'。鴻，大也。烈，明也。以爲大明道之言也。故夫學者不論淮南，則不知大道之深也。是以先賢通儒述作之士，莫不援采以驗經傳。以父諱長，故其所著諸長字皆曰'修'。光禄大夫劉向校定撰具，名之《淮南》。又有十九篇者，謂之《淮南外篇》。"按此言《外篇》十九，與《志》不符，殆高氏之時所見者僅此耳。

《隋書·經籍志》：《淮南子》二十一卷。漢淮南王劉安撰，許慎注。《唐·經籍志》：《淮南商詁》二十一卷，劉安撰。按"商詁"乃"間詁"之譌，即許慎注本也。《唐·藝文志》：許慎注《淮南子》二十一卷。《宋史·藝文志》：《淮南子鴻烈解》二十一卷，淮南王安撰。

洪邁《容齋續筆》曰："今所存者二十一卷，蓋《内篇》也。壽春有八公山，正安所延致賓客之處。傳記不見姓名，而高誘序以爲蘇飛等八人，然惟左吳、雷被、伍被見于史。"

《四庫簡明目録》曰："安書原分《内》、《外篇》，此二十一卷其《内篇》也。大旨原本道德，而縱橫曼衍，多所旁涉，故《漢志》列之雜家。"

按《七略》兵權謀家有淮南王，班氏以其重複省之。

又按《文選》謝靈運《行旅詩》注、許詢《雜詩》注、《齊竟陵王行狀》注數引淮南王《莊子略要》曰："江海之士，山谷之人也，輕天下，細萬物，而獨往者也。"《竟陵行狀》注又接引司馬彪《注》曰："獨征自然，不復顧世。"是淮南《莊子略要》，司馬彪注《莊子》先引之，李善從《莊子注》采録者也。又張景陽《七命》注引淮南子《莊子后解》曰："庚市子，聖人之無慾者也。人有争財相鬭者，庚市子毀玉于其間，而鬭者止。"按今《内篇》無《莊子略要》、《莊子后解》，或在《外》三十三篇中。劉義慶《世説新語》曰"初注《莊子》者數十家，莫能究其旨要。向秀于舊注外爲解義"云云。是晋向秀之前爲《莊子》注者已數十家，淮南王其數十家之一歟？又王氏《考證》云"淮南王有《成相篇》，見《藝文類聚》"，或亦在《外篇》中。

東方朔二十篇

本書列傳：東方朔字曼倩，平原厭次人也。武帝初即位，徵天下舉方正賢良文學材力之士，待以不次之位，四方士多上書言得失，自衒鬻者以千數，其不足采者輒報聞罷。朔初來，上書，高自稱譽，上偉之，令待詔公車。久之，使待詔金馬門。又以爲常侍郎，遂得愛幸。拜爲太中大夫、給事中。嘗醉入殿中，小遺殿上，劾不敬。有詔免爲庶人，待詔宦者署，復爲中郎。與枚皋、郭舍人俱在左右，詼啁而已。久之，朔上書陳農戰彊國之計，因自訟獨不得大官，欲求試用。其言專商鞅、韓非之語也，指意放蕩，頗復詼諧，辭數萬言，終不見用。贊曰：“劉向言少時數問長老賢人通于事及朔時者，皆曰朔口諧倡辯，不能持論，喜爲庸人誦説，故令後世多傳聞者。”按此引劉向似亦《別録》文。

《史・滑稽列傳》：褚少孫曰：“武帝時，齊人有東方生名朔，以好古傳書，愛經術，多所博觀外家之語。朔初入長安，至公車上書，凡用三千奏牘。公車令兩人共持舉其書，僅能勝之。人主從上方讀之，止，輒乙其處，讀之二月乃盡。”

《黄氏日鈔》曰：“朔固滑稽之士，然未嘗有一語導人主于非。至其卻董偃、諫起上林、對化民有道三事，忠言讜論，如矢斯直，一時文墨議論之士，孰有髣髴其萬一者乎？”

　按本傳言“上書陳農戰彊國之計，辭數萬言”者，意即此二十篇之書，褚少孫稱“上書用三千奏牘”，意亦即是此書，特褚謂其初到時所上，傳則列在再爲中郎時，是所不同耳。本傳又言劉向所録朔書有《客難》，《非有先生論》，《封泰山》，《責和氏璧》及《皇太子生禖》，《屏風》，《殿上柏柱》，《平樂館賦獵》，八言、七言上下，《從公孫弘借車》諸篇，皆其雜詩文，則本志所不載者也。

伯象先生一篇

　應劭《漢書集解》曰：“伯象先生蓋隱者也，故公孫敖難以無益世主之治。"又《風俗通‧姓氏篇》:白象先生,古賢人隱者。

張澍輯注曰:"伯與白同。"

王氏《考證》:《新序》公孫敖問伯象先生曰:"今先生收天下之術,博觀四方之事久矣,未能裨世主之治,明君臣之義。"

荆軻論五篇。軻爲燕刺秦王,不成而死,司馬相如等論之。

劉向《別錄》曰:"丹,燕王喜之太子。"又曰:"督亢,膏腴之地。"按《別錄》佚文有此二語,似即爲此書發也,不可詳考。今姑繫之此。

王氏《考證》:《文章緣起》:"司馬相如作《荆軻贊》。"《文心雕龍》:"相如屬辭,始贊荆軻。"

章學誠《校讎通義》曰:"雜家《荆軻論》五篇,大抵史贊之類也。"

吳子一篇

吳子未詳。

按此吳子列在公孫尼之前,則頗似吳起,同爲七十子之弟子,別見兵權謀家。

公孫尼一篇

按公孫尼似即公孫尼子,別有書二十八篇,見前儒家。

博士臣賢對一篇。漢世,難韓子、商君。

臣說三篇。武帝時作賦。

臣賢、臣說並未詳。

按舊本連續而書,《詩賦略》之臣說次郎中嬰齊之後,此次于博士臣賢之後,似臣說者由郎中爲博士,《志》各蒙上省文,亦各從其奏對、奏賦時所署官秩,蓋猶《博士臣說對》三篇也。

解子簿書三十五篇

解子簿書未詳。

或曰其人姓解,所簿雜書凡三十五篇。或又曰簿録諸子書而雜解之。前人無説,莫能詳也。

推雜書八十七篇

推雜書未詳。

或曰劉中壘類推諸雜書之無書名撰人者裒爲此編，亦莫能詳也。

雜家言一篇。王伯，不知作者。

顏氏《集注》曰："言伯王之道。伯讀曰霸。"

按此亦無書名撰人，猶《儒家言》、《道家言》、《雜陰陽》、《法家言》之類，或數十篇，或一、二篇，尋其義例，亦唯視所有以爲多寡而已。

又按是篇凡分五章段：自孔甲《盤盂》至《東方朔》十家十一部爲一段；《伯象先生》、《荆軻論》二家爲一段；《吴子》、《公孫尼》二家爲一段；《博士臣賢》、《臣説對》爲一段。其自《伯象先生》至此，大抵皆論贊辯難奏對之文，而時代各不相接，故各以類從。《解子簿書》以下三家，則皆無撰人時代者，例當置之末簡焉。

右雜二十家，四百三篇。入兵法。按所載二十條條爲一家，然《淮南王内》、《外》當合爲一家。其篇數溢出十家。今校定當爲一十九家，三百九十三篇。　注云"入兵法者"，以兵權謀家所注考之，則淮南書也。

雜家者流，蓋出于議官。兼儒、墨，合名、法，知國體之有此，見王治之無不貫，此其所長也。及盪者爲之，則漫羨而無所歸心。

《隋書·經籍志》曰："雜者，兼儒、墨之道，通衆家之意，以見王者之化，無所不冠者也。古者，司史歷記前言往行，禍福存亡之道。然則雜者，蓋出史官之職也。放者爲之，不求其本，材少而多學，言非而博，是以雜錯漫羨，而無所指歸。"

神農二十篇。六國時，諸子疾時怠於農業，道耕農事，託之神農。

劉向《別録》曰："疑李悝及商君所説。"按李悝、商君並見前法家。

王氏《考證》：《孟子》有爲神農之言者許行，《食貨志》鼂錯引神農之教，《吕氏春秋》、《管子》、《氾勝之書》亦引神農之教，

《淮南子》引神農之法。

顧炎武《日知錄》曰："《孟子》'有爲神農之言'注'史遷所謂農家者流也',仁山金氏曰：'太史公六家同異無農家，班固《藝文志》分九流，始有農家者流，《集注》偶誤，未及改。'"

嚴可均《全上古文編》曰："《漢‧藝文志》農家有《神農》二十篇，案倉頡造字在黃帝時，前此未有文字，神農之言皆後人追錄。鼂錯所引顯是六國時語，即《六韜》及《管子》、《文子》所載，亦不過謂神農之法相傳如是，豈謂神農手撰之文哉？"

馬國翰輯本序曰："《漢志》農家、兵陰陽家、五行家、雜占家、經方家、神仙家並有神農書，大抵皆依託爲之，今其書並佚。考《開元占經》載有《八穀生長》一篇，差爲完具，又數引神農占。《管子》、《淮南子》、《漢‧食貨志》等書或引神農之數，或引神農之法，或引神農之教。《藝文類聚》引《神農求雨書》。得有篇目可稱者凡六，其他佚文散句時見傳注所引，並據輯錄，不可區別，統入農家。"

　　按《呂氏春秋》六月紀："是月也，不可以興土功，不可以起兵動衆。無舉大事，無發令而干時，以妨神農之事。水潦盛昌，命神農，將巡功。舉大事則有天殃。"高誘曰："無發干時之令畜聚人功，以妨害神農耘耨之事。"又曰："昔炎帝神農能殖嘉穀，神而化之，號爲神農。後世因名其官爲神農，巡行堰畝修治之功。于此時，或舉大事妨害農事，禁戒之，云有天殃之罰。"按此則神農亦古官名，故本志叙云出于農稷之官。

野老十七篇。六國時，在齊、楚間。

應劭《漢書集解》曰："年老居田野，相民耕種，故號野老。"

袁淑《真隱傳》：野老，六國時人，游齊、楚間，年老隱居，著書言農家事，因以爲號。

《文心雕龍‧諸子篇》：逮及七國力政，俊乂蠭起。孟軻應儒以
罄折，莊周述道以翱翔，墨翟執儉確之教，尹文課名實之符，野
老治國于地利，騶子養政于天文，承流而枝附者不可勝算。

馬國翰輯本序曰："《漢志》農家有《野老》十七篇，《隋》、《唐
志》皆不著録，書佚已久。考《吕氏春秋》載《上農》、《任地》、
《辨土》、《審時》四篇，家宛斯先生《繹史》云'蓋古農家野老之
言，而吕子述之'，兹據補録。書中稱后稷語古奥精微，其論
得時失時，形色情狀，洵非老農不能道。以此勞民勸相，洵堪
矜式，宜吕氏賓客取載多篇也。"

宰氏十七篇。不知何世。

鄭樵《氏族略》：宰氏，姬姓，周卿士宰周公之後，又有宰孔者，
皆周太宰，以官爲氏。仲尼弟子宰予。又曰："宰氏氏，《范蠡
傳》云'范蠡師計然，姓宰氏，字文子，葵邱濮上人'。"按宰氏氏
者，鄭以爲複姓，恐不然。

馬國翰《范子計然》輯本序曰："計然者，據本書葵邱濮上人，
姓辛，字文子。案鄭樵《氏族略》宰氏注引《范蠡傳》'范蠡師事
計然，姓宰氏，字文子'。意者'辛'爲'宰'字之誤。《漢志》農家
《宰氏》十七篇，或即計然歟？賈思勰《齊民要術》嘗引之。"

案"計然姓辛，字文子，葵邱濮上人"，見馬總《意林》。北魏李
暹注道家《文子》書，誤以計然之姓氏、里籍爲文子，前人辯之
已詳。兹馬氏据《氏族略》疑"辛"爲"宰"字之誤，以爲即計然
之書。案晉《中經簿》有計然《萬物録》三卷，《唐‧藝文志》農
家首載《范子計然》十五卷，反覆推尋馬氏之説，亦頗近似。

董安國十六篇。漢代内史，不知何帝時。

本書《百官公卿表》：内史，周官，秦因之，掌治京師。景帝二
年分置左此處似敓一"右"字。内史。右内史武帝太初元年更名京
兆尹。左内史更名左馮翊。又曰："孝文十四年，内史董赤。"

案《表》所載漢內史並在景帝元二年之前，其後即分爲左、右內史。而文帝十四年有內史董赤，疑赤宇安國，赤心奉國，義亦相應。安國殆亦如氾勝之敎田三輔作此書歟？

尹都尉十四篇。不知何世。

劉向《別錄》曰："《尹都尉書》有《種瓜篇》，有《種蓼篇》，有種芥、葵、蓼、葱諸篇。"又曰："都尉有《種葱書》。"諸輯本此下又有云："曹公既與先生言，細人覷之，見其拔葱。"按此乃類事者取魏武昭烈事，轉寫誤連爲一條，而謂"先主"爲"先生"耳，今不取。

《唐書・藝文志》：《尹都尉書》三卷。

王氏《考證》：蕭大圜云："穮蔉尋氾氏之書，露葵徵尹君之錄。"

馬國翰輯本序曰："《漢志》農家有《尹都尉》十四篇，注云'不知何世'。考《氾勝之書》曰：'驗美田至十九石，中田十三石，薄田一十石。尹澤取減，法神農。'尹澤，疑都尉之名，意其爲漢成帝以前人也。其書《隋志》不著錄，《唐志》三卷，今佚。《藝文類聚》、《太平御覽》並引劉向《別錄》云'《尹都尉書》有《種瓜篇》，種芥、葵、蓼、薤、葱諸篇'。今所傳《齊民要術》備載其法，據補得六篇云。"

案馬氏据《氾勝之書》以爲尹澤，近得其似。

趙氏五篇。不知何世。

本書《食貨志》：武帝末年，悔征伐之事，迺封丞相爲富民侯。下詔曰："方今之務，在于力農。"以趙過爲搜粟都尉。過能爲代田，一晦三甽。歲代處，故曰代田，古法也。師古曰："甽或作畎。代，易也。"后稷始甽田一，以二耜爲耦，廣尺深尺曰甽，長終晦。一晦三甽，一夫三百甽，而播種于三甽中。苗生葉以上，稍耨隴草，因隤其土以附苗根。故其《詩》曰："或芸或芋，黍稷儗儗。"芸，除草也。芋，附根也。言苗稍壯，每耨輒附根，比盛暑，隴盡而根深，能風與旱，故儳儳而盛也。其耕耘下種田器，皆有便巧。率十二夫爲田一井一屋，故晦五頃，用耦犂，二牛，三人，一歲之收常過縵田晦一斛以上，_{師古曰：“縵田，謂不爲
畖者也。”}善者倍之。過使教田太常、三輔，_{蘇林曰：“太常主諸陵，有民，
故亦課田種也。”}太農置工巧奴與從事，爲作田器。二千石遣令長、三老、力田及里父老善田者受田器，學耕種養苗狀。民或苦少牛，亡以趨澤，故平都令先_{按下文“先”當爲“光”。}教過以人輓犂。過奏光以爲丞，教民相與庸輓犂。_{師古曰：“庸，功也。”}率多人者田日三十晦，少者十三晦，以故田多墾闢。過試以離宮卒田其宮壖地，課得穀皆多其旁田晦一斛以上。令命家田三輔公田，又教邊郡及居延城。是後邊城、河東、弘農、三輔、太常民皆便代田，用力少而得穀多。

《齊民要術》卷一：武帝以趙過爲搜粟都尉，教民耕殖，其法三犂共一牛，一人將之，下種挽耬，皆取備焉。日種一頃，至今三輔猶賴其利。

　　按《食貨志》及《齊民要術》所載，則此趙氏明是趙過。過又善于制器，武、昭時人也，而班氏注云“不知何世”，豈別有其人耶？然其著聞者無過于過，此注及前《董安國》注“不知何帝時”，《尹都尉》注“不知何時”，疑皆非班氏本文。題曰“趙氏”者，或其子姓及吏士爲之，不盡出于過手歟？

氾勝之十八篇。成帝時爲議郎。

　　劉向《別錄》曰：“使教田三輔，有好田者師之，徙爲御史。”

　　《太平御覽·資產部》：《氾勝之書》曰：“衛尉前上蠶法，今上農法，民事人所忽略，衛尉勸之，可謂忠國愛民之至。”_{按此似當時詔書褒美之文，又似《別錄》中語。氾勝之與劉中壘同時，當中壘典校諸子時，適會其上農法，故云“今”。因併其前所上蠶法合爲一編。鄭樵《氏族略》云“《農書》十二篇”，審是則《蠶法》六篇，共十八篇。然久遠無徵，莫得而詳矣。}

《晉書·食貨志》：太興元年詔曰：“昔漢遣輕車使者氾勝之督三輔種麥，而關中遂穰。”

《廣韻》二十九凡“氾”字注：氾，又姓，出燉煌、濟北二望。皇甫謐云：“本姓凡氏，遭秦亂，避地于氾水，因改焉。漢有氾勝之撰書，言種植之事。子輯爲燉煌太守，子孫因家焉。”

《隋書·經籍志》：《氾勝之書》二卷，漢議郎氾勝之撰。《唐·經籍志》：《氾勝之書》二卷，氾勝之撰。《唐·藝文志》：《氾勝之書》二卷。

鄭樵《氏族略》：氾氏，周大夫，食采于氾，因以爲氏。漢有氾勝之，爲黃門侍郎，撰《農書》十二篇。

王氏《考證》：《月令》注引《農書》曰：“土長冒橛，陳根可拔，耕者急發。”《正義》云“《農書》，先師以爲《氾勝之書》”，《周禮·草人》注“化之使美，若氾勝之術也”，疏云：“漢時農書有數家，氾勝爲上。”《後漢·劉般傳》注、《文選注》、《爾雅》、《釋文》、《初學記》、《太平御覽》皆引之。

馬國翰輯本序曰：“《漢志》農家《氾勝之》十八篇，《隋》、《唐志》並二卷，今無傳本，散見賈思勰《齊民要術》中，輯録猶得十四篇。又從《黍穄篇》別出《種稗》，從《種穀篇》別出《區田法》，爲篇十六。又從《文選注》、《藝文類聚》、《御覽》所引綴爲《雜篇》上下，十八篇之書猶完。依《隋志》分爲二卷，書言樹藝之法親切詳明，鄭康成注《禮》亟引之。賈公彦謂漢時農書，氾勝爲上，洵不虛也。”

王氏六篇。不知何世。

王氏未詳。

按氾勝之已在成帝時，此列于其後，大抵亦與氾氏同時。若又在其後，則已將漢末，《七略》亦不及載矣。而班氏注云“不知何世”，亦疑是後人語，非班氏本文。

蔡癸一篇。宣帝時，以言便宜，至弘農太守。

　　劉向《別錄》曰："邯鄲人。"

　　本書《食貨志》曰："宣帝即位，用吏多選賢良，百姓安土，歲數
　　豐穰。五鳳中，蔡癸以好農使勸郡國，至大官。"師古曰："爲
　　使而勸郡國也。"

　　《太平御覽·資産部》：崔元始《正論》曰："宣帝使蔡癸校民耕
　　植，三犂共一牛，一人持之，下種挽摟，皆取備焉，日種一頃也。"

　　馬國翰曰："《齊民要術》引'武帝使趙過教民耕殖，其法三犂
　　共一牛'云云，而《御覽》引崔寔《政論》作'宣帝使蔡癸校民耕
　　事'，文正同，蓋癸書述趙過法而崔氏引之也。"

　　　按此列成帝時氾勝之之後者，或其人後氾勝之卒，而其書
　　　亦後出，或所言皆趙過諸人之成法，故置之末簡歟？

右農九家，百一十四篇。按此篇家數、篇數並不誤。

農家者流，蓋出于農稷之官。播百穀，勸耕桑，以足衣食，故八
政一曰食，二曰貨。孔子曰"所重民食"，此其所長也。及鄙者
爲之，以爲無所事聖王，欲使君臣並耕，誖上下之序。《隋書·經籍
志》曰："農者，所以播五穀，藝桑麻，以供衣食者也。《書》叙八政，其一曰食，二曰貨。
孔子曰：'所以重民食。'《周官》，冢宰'以九職任萬民'，其一曰'三農生九穀'；地官司稼
'掌巡邦野之稼，而辨種稑之種，周知其名與其所宜地，以爲法而懸于邑閭'是也。鄙者
爲之，則棄君臣之義，徇耕稼之利而亂上下之序。"

伊尹説二十七篇。其語淺薄，似依託也。

　　伊尹有書五十一篇，見前道家。

　　《孟子》：萬章問曰："人有言'伊尹以割烹要湯'，有諸？"孟子
　　曰："否，不然。吾聞其以堯、舜之道要湯，未聞以割烹也。"

　　王氏《考證》：《呂氏春秋》"伊尹説湯以至味"云云，蓋戰國之
　　士謂伊尹以割烹要湯，故爲是説，孟子辯之詳矣。

　　何義門《讀書記》曰："小説家《伊尹説》二十七篇，依託之書，

皆入小説,弗爲弗滅,斯舉衷矣。"

嚴可均《三代文編》曰:"《漢志》小説家有《伊尹説》二十七篇,本注'其語淺薄,似依託也'。《吕氏春秋·本味篇》疑即小説家之一篇,《孟子》'伊尹以割烹要湯'謂此篇也。"

梁玉繩《吕子校補》曰:"《漢·藝文志》小説家有《伊尹説》二十七篇,《司馬相如傳》索隱稱應劭引《伊尹書》,《説文》櫨字、秏字注亦引伊尹之言,豈《本味》一篇出于《伊尹説》歟?"按應劭所引及《説文》兩字所注,皆見于《本味篇》,故梁氏有是言。

鬻子説十九篇。後世所加。

鬻子有書二十二篇,見前道家。

《唐書·經籍志》:《鬻子》一卷,鬻熊撰。按《隋志》、《新唐志》並入道家,《宋志》入雜家,唯此志入小説家,今據以録于此。

《四庫》雜家提要曰:"《漢書·藝文志》道家《鬻子》二十二篇,又小説家《鬻子説》十九篇,是當時本有二書。《列子》引《鬻子》凡三條,皆黄老清静之説,與今本不類,疑即道家二十二篇之文。今本所載與賈誼《新書》所引六條,文格略同,疑即小説家之《鬻子説》也。"

嚴可均《漫稿》曰:"《漢志》道家《鬻子》二十二篇,又小説家《鬻子説》十九篇,後世所加。《隋志》道家《鬻子》一卷,《舊唐志》改入小説家。案隋唐人所見皆道家殘本,其小説家本梁時已佚失,劉昀移道家本當之,非也。"按此謂"小説家本梁時佚失",根據《隋志》以爲之説也,最足憑信。

周考七十六篇。考周事也。

章學誠《校讎通義》曰:"小説家之《周考》七十六篇,班固注云'考周事也',則其書不當儕于小説也。"以爲當部于《尚書》家,不可爲訓。

青史子五十七篇。古史官記事也。

《文心雕龍·諸子篇》曰:"青史曲綴以街談。"

《隋書·經籍志》：梁有《青史子》一卷，亡。

鄭樵《氏族略》：以官爲氏者，有青史氏，《英賢傳》云："晉太史董狐之子受封青史之田，因氏焉。"《漢書·藝文志》青史子著書。

鄧名世《古今姓氏書辯證》：《漢·藝文志》有青史氏，其書五十七篇。世以史書總謂之青史，其説蓋起于此。

王氏《考證》：《風俗通義》引"青史子書"，《大戴禮·保傅篇》引"青史氏之記"。

馬國翰輯本序曰："《漢志》小説家《青史子》五十七篇。《隋》、《唐志》不著録，佚已久。《大戴禮記》、賈誼《新書》並引'青史氏之記'，此佚説之僅存者，據輯校録。書中言胎教之法，懸弧之禮，巾車之道，具有典則。"

章學誠《校讎通義》曰："小説家之《青史子》五十七篇，其書雖不可知，然觀《大戴·保傅篇》所引，則其書亦不儕于小説也。"按劉勰言"曲綴以街談"，此其所以爲小説家言，安得以殘文斷其全書乎？

師曠六篇。見《春秋》，其言淺薄，本與此同，似因託也。一本"也"作"之"。

《左·襄十四年傳》：師曠侍於晉侯。杜預曰："師曠，晉樂大師子野。"

《孟子·離婁篇》：師曠之聰。趙岐曰："師曠，晉平公之樂太師也，其聽至聰。"

本書《人表》師曠列第五等中中。梁玉繩曰："師曠始見《逸書·太子晉解》、《左·襄十四》、《晉語》八。晉主樂大師，字子野，冀州南和人。生而無目，故自稱瞑臣，又稱盲臣，亦曰晉野。葬右扶風漆縣。《廣韻》注以師爲姓，非也。"

《後漢書·方術傳》序"箕子之術，師曠之書"注："師曠占災異之書也。今書《七志》有《師曠》六篇。"

按王儉《七志》所載與本志篇數同，似猶爲《七略》原編。《隋志》五行家有《師曠書》三卷，在歲占諸書中，又占夢書中云“梁有《師曠占》五卷，亡”，或在此書，或在兵陰陽家，無以詳知。

又按《説文·鳥部》引師曠説，今有《禽經》一卷，舊題師曠，疑即此六卷之佚出者。或以爲因《説文》所引而影附之，不得而詳矣。

務成子十一篇。稱堯問，非古語。

《荀子·大略篇》曰：“堯學于君疇，舜學于務成昭。”楊倞注曰：“君疇，《漢書·古今人表》作‘尹壽’，又《漢·藝文志》小説家有《務成子》十一篇，昭其名也，亦見《尸子》。又《新序》子夏對哀公曰‘舜學于務成跗’。”

林寶《元和姓纂》曰：“務成氏，《吕氏春秋》‘務成子，堯師也’。又《新序》子夏曰‘舜學于務成附’。”《氏族略》引文同，“附”作“跗”。

王氏《考證》：《荀子》“舜學于務成昭”注：《尸子》曰：“務成昭之教舜也曰：‘避天下之逆，從天下之順，天下不足取也；避天下之順，從天下之逆，天下不足失也。’”

《抱朴子·明本篇》：昔赤松子、王喬、琴高、老氏、彭祖、務成、鬱華皆真人，悉仕于世，不便遐遁。按此則神仙家又以務成爲仙人，又《金丹篇》引《務成子丹法》。

按泰州宮夢仁《讀書紀數略》云“堯師務成昭，舜學于務成跗”，以爲兩人，未詳所據。

宋子十八篇。孫卿道宋子，其言黄老意。

《孟子·告子篇》：宋牼將之楚，孟子遇于石丘。趙岐曰：“宋牼，宋人，名鈃。”孫奭《正義》曰：“牼與鈃同，口莖反。”

《莊子·天下篇》曰：“墨子真天下之好也，宋鈃、尹文聞其風而悦之。”

《荀子·非十二子篇》：不知壹天下、建國家之權稱，上功用、大儉約而漫差等，曾不足以容辯異、縣君臣；然而其持之有故，其言之成理，足以欺惑愚衆，是墨翟、宋鈃也。楊倞曰："宋鈃，宋人，與孟子、尹文子、彭蒙、慎到同時，《孟子》作'宋牼'，與鈃同音。"劉向《尹文子書録》曰："尹文子與宋鈃俱游稷下。"

《韓非子·顯學篇》：宋榮子設不爭鬭，取不隨仇，不羞囹圄，見侮不辱，世主以爲寬而禮之。俞樾《莊子人名考》：《逍遥游》篇有宋榮子，司馬彪云"宋國人也"，崔云"賢者也"。榮與鈃聲亦相近，宋榮即宋鈃，宋鈃即宋牼。

王氏《考證》：宋子蓋尹文弟子，《荀子》兩引宋子，又兩引子宋子。

馬國翰輯本序曰："宋鈃，《孟子》作'宋牼'，《韓非》作'宋榮子'，要皆是一人也。《漢志》小説家《宋子》十八篇，《隋》、《唐志》不著目，佚已久。《莊子·天下篇》載其禁攻寢兵之事，並述其言。案《莊子》雖與尹文並稱，今尹文子書尚存，無《莊子》所述之言，且以《孟》、《荀》書證知，皆述鈃語，據補佚篇，附考爲帙。"

天乙三篇。天乙謂湯，其言非殷時，皆依託也。非監本作者。

王氏《考證》：賈誼書《修政語》引湯曰云云。《史記·殷本紀》湯曰："予有言人視水見形，視民知治不。"

　　按王氏以此兩引謂即在此三篇中，亦約略言之耳。

黃帝説四十篇。迂誕依託。

《史·五帝本紀》贊：百家言黃帝，其文不雅馴，薦紳先生難言之。《正義》曰："馴，訓也，謂百家之言皆非典雅之訓。"

《抱朴子·極言篇》：昔黃帝生而能言，役使百靈，可謂天授自然之體者也，猶復不能端坐而得道。故陟王屋而授丹經，到鼎湖而飛流珠，登崆峒而問廣成，之具茨而事大隗，適東岱而

奉中黃,入金谷而諮涓子,論道養則資元素二女,精推步則訪
山稽、力牧,講占候則詢風后,著體診則受雷岐,審攻戰則納
五音之策,窮神奸則記白澤之辭,相地理則書青鳥之説,救傷
殘則綴金冶之術。故能畢該祕要,窮道盡真,遂昇龍以高躋,
與天地乎罔極也。又曰:黄帝及老子奉事太乙元君以受要
訣。又曰:《荆山經》及《龍首記》,皆云黄帝服神丹之後,龍來
迎之。又曰:言黄帝仙者,見于道書及百家之説者甚多。

　　按《封禪書》言武帝時,齊人公孫卿有黄帝《鼎書》,言黄帝
　　上登于天云云。又《文心雕龍·祝盟篇》云"黄帝有祝邪之
　　文",《鼎書》、《祝邪文》及葛稚川言《荆山經》、《龍首記》疑
　　皆在此書中。

封禪方説十八篇。武帝時。

《史·封禪書》:今天子初即位,尤敬鬼神之祀。元年,漢興已
六十餘載矣,天下乂安,搢紳之屬皆望天子封禪。草巡狩封
禪事未就。後李少君以祀竈、穀道、卻老方見上,言"祀竈則
致物,致物而丹砂可化爲黄金,黄金成以爲飲食器則益壽,益
壽而海中蓬萊僊者乃可見,見之以封禪則不死,黄帝是也。"
天子使黄錘史寬舒受其方。亳人謬忌奏祠太一方,天子令太
祝立其祠,常奉祀如忌方。其後人有上書,言"古者天子三年
壹用太牢祠神三一:天一、地一、太一"。天子許之,令太祝領
祀之,如其方。後人復有上書,言"古者天子常以春解祠",《索
隱》:謂祀祭以解殃咎,求福祥也。令祠官領之如其方。齊人少翁以鬼
神方見上。膠東宫人欒大求見言方。大見數月,佩六印,貴
震天下,而海上燕齊之間,莫不搤捥而自言有禁方,能神僊
矣。上東巡海上,齊人之上疏言神怪奇方者以萬數。

待詔臣饒心術二十五篇。武帝時。

劉向《别録》曰:"饒,齊人也,不知其姓,武帝時待詔,作書名

曰《心術》。"

按書名"心術",其即如後世見聞果報勸戒諸録之類也歟？又《管子・七法篇》云："實也,誠也,厚也,施也,度也,恕也,謂之心術。"房玄齡曰："凡此六者,皆自心術生也。"豈即以此六事推演爲書歟？

待詔臣安成未央術一篇

應劭《漢書集解》曰："道家也,好養生事,爲未央之術。"

案此疑與房中術相類,《開元占經・分野略例》中引《未央分野》十二條,馬氏《玉函山房》以爲《未央術》,輯入天文家。案作《未央分野》者,後漢安帝時人,詳見李淳風《乙巳占分野篇》,非即此《未央術》也。

臣壽周紀七篇。項國圉人,宣帝時。

案此次待詔臣饒、臣安成之後,或蒙上省文,亦官待詔者,當時皆奏進于朝,故稱臣饒、臣安成、臣壽。《周考》考周事,此《周紀》大抵亦紀周代璅事,同爲街談巷議之流歟？

又案漢無項國,圉爲淮陽國屬縣。考《地理志》汝南郡,項,故國,《郡國志》亦云故國,《左傳・僖十七年》魯所滅。此注"項國圉人",蓋從其所稱古地名,圉故屬項國,漢屬淮陽國,後漢屬陳留郡,項則兩漢並屬汝南郡,臣壽實爲淮陽國圉人也。

虞初周説九百四十三篇。河南人,武帝時以方士侍郎號黄車使者。

應劭《漢書集解》曰："其説以《周書》爲本。"

《史・封禪書》：太初元年,是歲西伐大宛。丁夫人、雒陽虞初等以方祠詛匈奴、大宛焉。本書《郊祀志》同。

後漢張衡《西京賦》曰："千乘雷動,萬騎龍驅。屬車之簸,載獫獢猭。匪唯翫好,乃有祕書。小説九百,本自虞初。從容之求,實俟實儲。"吳薛綜注曰："小説,醫巫厭祝之術,凡有九百四十三篇。言九百，舉大數也。持此祕術，儲以自隨，待上所求問，皆常具也。"李善曰："《漢書》曰：《虞初周説》九百四十三篇。初，河南人也。武帝時以方士侍郎，乘馬，衣黃衣，號黃車使者。"按此知今本《漢志》班氏注，後人刪落"乘馬，衣黃衣"五字。又據賦所云，則天子從官嘗載此書以待顧問，未必非當時事實也。

百家百三十九卷

應劭《風俗通義》曰："門户鋪首，按《百家書》，公輸般見水上蠡，謂之曰：'開汝頭，見汝形。'蠡適出頭，般以足畫圖之。蠡引閉其户，終不可開。設之門户，欲使閉藏，當如此固密也。"又曰："城門失火，禍及池魚。謹案《百家書》，宋城門失火，因汲取池中水，以沃灌之，池中空竭，魚悉露死。喻惡之滋并中傷善類也。"按應氏引《百家書》兩條，知其嘗見此書矣。

　　案劉中壘《説苑叙録》曰："除去與《新序》複重者，其餘者淺薄不中義理，別集以爲《百家》。"似即此《百家》，蓋《説苑》之餘，猶宋李昉等既譔集爲《太平御覽》，復裒録爲《太平廣記》也。案是篇凡分四章段：《伊尹》、《鬻子》、《周考》、《青史子》、《師曠》五家，叙次聯貫，條理井井，是爲第一段；《務成子》、《宋子》、《天乙》、《黃帝説》四家，顛倒先後，雜出不倫，大抵皆從成書之遲早爲次，不以所託之時代論也。《務成子》成書在宋鈃之前，《天乙》、《黃帝説》成書在宋鈃之後歟？是爲第二段。《封禪方説》至《周紀》四家，皆武、宣時所奏御者，是爲第三段；《虞初周説》罔羅宏富，自爲體裁，別成一家，而劉中壘所集《百家》，體製略同，故次于其後，是爲第四段。他如法家、名、墨、從橫、農五篇，著録無多，故不見別分章段云。

右小説十五家，千三百八十篇。劉奉世曰："又少十篇。"按是篇家數不誤，其篇數則如劉奉世所言。今校定當爲一千三百九十篇。

小説家者流，蓋出于稗官。街談巷語，道聽塗説者之所造也。

孔子曰：“雖小道，必有可觀者焉，致遠恐泥，是以君子弗爲也。”
然亦弗滅也。閭里小知者之所及，亦使綴而不忘。如或一言可
采，此亦芻蕘狂夫之議也。顏氏《集注》：如淳曰：“街談巷説，其細碎之言也。
王者欲知閭巷風俗，故立稗官使稱説之。今世亦謂偶語爲稗。”師古曰：“稗官，小官。
《漢名臣奏》唐林請省置吏，公卿大夫至都官稗官各減什三，是也。”《隋書·經籍志》曰：
“小説者，街談巷語之説也。《傳》載輿人之誦，《詩》美詢于芻蕘。古者聖人在上，史爲
書，瞽爲詩，工誦箴諫，大夫規誨，士傳言而庶人謗。孟春，徇木鐸以求歌謠，巡省觀人
詩，以知風俗。過則正之，失則改之，道聽塗説，靡不畢紀。《周官》，誦訓‘掌道方志以詔
觀事，道方慝以詔辟忌，以知地俗’；而職方氏‘掌道四方之政事，與其上下之志，誦四方
之傳道而觀衣物’是也。孔子曰：‘雖小道，必有可觀者焉，致遠恐泥。’”

凡諸子百八十九家，四千三百二十四篇。出蹴鞠一家，二十五
篇。按所載家數、篇數，就上十種都凡之數計之，則爲一百九十家，四千五百四十一
篇，然皆非其實。今詳加校定，當爲一百八十七家，四千三百五十九篇，注云“出蹴鞠一
家”者，不知從何類析出。疑小説家都凡之下有此注，後人以一版之中再見是注，妄以爲
煩複而刪落之。

諸子十家，其可觀者九家而已。皆起于王道既微，諸侯力政，時
君世主，好惡殊方，是以九家之術蠭出並作，各引一端，崇其所
善，以此馳説，取合諸侯。其言雖殊，辟猶水火，相滅亦相生也。
仁之與義，敬之與和，相反而皆相成也。《易》曰：“天下同歸而
殊塗，一致而百慮。”今異家者各推所長，窮知究慮，以明其指，
雖有蔽短，合其要歸，亦六經之支與流裔。使其人遭明王聖主，
得其所折中，皆股肱之材已。仲尼有言：“禮失而求諸野。”方今
去聖久遠，道術缺廢，無所更索，彼九家者，不猶癒于野乎？若
能修六藝之術，而觀此九家之言，舍短取長，則可以通萬方之略
矣。《隋書·經籍志》曰：“《易》曰：‘天下同歸而殊塗，一致而百慮。’世之治也，列在
衆職，下至衰亂，官失其守。或以其業游説諸侯，各崇所習，分鑣並騖。若使總而不遺，
折之中道，亦可以興化致治者矣。”按此一篇文格大類劉歆《移太常博士書》，是亦班氏全
用《輯略》之文之一證。

漢書藝文志條理卷三

屈原賦二十五篇。楚懷王大夫,有列傳。

《史》本傳:屈原者,名平,楚之同姓也。爲楚懷王左徒。博聞彊志,明于治亂,嫻于辭令。入則與王圖議國事,以出號令;出則接遇賓客,應對諸侯。王甚任之。上官大夫與之同列,爭寵而心害其能。因讒之。王怒而疏屈平。屈平疾王聽之不聰也,讒諂之蔽明也,邪曲之害公也,方正之不容也,故憂愁幽思而作《離騷》。離騷者,猶離憂也。夫天者,人之始也;父母者,人之本也。人窮則反本,故勞苦倦極,未嘗不呼天也;疾痛慘怛,未嘗不呼父母也。屈平正道直行,竭忠盡智以事其君,讒人間之,可謂窮矣。信而見疑,忠而被謗,能無怨乎?屈平之作《離騷》,蓋自怨生也。《國風》好色而不淫,《小雅》怨悱而不亂。若《離騷》者,可謂兼之矣。上稱帝嚳,下道齊桓,中述湯武,以刺世事。明道德之廣崇,治亂之條貫,靡不畢見。其文約,其辭微,其志潔,其行廉,其稱文小而其指極大,舉類邇而見義遠。其志潔,故其稱物芳。其行廉,故死而不容。自疏濯淖汙泥之中,蟬蛻于濁穢,以浮游塵埃之外,不獲世之滋垢,皭然泥而不滓者也。推此志也,雖與日月爭光可也。<small>按此似全取淮南王《離騷傳》文,所謂"旦奉詔食時上"者也。</small>

本書《人表》第二等上中仁人屈原。梁玉繩曰:"屈原始見《楚辭·卜居》,字原,名平,《離騷》所謂'皇考伯庸名余正則,字余靈均'者也。爲楚三閭大夫,故稱曰三閭,亦曰原生,亦曰屈子。以正月庚寅日生,以五月五日投汨羅死。唐昭宗天祐元年,封爲昭靈侯。宋元豐六年,改封忠潔侯。後又封清烈公。元延祐五年，加封忠節清烈公。"

後漢校書郎王逸《楚辭章句》曰："屈原與楚同姓，仕于懷王，爲三閭大夫。三閭之職，掌王族三姓。曰昭、屈、景。屈原序其譜屬，率其賢良，以屬國士。"

劉歆《七略》曰："孝宣皇帝詔徵被公，見誦楚辭。被公年衰母老，每一誦輒與粥。"按此似有敚誤。《王褒傳》云宣帝"徵能爲《楚辭》九江被公，召見誦讀。"又一引"年衰母老"作"羊裘母老"，疑是"羊裘年老"，不可知已。

嚴可均《三代文編》曰："《楚辭》王逸序曰：'《大招》，屈原之所作也。或曰景差，疑不能明也。'洪興祖以爲非屈原作。今案《漢志》'屈原賦二十五篇'，謂《離騷》一篇，《九歌》十一篇，《天問》一篇，《九章》九篇，《遠游》、《卜居》、《漁父》各一篇，凡二十五篇，洪説是也。"

　案景差有《大招》而《七略》無景差賦，蓋當時劉中壘別集爲《楚辭》進呈，已在《楚辭》十六卷中，《七略》亦偶有所遺也。又劉氏集《楚辭》有東方朔《七諫》，《七略》亦無其賦。

唐勒賦四篇。楚人。

《史·屈原列傳》：屈原既死之後，楚有唐勒、景差之徒者，皆好辭而以賦見稱。

本書《人表》第六等中下唐勒。梁玉繩曰："唐勒惟見《史·屈原傳》。《通志·氏族略》云楚滅唐，子孫以唐爲氏。"宋洪邁《容齋五筆》云："《西京雜記》霍光曰：'楚大夫唐勒一産二子，一男一女，男曰正夫，女曰瓊華，以先生者爲長。'"唐勒有子曰正夫，唯見于此。

嚴可均《三代文編》曰："唐勒，楚人，事頃襄王，爲大夫。《水經·汝水》注引唐勒《奏土論》。"按《奏土論》似在此四篇之外者。

宋玉賦十六篇。楚人，與唐勒並時，在屈原後也。

《史·屈原列傳》：屈原既死之後，楚有宋玉、唐勒、景差之徒者，皆好辭而以賦見稱；然皆祖屈原之從容辭令，終莫敢直諫。

本書《地理志》:"始楚賢臣屈原被讒放流,作《離騷》諸賦以自傷悼。後有宋玉、唐勒之屬慕而述之,皆以顯名。"

本書《人表》第五等中中宋玉。梁玉繩曰:"宋玉始見《史·屈原傳》,鄢人,屈原弟子,體貌閒麗。楚襄王稱爲先生。冢在唐州北陽縣。"

《隋志》集部別集篇:楚大夫《宋玉集》三卷。《唐·經籍志》:楚《宋玉集》二卷。《藝文志》同。按《隋》、《唐志》所載固是別本,與《漢志》著録不同,然《漢志》所載諸賦亦在其間,故并及之焉。

洪邁《容齋三筆》曰:"宋玉《高唐》、《神女》二賦,其爲寓言託興甚明,予嘗即其詞而味其旨,蓋所謂發乎情止乎禮義,真得詩人風化之本,玉之意可謂正矣。今人詩詞顧以襄王藉口,考其實則非是。"

嚴可均《三代文編》曰:"宋玉,鄢人,師事屈平,爲頃襄王大夫,有《集》三卷。按《漢·藝文志》'宋玉賦十六篇',今存者《風賦》、《大言賦》、《小言賦》、《諷賦》、《高唐賦》、《神女賦》、《登徒子好色賦》、《釣賦》、《笛賦》、《九辯》、《招魂》,凡十一篇,《對楚王問》、《高唐對》不在此數。如《九辯》爲九篇,則多出《漢志》三篇,所未審也。或云《笛賦》有宋意送荊卿之語,非宋玉作。"

趙幽王賦一篇

本書《諸侯王表》:趙幽王友,高帝子。高帝十一年三月丙寅,立爲淮陽王,二年徙趙,十四年,高后七年,自殺。《高后紀》:七年春正月,趙王友幽死於邸。

本書《高五王傳》:趙幽王友,十一年立爲淮陽王。趙隱王如意死,孝惠元年,徙友王趙,凡立十四年。友以諸呂女爲后,不愛,愛他姬。諸呂女怒去,讒之于太后曰:"王曰:'呂氏安得王?太后百歲後,吾必擊之。'"太后怒,以故召趙王。趙王至，置邸不見，令衛士圍守之，不得食。其羣臣或竊饋之，輒捕論之。趙王餓，乃歌曰：“諸呂用事兮，劉氏微；迫脅王侯兮，彊授我妃。我妃既妒兮，誣我以惡；讒女亂國兮，上曾不寤。我無忠臣兮，何故棄國？自快中野兮，蒼天與直！于嗟不可悔兮，寧早自賊！爲王餓死兮，誰者憐之？呂氏絕理兮，託天報仇！”遂死。以民禮葬長安。

莊夫子賦二十四篇。名忌，吳人。

本書《地理志》：始楚屈原作賦以自傷悼。後有宋玉、唐勒之屬。漢興，高祖王兄子濞于吳，招致天下之娛游子弟，枚乘、鄒陽、嚴夫子之徒興于文景之際。<small>按本志無鄒陽賦，疑在第四篇諸雜賦中。</small>

本書《鄒陽傳》：吳王濞招致四方游士，陽與吳嚴忌、枚乘等俱仕吳，皆以文辯著名。久之，吳王陰有邪謀。是時，景帝少弟梁孝王貴盛，亦待士。于是鄒陽、枚乘、嚴忌知吳王不可説，皆去之梁，從孝王游。

王逸《楚辭章句》：《哀時命》者，嚴夫子之所作也。夫子名忌，與司馬相如俱好辭賦，客游于梁，梁孝王甚奇重之。忌哀屈原受性忠貞，不遭明君，而遇暗世，斐然作辭，歎而述之，故曰《哀時命》也。洪興祖曰：“忌，會稽吳人，本姓莊，當時尊尚，號曰夫子，避漢明帝諱，改曰嚴。一云名忌，字夫子。”

賈誼賦七篇

賈誼有書五十八篇，見《諸子》儒家。

《史·屈賈列傳》：自屈原沈汨羅後百有餘年，漢有賈生，爲長沙王太傅，過湘水，投書以弔屈原。又曰：“賈生爲傅三年，有鵩飛入賈生舍，止于坐隅。楚人命鵩曰‘服’。賈生既以適居長沙，長沙卑溼，自以爲壽不得長，傷悼之，乃爲賦以自廣。”

劉向《別錄》：<small>賈生《弔屈原賦》因以自諭自恨也。</small>

王逸《楚辭章句》：《惜誓》者，不知誰所作也。或曰賈誼，疑不能明也。惜者，哀也。誓者，信也，約也。言哀惜懷王與己信約，而復背之也。古時君臣將共爲治，必以信誓相約，然後言乃從，而身以親也，蓋刺懷王有始而無終也。

《隋書·經籍志》：梁又有《賈誼集》四卷，録一卷。《唐·經籍志》：前漢《賈誼集》二卷。《藝文志》同。

王氏《考證》：朱文公曰："賈太傅以卓然命世英傑之才，俯就騷律所出三篇，《惜誓》、《弔屈原》、《服賦》。皆非一時諸人所及。"《古文苑》有《旱雲》、《筍虡賦》。

枚乘賦九篇

本書列傳：枚乘字叔，淮陰人也，爲吳王濞郎中。吳王之初怨望謀爲逆也，乘奏書諫，吳王不納。乘等去而之梁，從孝王游。及吳與六國反，以誅鼂錯爲名，漢斬錯以謝諸侯，枚乘復説吳王，令還兵疾歸，吳王不用乘策，卒見禽滅。漢既平七國，乘由是知名。景帝召拜乘爲弘農都尉。乘久爲大國上賓，與英俊並游，得其所好，不樂郡吏，以病去官。復游梁，梁客皆善屬辭賦，乘尤高。孝王薨，乘歸淮陰。武帝自爲太子聞乘名，及即位，乘年老，迺以安車蒲輪徵乘，道死。

《隋書·經籍志》：梁有《漢弘農都尉枚乘集》二卷，録一卷，亡。《唐·經籍志》：《枚乘集》二卷。《唐·藝文志》一卷。《宋史·藝文志》一卷。

王氏《考證》：《文選》有《七發》，《文選》注引《枚乘集》有《臨灞池遠訣賦》，《古文苑》有《梁王菟園賦》。

嚴可均《全漢文編》曰："《西京雜記》、《初學記》有枚乘《柳賦》。"

司馬相如賦二十九篇

司馬相如有《凡將篇》，見《六藝》小學家；又有《荆軻論》，見

《諸子》雜家。

《史》、《漢》本傳：相如爲郎，事孝景帝，爲武騎常侍，非其好也。會景帝不好辭賦，是時梁孝王來朝，從游説之士鄒陽、枚乘、嚴忌夫子之徒，相如見而説之，因病免，客游梁。得與諸侯游士居數歲，乃著《子虚》之賦。上讀《子虚賦》而善之，乃召問相如。相如曰：“此乃諸侯之事，未足觀，請爲天子游獵之賦。”上令尚書給筆札，相如以“子虚”，虚言也，爲楚稱；“烏有先生”者，烏有此事也，爲齊難；“亡是公”者，亡是人也，欲明天子之義。故虚藉此三人爲詞，以推天子諸侯之苑囿。其卒章歸之于節儉，因以風諫。奏之天子，天子大説。嘗從上至長楊獵。還過宜春宮，奏賦以哀二世行失。見上好仙，因奏《大人賦》。

《隋書·經籍志》：《漢文園令司馬相如集》一卷。按“文”上敚“孝”字。《唐·經籍志》：《司馬相如集》二卷，又總集類《上林賦》一卷。《唐·藝文志》並同。

嚴可均《鐵橋漫稿·司馬長卿集輯本序》曰：“《漢志》長卿賦二十九篇，今存《子虚》、《上林》、《哀秦二世》、《大人》、《長門》、《美人》六賦。徧索羣書，惟得《魏都賦》張載注引《梨賦》一句，《北堂書鈔》引《魚葅賦》有題無文，餘二十一賦莫考。”又曰：“《三百篇》後，屈原爲辭賦之宗，宋玉亞之，長卿與宋玉在伯仲之間。揚子雲云‘如孔氏之門用賦也，相如入室’，此爲定論。然而長卿不徒以詞賦見，後世鮮有知之者。《蜀志》秦宓《與王商書》云：‘蜀本無學士，文翁遣相如東受七經，還教吏民，于是蜀學比于齊、魯。故《地理志》曰：“文翁倡其教，相如爲之師。”漢家得士，盛于其世。’如宓此言，蜀地經師長卿爲鼻祖，而《史》、《漢》叙儒林授受不一及之，以辭賦揜其名耳。古之振奇人文章必從經出，故援《蜀志》以發其端。”按長卿以辭賦名家，不專治經，亦莫詳其所授受，故本傳及《儒林傳》皆不載其事。

淮南王賦八十二篇

淮南王安有《内》、《外篇》見《諸子》雜家。

本傳：初，安入朝，獻所作《内篇》。又獻《頌德》及《長安都國頌》。每宴見，談説得失及方技賦頌，昏暮然後罷。

劉向《别録》曰：“淮南王有《熏籠賦》。”

《隋書·經籍志》：《漢淮南王集》一卷，梁二卷。《唐·經籍志》：《漢淮南王集》二卷。《藝文志》：《淮南王安集》二卷。

嚴可均《全漢文編》曰：“《藝文類聚》六十九、《初學記》二十五、《太平御覽》七百一並引淮南王《屏風賦》。”

案《七略》六藝樂家有淮南王《琴頌》，班氏出之，或在此八十二篇中。《楚辭》中有《橘頌》，頌亦賦之支流也。

淮南王羣臣賦四十四篇

本書《地理志》：始楚屈原作《離騷》諸賦，後有宋玉、唐勒。漢興，枚乘、鄒陽、嚴夫子之徒興于文景之際。而淮南王安都壽春，招賓客著書。

王逸《楚辭章句》曰：“《招隱士》者，淮南小山之所作也。昔淮南王安博雅好古，招懷天下俊偉之士，自八公之徒各竭才智，著作篇章，分造辭賦，以類相從，故或稱小山，或稱大山，其義猶《詩》有《小雅》、《大雅》也。小山之徒閔傷屈原，故作《招隱士》之賦。”

案王叔師當東漢中葉及見是書，其言“分造辭賦，以類相從，《小雅》、《大雅》”云云，殆即謂此書以大山、小山分綱，而又各從其類歟？今可見者，唯《楚辭》録存一篇。

太常蓼侯孔臧賦二十篇

孔臧有書十篇，見《諸子》儒家。

《連叢子》曰：“臧嘗爲賦二十四篇，四篇別不在集，似其幼時之作也。"

《隋書‧經籍志》：梁有《漢太常孔臧集》二卷，亡。《經籍志》：《孔臧集》二卷。《藝文志》同。

嚴可均《全漢文編》曰："《孔叢子‧連叢上》篇載孔臧《諫格虎賦》、《楊柳賦》、《鴞賦》、《蓼蟲賦》四篇。"此即所謂不在二十篇之内是也。

陽丘侯劉偃賦十九篇

本書《王子侯表》：楊丘共侯安，齊悼惠王子。按齊悼惠王肥，高帝子也。孝文四年封，十二年薨。孝文十六年，侯偃嗣，十一年，孝景四年，坐出國界，削爲司寇。

吾邱壽王賦十五篇

吾邱壽王有書六篇，見《諸子》儒家。

《隋書‧經籍志》：梁有《漢光禄大夫吾邱壽王集》二卷，亡。

王氏《考證》：《藝文類聚》有吾邱壽王《驃騎論功論》，而賦不傳。

蔡甲賦一篇

蔡甲始末未詳。

案宣帝時有蔡癸，見《諸子》農家，豈其族歟？

又案自司馬相如至此凡七家，皆武帝時人，而列于武帝之前者，當時必有其義，殆奉詔以生卒先後爲次，不必以尊卑論也。

上所自造賦二篇

顏氏《集注》曰："武帝也。"案此似班氏本注。

《本紀》贊曰："漢承百王之弊，高祖撥亂反正，文景務在養民，至于稽古禮文之事，猶多闕焉。孝武初立，卓然罷黜百家，表章六經。遂疇咨海内，舉其俊茂，與之立功。興太學，修郊祀，改正朔，定曆數，協音律，作詩樂，建封禪，禮百神，紹周後，號令文章,焕焉可述。"

《漢武故事》曰:"上好辭賦,每行幸及奇獸異物,輒命相如等賦之。上亦自作詩賦數百篇,下筆即成。初不留思,相如造遲,彊時而後成。上每歎其工妙,謂相如曰:'以吾之速,易子之遲,可乎?'相如曰:'于臣則可,未知陛下何如耳!'上大笑而不責也。"

《隋書·經籍志》:《漢武帝集》一卷,梁二卷。《唐·經籍志》:《漢武帝集》二卷。《藝文志》同。

王氏《考證》:《外戚傳》有《傷悼李夫人賦》,《文選》有《秋風辭》,《溝洫志》有《瓠子之歌》二章。案以爲武帝之賦可考見者唯此三章,別詳于《拾補》。

何義門《讀書記》曰:"'上所自造賦'不以冠趙幽王之上,而介于壽王、兒寬之中,此漢人所以近古也。"

章學誠《校讎通義》曰:"臣工稱當代之君則曰上。劉向爲成帝時人,其去孝武之世遠矣。竊意'上所自造'字,必武帝時人標目,劉向從而著之。"

兒寬賦二篇

兒寬有書九篇,見《諸子》儒家。

班固《兩都賦序》曰:"公卿大臣,御史大夫倪寬、太常孔臧、宗正劉德、太子太傅蕭望之等,時時間作。或以抒下情而通諷諭,或以宣上德而盡忠孝,雍容揄揚,著于後嗣,抑亦雅頌之亞也。"

光禄大夫張子僑賦三篇。與王褒同時也。

本書《劉向傳》:宣帝循武帝故事,招選名儒俊材置左右。更生與王褒、張子僑等並進對,獻賦頌。

又《王褒傳》:宣帝時修武帝故事,講論六藝羣書,博盡奇異之好,召高材劉向、張子僑等待詔金馬門。劉向《別錄》曰:"孝宣皇帝重申不害《君臣篇》，使黃門郎張子僑正其字。"

又《東平思王傳》：王事太后，不相得，太后上書言之。元帝遣太中大夫張子蟜奉璽書諭意。師古曰："蟜字或作僑。"

案張子僑仕履參考史傳，乃宣帝時始與劉、王等待詔金馬門，後爲黃門郎。元帝時爲太中大夫，至光禄大夫。其賦著録三篇，今無一傳。

陽城侯劉德賦九篇

本書《恩澤侯表》：陽城繆侯劉德以宗正關内侯行謹重爲宗室率侯，宣帝地節四年三月甲寅封，十年薨。五鳳二年，節侯安民嗣。

本書《楚元王傳》：元王子紅侯富，富子宗正辟彊，辟彊子德字路，宋祁曰："'路'下疑有'叔'字。"少修黃老術，有智略。少時數言事，召見甘泉宮，武帝謂之"千里駒"。昭帝初，爲中正丞。徙大鴻臚丞，遷太中大夫，爲宗正。免爲庶人。召守青州刺史。歲餘，復爲宗正，與立宣帝，定策賜爵關内侯。地節中，以親親行謹厚封爲陽城侯。立十一年，子向坐鑄僞黃金，當伏法，德上書訟罪。會薨，大鴻臚奏德訟子罪，失大臣體，不宜賜諡。制曰："賜諡繆侯。"

劉向賦三十三篇

劉向有《五行傳記》，見《六藝》尚書家。又有所序六十七篇，見《諸子》儒家。又有《老子說》見道家。

本書《楚元王附傳》：向本名更生，以父德任爲輦郎。既冠，以行修飭擢爲諫大夫。是時，宣帝循武帝故事，招選名儒俊材置左右。更生以通達能屬文辭，與王褒、張子僑等並進對，獻賦頌凡數十篇。

《七略別録》曰："向有《芳松枕賦》，向有《合賦》，有《麒麟角杖賦》，有《行過江上弋雁賦》、《行弋賦》、《弋雌得雄賦》。"

王逸《楚辭章句》曰："《九歎》者，護左都水使者光禄大夫劉向之所作也。向以博古敏達，典校經書，辯章舊文，追念屈原忠信之節，故作《九歎》也。"

《隋書·經籍志》：《漢諫議大夫劉向集》六卷。《唐·經籍志》：《劉向集》五卷。《藝文志》同。《宋史·志》同。

《黄氏日鈔》曰："楚元王以好學禮賢開國，故戊雖以叛誅，而辟彊、德、向皆世濟其美，漢之宗英于斯爲盛。"

嚴可均《全漢文編》曰："《古文苑》有劉向《請雨華山賦》，《文選》注有《雅琴賦》七條、《圍棋賦》四語，《楚辭》有《九歎》。又按向有《麒麟角杖賦》、《芳松枕賦》、《合賦》等篇，今並亡。"

案《七略》樂家有淮南、劉向等《琴頌》七篇，班氏出之，或在此三十三篇中。《文選·張景陽雜詩》注引劉向七言。

王褒賦十六篇

本書列傳：王褒字子淵，蜀人也。宣帝時，益州刺史王襄使褒作《中和》、《樂職》、《宣布詩》，選好事者令依《鹿鳴》之聲習而歌之。褒既爲刺史作頌，又作其傳，刺史因奏褒有軼材。上迺徵褒。詔褒爲聖主得賢臣頌其意。令與張子僑等並待詔，數從褒等放獵，所幸宫館，輒爲歌頌，第其高下，以差賜帛。頃之，擢爲諫大夫。其後太子體不安，詔使褒等虞侍太子，誦讀奇文及所自造作。太子喜褒所爲《甘泉》及《洞簫頌》，令後宫貴人左右皆誦讀之。後方士言益州有金馬碧雞之寶，可祭祀致也，宣帝使褒往祀焉。褒于道病死，上閔惜之。

本書《何武傳》：宣帝時，天下和平，四夷賓服，神爵、五鳳之間屢蒙瑞應。而益州刺史王襄使辯士王褒頌漢德，作《中和》、《樂職》、《宣布詩》三篇。《文選·四子講德論》注引如淳曰："言王政中和，在官者樂其職，《國語》所謂宣布哲人之令德也。"

王逸《楚辭章句》曰："《九懷》者，諫議大夫王褒之所作也。懷者，思也。言屈原雖見放逐，猶思念其君，憂國傾危而不能忘也。褒讀屈原之文，追而愍之，故作《九懷》，以禆其詞。史官錄第，遂列于篇。"_{按此稱史官者，即謂劉中壘也。}

《隋書·經籍志》：《漢諫議大夫王褒集》五卷。《唐·經籍志》：《王褒集》五卷。《藝文志》同。《宋史·志》同。

嚴可均《全漢文編》曰："《楚辭》有《九懷》，《文選》有《洞簫賦》、《四子講德》、《聖主得賢臣頌》，《選注》引《甘泉宮賦》、《碧雞頌》。"

案章氏《校讎通義》曰："《漢志》詩賦一略，區爲五種，而每種之後更無叙論。"又曰："《詩賦》前三種之分家不可考矣。"今案前三種各以體分，此二十種大抵皆楚騷之體，師範屈宋者也，故區爲第一篇。

右賦二十家，三百六十一篇。_{按此篇家數、篇數並不誤。}

陸賈賦三篇

陸賈有《楚漢春秋》，見《六藝》春秋家。又有書二十三篇，見《諸子》儒家。

《文心雕龍·詮賦篇》曰："賦也者，受命于詩人，拓宇于楚辭也。漢初詞人，順流而作，陸賈扣其端。"

枚皋賦百二十篇

劉向《別錄》曰："有《麗人歌賦》。"_{按《別錄》佚文有此語，不知當何屬。今考《文章緣起》云"漢枚皋作《麗人歌詩》"，似乎爲枚皋而發也，姑繫于此。}

本書《枚乘傳》：武帝聞乘名，以安車蒲輪徵乘，道死。詔問乘子，無能爲文者，後迺得其孽子皋。皋字少孺。年十七，上書梁共王，得召爲郎。三年，爲王使，與尤從爭，見讒惡遇罪，家室沒入。皋亡至長安。會赦，上書自陳枚乘之子。上得之大喜，召入見待詔，皋因賦殿中。詔使賦平樂館，善之。拜爲郎，使匈奴。皋不通經術，詼笑類俳倡，爲賦頌，好嫚戲，比

東方朔、郭舍人等,而不得比嚴助等得尊官。武帝春秋二十
九迺得皇子,羣臣喜,故皋與東方朔作《皇太子生賦》及《立
皇子禖祝》,受詔所爲,皆不從故事,重皇子也。初,衛皇后
立,皋奏賦以戒終。皋爲賦善于朔也。從行至甘泉、雍、河
東,東巡狩,封泰山,塞決河宣房,游觀三輔離宮館,臨山澤,
弋獵射馭狗馬蹴鞠刻鏤,上有所感,輒使賦之。爲文疾,受
詔輒成,故所賦者多。司馬相如善爲文而遲,故所作少而善
于皋。皋賦辭中自言爲賦不如相如,又言爲賦迺俳,見視如
倡,自悔類倡也。故其賦有詆娸東方朔,又自詆娸。其文骩
骳,曲隨其事,皆得其意,頗詼笑,不甚閑靡。凡可讀者百二
十篇。

　　案此似即據劉中壘《別錄》之文,故云“百二十篇”,與本志
　　合,蓋中壘定著如此。其他“尤嫚戲不可讀者尚數十篇”,
　　則棄而不錄者也。

朱建賦二篇

平原君朱建有書七篇,見《諸子》儒家。

　　案平原君文帝時卒,此當在陸大夫之次、枚皋之前,疑轉寫
　　之誤。觀下一條注“枚皋同時”,明是承上文而言,尤可
　　證也。

常侍郎莊忽奇賦十一篇。枚皋同時。

劉歆《七略》曰:“忽奇者,或言莊夫子子,或言族家子莊助昆
弟也。從行至茂陵,詔造賦。”

本書《嚴助傳》:武帝後得朱賈臣、吾邱壽王、司馬相如、主父
偃、徐樂、嚴安、東方朔、枚皋、膠倉、終軍、嚴忽奇等,並在左右。

嚴助賦三十五篇

嚴助有書四篇,見《諸子》儒家。

本傳:助爲會稽太守,奉三年計最,因留侍中。有奇異,輒使

爲文,及作賦頌數十篇。

朱買臣賦三篇

本書列傳:朱買臣字翁子,吳人也。家貧,好讀書,不治產業,常艾薪樵,賣以給食。年五十,隨上計吏爲卒,將重車至長安,詣闕上書,書久不報。會邑子嚴助貴幸,薦買臣。召見,說《春秋》,言《楚辭》,帝甚說之,拜爲中大夫,與嚴助俱侍中。拜會稽太守。受詔將兵,與橫海將軍韓說等俱擊破東越,有功。徵入爲主爵都尉,列于九卿。數年,坐法免官,復爲丞相長史。後以告張湯陰事,湯自殺,上亦誅買臣。

本書《地理志》:始楚屈原作《離騷》諸賦。後有宋玉、唐勒、枚乘、鄒陽、嚴夫子之徒,而吳有嚴助、朱買臣,貴顯漢朝,文辭並發,故世傳《楚辭》。按此則西京人文大都依則楚騷可知也。

宗正劉辟彊賦八篇

本書《楚元王傳》:元王子紅侯富,富子辟彊,字少卿,亦好讀《詩》,能屬文。武帝時,以宗室子隨二千石論議,冠諸宗室,清静少欲,常以書自娛,不肯仕。昭帝即位,大將軍霍光擇宗室可用者,遂拜辟彊爲光禄大夫,守長樂衛尉,時年已八十矣。徙爲宗正,數月卒。

案宗正劉中壘之大父也,自元王以來,家世《魯詩》,故史云"亦好讀《詩》"。此與前二十家賦別分部居,各爲起訖,不與陽城侯賦、劉向賦論前後也。

司馬遷賦八篇

司馬遷有《太史公》百三十篇,見《六藝》春秋家。

本書《東方朔傳》:是時朝廷多賢材,上復問朔:"方今公孫丞相、兒大夫、董仲舒、夏侯始昌、司馬相如、吾邱壽王、主父偃、朱買臣、嚴助、汲黯、膠倉、終軍、嚴安、徐樂、司馬遷之倫,皆辯知閎達,溢于文辭,先生自視,何與比哉?"

《隋書·經籍志》:《漢中書令司馬遷集》一卷。《唐·經籍志》:《司馬遷集》二卷。《藝文志》同。

王氏《考證》:《藝文類聚》有《司馬遷集》《悲士不遇賦》。

郎中臣嬰齊賦十篇

嬰齊有書十二篇,見《諸子》道家。班氏注云"武帝時",顏氏《集注》:"劉向云故待詔,不知其姓,數從游觀,名能爲文。"

臣説賦九篇

臣説有書三篇,見《諸子》雜家。班氏注云"武帝時作賦",顏氏《集注》曰:"説者,其人名,讀曰悦。"

臣吾賦十八篇

臣吾始末未詳。

案以上三家史並失其姓氏,舊本文相連屬,似臣説、臣吾亦官郎中,蒙上省文歟?

遼東太守蘇季賦一篇

蘇季始末未詳,疑是蘇武之後。

蕭望之賦四篇

本書列傳:蕭望之字長倩,東海蘭陵人也,徙杜陵。好學,治《齊詩》,事同縣后倉且十年。以令詣太常受業,復事同學博士白奇,又從夏侯勝問《論語》、《禮服》。京師諸儒稱述焉。以射策甲科爲郎,署小苑東門候。數年,坐弟犯法,免歸爲郡吏。御史大夫魏相除爲屬,察廉爲大行治禮丞。宣帝自在民間聞望之名,拜爲謁者。累遷諫大夫,丞相司直,歲中三遷,至二千石,爲平原太守。徵入守少府。復以爲左馮翊。遷大鴻臚,代丙吉爲御史大夫。左遷太子太傅,以《論語》、《禮服》授皇太子。宣帝寢疾,拜爲前將軍光禄勳,與周堪受遺詔輔政,領尚書事。元帝即位,望之選白宗室明經達學散騎諫大夫劉更生給事中。後與弘恭、石顯忤,望之及堪、更生皆免爲庶人。又《元帝本紀》：初元二年冬，詔曰："國之將興，尊師而重傅。故前將軍望之傅朕八年，道以經書，厥功茂焉。其賜爵關內侯，食邑八百户，朝朔望。"十二月，中書令弘恭、石顯等譖望之，令自殺。

《世系》：蕭氏世居豐沛，漢有丞相酇文終侯何，二子遺、則。則生彪，諫議大夫、侍中，始徙蘭陵。生章，公府掾。章生仰。仰生皓。皓生望之，御史大夫，徙杜陵。生育，光禄大夫。案《世系》，則望之爲蕭相國七代孫也。

河内太守徐明賦三篇。字長君，東海人，元、成世歷五郡太守，有能名。

案徐長君據班氏注則與劉中壘同時人。

給事黄門侍郎李息賦九篇

本書《百官表》少府屬官有中黄門。師古曰："中黄門，謂奄人居禁中在黄門之內給事者也。"

案《霍去病傳》有李息，景武時人，蓋別一人也。

淮陽憲王賦二篇

本書《諸侯王表》：淮陽憲王欽，宣帝子，元康三年四月丙子立，三十六年薨。案淮陽王薨本紀失載，蓋在成帝河平元年也。

本書《宣元六王傳》：淮陽憲王欽，元康三年立，母張倢伃有寵，最幸。而憲王壯大，好經書法律，聰達有材，帝甚愛之。太子寬仁，喜儒術，上數嗟歎憲王，曰："真我子也！"常有意欲立張倢伃與憲王，然用太子起于微細，上少依倚許氏，及即位而許后以殺死，太子蚤失母，故弗忍也。久之，上以故丞相韋賢子玄成陽狂讓侯兄，宋祁曰："'兄'字上疑有'於'字。"經明行高，稱于朝廷，乃召拜玄成爲淮陽中尉，欲感諭憲王，輔以推讓之臣，由是太子遂安。宣帝崩，元帝即位，乃遣憲王之國。至成帝即位，以淮陽王屬爲叔父，敬寵之，異于他國。贊曰："淮陽憲王于時諸侯爲聰察矣。"

揚雄賦十二篇

揚雄有《訓纂篇》,又有《倉頡訓纂》,見《六藝》小學家。又有所序《太玄》、《法言》等三十八篇,見《諸子》儒家。

本傳:顧嘗好辭賦。先是時,蜀有司馬相如,作賦甚弘麗溫雅,雄心壯之,每作賦,嘗擬之以爲式。又以爲賦者,將以風之,必推類而言,極麗靡之辭,閎侈鉅衍,競于使人不能加也,既迺歸之于正,然覽者已過矣。往時武帝好神仙,相如上《大人賦》,欲以風,帝反縹縹有陵雲之志。由是言之,賦勸而不止,明矣。又頗似俳優淳于髡、優孟之徒,非法度所存,賢人君子詩賦之正也,于是綴不復爲。又曰:"賦莫深于《離騷》,反而廣之;辭莫麗于相如,作四賦。"

劉歆《七略》曰:"揚雄賦四篇:《甘泉賦》,永始三年待詔臣雄上;《羽獵賦》,永始三年十二月上;《長楊賦》,綏和元年上。"案又有《河東賦》,永始三年三月上者,《七略》佚文不備,故闕如也。又曰:"子雲家諜言以甘露元年生。"又曰:"揚雄卒,弟子侯芭負土作墳,號曰玄冢。"王氏《考證》曰:"《七略》所載止四賦,《甘泉》、《河東》、《校獵》、《長楊》也。"按《文選·劉先生夫人墓誌》注引《七略》揚雄卒云云,疑後人附著之辭,非《七略》本文。

本志注曰:"入揚雄八篇。"見後。

《隋書·經籍志》:《漢太中大夫揚雄集》五卷。《唐·經籍志》:《揚雄集》五卷。《唐·藝文志》同。《宋·藝文志》六卷。嚴可均《鐵橋漫稿·重編揚子雲集序》曰:"《漢志》著錄賦十二篇,今得《蜀都》、《甘泉》、《河東》、《羽獵》、《長楊》、《覈靈》、《太玄》、《逐貧》、《酒》、《反騷》十篇,其《廣騷》、《畔牢愁》僅見篇名,《蜀都賦》爲集中鉅製,校讎再四,從順良難,《覈靈賦》章段畸零,犅存崖略。"

又《前漢文編》曰："《漢志》'揚雄賦十二篇',今蒐輯羣書,得完篇九,殘篇一。本傳云:'旁《離騷》作重一篇,名曰《廣騷》;旁《惜誦》以下至《懷沙》一卷,名曰《畔牢愁》。'此二篇並亡,僅存篇名。"又曰:"《酒賦》,《漢書》題作《酒箴》,《御覽》引《漢書》作《酒賦》,各書亦作《酒賦》,《北堂書鈔》作《都酒賦》。都酒者,酒器名也。驗文當以都酒爲長。"案嚴氏《漫稿》謂《廣騷》、《畔牢愁》似即《反騷》之子目,與《文編》之言不合,蓋駁文而失于刊正者,今故不取。

待詔馮商賦九篇

馮商有《續太史公書》,見《六藝》春秋家。

本書《張湯傳》贊如淳注曰:"班固《目錄》:馮商,長安人,成帝時以能屬書待詔金馬門。"按如淳引班固《目錄》今不可考,疑即此志此條注文而轉寫失之者。

劉向《別錄》曰:"待詔馮商作《燈賦》。"

博士弟子杜參賦二篇

劉歆《七略》曰:"參,杜陵人,以陽朔元年病死,死時年二十餘。"按其人于劉中壘爲後進而前卒者。

顏氏《集注》:劉向《別錄》云:"臣向謹與長社尉杜參校中祕書。"按《晏子》、《列子叙錄》並有此語,顏氏以爲即此杜參也。

車郎張豐賦三篇。張子僑子。

本書《百官表》:光禄勳屬官有大夫、郎、謁者。郎有議郎、中郎、侍郎、郎中。郎中有車、户、騎三將。如淳曰:"主車曰車郎,《漢儀注》左右車將主左右車郎。"

案劉中壘以父任爲輦郎,服虔曰"輦郎如今引御輦郎也"。張豐殆亦以父任光禄大夫爲車郎,于中壘亦爲後進,未詳其始末。

驃騎將軍朱宇賦三篇

劉向《別錄》曰:"驃騎將軍史朱宇。"

顏師古曰："《志》以宇在驃騎府，故總言驃騎將軍。"劉奉世曰："其實唯脫一'史'字耳。"案顏説頗謬，劉説是也。

案自馮商以下四人，年皆少于揚子雲，而著録其賦者，或其人已卒，或其賦奏御，故類從于其後。

又案此二十一家，大抵不盡爲騷體，觀揚子雲諸賦略可知矣，故區爲第二篇。

右賦二十一家，二百七十四篇。入揚雄八篇。按此篇家數不誤，篇數則缺少一篇耳。今校定當爲二百七十五篇。注云"入揚雄八篇"者，《七略》祇四篇，班氏新入八篇，故云十二篇也。

孫卿賦十篇

孫卿有子書三十三篇，見《諸子》儒家。

本志叙曰："大儒孫卿及楚臣屈原離讒憂國，皆作賦以風，咸有惻隱古詩之義。"

《文心雕龍·才略篇》曰："荀況學宗，而象物名賦，文質相稱，固巨儒之情也。"

《隋書·經籍志》：《楚蘭陵令荀況集》一卷，殘缺。梁二卷。

《唐書·經籍志》：《趙荀況集》二卷。《唐·藝文志》同。

章學誠《校讎通義》曰："荀卿賦十篇，居第三種之首，當日必有取義也。案荀卿之書有《賦篇》，列于三十二篇之內，不知所謂賦十篇者，取其《賦篇》與否。"

嘉善謝墉《序荀子》曰："《漢志》又有孫卿賦十篇，今所存僅《禮》、《知》、《雲》、《蠶》、《箴》五篇。"案此五篇劉氏《別録》入《荀子》書之末，名曰《賦篇》，似在此十篇之外者，猶《七略》既録孔臧賦二十篇，別有四篇見載《連叢子》也。

秦時雜賦九篇

《文心雕龍·詮賦篇》曰："秦世不文，頗有雜賦。"

李思孝景皇帝頌十五篇

《文心雕龍·頌讚篇》曰："容告神明謂之頌。頌主告神，義必純美。漢之惠景，亦有述容。"注：《漢·藝文志》李思《孝景皇帝頌》十五篇。

章學誠《校讎通義》曰："《孝景皇帝頌》次于第三種賦內，其旨不可強爲之解矣。按六義流別，賦爲最廣，比興之義，皆冒賦名。《風》詩無徵，存乎謠諺，則《雅》、《頌》之體，實與賦類同源異流者也。"

廣川惠王越賦五篇

本書《景十三王傳》：廣川惠王越以孝景中二年立，十三年薨。又本紀：孝景中二年夏四月，立皇子越爲廣川王。孝武建元五年秋八月，廣川王越薨。

長沙王羣臣賦三篇

案長沙王吳芮傳國五世，賈生爲太傅在芮玄孫靖王差之時，至孝文後七年無子國除。此長沙王列廣川王之次，蓋景帝子長沙定王發，廣川惠王越兄弟也，傳國七世，王莽時絕，其羣臣姓名無可考。

魏內史賦二篇

本書《百官表》：諸侯王國有內史治國民。成帝綏和元年省內史，更令相治民，如郡太守。

案魏內史蓋魏國之內史。考《諸侯王表》及傳，漢初唯有魏王豹，已爲周苛殺于滎陽，是後無封魏王者，此魏內史不知在何時。

東暆令延年賦七篇

顏氏《集注》曰："東暆，縣名。暆，音移。"

王氏《考證》：《地理志》東暆縣在樂浪郡。

案《地理志》，樂浪郡武帝元封三年開，屬幽州。應劭曰："故朝鮮國也。"延年，其人名，失其姓。

衞士令李忠賦二篇

本書《百官表》：衞尉屬官有公車司馬、衞士、旅賁三令丞。

張偃賦二篇
賈充賦四篇
張仁賦六篇
秦充賦二篇

案此並在李步昌之前，步昌宣帝時人，則此四家大抵皆武帝
時奏賦者，舊本連屬而書，或皆是衞士令，蒙上省文。

李步昌賦二篇

李步昌有書八篇，見《諸子》儒家，官鉤盾尤從云。

侍郎謝多賦十篇

謝多始末未詳。

平陽公主舍人周長孺賦二篇

本書《外戚傳》：孝景王皇后，武帝母也。長女爲平陽公主。

本書《衞青霍去病傳》：平陽侯曹壽尚武帝姊陽信長公主，壽
有惡疾就國，上迺詔青尚平陽主。如淳曰：“本陽信長公主
也，爲平陽侯所尚，故稱平陽主。”

　按舍人周長孺始末未詳。

雒陽錡華賦九篇

王氏《考證》：《左傳》分康叔云云，殷民七族，錡氏。案見《定公四
年傳》。

鄭樵《氏族略》：錡氏，商人之七族。《漢書》“雒陽錡華”，按
“雒陽”下疑有“令丞”等字。錡氏，殷民七族之一也。

眭弘賦一篇

本書列傳：眭弘字孟，魯國蕃人也。從嬴公受《春秋》，以明
經爲議郎，至符節令。孝昭元鳳三年正月，泰山有大石自起
立，昌邑有枯社木臥復生，上林苑大柳樹斷枯臥地，亦自立，

有蟲食樹葉成文字,曰"公孫病己立",孟推《春秋》之意,以爲"石柳皆陰類,下民之象,泰山者岱宗之嶽,王者易姓告代之處。今大石自立,僵柳復起,非人力所爲,此當有從匹夫爲天子者。枯社木復生,故廢之家公孫氏當復興者也"。孟意亦不知其所在,即説曰:"先師董仲舒有言,雖有繼體守文之君,不害聖人之受命。漢家堯後,有傳國之運。漢帝宜誰差天下,求索賢人,禪以帝位,而退自封百里,如殷周二王後,以承順天命。"孟使友人内官長賜上此書。昭帝幼,大將軍霍光秉政,惡之,下其書廷尉。奏賜、孟妄設祅言惑衆,大逆不道,皆伏誅。後五年,孝宣帝興于民間,即位,徵孟子爲郎。

本書《儒林傳》:董仲舒弟子東平嬴公爲昭帝諫大夫,授東海孟卿、魯眭孟。孟爲符節令,坐説災異誅。

《黄氏日鈔》曰:"眭孟言災異至使漢帝禪天下,其以妖言死宜矣。"

別栩陽賦五篇

王氏《考證》:庾信《哀江南賦》"栩陽亭有離別之賦",蓋亭名也。

顧炎武《日知録》:庾子山《哀江南賦》云"栩陽亭有離別之賦",《夜聽擣衣曲》云"栩陽離別賦"。案《漢書・藝文志》"別栩陽賦五篇",詳其上下文例,當是人姓名,姓別名栩陽也,以爲離別之别,非也。

《四庫提要》曰:"庾信《哀江南賦》稱'栩陽亭有離別之賦',實由誤記《藝文志》,與所用'桂華馮馮'誤讀《郊祀志》者相等。應麟乃因而附會,以栩陽爲漢代亭名,亦未免間失之嗜奇。"

沈濤《銅熨斗齋隨筆》曰:"庾信《哀江南賦》曰'栩陽亭有離別之賦',讀爲離别之别。濤案别栩陽當是姓别而封栩陽亭侯者,若以爲離別之別,則當列于雜賦家,而不列于賦家矣。
《志》兵陰陽家有《別成子望軍氣》六篇,此人當即成子之後。
古有別姓,《元和姓纂》引《姓苑》云京兆人。"

　　案是篇著錄之例,大抵當時奏進不知其官閥者,則從而稱
臣,如下文臣昌市賦、臣義賦是也;其非奏御爲劉中壘所收
錄者,則但書其姓名,如眭弘賦及此別栩陽賦是也。《廣
韻》"別"字注云"別,又姓",亭林先生之言是也。沈氏以爲
封栩陽亭侯,則《漢志》例無此稱,似未可信。

臣昌市賦六篇
臣義賦二篇

　　按此二家大抵皆宣帝時奏賦,自署其名而不書其官及姓。
　　至成帝時劉氏校錄已無可考,遂各就其所署書之。

黃門書者假史王商賦十三篇
侍中徐博賦四篇
黃門書者王廣呂嘉賦五篇

　　本書《百官表》:少府屬官有黃門令丞,又有中黃門。

　　按黃門屬官又有書者,黃門書者屬又有假史,皆《表》所不具。

　　王商、徐博、王廣、呂嘉四人始末並無考。《志》于黃門中雜以
侍中徐博一條,豈以奏賦先後爲次歟?抑轉寫亂其次第也?

漢中都尉丞華龍賦二篇

　　本書《王褒傳》:宣帝時修武帝故事,召高材劉向、張子僑、華
龍、柳褒等待詔金馬門。

　　本書《蕭望之傳》:華龍者,宣帝時與張子僑等待詔,以行汙濊
不進,欲附周堪等不納,故與待詔鄭朋相結。恭、顯挾二人告
望之等,令朋、龍上之,望之及堪、更生皆免爲庶人。

　　按《佞幸·石顯傳》,成帝初顯黨皆免官,諸所交結以顯爲
官者皆廢罷,少府五鹿充宗左遷玄菟太守,御史中丞伊嘉

爲雁門都尉，龍殆以此時徙爲漢中都尉丞。

左馮翊史路恭賦八篇

路恭始末未詳。

按章氏《校讎通義》曰：“今觀屈原賦二十五篇以下共二十家爲一種，陸賈賦三篇以下共二十一家爲一種，孫卿賦十篇以下共二十五家爲一種，名類相同而區種有別，當日必有義例。今諸家之賦十逸八九，而敘論之説闕焉無聞。”又曰：“前三種之賦人自爲篇，後世別集之體也。”今按淮南王羣臣賦、秦時雜賦、長沙王羣臣賦、黃門書者王廣吕嘉賦，則又非別集之體。劉氏編詩賦之例蓋以體分，無所謂別集、總集。此二十五家大抵皆賦之纖小者，觀孫卿《禮》、《知》、《雲》、《蠶》、《箴》五賦，其體類從可知矣，故又區爲第三篇。

右賦二十五家，百三十六篇。按此篇家數、篇數並不誤。

客主賦十八篇

雜行出及頌德賦二十四篇

雜四夷及兵賦二十篇

雜中賢失意賦十二篇。按“中”或“忠”字之寫誤。

雜思慕悲哀死賦十六篇

雜鼓琴劍戲賦十三篇

雜山陵水泡雲氣雨旱賦十六篇

雜禽獸六畜昆蟲賦十八篇

雜器械草木賦三十三篇

大雜賦三十四篇

本書《王褒傳》：宣帝修武帝故事，講論六藝羣書，博盡奇異之好。數從褒等放獵，所幸宮館，輒爲歌訟，第其高下，以差賜帛。議者多以爲淫靡不急，上曰：“‘不有博弈者乎，爲之猶賢乎已！’辭賦大者與古詩同義，小者辯麗可喜。辟如女工有綺毅,音樂有鄭衛,今世俗猶皆以此虞說耳目,辭賦比之,尚有仁義風諭,鳥獸草木多聞之觀,賢于倡優博弈遠矣。"

《文心雕龍·詮賦篇》曰:"遂客主以首引,極聲貌以窮文。至于草區禽族,庶品雜類,則觸興致情,因變取會;擬諸形容,則言務纖密;象其物宜,則理貴側附:斯又小制之區畛,奇巧之機要也。漢初詞人,順流而作。皋朔已下,品物畢圖。繁積于宣時,校閱于成世。"

按此十家以《大雜賦》居其末,則以前九家,皆劉勰所謂"小制之區畛"可知也。《志》無東方朔賦,意即在此十家雜賦之中。

成相雜辭十一篇

《荀子·成相篇》楊倞注:"《漢書·藝文志》謂之《成相雜辭》,蓋亦賦之流也。"嘉善謝墉附注曰:"成相之義,《禮記》'治亂以相',相乃樂器,所謂舂牘。又古者瞽必有相。審此篇音節,即後世彈詞之祖。《漢志》'《成相雜辭》十一篇',惜不傳,託于瞽矇諷誦之詞,亦古詩之流也。《周書·周祝解》亦此體。"錢氏大昕輯《風俗通佚文》云:"相,附也,所以輔相于樂。奏樂之時先擊相。"朱子《楚辭辯證》曰:"荀卿《成相》之篇,本擬工誦箴諫之詞,其言奸臣蔽主擅權馴致移國之禍,千古一轍,可爲流涕。"

王氏《考證》:相者,助也。舉重勸力之歌,史所謂"五羖大夫死而舂者不相杵"是也。又曰:"成相,助力之歌。淮南王亦有《成相篇》,見《藝文類聚》。"

按荀卿《成相篇》文凡三章,楊倞注書引《藝文志》爲說,尋繹其意,似即在此十一篇之內,淮南王《成相篇》或亦在此書。

隱書十八篇

劉向《別錄》曰:"隱書者,疑其言以相問,對者以慮思之,可以無不諭。"

《新序·雜事》篇:楚莊王蒞政,三年不治,而好隱戲。士慶進曰：“隱有大鳥，來止南山之陽，三年不蜚不鳴，不審其故何也？”王曰：“寡人知之矣。此鳥不蜚以長羽翼，不鳴以觀羣臣之慝。是鳥雖不蜚，蜚必冲天；雖不鳴，鳴必驚人。”又曰：“齊宣王發《隱書》而讀之。”《呂覽·重言篇》“士慶”作“成公賈”，《楚世家》作“伍舉”，當從《史記》。

《文心雕龍·諧隱篇》曰：“讔者，隱也；遯辭以隱意，譎譬以指事也。漢世隱書十有八篇，歆固編文，録之歌末。昔楚莊齊威，性好隱語。東方曼倩，尤巧辭述。”

　按《新序》引大鳥不蜚不鳴，似即《隱書》中之一則，《東方朔傳》載朔與郭舍人互爲隱語，亦似出于十八篇中。

　又按章氏《校讎通義》曰：“雜賦一種，不列專名，而類叙爲編，後世總集之體也。”今按此十二家，大抵尤其纖小者，故其大篇標曰《大雜賦》，而《成相辭》、《隱書》置之末簡，其例亦從可知矣。

右雜賦十二家，二百三十三篇。按此篇家數、篇數並不誤。

高祖歌詩二篇

本書《高帝紀》：十二年冬十月，上破布軍，還過沛，留，置酒沛宮，悉召故人父老子弟佐酒。發沛中兒得百二十人，教之歌。酒酣，上擊筑，自歌，令兒皆和習之。上乃起舞，忼慨傷懷，泣數行下。

本書《禮樂志》：初，高祖既定天下，過沛，與故人父老相樂，醉酒歡哀，作“風起”之詩，令沛中僮兒百二十人習而歌之。至孝惠時，以沛宮爲原廟，皆令歌兒習吹以相和，常以百二十人爲員。文、景之間，禮官肄業而已。

本書《張良傳》：上欲廢太子，立戚夫人子趙王如意。已而曰：“羽翼已成，難動矣。”戚夫人涕泣，上曰：“爲我楚舞，吾爲若歌。”歌數闋，戚夫人歔欷流涕。

王氏《考證》：《大風歌》亦名《三侯之章》。《文中子》曰："《大風》安不忘危，其伯心之存乎。"《鴻鵠歌》，朱文公以爲卒章意象蕭索，非復《三侯》比矣。

明馮惟訥《詩紀》曰："《鴻鵠歌》其旨言太子得四皓爲輔，羽翼成就，不可易也。"

泰一雜甘泉壽宮歌詩十四篇

本書《郊祀志》：武帝時，亳人謬忌奏祀泰一方，曰："天神貴者泰一，泰一佐曰五帝。古者天子以春秋祭泰一東南郊，日一太牢，七日，爲壇開八通之鬼道。"于是，天子令太祝立其祠長安東南郊，常奉祠如忌方。後以齊人少翁言，又作甘泉宮，中爲臺室，畫天地泰一諸鬼神，而置祭具以致天神。後以游水發根言上郡有巫，病而鬼下之。上召置祠之甘泉。置壽宮神君，又置壽宮、北宮，張羽旗，設共具，以禮神君。又曰："宣帝時起步壽宮。"

《三輔黃圖》曰："北宮，在長安城中，未央宮北，周回十里。高帝時制度草創，孝武增修之。"又曰："秦始皇二十七年，作甘泉宮。漢武帝建元中增廣之，周回一十九里。去長安三百里，望見長安城，黃帝以來圓丘祭天處。"

《史·樂書》：至今上即位，作十九章，令侍中李延年次序其聲，拜爲協律都尉。通一經之士不能獨知其辭，皆集會五經家，相與共習讀之，乃能通知其意，多爾雅之文。漢家常以正月上辛祠太一甘泉，以昏時夜祠，到明而終。使僮男僮女七十人俱歌。春歌《青陽》，夏歌《朱明》，秋歌《西暤》，冬歌《玄冥》。世多有，故不論。按《四時歌》今見本書《禮樂志》，在《郊祀歌》十九章之内，署云"鄒子樂"者是也。又嘗得神馬渥洼水中，復次以爲《大一之歌》。後伐大宛得千里馬，馬名蒲梢，次作以爲歌。按《天馬歌》二首亦見《禮樂志》郊祀歌十九章中，其文與《樂書》大異。

本書《禮樂志》：至武帝定郊祀之禮，祠太一于甘泉，就乾位也；祭后土于汾陰，澤中方丘也。乃立樂府，采詩夜誦，_{師古曰：}"_{夜誦者，其言辭或祕不可宣露，故于夜中歌誦也。}"有趙、代、秦、楚之謳。以李延年爲協律都尉，多舉司馬相如等數十人造爲詩賦，略論律呂，以合八音之調，作十九章之歌。以正月上辛用事甘泉圜丘，使童男女七十人俱歌。又曰"《安世房中歌》十七章，其詩曰"云云，"《郊祀歌》十九章，其詩曰"云云，"其餘巡狩福應之事，不序郊廟，故弗論"。

本書《佞幸·李延年傳》：延年善歌，爲新變聲。是時上方興天地諸祠，欲造樂，令司馬相如等作詩頌。延年輒承意弦歌所造詩，謂之新聲曲。

本書《郊祀志》：宣帝始幸甘泉，郊見泰畤，數有美祥。修武帝故事，盛車服，敬齊祠之禮，頗作詩歌。

本書《王褒傳》：神爵、五鳳之間，天下殷富，數有嘉應，上頗作歌詩。

　　按此《歌詩》十四篇，稽之史文，大抵武宣時所作爲多。

宗廟歌詩五篇

本書《禮樂志》：高祖時，叔孫通因秦樂人制宗廟樂。大祝迎神于廟門，奏《嘉至》，猶古降神之樂也。皇帝入廟門，奏《永至》，以爲行步之節，猶古《采薺》、《肆夏》也。乾豆上，奏《登歌》，獨上歌，不以筦絃亂人聲，欲在位者徧聞之，猶古《清廟》之歌也。《登歌》再終，下奏《休成》之樂，美神明既饗也。皇帝就酒東廂，坐定，奏《永安》之樂，美禮已成也。_{按《歌詩》五篇似即此五事之樂章。}

班固《兩都賦》序曰："至于武宣之世，乃崇禮官，考文章，興樂府協律之事，以潤色鴻業。是以衆庶悅豫，福應尤盛，白麟、赤雁、芝房、寶鼎之歌，薦於郊廟。"

章學誠《校讎通義》曰："《宗廟歌詩》,《頌》之屬也。"

漢興以來兵所誅滅歌詩十四篇

出行巡狩及游歌詩十篇

章學誠《校讎通義》曰："詩歌一門,《出行巡狩及游歌詩》與《漢興以來兵所誅滅歌詩》,《雅》之屬也。"

按《枚皋傳》云"從行至甘泉、雍、河東,東巡狩,封泰山,塞決河宣房,游觀三輔離宮館,臨山澤,弋獵射馭狗馬蹴鞠刻鏤"云云,此出行巡狩及游之大略也。又《禮樂志》云"其餘巡狩福應之事,不序郊廟,故弗論",言巡狩福應之詩歌,不用于郊廟者弗論次,其文即此所録十篇之類也。

臨江王及愁思節士歌詩四篇

本書《孝景紀》:四年夏四月己巳,立皇子榮爲皇太子,徹爲膠東王。七年春正月,廢皇太子榮爲臨江王。夏四月丁巳,立膠東王徹爲皇太子。中二年三月,臨江王榮坐侵太宗廟地,徵詣中尉,自殺。

本書《景十三王傳》:臨江閔王榮以孝景前四年爲皇太子,四歲廢爲臨江王。三歲,坐侵廟壖地爲宮,上徵榮。榮行祖于江陵北門,既上車,軸折車廢。江陵父老流涕竊言曰:"吾王不反矣!"榮至,詣中尉府對簿。中尉郅都簿責訊王,王恐,自殺。葬藍田,燕數萬銜土置冢上。百姓憐之。榮最長,亡子,國除。地入於漢,爲南郡。

本書《酷吏·郅都傳》:都遷爲中尉,臨江王徵詣中尉府對簿,王欲得刀筆爲書謝上,而都禁吏弗與。魏其侯使人間予臨江王。王既得,爲書謝上,因自殺。竇太后聞之,怒,以危法中都,都免歸家。景帝乃使使即拜都爲雁門太守,便道之官,得以便宜從事。匈奴患之。乃中都以漢法。景帝曰:

"都忠臣。"欲釋之。竇太后曰："臨江王獨非忠臣乎？"于是斬都。

梁庾信《哀江南賦》："栖陽亭有離別之賦，臨江王有愁思之歌。"錢塘倪璠注：《漢書·藝文志》有《臨江王及愁思節士歌詩》四篇。

李夫人及幸貴人歌詩三篇

本書《外戚傳》：孝武李夫人，本以倡進。妙麗善舞，由是得幸，生一男，是爲昌邑哀王。李夫人少而早卒，上憐閔焉，圖畫其形于甘泉宮。及衛思后廢後四年，武帝崩，大將軍霍光緣上雅意，以李夫人配食，追上尊號曰孝武皇后。初，李夫人病篤，上自臨候之，夫人蒙被謝不見。上欲必見之，夫人遂轉鄉歔欷而不復言。于是上不說而起。夫人姊妹讓之曰："貴人獨不可一見上屬託兄弟耶？何爲恨上如此？"夫人曰："所以不欲見帝者，乃欲以深託兄弟也。我以容兒之好，得從微賤愛幸。今見我毀壞，必畏惡吐棄，尚肯復追思閔録其兄弟哉！"及卒，上以后禮葬焉。

詔賜中山靖王子噲及孺子妾冰未央材人歌詩四篇

顔氏《集注》曰："孺子，王妾之有品號者也。妾，王之衆妾也。冰，其名。材人，天子內官。"

王氏《考證》曰："《樂府集》陸厥《擬李夫人及貴人》、《中山王孺子妾歌》、《臨江王節士歌》，庾肩吾《擬未央材人歌》。"

錢塘梁耆《庭立紀聞》曰："前輩嘗言《漢志》所載歌詩三百十四篇，其數與《詩經》相同，蓋有意倣之也。《高祖歌詩》以下八家比大、小《雅》之正。"按此謂有意仿《詩經》，殊不然，其中有"曲折"兩家重複八十二篇，實止于二百三十四篇也。

按《景十三王傳》中山靖王勝有子百二十餘人，見于《王子侯表》者凡二十人，並武帝時分封。而王子噲不見于史，蓋諸王子之未得侯者。別有薪館侯未央,元鼎五年坐酎金免。此稱未央材人,似即故薪館侯之材人,以失侯故詔稱其名。此四篇皆詔賜王子及孺子、妾、材人各一篇,並是中山國內之人,故劉中壘彙爲一家。顏《注》謂"材人,天子內官",入之此爲不類,既是天子內官,不應敘次反在諸侯王衆妾之下,顏氏此注恐非是。

吳楚汝南歌詩十五篇

燕代謳雁門雲中隴西歌詩九篇

邯鄲河間歌詩四篇

齊鄭歌詩四篇

淮南歌詩四篇

左馮翊秦歌詩三篇

京兆尹秦歌詩五篇

河東蒲反歌詩一篇

本志叙曰:"自孝武立樂府而采歌謠,于是有代趙之謳,秦楚之風,皆感于哀樂,緣事而發,亦可以觀風俗,知薄厚云。"

梁耆《庭立紀聞》曰:"前輩言《吳楚汝南》、《燕代》以下八家比《國風》。"

章學誠《校讎通義》曰:"《吳楚汝南歌詩》、《燕代謳》、《齊鄭歌詩》之類,《風》之屬也。"

按本志名家《黃公》條下注云"黃公名疵,爲秦博士,作歌詩,在秦時歌詩中",則在《左馮翊》、《京兆尹》兩家八篇中也。

黃門倡車忠等歌詩十五篇

雜各有主名歌詩十篇

雜歌詩九篇

雒陽歌詩四篇

河南周歌詩七篇

河南周歌聲曲折七篇。按以下文例之，"歌"下當有"詩"字。

周謠歌詩七十五篇

周謠歌詩聲曲折七十五篇

王氏《考證》：《周禮・旄人》注："散樂野人爲樂之善者，若今黃門倡矣。"《樂府集》有《黃門倡歌》一首。

梁耆《庭立紀聞》曰："前輩言《黃門倡車忠等》以下八家比《雅》之變。"

章學誠《校讎通義》曰："《漢志》臣工之作有《黃門倡車忠等歌詩》，而無蘇、李河梁之篇，或云《雜各有主名歌詩》十篇或有蘇、李之作。"

按《河南周歌詩》、《周謠歌詩》，此兩家皆有聲律曲折，《隋書・王劭傳》所謂"曲折其聲，有如歌詠"是也。

又按《河南周歌詩》指東周人而言也，《周謠歌詩》則合東西兩周，故篇數多于東周十倍有餘。

諸神歌詩三篇

送迎靈頌歌詩三篇

周歌詩二篇

南郡歌詩五篇

梁耆《庭立紀聞》曰："前輩言《諸神歌詩》以下四家比《頌》。"

章學誠《校讎通義》曰："《諸神歌詩》、《送迎靈頌歌詩》，《頌》之屬也。"

《文心雕龍・明詩篇》曰："至成帝品録，三百餘篇，朝章國采，亦云周備，而辭人遺翰，莫見五言。"又《樂府篇》云："昔子政品文，詩與歌別"。

按《秦始皇本紀》三十六年，"始皇使博士爲《僊真人詩》，及行所游天下，傳令樂人歌弦之"。又本書《高五王傳》趙幽

王友作歌一章，見前。趙共王恢，"太后以呂産女爲趙王
后，王有愛姬，后鴆殺之，王乃爲歌詩四章，令樂人歌之。
悲思，六月自殺"。《景十三王傳》廣川王去亦作歌一章，及
武帝《柏梁臺詩》之類，皆在三百十四篇之外者歟？

又按本志所載除揚雄賦新入八篇之外，皆論定奏御之文，
其中如宋玉、賈誼、枚乘、司馬相如、淮南王、孔臧、吾邱壽
王、武帝、劉向、王褒、枚皋、司馬遷、揚雄、孫卿，皆有別本
專集詳于《拾補》，故此一十四家與《拾補》詳略互見。

右歌詩二十八家，三百一十四篇。按此篇家數不誤，篇數則闕少兩篇。今
校定當爲三百一十六篇，除去《曲折》兩家八十二篇，止于二百三十四篇也。

凡詩賦百六家，千三百一十八篇。入揚雄八篇。按此言家數不誤，其
篇數則闕少三篇。今校當爲千三百二十一篇，入揚雄八篇者，詳見前第二篇末。

傳曰："不歌而誦謂之賦，登高能賦可以爲大夫。"言感物造耑，
材知深美，可與圖事，故可以爲列大夫也。古者諸侯卿大夫交
接鄰國，以微言相感，當揖讓之時，必稱《詩》以諭其志，蓋以別
賢不肖而觀盛衰焉。故孔子曰"不學《詩》，無以言"也。春秋之
後，周道寖壞，聘問歌詠不行于列國，學《詩》之士逸在布衣，而
賢人失志之賦作矣。大儒孫卿及楚臣屈原離讒憂國，皆作賦以
風，咸有惻隱古詩之義。其後宋玉、唐勒，漢興枚乘、司馬相如，
下及揚子雲，競爲侈麗閎衍之詞，没其風諭之義。是以揚子悔
之，曰："詩人之賦麗以則，辭人之賦麗以淫。如孔氏之門人用
賦也，則賈誼登堂，相如入室矣，如其不用何！"自孝武立樂府而
采歌謠，于是有代趙之謳，秦楚之風，皆感于哀樂，緣事而發，亦
可以觀風俗，知薄厚云。序詩賦爲五種。班固《兩都賦》序曰："大漢初
定，日不暇給。至于武宣之世，乃崇禮官，考文章，内設金馬石渠之署，外興樂府協律之
事，以興廢繼絶，潤色鴻業。是以衆庶悦豫，福應尤盛，白麟、赤雁、芝房、寶鼎之歌，薦于
郊廟。神雀、五鳳、甘露、黄龍之瑞，以爲年紀。故言語侍從之臣，若司馬相如、虞邱壽
王、東方朔、枚皋、王褒、劉向之屬，朝夕論思，日月獻納；而公卿大臣，御史大夫倪寬、太

常孔臧、太中大夫董仲舒、宗正劉德、太子太傅蕭望之等，時時間作。或以抒下情而通諷諭，或以宣上德而盡忠孝，雍容揄揚，著于後嗣，抑亦雅頌之亞也。故孝成之世，論而録之，蓋奏御者千有餘篇，而後大漢之文章，炳焉與三代同風。"《隋志》集部叙曰："自靈均以降，屬文之士衆矣，然其志尚不同，風流殊別。"又曰："文者，所以明言也。古者登高能賦，山川能祭，師旅能誓，喪紀能誄，作器能銘，則可以爲大夫。言其因物騁辭，情靈無擁者也。唐歌、虞詠，商頌、周雅，叙事緣物，紛綸相襲，自斯已降，其道彌繁。世有澆淳，時移治亂，文體遷變，邪正或殊。宋玉、屈原，激清風于南楚，嚴、鄒、枚、馬，陳盛藻于西京。古者陳詩觀風，斯亦所以關乎盛衰者也。班固有《詩賦略》，凡五種。"

漢書藝文志條理卷四

吳孫子兵法八十二篇。圖九卷。

《史》本傳：孫子武者，齊人也。以兵法見于吳王闔廬。闔廬
曰："子之十三篇，吾盡觀之矣。"于是闔廬知孫子能用兵，卒
以爲將。西破彊楚，入郢，北威齊晋，顯名諸侯，孫子與有力
焉。《正義》曰："魏武帝云：'孫子者，齊人。事于吳王闔閭，
爲吳將，作《兵法》十三篇。'《七錄》云《孫子兵法》三卷。案：
十三篇爲上卷，又有中、下二卷。"

《史·律書》：吳用孫武，申明軍約，賞罰必信，卒伯諸侯，兼列
邦土，雖不及三代之誥誓，然身寵君尊，當世顯揚，可不謂
榮焉？

《藝文類聚·政治部》：《吳越春秋》曰："孫子者，吳人，名武。
善爲兵法，僻隱幽居，世人莫知其能。子胥明于識人，乃薦孫
子。吳王問以兵法，每陳一篇，王不覺口之稱善。"

《世系表》：孫氏又有出自嬀姓。齊田完字敬仲，四世孫桓子
無宇。無宇子書，字子占，齊大夫，伐莒有功，景公賜姓孫氏，
食采于樂安。生憑，字起宗，齊卿。憑生武，字長卿，以田、鮑
四族謀爲亂，奔吳，爲將軍。

本書《人表》第五等中中吳孫武。梁玉繩曰："孫武始見《史·
律書》及本傳，字長卿。本齊田完之後，奔吳爲吳人，亦曰孫
子。葬吳巫門外去縣十里。宋宣和五年封滬瀆侯。"

《隋書·經籍志》：《孫子兵法》二卷，吳將孫武撰。梁三卷。
《吳孫子牝八變陣圖》二卷。《孫子兵法雜占》四卷。梁又有
《孫子八陣圖》一卷，亡。《孫子戰鬬六甲兵法》一卷，亡。《唐

書·經籍志》：《吳孫子三十二壘經》一卷。《唐·藝文志》同。《宋史·藝文志》：孫武《孫子》三卷。又云：“朱服校定《孫子》三卷。”《太平御覽》三百五十七引《孫子三十二壘經》及《兵法雜占》。

王氏《考證》：《隋志》“梁有《孫子八陣圖》一卷”，《周禮·車僕》注：“孫子八陳，有革車之陳。”

《四庫提要》曰：“武書爲百代談兵之祖，葉適以其人不見于《左傳》，疑其書乃春秋末、戰國初山林處士之所爲。然《史記》載闔廬謂孫武曰‘子之十三篇，吾盡觀之矣’，則確爲武所自著，非後人嫁名于武也。”

孫星衍校刊序曰：“孫子爲吳將兵，功歸子胥，故《春秋傳》不載其名，蓋功成不受官也。《越絕書》稱‘巫門外大冢，吳王客孫武冢’，是其證也。畢以珣《叙録》曰‘武蓋以客卿將兵也’。”

文登畢以珣《孫子叙録》曰：“按‘八十二篇圖九卷’者，其一爲十三篇，今所傳《孫子兵法》是也；其一爲問答若干篇，即諸傳記所引滎陽鄭友賢所輯遺説是也；一爲《八陳圖》，鄭注《周禮》引之是也；一爲《兵法雜占》，《太平御覽》所引是也；外又有《牝八變陳圖》、《戰鬭六甲兵法》、《三十二壘經》，見《隋》、《唐志》。按《漢志》惟云‘八十二篇’，而《隋》、《唐志》于十三篇之外又有數種，可知其具在八十二篇之内也。”

梁玉繩《瞥記》曰：“《孫武兵法》十三篇，而高誘注《吕覽·上德》云兵法五千言，則不獨上至經稱五千言矣。”

齊孫子八十九篇。圖四卷。

《史·孫武傳》：武既死，後百餘歲有孫臏。臏生阿甄之間，亦孫武之後世子孫也。孫臏嘗與龐涓俱學兵法。龐涓既事魏，得爲惠王將軍，而自以爲能不及孫臏，乃陰使召孫臏。臏至，龐涓恐其賢于己，疾之，則以法刑斷其兩足而黥之，欲隱勿

見。齊使者如梁，孫臏以刑徒陰見，説齊使。齊使以爲奇，竊
載與之齊。齊將田忌善而客待之。進于威王。威王問兵法，
遂以爲師。其後魏伐趙，趙急，請救于齊。齊威王欲將孫臏，
臏辭謝曰："刑餘之人不可。"于是乃以田忌爲將，而孫子爲
師，居輜車中，爲計謀，大破梁軍。後十五年，魏與趙攻韓，韓
告急于齊。齊使田忌將而往，殺龐涓，虜魏太子申以歸。孫
臏以此名顯天下，世傳其兵法。

《史·魏世家》：惠王十七年，圍趙邯鄲。十八年，拔邯鄲。趙
請救于齊，齊使田忌、孫臏救趙，敗魏桂陵。三十年，魏伐趙，
趙告急于齊。齊宣王用孫子計，救趙擊魏。魏遂大興師，使
龐涓將，而令太子申爲上將軍。齊虜太子申，殺將軍涓。

《史·田敬仲世家》：齊宣王二年，使田忌、田嬰將，孫子爲帥，
救韓、趙以擊魏，大敗之馬陵，殺其將龐涓，虜魏太子申。

《世系表》：孫武奔吳，爲將軍。三子：馳、明、敵。明食采于
富春，自是世爲富春人。明生臏。畢以珣《孫子叙録》曰："臏，武之
孫也。"

《呂氏春秋·不二篇》：孫臏貴勢。高誘曰："孫臏，楚人，爲
齊臣，作謀八十九篇，權之勢也。"

本書《人表》第四等中上孫臏。梁玉繩曰："孫臏始見《史·孫
子傳》，又作髕，亦曰孫子。葬河間府吳橋縣東南十五里。宋
徽宗宣和五年，追封武清伯。《唐》孫氏表云武子明，明生髕。
蓋明雖食采富春，未久，仍歸齊，故《史》傳言'臏生阿甄之
間'。《呂覽·不二篇》注謂'臏，楚人'，與《史》、《漢》異，恐
非。《廣韻》以武、臏爲衛孫氏後，亦非。腓刑曰臏，因刑刖兩
足而號之，其名不傳，惜哉！"

王氏《考證》：《通典》引孫臏曰："用騎有十利。"《呂氏春秋》：
"孫臏貴勢。"《司馬遷傳》："孫子臏脚，兵法修列。"

公孫鞅二十七篇

公孫鞅有《商君書》二十九篇，見《諸子》法家。

章學誠《校讎通義》曰："若兵書之《公孫鞅》二十七篇，與法家之《商君》二十九篇，名號雖異，而實爲一人，亦當著其是否一書也。"按一在法家，一在兵家，家數既殊，篇數亦異，又何用著其是否一書耶？

吳起四十八篇。有列傳。

《史》本傳：吳起者，衞人也，好用兵。嘗學于曾子，事魯君。齊人攻魯，魯欲將吳起，吳起取齊女爲妻，而魯疑之。吳起于是欲就名，遂殺其妻，以明不與齊也。魯卒以爲將。將而攻齊，大破之。魯人或惡吳起，魯君疑之，謝吳起。起聞魏文侯賢，欲事之。文侯問李克曰："吳起何如人哉？"李克曰："起貪而好色，然用兵司馬穰苴不能過也。"于是文侯以爲將，擊秦，拔五城。乃以爲西河守。文侯卒，起事其子武侯。封起爲西河守。公叔爲相，害吳起。武侯疑之，起懼得罪，遂去，之楚。楚悼王素聞起賢，至則相楚。明法審令，捐不急之官，廢公族疏遠者，以撫養戰士。要在彊兵，破馳説之言從橫者。于是南平百越；北并陳蔡，卻三晋；西伐秦。諸侯患楚之彊。楚之貴戚盡欲害吳起。及悼王死，宗室大臣作亂而攻吳起，起走之王尸而伏之。擊起之徒因射刺吳起，並中悼王。太子立，乃使令尹盡誅射吳起而並中王尸者。坐射起而夷宗死者七十餘家。按《吳子》首篇有云："魏文侯身自布席，夫人捧觴，醮吳起于廟，立爲大將，守西河。與諸侯大戰七十六，全勝六十四，餘則鈞解。闢土四面，拓地千里，皆起之功也。"

本書《刑法志》：春秋之後，滅弱吞小，并爲戰國。雄桀之士因勢輔時，作爲權詐以相傾覆，吳有孫武，齊有孫臏，魏有吳起，秦有商鞅，皆禽敵立勝，垂著篇籍。當此之時，合從連橫，轉向攻伐，代爲雌雄。齊愍以技擊彊，魏惠以武卒奮，秦昭以銳士勝。世方爭于功利,而馳説者以孫、吴爲宗。

本書《人表》第六等中下吴起。梁玉繩曰:"吴起始見《秦》、《魏策》、《荀子·堯問》,衛左氏中人,學于曾子。據《釋文·叙録》是曾申。中矢而死,或云枝解,或云車裂。宋宣和五年,封廣宗伯。"

《隋書·經籍志》:《吴起兵法》一卷,魏賈詡注。《唐書·藝文志》:賈詡注《吴子兵法》一卷。《宋史·藝文志》:吴起《吴子》三卷。又云朱服校定《吴子》二卷。

晁氏《讀書志》曰:"《吴子》三卷,魏吴起撰,言兵家機權法制之説,唐陸希聲類次爲之,《説圖國》、《料敵》、《治兵》、《論將》、《變化》、《勵士》,凡六篇。"

《四庫提要》曰:"今本并爲一卷,然篇目並與晁《志》合,惟'變化'作'應變',則未知孰誤耳。起殺妻求將,齧臂盟母,其行事殊不足道,然嘗受學于曾子,耳濡目染,終有典型,故持論頗不詭于正,尚有先王節制之遺。高似孫《子略》謂其尚禮義,明教訓,或有得于《司馬法》者,斯言允矣。"

嚴可均《三代文編》曰:"吴起,衛人,師事曾子。仕魯,去之魏,事魏文侯。武侯爲西河守,公叔害之,去之楚。楚悼王以爲相,有《兵法》一卷。《韓非子·内儲説》引吴起《南門令》、《西門令》、《攻秦亭令》,《吕氏春秋·慎小篇》又引《南門令》。"

范蠡二篇。越王句踐臣也。

《史·越世家》:范蠡事越王句踐,既苦身戮力,與句踐深謀二十餘年,竟滅吴,報會稽之恥,而范蠡稱上將軍。還反國,爲書辭句踐。乘舟浮海出齊,變姓名,自謂鴟夷子皮。齊人聞其賢,以爲相。既歸相印,去之陶。自謂陶朱公。三徙,成名于天下。卒老死于陶,故世傳曰陶朱公。又《貨殖傳》曰:"以爲陶天下之中,諸侯四近,貨物所交易也。乃治産積居,與時

逐。十九年之中三致千金，再分散與貧交疏昆弟。此所謂富
好行其德者也。後年衰老而聽子孫，子孫修業而息之，遂至
巨萬。故言富者稱陶朱公。」

《會稽典録》曰：「范蠡字少伯，越之上將軍也。本是楚宛三戶
人，佯狂倜儻負俗。文種爲宛令，遣吏謁奉，後與文種俱入越。」

本書《人表》第三等上下智人范蠡。梁玉繩曰：「范蠡始見《越
語》，字少伯，南陽人。或云楚宛之三戶人，《列仙傳》以爲徐
人，非是。亦曰范子，亦曰子范子，亦曰范公，亦曰范伯，亦曰
范生。又自變姓名曰鴟夷子皮，曰陶朱公。宋徽宗宣和五
年，封爲遂武侯。」

王氏《考證》：《甘延壽傳》張晏注、《春秋正義》、《文選注》並引
《范蠡兵法》。東萊呂氏曰：「《越語》下篇所載范蠡之詞，多與
《管子・勢篇》相出入。」

大夫種二篇。與范蠡俱事句踐。

《左・哀元年傳》：吳王夫差敗越于夫椒，報檇李也。遂入越。
越子以甲楯五千保于會稽，使大夫種因吳太宰嚭以行成。三
月，越及吳平。

《史・越世家》：句踐已平吳，范蠡遂去，自齊遺大夫種書曰：
「蜚鳥盡，良弓藏；狡兔死，走狗烹。越王爲人長頸鳥喙，可與
共患難，不可與共樂。子何不去？」種見書，稱病不朝。人或
讒種且爲亂，越王乃賜種劍曰：「子教寡人伐吳七術，寡人用
其三而敗吳，其四在子，子爲我從先王試之。」種遂自殺。

《吳越春秋》曰：「大夫種，姓文名種，字子禽，本楚南郢人，荊
平王時爲宛令。句踐用其術滅吳，種爲相國。及賜種劍，歎
曰：『南陽之宰，而爲越王之禽。』自笑曰：『後世之末，忠臣必
以吾爲喻矣。』遂伏劍死。句踐葬種于西山。」

本書《人表》第四等中上大夫種。梁玉繩曰：「種始見《左・哀

元》、《吳語》、《越語》,即文種,字少禽,或作子禽,楚南郢人,亦曰文子。句踐賜之劍而死,葬山陰種山。"

李子十篇

按《韓非子·內儲說》引李悝《習射令》,疑是李悝。悝相魏文侯,富國彊兵,別有書三十二篇,見《諸子》法家。

又按本志法家于李悝書亦曰《李子》,與此相同,班氏以明注于前,故此不復贅。《習射令》或即是書之一則歟?

娷一篇

顏氏《集注》曰:"娷音女瑞反,蓋說兵法者,人名也。"

按《世本·作篇》云"倕作鐘",又云"垂作規矩準繩","垂作銚、作耒耜、作耨"。宋注曰:"垂,黄帝工人。"張澍輯注曰:"《玉篇》云'倕,黄帝時巧人名'。《帝王世紀》'譽命倕作鞞',是垂爲工之通名,非一人也。"又《抱朴子·辯問篇》曰:"班輸倕狄,機械之聖也。"又梁玉繩《人表考》曰:"垂又作倕,堯時巧工,亦曰巧倕,亦曰工倕,亦曰倕氏。"疑即此娷,戰國時依託爲是書。

又按自齊孫子至此七家,皆蒙上"兵法"二字,史省文也。

兵春秋三篇

《唐書·經籍志》:《兵春秋》一卷。《唐·藝文志》著錄同。

按舊、新《唐志》載《兵春秋》一卷,亦不著撰人,不知是否即是此書。

龐煖三篇

龐煖有書二篇,見《諸子》從橫家。

兒良一篇

顏氏《集注》曰:"六國時人也。"

《吕氏春秋·不二篇》:"王廖貴先,兒良貴後。"高誘曰:"王廖謀兵事,貴先,建茅也。兒良作兵謀,貴後。"

賈誼《過秦論》曰：“六國之士有吳起、孫臏、帶佗、兒良、王廖、田忌、廉頗、趙奢之朋制其兵。”《史記索隱》曰：“王廖貴先，兒良貴後，二人皆天下之豪士也。”

洪邁《容齋四筆》曰：“漢四種兵書有《兒良》權謀一篇，兒良不知其何國人，注家皆無所釋，獨《呂氏春秋》及賈誼《過秦論》僅見其名，然亦莫能詳也。”

廣武君一篇。李左車。

《史·淮陰侯列傳》：信與張耳欲車下井陘擊趙。趙王、成安君陳餘聚兵井陘口。廣武君李左車説成安君曰：“井陘之道，車不得方軌，騎不得成列，行數百里，其勢糧食必在其後。願足下假臣奇兵三萬人，從間路絕其輜重；足下深溝高壘，勿與戰。彼前不得鬭，退不得還，吾奇兵絕其後，使野無所掠，不至十日，而兩將之頭可致于戲下。”成安君不用其策。韓信使人間視，知其不用，則大喜，乃敢引兵遂下。及破趙，斬成安君，禽趙王歇。乃令軍中毋殺廣武君，有能生得者購千金。于是有縛廣武君而致戲下者，信乃解其縛，東鄉坐，西鄉對，師事之。又有爲淮陰侯畫策下燕一事，文繁不録。

《世系》：趙郡李氏出自秦司徒曇次子璣，秦太傅。璣子牧爲趙相，封武安君。牧子汩，秦中大夫詹事。生倞、左車、仲車。左車，趙廣武君。生遐，漢涿郡守。

韓信三篇

顏氏《集注》曰：“淮陰侯。”

本書《高帝紀》：元年春正月，項羽背約，更立沛公爲漢王，王巴、蜀、漢中四十一縣，都南鄭。夏四月，諸侯罷戲下，各就國。羽使卒三萬人從漢王。既至南鄭，諸將及士卒皆歌謳思東歸，多道亡還者。韓信爲治粟都尉，亦亡去，蕭何追還之，因薦于漢王，曰：“必欲爭天下，非信無可與計事者。”于是漢王齋戒設壇場,拜信爲大將軍。信陳羽可圖、三秦易并之計。
又曰:"天下既定,命蕭何次律令,韓信申軍法。"

《史・漢功臣侯表》:淮陰侯韓信初以卒從項梁,梁死屬項羽
爲郎中,至咸陽,亡從入漢,爲連敖典客,《索隱》曰:"傳作'治粟都
尉',或先爲連敖典客也。"蕭何言信爲大將軍,別定魏、趙,爲齊王,
徙封楚。高帝六年四月,坐擅發兵,廢爲淮陰侯。十一年,信
謀反關中,吕后誅信,夷三族,國除。

本志序曰:"漢興,張良、韓信序次兵法,凡百八十二家,删取
要用,定著三十五家。諸吕用事而盜取之。"

王氏《考證》:李靖曰:"張良所學,《六韜》、《三略》是也;韓信
所學,穰苴、孫武是也。"

《黄氏日鈔》曰:"淮陰侯信虜魏、破代、平趙、下燕、定齊,南摧
楚兵二十萬,殺龍且,而楚隨滅,漢并天下,皆信力也。武陟、
蒯通説信背漢,而信終不忍,自以功多,漢不奪我齊,不知功
之多者忌之尤,今日破楚明日襲奪齊王軍。方信爲漢取天
下,漢之心已未嘗一日不在取信也。高帝平生親信無過蕭何
者矣,而且疑之,況信耶?信有必誅之勢,而無人教之以蕭何
避禍之策。張良爲帝謀臣,使其爲之畫善後計,猶庶幾也。
而躡足之諫、召信會兵垓下之策,皆所以甚帝之疑而置信于
死者也。失職怏怏,謀反見誅,雖信之罪而夷三族,嗚呼
甚矣!"

仁和杭世駿《質疑》曰:"李薆班問:'韓信之事漢也,卒以反
誅。先儒惜之,要未有確然明其不反者,班竊惑焉。然則舍
人何以告變,皆吕氏之所爲也。吕后之所爲,皆漢高之意也。
帝之任信非得已也,急則用之,緩則棄之耳。未幾而奪其軍,
未幾而一削其職,帝蓋未嘗一日不欲殺信也,特力未及耳。
后窺知其意,密遣舍人上變,因而掩殺之,彼固知帝之必不問

也。而史氏不察，相沿不改，亦已誤矣。方楚漢之爭鋒，兩主之命懸于信手，誠有如徹、武所云者，不以此時割據爭雄，迨天下已定始生異謀，雖至愚者不爲而謂信爲之耶！且使信而果反，必不垂手就擒，擒而釋之，必不復爲所紿。觀其臨刑之言曰"悔不用徹言以及此"，是亦不反之明驗矣。然則謂信功高震主，不急引退以取禍可也，謂信謀反伏誅則過矣。夫以開代首功，一女子駕單詞族之，至今莫辯，冤哉！'答曰：'史于信之不反，以刪徹語證之，而是非自見。班固割徹語別爲一傳，而信被誣千秋，此論足以雪之。'"

按《隋志》兵家有《大將軍》一卷，不著撰人，列在黃石公諸書之間，自是漢人，不知是否此書。又按自《龐煖》至此四家，亦蒙上"兵法"二字。

右兵權謀十三家，二百五十九篇。省伊尹、太公、《管子》、《孫卿子》、《鶡冠子》、《蘇子》、蒯通、陸賈、淮南王二百五十九種，出《司馬法》入禮也。劉奉世曰："'種'當作'重'，'九'下又脫一'篇'字，注二百五十九恐合作五百二十一，篇數已在前。"今按二百五十九種，實因上文大字"二百五十九篇"之寫誤，班氏既云省九出，不復言重，前後比例可知也。此當如劉説作"五百二十一篇，出《司馬法》入禮也"。劉云"種"當作"重"，似不然。又按此篇家數不誤，篇數則缺少十三篇，又不計圖之卷數，今校定當爲二百七十二篇，圖一十三卷。

權謀者，以正守國，以奇用兵，先計而後戰，兼形勢，包陰陽，用技巧者也。

楚兵法七篇。圖四卷。

《左·莊四年傳》：楚武王荊尸，授師孑焉。杜預曰："尸，陳也。荊亦楚也。更爲楚陳兵之法。孑，戟也。楚始于此參用戟爲陳。"孔穎達曰："楚本小國，地狹民少，雖時復出師，未自爲法式。今始言荊尸，則武王初爲此楚國陳兵之法，名曰荊尸，使後人用之。《宣十二年傳》稱荊尸而舉，是遵行之也。"

《左·宣十二年傳》：欒武子曰："楚自克庸以來，_{在文十六年。}其君無日不討國人而訓之于民生之不易、禍至之無日、戒懼之不可以怠；在軍，無日不討軍實而申儆之于勝之不可保、紂之百克而卒無後，訓之以若敖、蚡冒蓽路藍縷以啓山林。箴之曰：'民生在勤，勤則不匱。'其君之戎分爲二廣，廣有一卒，卒偏之兩。右廣初駕，數及日中，左則受之，以至于昏。內官序當其夜，以待不虞。"杜預曰："二廣，君之親兵。十五乘爲一廣，百人爲卒，二十五人爲兩。"孔穎達曰："一廣十五乘，有一百二十五人從之。"隨武子曰："荆尸而舉，卒乘輯睦，蒍敖爲宰，擇楚國之令典；軍行，右轅，左追蓐，前茅慮無，中權，後勁。軍政不戒而備。"杜預曰："尸，陳也。楚武王始更爲此陳法，遂以爲名。宰，令尹。蒍敖，孫叔敖也。右轅、左蓐，在車之右者，挾轅爲戰備；在左者，追求草蓐爲宿備。慮無，如軍前斥候，備慮有無也。茅，明也。或曰時楚以茅爲旌識。中權、後勁者，中軍制謀，後以精兵爲殿也。"_{"其君之戎分爲二廣"云云，《周禮·夏官》正義以爲即楚之軍法，當亦載于是書。}

《左·襄二十四年傳》：楚子爲舟師以伐吳，不爲軍政，無功而還。杜預曰："舟師，水軍。"又《昭十九年傳》：楚子爲舟師以伐濮。《二十四年》：楚子爲舟師以略吳疆。

　　按《楚世家》蚡冒弟熊通弒蚡冒子而代立，是爲楚武王。武王三十七年，熊通曰："吾先鬻熊，文王之師也，早終。成王舉我先公，乃以子男田令居楚，蠻夷皆率服，而王不加位，我自尊耳。"乃自立爲武王。蓋楚至武王而始大，而楚之兵法，據《左氏傳》及疏，亦自武王而始具，其後孫叔敖又譔次之，吳起或亦修治之，故有《南門令》等見《韓非子》。又楚文王有僕區之法，楚莊王有茅門法，_{見《左·昭七年傳》及《韓非·外儲説》。}或在此書，或別爲一書。

蚩尤二篇。見呂刑。

《書·呂刑》：王曰：“若古有訓，蚩尤惟始作亂，延及于平民。”注：“順古有遺訓，言蚩尤造始作亂，惡化相易，延及于平善之人。九黎之君號曰蚩尤。”

《世本·作篇》曰：“蚩尤以金作兵器。”宋衷注：“蚩尤，神農臣也。”張澍輯注曰：“按《路史》引《世本》云：‘蚩尤作五兵：戈、矛、戟、酋矛、夷矛，黃帝誅之涿鹿之野。’《太平御覽》引《世本》云：‘蚩尤作兵。’又按《太白陰經》：‘伏羲以木爲兵，神農以石爲兵，蚩尤以金爲兵。’是兵起于太昊，蚩尤始以金爲之。《呂氏春秋》‘蚩尤作兵，非作兵也’，高誘注‘非始作之也’。”

《呂氏春秋·蕩兵篇》：蚩尤作兵，蚩尤非作兵也，利其械矣。未有蚩尤之時，民固剝林木以戰矣。高誘曰：“蚩尤，少暤氏之末九黎之君名也。始作亂，伐無罪，殺無辜，善用兵，爲之無道，非始造之也，故曰非作兵也。”

《史·五帝本紀》：軒轅之時，神農氏世衰。諸侯相侵伐，暴虐百姓，而神農氏弗能征。于是軒轅乃習用干戈，以征不享。而蚩尤最爲暴，莫能伐。又曰：蚩尤作亂，不用帝命。于是黃帝乃徵師諸侯，與蚩尤戰于涿鹿之野，遂禽殺蚩尤。《龍魚河圖》云：“黃帝攝政，有蚩尤兄弟八十一人，造五兵仗刀戟大弩，威振天下。”

本書《人表》蚩尤列第九等下下愚人。梁玉繩曰：“蚩尤，姜姓，炎帝之裔，逐帝榆罔而自立，號炎帝。黃帝殺之，身體異處，冢在東郡壽張縣闞鄉城中，又有肩髀冢，在山陽鉅野縣。《呂刑》疏引鄭云‘蚩尤霸天下’，《莊子·盜跖》釋文云‘神農時，諸侯始造兵’，蓋蚩尤帝胄之有才者，故任之以事，其後倡亂，則殺之。”

馬驌《繹史》曰：“世之言蚩尤者，多怪誕不經，謂銅頭鐵額，八肱八趾，興雲吐霧，以迷軍士，天遣玄女始克制伏之。彼蚩尤

者，姜姓之諸侯，非異類也，亦惟恃其彊暴，乘炎帝之衰，阻兵
稱亂，如後世之竊據僭號者；抑或詭異其名，以愚百姓，如後
世之黃巾、赤眉執左道以惑衆者。黃帝修德撫民，以仁易暴，
湯武之事，足以徵矣，奚必徵召鬼神而後克濟哉？"

《隋書・經籍志》：梁有《黃帝蚩尤兵法》一卷，亡。按此或即此二
篇之佚存者，以其書有黃帝事，故云《黃帝蚩尤兵法》。

孫軫五篇。圖二卷。

孫軫始末未詳。

按《世系・孫氏表》云"孫氏又有出自嬀姓。齊田完字敬
仲，四世孫桓子無宇。無宇子書，字子占，齊大夫，伐莒有
功，景公賜姓孫氏，食采于樂安"，蓋即孫武之祖也。《史・
世家》云："陳完奔齊，以陳氏爲田氏。"其後四世，又別賜姓
爲孫氏，是陳、田、孫三姓本同族。此孫軫疑即陳軫，軫見
《史記》，與公孫衍、張儀合傳，與張儀俱事秦惠王，皆貴重，
亦見《人表》第四等。梁玉繩曰："陳軫屢見《戰國策》。"

繇叙二篇

《太平御覽・兵部》：李筌《太白陰經》云："黃帝設八陳之形，
風后演握奇圖，力牧亦創營圖，其後秦由余、蜀諸葛亮並有陳
圖以教人戰。"

王氏《考證》：《古今人表》繇余即由余，疑"叙"當作"余"，李筌
《太白陰經》云"秦由余有陳圖"。

按由余別有書三篇，見《諸子》雜家。《白帖》五十五引《七
略》亦作"由余"。此繇叙或是繇余之後，追述其先世爲是
書，故次于孫軫之後。儻孫軫審爲陳軫，則于時代先後尤
合，然皆無確證也。

王孫十六篇。圖五卷。

王孫始末未詳。

按此疑即儒家之王孫子，“孫”下有敓文，又疑爲吳王孫雄。《左·襄十三年傳》正義曰：“《吳語》‘王孫雄設法，百人爲行，十行一旌，十旌一將軍’。引《司馬法》云：‘十人之帥執鈴，百人之帥執鐸，千人之帥執鼓，萬人之將執大鼓。’”其文與《國語》大異。《國語》亦不見引《司馬法》，疑孔穎達據別本《國語》之説。王孫雄，《國語》作“王孫雒”，《史·越世家》作“公孫雄”。又疑王廖，《呂覽·不二篇》云“王廖貴先”，賈生《過秦論》云“六國之士，有兒良、王廖制其兵”，或“孫”爲“廖”字之誤。又疑王子，《太史公自序》“《司馬法》所從來尚矣，太公、孫、吳、王子能紹而明之”，徐廣曰“王子成甫”，或“孫”爲“子”字之誤，然皆非碻證也。

尉繚三十一篇

《隋書·經籍志》：梁有《尉繚子兵書》一卷，亡。《宋史·藝文志》：《尉繚子》五卷，戰國時人。

王氏《考證》：今本二十四篇，《天官》至《兵令》，言刑政兵戰之事，其文意有附會者，首篇稱梁惠王問，意者魏人歟？

《四庫提要》曰：“《漢志》雜家有《尉繚》二十九篇，兵形勢家別有《尉繚》三十一篇，今雜家亡而兵家獨傳。特今書止二十四篇，與所謂三十一篇者數不相合，則後來已有所亡佚，非完本矣。其書大旨主于分本末，別賓主，明賞罰，所言往往合于正，如云‘兵不攻無過之城，不殺無罪之人’，又云‘兵者，所以誅暴亂禁不義也。兵之所加者，農不離其田業，賈不離其肆宅，士大夫不離其官府，故兵不血刃而天下親’，皆戰國談兵者所不道。晁公武《讀書志》有張載注《尉繚子》一卷，則講學家亦取其説。然書中《兵令》一篇，于誅逃之法言之極詳，可以想見其節制，則亦非漫無經略高談仁義者矣。”

按《秦本紀》，始皇十年，大梁人尉繚來，説秦王曰：“以秦之彊，諸侯譬如郡縣之君，臣但恐諸侯合從，翕而出不意，此

乃智伯、夫差、湣王之所以亡也。願大王毋愛財物，賂其豪
臣，以亂其謀，不過亡三十萬金，則諸侯可盡。"秦王從其
計，見尉繚亢禮，衣服食飲與繚同。繚曰："秦王爲人，蜂
準，長目，摯鳥膺，豺聲，少恩而虎狼心，居約易出人下，得
志亦輕食人。我布衣，然見我常身自下我。誠使秦王得志
于天下，天下皆爲虜矣。不可與久游。"乃亡去。秦王覺，
固止以爲秦國尉，卒用其計策。而李斯用事。梁玉繩《瞥
記》謂與雜家之尉繚是兩人，作此書者不知即此尉繚否也。

魏公子二十一篇。圖十卷。名無忌，有列傳。

《史·信陵君列傳》：魏公子無忌者，魏昭王少子而安釐王異
母弟也。安釐王即位，封公子爲信陵君。公子爲人仁而下
士，士無賢不肖皆謙而禮交之，不敢以其富貴驕士。[①] 士以此
方數千里爭往歸之，致食客三千人。當是時，諸侯以公子賢，
多客，不敢加兵謀魏十餘年。安釐王二十年，秦昭王已破長
平軍，進兵圍邯鄲。公子既奪晋鄙軍，救邯鄲，卻秦存趙，使
將將其軍歸魏，而公子獨與客留趙，十年不歸。秦聞公子在
趙，日夜出兵東伐魏。魏王使使往請公子，以上將軍印授公
子。安釐王三十年，公子使使遍告諸侯。諸侯聞公子將，各
遣將將兵救魏。公子率五國之兵破秦軍于河外，走蒙驁。乘
勝逐秦軍至函谷關，抑秦兵，秦兵不敢出。當是時，公子威振
天下，諸侯之客進兵法，公子皆名之，故世俗稱《魏公子兵
法》。後四歲，卒。《索隱》曰："公子所得進兵法而必稱其名，
以言其恕也。"按《張耳傳》，耳少時及魏公子無忌爲客。
劉歆《七略》曰："《魏公子兵法》二十一篇，《圖》七卷，信陵君
也。"按此與本志言圖十卷者異，考下文兵形勢都凡云"圖十八卷"，則此作七卷者是也。

---

① "驕"，原誤作"交"，據中華書局點校本《史記》改。

本書《人表》魏公子無忌列第五等中中。梁玉繩曰："無忌始見《齊》、《趙》、《魏策》，封信陵君，病酒而卒，葬陳留郡浚儀縣。案昔人稱四公子爲原、嘗、春、陵，然其品信陵最優，平原次之，孟嘗又次之，春申爲下。《表》獨列平原于中上，餘俱在第五，失其倫矣。"

《世系表》：京兆王氏出自姬姓，周文王少子畢公高之後，封魏。至昭王彤生公子無忌，封信陵君。無忌生間憂，襲信陵君。秦滅魏，間憂子卑子逃難于太山，漢高祖召爲中涓，封蘭陵侯。時人以其故王族也，謂之王家。卑子生悼，悼生賢，濟南太守。宣帝徙豪傑居霸陵，遂爲京兆人。又《魏氏表》云："公子無忌孫無知，漢高梁侯。"與此言卑子蘭陵侯者互異，豈兩人乎？尋《史》、《漢》功臣恩澤侯表皆不見，莫得而詳矣。

《黃氏日鈔》曰："無忌用侯嬴、朱亥之力，竊符矯命，以赴平原之急。其後在趙，用毛公、薛公之諫，毛公見前名家。趣駕歸魏，以卻彊秦之圍。此四人者，皆隱于屠沽博徒，無忌獨能察而用之，五國賓從，威震天下。雖非正道，而能爲國家之重，過平原、孟嘗遠矣。釐王受秦反間，用無忌不終，十八歲而魏亡，悲夫！"

嚴可均《三代文編》曰："魏無忌，魏絳十二世孫，魏安釐王之弟，封信陵君。以矯奪晉鄙軍，懼罪留趙十年。還魏，爲上將軍。秦用反間，廢之，病酒而卒。有《魏公子兵法》二十一篇，圖十卷。"

　　按史言"諸侯之客進兵法，公子皆名之"，則此二十一篇圖十卷者各有主名，劉氏《錄》、《略》必具載，今不可知已。

景子十三篇

　　按儒家有景子，七十子之弟子，此列在魏公子之後，則非其人也。

李良三篇

　　按《史》、《漢·張耳陳餘傳》有李良，爲趙王武臣略常山、太原,已而襲邯鄲,殺武臣,擊陳餘,餘敗之,歸秦將章邯,不知其所終,豈即其人乎? 似不然也。

丁子一篇

鄭樵《氏族略》:丁氏,姜姓,齊太公生丁公伋支,孫以丁爲氏。

鄧名世《古今姓氏書辯證》:丁氏出自姜姓,《漢書·藝文志》有丁子著兵書。

按丁子叙于項王之前,則其人大抵在秦楚之際,豈即楚將丁公乎?

項王一篇。名籍。

《史》本紀:項籍者,下相人也,字羽。初起時,年二十四。其季父項梁,梁父即楚將項燕,爲秦將王翦所戮者也。項氏世世爲楚將,封于項,故姓項氏。籍少時,學書不成,去。學劍,又不成。于是項梁乃教籍兵法,籍大喜,略知其意,又不肯竟學。

本書《人表》項羽列第六等中下。梁玉繩曰:"羽始見《始皇紀》,即項籍,字羽,一字子羽,下相人,重瞳子。楚懷王孫心封長安侯,號魯公,破秦自立爲西楚霸王,亦曰項王。自刎而死,葬穀城。案史言羽初起時年二十四,亡于漢五年,則僅二十八歲也。"

《黃氏日鈔》曰:"世謂羽與漢爭天下,非也。羽曷嘗有爭天下之志哉? 羽見秦滅諸侯而兼有之,故欲滅秦復立諸侯如曩時而身爲盟主爾。故既分王,即都彭城;既和漢,即東歸。羽皆以爲按甲休兵爲天下盟主之時,不知漢之心不盡得天下不止也。"

按自《蚩尤》至此十家,亦蒙上"兵法"二字也。

右兵形勢十一家,九十二篇,圖十八卷。按此篇家數不誤,其篇數則缺少十篇,卷數則缺少三卷。今校定當爲一百二篇,圖二十一卷。然《七略》載《魏公子圖》七卷,則此作十八卷正如其數。

**形勢者,靁動風舉,後發而先至,離合背鄉,變化無常,以輕疾制
敵者也。**

太壹兵法一篇

天一兵法三十五篇

《史·天官書》:中宮天極星,其一明者,太一常居也。其一曰
天一。《正義》曰:"泰一,天帝之別名也。劉伯莊云:'泰一,
天神之最尊貴者也。'"又曰:"天一一星,天帝之神,主戰鬬,
知人吉凶。明而有光,則陰陽和,萬物成,人主吉;不然,反
是。太一一星次天一南,亦天帝之神,主使十六神,知風雨、
水旱、兵革、饑饉、疾疫。占以不明及移爲災也。"

《隋書·經籍志》:《黃帝太一兵曆》一卷,又《太一兵書》一十
一卷,梁二十卷。按此"太一"疑"天一"之譌。《唐·經籍志》:《太一
兵法》一卷。《唐·藝文志》:《黃帝太一兵曆》一卷,《太一兵
法》一卷。

王氏《考證》:《武經總要》:太一者,天帝之神也。其星在天
一之南,總十六神。知風雨、水旱、金革、凶饉、陰陽二局,存
諸祕式。星文之次舍,分野之災祥,貴于先知,逆爲之備。用
軍行師,主客勝負,蓋天人之際相參焉。按此兩書大抵皆參以天人之
際,據天文以占兵事者。

神農兵法一篇

神農有書二十篇,見《諸子》農家。

《玉海·兵制篇》:《漢·藝文志》"《神農兵法》一篇",晁錯傳
神農之教曰"石城湯池,亡粟弗能守"。王氏蓋以此爲兵法中語。

何義門《讀書記》曰:"《神農兵法》一篇,其今之《握機》乎!"按
《四庫提要》《握奇經》一卷,一作《握機經》,一作《幄機經》,舊本題風后撰,漢丞相公
孫弘解,晉西平太守馬隆述贊。

嚴可均《全上古文編》曰:"《漢·藝文志》農家有《神農》二十篇,兵陰陽家又有《神農兵法》一篇。倉頡造字在黃帝時,前此未有文字,神農之言皆後人追録,不過謂相傳如是,豈謂神農手撰之文哉?"

黃帝十六篇。圖三卷。

道家有《黃帝四經》、《黃帝銘》、《黃帝君臣》、《雜黃帝》,陰陽家有《黃帝太素》,小説家有《黃帝説》,並見前《諸子略》中。

《史·五帝本紀》:諸侯尊軒轅爲天子,代神農氏,是爲黃帝。天下有不順者,從而征之,平者去之,披山通道,未嘗寧居。而邑于涿鹿之阿,遷徙往來無常處,以師兵爲營衛。《正義》曰:"環繞軍兵爲營以自衛,若轅門即其遺象。"

《鶡冠子·武靈王篇》:龐煖曰:"不戰而勝,善之善者也,此《陰經》之法。"宋陸佃注曰:"《陰經》,黃帝之書也。"

《尉繚子·天官篇》:梁惠王問尉繚子曰:"黃帝刑德,可以百勝,有之乎?"尉繚子曰:"刑以伐之,德以守之,非所謂天官、時日、陰陽、向背也。黃帝者,人事而已矣。"

《漢書·胡建傳》①:建上奏曰:"《黃帝李法》曰:'壁壘已定,穿窬不繇路,是謂姦人,姦人者殺。'"孟康曰:"《黃帝李法》,兵書之法也。"師古曰:"李者,法官之號也,總主征伐刑戮之事也,故稱其書曰《李法》。"

《隋書·經籍志》:《黃帝兵法孤虛雜記》一卷,《新唐志》作"推記"。《黃帝問玄女兵法》四卷,梁三卷,《黃帝兵法雜要訣》一卷,《黃帝軍出大師年命立成》一卷。

唐獨孤及《毗陵集·八陳圖記》曰:"黃帝順煞氣以作兵法,文昌以命將。風后握機制勝,作爲陳圖。"

---

① 《漢書·胡建傳》,原作《後漢書·蘇建傳》,據引文查武英殿本《漢書》改。

《玉海·兵法篇》：《太平御覽》引《黃帝玄女兵法》曰：“禹問于風后曰：‘吾聞黃帝有屈勝之圖，六甲陰陽之道。’對曰：‘藏會稽之山。’禹開視之，中有《天下經》十二卷，禹得中四卷。”按此似後世道家之野言，不足據。

嚴可均《全上古文編》曰：“《開元占經》引《黃帝兵法》、《黃帝出軍訣》、《黃帝用兵要法》、《用兵要訣》，《五行大義》引《黃帝兵訣》。案《隋志》黃帝兵法八種，今輯《李法》一條、《兵法》六條、《黃帝問玄女兵法》十二條。”按嚴氏謂《隋志》兵法八種者，并太一、蚩尤、風后及許昉、吳範所次者計之也。

封胡五篇。黃帝臣，依託也。

本書《人表》封胡列第二等上中仁人。梁玉繩曰：“封胡唯見本書《藝文志》。”又曰：“封鉅，黃帝師。《路史·國名紀》謂封鉅是封胡，而《表》別有封胡，似不得合而一之，二封疑屬父子。”

《世系表》：封氏出自姜姓。炎帝裔孫鉅爲黃帝師，胙土命氏。至夏后氏之世，封父列爲諸侯，其地汴州封丘有封父亭，即封父所都。至周失國，子孫爲齊大夫，居渤海蓨縣。

王氏《考證》：《通典》：《衞公兵法·守城篇》曰：“禽滑釐問墨翟守城之具，墨翟答以五六十事，皆煩宂不便于用。其後韋孝寬守晉州，羊侃守臺城，皆約封胡子伎巧之術。”按《李衞公兵法》所言，則封胡亦稱封胡子，其書亦兼及技巧。

風后十三篇。圖二卷。黃帝臣，依託也。

《管子·五行篇》：黃帝得六相而天地治，神明至。風后明乎天道，使爲當時。唐房玄齡注曰：“謂知天時之所當也。”按《管子》原本，“封后”作“蚩尤”，誤。李鍇《尚史》、馬驌《繹史》據《外紀》是正，今從之。

《史·五帝本紀》集解：鄭玄曰：“風后，黃帝三公也。”《正義》曰：“按黃帝仰天地，置列侯衆官，以風后配上台，天老配中台,五聖配下台,謂之三公。《藝文志》'《風侯兵法》十三篇,圖三卷'。"按本志作二卷,未詳孰是。

《論語摘輔象》:黃帝七輔,風后受金法。宋均注曰:"金法,言能決理是非也。"

本書《人表》風后列第二等上中仁人。梁玉繩曰:"風后,姓風名后,一云風后是風國之后,伏羲後。宋大觀三年,封上谷公。"

後漢張衡《應間》曰:"渾元初基,靈軌未紀,吉凶分錯,人用瞳矇。有風后者,是焉亮之,察三辰于上,趴禍福乎下,經緯曆數,然後天步有常,則風后之爲也。"

《後漢書·張衡傳》注:《春秋內事》曰:"黃帝師于風后,風后善于伏羲氏之道,故推演陰陽之事。"《藝文志》陰陽家流有《風后》十三篇也。

皇甫謐《帝王世紀》曰:"自神農以上有大九州,柱州、迎州、神州之等。黃帝以來,德不及遠,惟于神州之內分爲九州。黃帝受命,風后受圖,割地布九州,置十二圖。"按黃帝受命以下云云,《太平御覽》一百五十七《太一式占》引此文,作《周公城名錄書》,《禹貢》釋文亦引此文,作《周公職錄》。職錄或是職方錄,而《通志·藝文略》地理類有《周公城名錄》一卷,不詳其所據,疑皆是風后此書之佚存者。

《隋書·經籍志》:《黃帝蚩尤風后行軍祕術》二卷。按此似後人鈔節三家之別本。

《宋史·藝文志》:《風后握機》一卷,晉馬隆略序。按《握機經》傳自晉代,似即此十三篇中之殘賸,或以爲後人依託。

王氏《考證》:獨孤及《風后八陳圖記》云:"得其遺制于《黃帝書》之外篇,裂素而圖之。"李靖《問對》云:"黃帝兵法,世傳《握奇文》。嚴從依風后大旨爲圖,以擬方陳。"李筌《太白陰經》云:"風后演握奇圖,復置虛實二壘。"《武經總要》曰:"大撓造甲子,推天地之數。風后演遁甲,究鬼神之奧。"《抱朴子》云："黃帝講占候,則詢風后。"

力牧十五篇。黃帝臣,依託也。

力牧有書二十二篇,見諸子道家。

《論語摘輔象》:黃帝七輔,力墨受準斥州選舉,翼佐帝德。宋均注曰："準斥,凡事也。力墨,或作力牧。"

皇甫謐《帝王世紀》曰："黃帝得風后于海隅,登以爲相。得力牧于大澤,進以爲將。"

王氏《考證》:李筌《太白陰經》云："風后置虛實二壘,力牧亦創營圖。"《抱朴子》云："黃帝精推步,則訪山稽、力牧。"

鵊冶子一篇。圖一卷。 宋祁曰:"冶,一作冶。"

顏氏《集注》:晉灼曰："鵊音夾。"

馬驌《繹史·黃帝紀》注曰："《漢書·藝文志》兵陰陽家封胡、風后、力牧、鵊冶子、鬼容區、地典,注俱云'黃帝之臣'。"

李鍇《尚史·黃帝諸臣傳》:《漢書》兵陰陽家有鬼臾區、鵊冶子、地典,注云並"黃帝臣"。

按諸書言黃帝三公、七輔、六相及諸臣,並無鵊冶子其人。本志實未嘗注"黃帝臣",豈馬、李二家所見與今本有異者歟?抑以此一條在《力牧》、《鬼容區》之間,意爲牽附也?疑此一條在後二條《地典》之次,轉寫亂之。

鬼容區三篇。圖一卷。黃帝臣,依託。

《世本·作篇》曰:"臾區占星氣。"張澍輯注曰:"臾區即車區,亦作鬼容區,實一人也。李奇曰:'區,黃帝時諸侯,占星氣謂占星之昏明、流貫,主何瑞禎變異及雲物怪變風氣方隅時候也。'"

《史·五帝本紀》:黃帝舉風后、力牧、常先、大鴻以治民。《正義》曰:"《封禪書》云:'鬼臾區號大鴻,黃帝大臣也。死葬雍,故鴻冢是。'《藝文志》云'《鬼容區兵法》三篇'也。"

本書《人表》鬼臾區列第二等上中仁人。梁玉繩曰：“鬼臾區
見《黃帝內經·素問》、《史·封禪書》。鬼，國名。臾，又作
容，又作俞，又作車區，又作藟，亦曰大鴻。葬雍。宋大觀三
年，封宜都公。”

地典六篇

《論語摘輔象》：黃帝七輔，地典受州絡。宋均注曰：“絡，維
絡也。”

《後漢書·張衡傳》：衡作《應間》，曰：“方將師天老而友地
典，與之乎高睨而大談。”章懷太子注：“《帝王紀》曰：‘黃帝
以風后、天老、五聖爲三公，其餘知命、規紀、地典、力牧、常
先、封胡、孔甲等，或以爲師，或以爲將。’《藝文志》陰陽有《地
典》六篇。”

　　按《志》于封胡、風后、力牧、鬼容區並注“黃帝臣”，此地典
　　亦黃帝臣而獨不注，則轉寫敓漏也。《人表》無地典。

孟子一篇

章學誠《校讎通義》曰：“書有同名而異實者，必著其同異之
故，而辨別其疑似焉。兵陰陽家之《孟子》一篇，與儒家之《孟
子》十一篇同名，當別白而條著者也。”

　　按此列東父、師曠之前，則其人遠在孟子之先，疑即五行家
　　之猛子。

東父三十一篇

《廣韻》一“東”注云：“東，亦姓。”《氏族略》云：“東氏，舜七友
東不訾之後，望出平原。”鄧名世《辯證》云：“中國有東西南
氏，高麗有北氏，必其先皆以方爲氏。”

　　按東不訾，《韓非子·說疑篇》作董不識，《人表》第三等有
　　董父，與東不訾並列在帝舜有虞氏之時。董父見《左·昭
　　二十九年傳》，以擾龍服事帝舜，帝賜姓曰董，氏曰豢龍氏，

封諸鬷川,夷氏其後也。疑即此董父,因通假而爲東父,猶東不貲之爲董不識歟?其叙次在師曠之前,于時代亦相合。《世系表》:"董氏出自姬姓。黃帝裔孫有飂叔安,生董父,舜賜姓董氏。"又按以上三條,班氏未必無注,似皆傳刻者失之。

師曠八篇。晉平公臣。

師曠有書六篇,見《諸子》小説家。

《後漢書·蘇竟傳》:竟與劉歆兄子龔書曰:"猥以《師曠雜事》輕自炫惑,説士作書,亂夫大道,焉可信哉?"章懷注曰:"《師曠雜事》,雜占之書也。前書云陰陽書十六家,有《師曠》八篇也。"

萇弘十五篇。周史。

《史·封禪書》:及後陪臣執政,季氏旅于泰山,仲尼譏之。是時萇弘以方事周靈王,諸侯莫朝周,周力少,萇弘乃明鬼神事,設射《狸首》。《狸首》者,諸侯之不來者。徐廣曰:"狸,一名'不來'。"依神怪欲以致諸侯。諸侯不從,而晉人執殺萇弘。周人之言方怪者自萇弘。又《天官書》曰:"昔之傳天數者:周室,史佚、萇弘。"

本書《郊祀志》:周靈王時,諸侯莫朝周,萇弘迺明鬼神事,設射不來。不來者,諸侯之不來朝者也。依物怪,欲以致諸侯。諸侯弗從,而周室愈微。後二世,至敬王時,晉人殺萇弘。李奇曰:"周爲晉殺之也。"又曰:"成帝末年頗好鬼神,谷永説上曰:'昔周史萇弘欲以鬼神之術輔尊靈王會朝諸侯,而周室愈微,諸侯愈叛。'"

本書《人表》萇弘列第六等中下。梁玉繩曰:"萇弘始見《左·昭十一》、《周語下》。亦曰萇叔,周人殺之。其血三年化爲碧。葬雒陽東北山。"

《淮南子·氾論篇》:昔者萇弘,周室之執數者也。天地之氣,

日月之行，風雨之變，律曆之數，無所不通，然而不能自知車
裂而死。高誘注曰：“晋范、中行氏之難以叛其君也，周劉氏
與晋范氏世爲婚姻，萇弘事劉文公，故周人助范氏。至敬王
二十八年，晋人攘周，周爲殺萇弘以釋之。”

　　按萇弘初事周卿士劉文公，爲屬大夫。後事靈王、景王、敬
　　王，爲大夫。其死時當春秋魯哀公之三年也。

　　又按自《黄帝》至此十一家，亦蒙上“兵法”二字。

别成子望軍氣六篇。圖三卷。

《史·天官書》：凡望雲氣，仰而望之，三四百里；平望，在桑
榆上，餘二千里；登高而望之，下屬地者三千里。雲氣有獸居
上者，勝。又曰：“陳雲如垣。杼雲類杼軸。王朔所候，决于
日旁。日旁雲氣，人主象。皆如其形以占。故北夷之氣如羣
畜穹閭，南夷之氣類舟舩幡旗。”又曰：“夫自漢之爲天數者，
星則唐都，氣則王朔。”

本書《西域傳下》：武帝輪臺詔曰：“興師遣貳師將軍，公車方
士、太史治星望氣，皆以爲吉，匈奴必破。”

鄧名世《古今姓氏書辯證》：别成氏，《漢·藝文志》陰陽家有
《别成子望軍氣》六篇，今詳别成乃著書人也。按鄧氏之意，蓋謂别
成非姓氏，乃著書人，辯古今氏姓書之謬也。

　　按《廣韻》十七薛“别”字注云“别，又姓”，《何氏姓苑》云“揚
　　州人”，此豈姓别名成者歟？《史記》云“氣則王朔”，豈朔自
　　號别成子歟？朔，武帝時人，《隋志》兵家尚載其《雜匈奴
　　占》一卷。

　　又按《隋志》有《用兵祕法雲氣占》一卷，《氣經上部占》一
　　卷，《天大芒霧氣占》一卷，《鬼谷先生占氣》一卷，《五行候
　　氣占災》一卷，《乾坤氣法》一卷，不著撰人，皆是類之書，容
　　或有此書逸篇在其間也。

辟兵威勝方七十篇

《抱朴子·仙藥篇》：《孝經援神契》曰："椒薑禦濕，菖蒲益聰，巨勝延年，威喜辟兵。"皆上聖之至言，方術之實錄也，明文炳然，而世人終于不信，可歎息者也。又《金丹篇》云："金液，太乙所服而仙者也。其經云以金液爲威喜巨勝之法，取金液及水銀一味合煮之，三十日，出，以黃土甌盛，以六一泥封，置猛火炊之，六十時，皆化爲丹，服如小豆大便仙，以此丹一刀圭粉，水銀一斤，即成銀。又取此丹一斤，置火上扇之，化爲赤金而流，名曰丹金。以塗刀劍，辟兵萬里。"又《遐覽篇》云："《道經》中有《燕君龍虎三囊辟兵符》、《八威五勝符》、《威喜符》、《巨勝符》各一卷。"

按葛稚川所言威勝似即此方七十篇中之大略，《七錄》有《辟兵法》一卷，《通志·藝文略》兵陰陽家有《兵書萬勝決》、《太一厭禳法》，亦即是一類之書。

右陰陽十六家，二百四十九篇，圖十卷。按此篇家數不誤，篇數則溢出二十二篇。今校定當爲二百二十七篇，圖十卷。又例以上下篇，當云"兵陰陽"，脱"兵"字。

陰陽者，順時而發，推刑德，隨斗擊，因五勝，假鬼神而爲助者也。師古曰："五勝，五行相勝也。"

鮑子兵法十篇。圖一卷。

鄧名世《古今姓氏書辯證》：鮑氏出自姒姓，夏諸侯國，子孫氏焉。裔孫叔牙相齊桓公，名顯諸侯，謚曰共。曾孫牽，曰鮑莊子；國，曰鮑文子；國孫鮑牧。皆齊卿。牧之家臣，曰差車鮑點。其族仕晋者，曰鮑癸。其後鮑氏居東海郯縣。

按此鮑子列在伍子胥之前，則爲春秋時人可知。

伍子胥十篇。圖一卷。

伍子胥有書八篇，見《諸子》雜家。

《吕氏春秋·首時篇》：王子光代吴王僚爲王,任子胥,子胥乃
修法制,下賢良,選練士,習戰鬬；六年,然後大勝楚于柏舉,
九戰九勝,追北千里。

《武帝本紀》注：臣瓚曰："《伍子胥》書有戈船,以載干戈,因
謂之戈船也。"又曰："《伍子胥》書有下瀨船,瀨,湍也,吴越謂
之瀨,中國謂之磧。"

《隋·經籍志》五行家：《遯甲決》一卷,吴相伍子胥撰。《遯甲
文》一卷,伍子胥撰。《遯甲孤虚記》一卷,伍子胥撰。《唐·
經籍志》兵家：伍子胥《兵法》一卷。又五行家：伍子胥《遯甲
文》一卷。《唐·藝文志》同。按伍子胥諸書見于《隋》、《唐志》者唯此,其
遯甲三書或亦在此十篇中。

王氏《考證》：《武經總要》云："伍子胥對闔廬,以船軍之教比
陸軍之法。"

嚴可均《三代文編》曰："伍子胥有兵技巧十篇,圖一篇。《文
選注》、《太平御覽》引伍子胥《水戰法》,又引《越絶書》伍子胥
《水戰兵法内經》,凡三條。"

公勝子五篇

《廣韻》一東"公"字注：公,又複姓,《漢書·藝文志》有公檮子
著書,又有公勝生著書。公檮生見《諸子》陰陽家,《廣韻》于此兩人並小有
舛誤。

鄧名世《古今姓氏書辯證》：公勝氏,《前漢·藝文志》技巧家
有《公勝子》五篇。

苗子五篇。圖一卷。

《世系表》：苗氏出自芈姓。楚若敖生鬬伯比。鬬伯比生子
良。子良生越椒,字伯棼,以罪誅。其子賁皇奔晋,晋侯與之
苗邑,因以爲氏。河内軹縣南有苗亭,即其地也。

按此叙于伍子胥之後,參以《世系》之言,則此苗子似即苗

賁皇之後人。又自《伍子胥》至此三家,亦蒙上"兵法"
二字。

逢門射法二篇

顏氏《集注》曰:"即逢蒙。"

《孟子·離婁篇》:逢蒙學射于羿,盡羿之道,思天下惟羿爲愈
己,于是殺羿。趙岐注曰:"羿,有窮后羿。逢蒙,羿之家衆
也。《春秋傳》曰'羿將歸自田,家衆殺之'。"

《世本·作篇》曰:"逢蒙作射。"張澍輯注曰:"《世本》言逢蒙
作射者,蓋作射法也,故《漢書·藝文志》兵技巧十三家有《逢
門射法》二篇。顏師古曰'即逢蒙',《呂氏春秋》作'蠭門',
《荀子》、《史記》皆同,《莊子》作'蓬蒙',《鹽鐵論》作'逢須',
惟《孟子》作'逢蒙'。"

《史·龜筴傳》:羿名善射,不如雄渠、蠭門。《集解》曰:"駰
案:《淮南子》曰:'射者重以逢門子之巧。'劉歆《七略》有《蠭
門射法》也。"

本書《人表》逢門子列第八等下中。梁玉繩曰:"逢門子即逢
蒙,又作蓬蒙,又作蠭門,又作蠭蒙,亦曰逢須,亦曰逢蒙子。
夷羿、逢門皆篡弑之賊,何以一在第八,一在第九,當置逢門
九等。"按《廣韻》"門"字注引《人表》作"逢門子豹",鄭氏《氏族略》引亦同。今按
《廣韻》"豹"字之上有敓文,當以"逢門子"爲句,"豹"字屬下文也。

陰通成射法十一篇

陰通成未詳。

李將軍射法三篇

顏氏《集注》曰:"李廣。"

《史》本傳:李將軍廣者,隴西成紀人也。廣家世世受射。孝
文帝十四年,以良家子從軍擊胡,爲中郎武騎常侍。孝景初,
爲隴西都尉,騎郎將,驍騎都尉,從太尉亞夫擊吳楚軍。爲上

谷太守,轉爲邊郡太守,徙上郡。嘗爲隴西、北地、雁門、代郡、雲中太守,皆以力戰爲名。武帝立,按此稱武帝者非其本文。爲未央衛尉。後爲將軍,出雁門擊匈奴。所失亡多,當斬,贖爲庶人。數歲,召拜爲右北平太守。廣出獵,見草中石,以爲虎而射之,沒鏃,視之石也。因復射之,終不能復入石矣。廣所居郡聞有虎,嘗自射之。及居右北平射虎,虎騰傷廣,廣亦竟射殺之。廣爲人長,猨臂,其善射亦天性也,雖其子孫他人學者,莫能及廣。與人居則畫地爲軍陳,射闊狹以飲。專以射爲戲。其射,見敵急,非在數十步之內,度不中不發,發即應弦而倒。用此,其將兵數困辱,其射猛獸亦爲所傷云。元狩四年,從大將軍青擊匈奴。失道,大將軍使長史急責。廣之幕府對簿,遂引刀自剄。

洪邁《容齋隨筆》曰:“漢文帝見李廣曰:‘惜廣不逢時,令當高祖世,萬戶侯豈足道哉!’吳、楚反時,廣以都尉戰昌邑下顯名,以梁王授廣將軍印,故賞不行。武帝時,五爲將軍擊匈奴,無尺寸功,至不得其死。三朝不遇,命也夫!”

《文獻·經籍考》:《射評要略》一卷。晁氏曰:“題李廣撰,凡十五篇。”陳氏曰:“依託也,鄙淺無奇。”

魏氏射法六篇

魏氏未詳。

彊弩將軍王圍射法五卷

顏氏《集注》曰:“圍,郁郅人也,見《趙充國傳》。”按郁郅,北地縣也。

本書《趙充國傳》贊曰:“秦漢已來,山東出相,山西出將。秦將軍白起,郿人;王翦,頻陽人。漢興,郁郅王圍、成紀李廣,皆以武勇顯。山西天水、隴西、安定、北地處勢迫近羌胡,民俗修習戰備,高上勇力鞍馬騎射。其風聲氣俗自古而然也。”

師古曰："圍爲彊弩將軍,見《藝文志》。"

望遠連弩射法具十五篇

本書《李陵傳》:陵發連弩射單于。服虔曰:"三十弩共一弦也。"張晏曰:"三十絭共一臂也。"劉攽曰:"三十弩一弦、三十絭一臂,皆無此理,妄説也。蓋如今之合蟬,或併兩弩共一弦之類。"

王氏《考證》:李廣以大黃射其裨將,孟康曰:"太公陷堅卻敵,以大黃參連弩。"愚按《周官》五射,參連其一也。《武經總要》曰:"弩者,中國之勁兵,四夷所畏服也。古者有黃連、百竹、八檐、雙弓之號,絞車、擘張、馬弩之差;今有參弓、合蟬、手射、小黃,皆其遺法。"

護軍射師王賀射書五篇

本書《百官表》:護軍都尉,秦官,武帝元狩四年屬大司馬,按《表》武省太尉,置大司馬,以冠將軍之號,蓋即大將軍也。成帝綏和元年居大司馬府比司直,哀帝元壽元年更名司寇,平帝元始元年更名護軍。

按護軍之屬有射師,則《表》所不具,蓋猶今之教習也。王賀始末未詳,其前數家皆稱"射法",此獨名"射書",而置于《連弩射法具》之後,則其書大抵言射具器用製作之程品爲多。

蒲苴子弋法四篇

《列子·湯問》篇:詹何曰:"臣聞先大夫之言,蒲且子之弋也,弱弓纖繳,乘風振之,連雙鶬于青雲之際,用心專,動手均也。"張湛注曰:"蒲且子,古善弋射者。"《論語正義》引《説文》云:"繳謂生絲爲繩也。"

《太平御覽·資産部》:《淮南子》曰:"蒲且子連鳥于百仞之上,弓良也。"高誘注曰:"蒲且子,楚人,善弋射。"按此見《覽冥篇》，今本《淮南子》無下句。又按《楚世家》有云"楚人有好以弱弓微繳加歸雁之上者，頃襄王召而問之"，高注云"楚人"，或本諸此，然不知是否即此蒲且子也。

《後漢書·張衡傳》：衡作《應間》曰："詹何以沈鉤致精，蒲且以飛繒逞巧。"章懷太子注："《周禮》曰'繒矢用弋射'。按《夏官》司弓矢云："繒矢茀矢用諸弋射。"鄭玄注云：'結繳于矢謂之繒。繒，高也。'"

案《汲冢竹書》中有《繳書》二篇，束皙云"論弋射法"，爲劉、班所未見，疑即與此書略同。

劍道三十八篇

本書《司馬遷傳》：司馬氏在趙者，以傳劍論顯。服虔曰："世善劍也。"師古曰："劍論，劍術之論也。"按此三十八篇中當有司馬氏所傳之論。

王氏《考證》：《史記》序《孫吳傳》云："非信廉仁勇不能傳兵論劍，與道同符。"《日者傳》褚先生曰："齊張仲、曲成侯以善擊刺學用劍，立名天下。"按《功臣侯表》高帝時有曲成侯蟲達，達子捷，捷子皇柔，傳封三代。又《王子侯表》武帝時有曲成侯萬歲，中山靖王子。

手搏六篇

本書《甘延壽傳》："延壽爲郎，試弁爲期門。"孟康曰："弁，手搏也。"又《哀帝本紀》贊"時覽卞射武戲"，蘇林曰："手搏爲卞，角力爲武戲。"按晉灼引《甘延壽傳》云"試卞爲期門"，是"卞"與"弁"同也。《刑法志》曰："戰國稍增講武之禮，以爲戲樂，用相夸視。而秦更名角抵。"《武帝本紀》："元封三年春，作角抵戲。"應劭曰："角者，角技也。抵者，相抵觸也。"文穎曰："名此樂爲角抵者，兩兩相當角力，角技藝射御，故名角抵，蓋雜技樂也。"師古曰："抵者，當也。非謂抵觸。文說是也。"

按《史記·太史公自序》云："司馬氏在趙者，以傳劍論顯。"

服虔曰："世善傳劍也。"蘇林曰："傳手搏論而釋之。"《索隱》曰：“服虔云‘善劍’，解所以稱傳也。蘇林作‘搏’，言手搏論而知名也。”按蘇林漢末魏初人，其注《漢書》言“傳手搏論而釋之”，必實有所見，似《劍道》、《手搏》兩書皆傳自司馬氏，而《手搏》一書又從而解釋之。《索隱》又曰，何法盛《晉書》及晉司馬無忌作《司馬氏系本》，並云在趙者名凱，則司馬凱所作歟？

雜家兵法五十七篇

按此五十七篇不知若干家，《七略》置之于末簡，合權謀、形勢、陰陽、技巧四者而一之，未必專屬諸技巧也。

蹴鞠二十五篇

劉向《別録》曰：“蹴鞠者，傳言黃帝所作，或曰起戰國之時，記云黃帝也。蹴亦蹋也。蹋鞠，兵勢也，所以練武士知有才也。皆因嬉戲，而講習之。今軍士無事，得使蹴鞠，有書二十五篇。”

劉歆《七略》曰：“蹴鞠者，傳言黃帝所作。王者宮中必左城而右平。《字典》城音戚，李善曰：“限也，謂階齒也。”《三輔黃圖》“未央前殿左城右平”注：“殿階九級，中分左右，左有齒，人行之；右則平之。”城猶國也，言有國當治之也。蹴鞠亦有治國之象，左城而右平。”又曰：“蹋鞠，兵勢也。其法律多微意，皆因嬉戲以講練士。至今軍士羽林無事，使其蹋鞠。”

《史記·霍去病傳》：穿域蹋鞠。徐廣曰：“穿地爲營域。”本書傳注服虔云“穿地作鞠室”。《索隱》曰：“鞠，以皮爲之，中實以毛，蹴蹋爲戲也。”《正義》曰：“按：《蹴鞠書》有《域說篇》，即今之打毬也。黃帝所作，起戰國時。程武士，知其材力也，若講武。”

顏氏《集注》曰：“鞠以韋爲之，實以物，蹴蹋之以爲戲也。蹴鞠，陳力之事，故附于兵法也。”

唐封演《聞見記》曰：“打毬，古之蹴鞠也。《漢書·藝文志》

'《蹴鞠》二十五篇'，顔注云'蹴音子六反。鞠音距六反'，近俗聲訛'蹋踘'爲'毱'，亦從而變焉，非古也。"

按陶宗儀《説郛》有《打毬儀》一卷，蓋權輿于是書。

又按《兵書略》前三種，皆各以其時代爲次，無章段之可言。唯技巧一篇則有章段，凡五：自《鮑子》至《苗子》四家，言技巧之事，爲第一段；《逢門》至《王賀》七家，皆言射法及弩射射具等事，爲第二段；《弋法》、《劍道》、《手搏》三家，言弋射劍術雜藝之屬，爲第三段；《雜家兵法》不名一體者，《七略》附之末簡，爲第四段；《蹴鞠》一家，班氏從《諸子》中析出，移入此篇，爲第五段。

右兵技巧十三家，百九十九篇。省《墨子》重，入《蹴鞠》也。按此所載家數缺少三家，篇數缺少八篇，又敚其圖之卷數。今校定當爲一十六家，二百七篇，圖三卷。

技巧者，習手足，便器械，積機關，以立攻守之勝者也。

凡兵書五十三家，七百九十篇，圖四十三卷。省十家二百七十一篇重，入《蹴鞠》一家二十五篇，出《司馬法》百五十五篇入禮也。劉奉世曰："此注'二百七十一'又當作'五百九十二'，兩注篇數皆不足，蓋訛謬也。"按此所載總數，就上四種並計，則有七百九十九篇，圖四十四卷，然皆非其實。今校定實爲五十六家，八百八篇，圖四十七卷。

兵家者，蓋出古司馬之職，王官之武備也。《洪範》八政，八曰師。孔子曰爲國者"足食足兵"，"以不教民戰，是謂棄之"，明兵之重也。《易》曰"古者弦木爲弧，剡木爲矢，弧矢之利，以威天下"，其用上矣。後世燿金爲刃，割革爲甲，器械甚備。下及湯武受命，以師克亂而濟百姓，動之以仁義，行之以禮讓，《司馬法》是其遺事也。自春秋至于戰國，出奇設伏，變詐之兵並作。漢興，張良、韓信序次兵法，凡百八十二家，删去要用，定著三十五家。諸吕用事而盜取之。武帝時，軍政楊僕捃摭遺逸，紀奏

兵録，猶未能備。至于孝成，命任宏論次兵書爲四種。《隋書·經籍志》曰：“兵者，所以禁暴静亂者也。《易》曰：‘古者弦木爲弧，剡木爲矢，弧矢之利，以威天下。’孔子曰：‘不教人戰，是謂棄之。’《周官》，大司馬‘掌九法九伐，以正邦國’，是也。然皆動之以仁，行之以義，故能禁暴静亂，以濟百姓。下至三季，恣情逞欲，争伐尋常，不撫其人，設變詐而滅仁義，至乃百姓離叛，以致于亂。”李衛公《問對》曰：“世所傳兵家流分權謀、形勢、陰陽、技巧四種，皆出《司馬法》。”本書《功臣侯表》：將梁侯楊僕以樓船將軍擊南越椎鋒卻敵侯。武帝元鼎六年三月乙酉封，四年，元封四年，坐爲將軍擊朝鮮畏懦，入竹二萬箇，贖完爲城旦。僕，宜陽人，亦見《酷吏傳》、《朝鮮傳》。

漢書藝文志條理卷五

泰壹雜子星二十八卷

泰壹家有兵法一篇,見兵陰陽家。

《天官書》:太史公曰:幽厲以往,尚矣。所見天變,皆國殊窟穴,家占物怪,以合時應,其文圖籍禨祥不法。《正義》曰:"按自古以來所見天變,國皆異具,所説不同,及家占物怪,用合時應者書,其文並圖籍,凶吉並不可法則也。"

又曰:"戰國争于攻取,兵革更起,臣主共憂患,其察禨祥候星氣尤急。"

> 按泰壹亦即大乙,或省文作太一,北極星名,亦曰天帝別名,亦曰天神之最尊貴者。古有此一家之術,泰壹雜子即泰壹家之諸子而爲星官之學者,猶言黄帝雜子、淮南雜子之類。此大抵幽厲以後春秋戰國時人所作,爲星官之書之最古者。

五殘雜變星二十一卷

本書《天文志》:五殘星,出正東,東方之星。其狀類辰,去地可六丈,大而黄。孟康曰:"星表有青氣如暈,有毛,填星之精也。"按填星即土星。

《史記·天官書》正義:五殘,一名五鋒,出正東東方之分野。狀類辰星,去地可六七丈,見則五穀毀敗之徵,大臣誅亡之象。

馬國翰輯本序曰:"《漢志》天文家有《五殘雜變星》二十一卷。考《天文志》載國皇、昭明、五殘、六賊、司詭、咸漢、四填、地維臧光、燭星、歸邪、天鼓、天狗、格澤、蚩尤之旗、旬始、枉矢、長庚、景星,凡十有八星,蓋五星之精散爲妖祥,下應人事,此其變占也。冠以五殘者，或以填星之精屬土，統攝諸方歟？其書《隋》、《唐志》不載，亡佚已久，猶賴《漢志》承其略，茲據補焉。孟康注説諸星色狀極詳，當是依原書釋之，並取附各條之下，訂爲一卷。”

按孟康注又曰“五星之精散爲六十四變，志記不盡”，按《志》所載止十八星，《晉書·天文志》引圖緯及《荆州占》載妖星二十一，又引《河圖》載妖星四十，又引京房《風角書》載妖星三十五，皆五星散而爲妖者。其名稱或不同，此所載雜變星，要不出此數家所載，而孟氏謂六十四變，其即據此書言之歟？

黃帝雜子氣三十三篇

《世本·作篇》曰：“黃帝使羲和占日，常儀占月，臾區占星氣。”張澍輯注曰：“占日者，占日之晷景長短也。占月者，占月之晦朔弦望也。占星氣，謂占星之昏明流實，主何瑞禎變異，及雲物怪變風氣方隅時候也。”

《續漢·天文志》序曰：“軒轅始受《河圖鬭苞授》，規日月星辰之象，故星官之書自黃帝始。”

《續漢·郡國志》注：《帝王世紀》曰：“及黃帝受命，乃推分星次，以定律度。周天三百六十五度四分度之一。一度二千九百三十二里，分爲十二次，一次三十度三十二分度之十四，各以附其七宿間。距周天積百七萬九百一十三里，徑三十五萬六千九百七十一里。凡中外官常明者百二十四，可名者三百二十，合二千五百星。微星之數，凡萬一千五百二十星，萬物所受，咸系命焉。此黃帝創造之大略也。”

嚴可均《鐵橋漫稿》曰：“《黃帝占》世無傳本，《開元占經》徵引甚多，余始寫出，以《乾象通鑑》校補，疑者闕之，分爲三卷，而爲之叙錄。曰：古者以太陰紀年，至王莽用三統曆，始以太歲紀年。此書占八穀有太陰乘寅、乘卯、乘辰等占，而又別有太歲,多非後世語。其占少微,有'聞如孔子,巧如魯般'二語,知譔書人在孔子後,蓋六國時依託也。《漢志》有《黃帝雜子氣》三十三篇,《隋》、《唐志》有《黃帝五星占》一卷,如謂此書即一卷本,則卷太大,疑隋唐時有別本,合《雜子氣》彙錄之者。今故不題《五星占》,依《占經》題《黃帝占》焉。其錄曰日、月、五星總、歲星、熒惑、填星、太白、辰星、二十八宿、衆星、流星、客星、妖星、風、雨、虹、霧、濛、八穀、飛鳥,凡二十門。"

按《隋志》天文家有《天文占氣書》一卷,《候雲氣》一卷,梁有《雜望氣經》八卷,《候氣占》一卷,皆是類之書,亦或是書之殘賸。

常從日月星氣二十一卷

顏氏《集注》曰:"常從,人姓名也,老子師之。"

《説苑・敬慎篇》:常摐有疾,老子往問焉,曰:"先生疾甚矣,無遺教可以語諸弟子者乎?"常摐曰:"子雖不問,吾將語子。"常摐曰:"過故鄉而下車,子知之乎?"老子曰:"非謂其不忘故耶?"常摐曰:"嘻,是已。過喬木而趨,子知之乎?"老子曰:"非謂敬老耶?"常摐曰:"嘻,是已。"張其口而示老子,曰:"吾舌存乎?"老子曰:"然。""吾齒存乎?"老子曰:"否。"常摐曰:"子知之乎?"老子曰:"夫舌之存也,豈非以其柔耶? 齒之亡也,豈非以其剛耶?"常摐曰:"嘻,是已。天下之事已盡矣,無以復語子哉。"此説或在是書,或不在是書,無以詳知。稽康《聖賢高士傳》亦載此説于《商容傳》中。齒舌剛柔之喻,又見老萊子書,傳説不一,莫詳其原。

按蕭吉《五行大義・論五行生成數》引常從《數義》云云,又引鄭玄曰"以天地相配,取陰陽之理",常從以支干數和合,取日辰爲用,兩説雖別,大意還同,似即此常從,其書有《五行數義篇》,豈兼言五行者歟? 抑別在五行家諸書中也?

皇公雜子星二十二卷

《風俗通·姓氏篇》：皇氏，三皇之後，因氏焉。《左傳》：鄭大夫皇頡、皇辰。宋有皇氏，世爲上卿，本皇父充石之後，以字爲氏。張澍輯注曰："皇氏出自子姓，宋戴公子充石，字皇父，爲宋司徒。其孫南雍缺以王父氏爲皇父氏，或去'父'稱皇氏。"鄧名世《古今氏姓書辯證》："春秋時，皇氏仕宋，其族仕鄭。在宋者曰充石，十世孫皇瑗爲宋司徒，生麇、野、般、鄖。麇，司徒。野字子仲，司馬。般食邑於鄖，謂之鄖般。又大司馬非我、右師緩、皇國父、皇奄傷、皇伯、皇懷。仕鄭者曰皇武子、皇頡、皇辰、皇戌、戌子皇耳。"

按古天文家有此皇公一家之學，亦有徒衆傳其書，故曰皇公雜子。

淮南雜子星十九卷

淮南王安見《諸子》雜家及《詩賦略》。

本書《淮南王安傳》：招致賓客方術之士數千人，作爲《內書》二十一篇，《外書》甚衆。又曰："其羣臣賓客，江淮間多輕薄，以屬王遷死感激安。建元六年，彗星見，淮南王心怪之。或說王曰：'先吳軍時，彗星出，長數尺，然尚流血千里。今彗星竟天，天下兵當大起。'王心以爲上無太子，天下有變，諸侯並爭，愈益治攻戰具，積金錢賂遺郡國。遊士妄作妖言阿諛王，王喜，多賜予之。"

按淮南之有是書，猶漢末劉表之有《荊州占》，皆欲以天文休咎冀非分之望。本傳言《外書》甚衆，蓋不止三十三篇，此十九卷亦外書之屬歟？

泰壹雜子雲雨三十四卷

泰壹雜子見前。

按泰壹雜子既有《星占》二十八卷，又有《雲雨占》三十四卷，《開元占經》所載《雲雨占》，容或有出于是書者。

國章觀霓雲雨三十四卷

　　按國章疑是人姓名,國章觀又似宫觀名,不可得而詳矣。《七録》天文家有《君失政大雲雨日月占》二卷,即是類之書。《開元占經》所載雲雨虹霓諸占,未必不由此兩書而輾轉祖述之。

泰階六符一卷

　　顔氏《集注》:李奇曰:"三台謂之泰階,兩兩成體,三台故六。觀色以知吉凶,故曰符。"

　　《史·天官書》:魁下六星,兩兩相比者,名曰三能。三能色齊,君臣和;不齊,爲乖戾。蘇林曰:"能音台。"《索隱》曰:"即泰階三台。《漢書》東方朔'願陳泰階六符'也。六符,六星之符驗也。"魁,北斗第一星也。

　　本書《東方朔傳》:初,建元三年,微行始出。後以爲道遠勞苦,又爲百姓所患,迺使太中大夫吾丘壽王與待詔能用算者二人,舉籍阿城以南,盩厔以東,宜春以西,提封頃畝,及其賈直,欲除以爲上林苑,屬之南山。壽王奏事,上大説稱善。時朔在傍,進諫曰:"臣聞謙遊静愨,天表之應,應之以福;驕溢靡麗,天表之應,應之以異。愚臣忘生觸死,逆盛意,犯隆指,罪當萬死,不勝大願,願陳《泰階六符》,以觀天變,不可不省。"是日因奏《泰階》之事,上迺拜朔爲太中大夫、給事中,賜黄金百斤。然遂起上林苑,如壽王所奏云。

　　應劭《集解》曰:"《黄帝泰階六符經》曰:'泰階者,天之三階也:上階,爲天子;中階,爲諸侯公卿大夫;下階,爲士庶人。上階,上星爲男主,下星爲女主;中階,上星爲諸侯三公,下星爲卿大夫;下階,上星爲元士,下星爲庶人。三階平,則陰陽和,風雨時,社稷神祇咸獲其宜,天下大安,是爲太平三階;不平,則五神乏祀,日有食之,水潤不浸,稼穡不成,冬靁夏霜,百姓不寧,故治道傾,天子行暴令,好興甲兵。修宫榭,廣苑圉，則上階爲奄奄疏闊也。'以孝武皆有此事，故朔爲陳之。"

馬國翰輯本序曰："其書首言三階所主次，言三階平則吉，否則凶；末言天子政失，則上階爲之奄奄疏闊。此下當備論諸侯公卿大夫士庶人，與前文相應，而今佚矣。此書久亡，別不見徵引，惟就應劭注錄之，而大恉猶可推識云。"

按此一卷蓋即東方曼倩所上，或在《黃帝雜子氣》三十三篇之外者，天文家言三台星者多矣，文繁不錄。

金度玉衡漢五星客流出入八篇

本書《天文志》：漢元年，五星聚于東井，以曆推之，從歲星也。此高皇帝受命之符也。故客謂張耳曰：按此客即甘公也，見《陳餘傳》中。"東井秦地，漢王入秦，五星從歲星聚，當以義取天下。"秦王子嬰降于枳道，漢王以屬吏，寶器婦女亡所取，閉宮封門，還軍次于霸上，以候諸侯。與秦民約法三章，民亡不歸心者，可謂能行義矣，天之所予也。五年遂定天下，即帝位。此明歲星之崇義，東井爲秦之地明效也。

按此言五星客流出入者，謂五星及客星、流星出入于金度玉衡之間，度衡似即璇璣玉衡。《五帝本紀》正義引蔡邕曰："玉衡長八尺，孔徑一寸，下端望之，以視星宿，蓋縣璣以象天，而以衡望之，轉璣窺衡，以知星宿。璣徑八尺，圓周二尺五寸而強也。"《天文志》載"五星聚東井"一條，疑即出于是書，爲漢代禎祥之首出者也。客星、流星，《晉書·天文志》載之尤詳。

漢五星彗客行事占驗八卷
漢日旁氣行事占驗三卷
漢流星行事占驗八卷
漢日旁氣行占驗十三卷

《續漢書·百官志》劉昭補注：《漢官》曰："靈臺待詔，其十四人候星，二人候日，三人候風，十二人候氣。"

《天官書》：漢之興，五星聚于東井。吳楚七國叛逆，彗星數丈，天狗過梁野；及兵起，遂伏尸流血其下。元光、元狩，蚩尤之旗再見，長則半天。其後京師師四出，誅夷狄者數十年，而伐胡尤甚。越之亡，熒惑守斗；朝鮮之拔，星茀于河戒；兵征大宛，星茀招搖：《索隱》：茀音佩，即孛星也。此其犖犖大者。若至委曲小變，不可勝道。由是觀之，未有不先形見而應隨之者也。此《五星彗客》及《流星行事占驗》各八卷之大旨，疑史公或亦取資于是二書。

《天官書》又曰："夫自漢之爲天數者，星則唐都，氣則王朔，占歲則魏鮮。"又曰："王朔所候，決于日旁。日旁雲氣，人主象。皆如其形以占。故北夷之氣如羣畜穹閭，南夷之氣類舟船幡旗。大水處，敗軍場，破國之虛，下有積錢，金寶之上，皆有氣，不可不察。海旁蜃氣象樓臺；廣野氣成宮闕然。雲氣各象其山川人民所聚積。故候息耗者，入國邑，視封疆田疇之正治，城郭室屋門戶之潤澤，次至車服畜産精華。實息者，吉；虛耗者，凶。

《周禮》：眡祲掌十煇之法，以觀妖祥，辯吉凶。一曰祲，二曰象，三曰鑴，四曰監，五曰闇，六曰瞢，七曰彌，八曰叙，九曰隮，十曰想。故書"彌"作"迷"，"隮"作"資"。鄭司農云："祲，陰陽氣相侵也。象者，如赤烏也。鑴，謂日旁氣四面反鄉，如煇狀也。監，雲氣臨日也。闇，日月食也。瞢，日月瞢瞢無光也。彌者，白虹彌天也。叙者，雲有次序也，如山在日上也。隮者，升氣也。想者，煇光也。"玄謂"鑴"讀如"童子佩鑴"之"鑴"，謂日旁氣刺日也。監，冠珥也。彌，氣貫日也。隮，虹也。《詩》云"朝隮于西"。想，雜氣有似可形想。賈公彦曰："十等多是日旁之氣，煇亦是日旁煇光，故總以煇言之。"按此是日旁氣占候之古法，漢法或不盡如此。

　　按《天官書》云"余觀史記，考行事"，即此類行事占驗之書。

《隋志》天文家有《五星占》一卷,《彗星占》一卷,《流星占》一卷,《妖星流星形名占》一卷,並不著撰人,皆此《五星彗客》及《流星占驗》一類之書。又有《夏氏日旁氣》一卷,許氏撰,梁四卷。《魏氏日旁氣圖》一卷,《日旁雲氣圖》五卷。考本書《天文志》引夏氏《日月傳》,知夏氏非漢以後人,魏氏疑即占歲之魏鮮。此三書或即此日旁氣兩家十六卷之佚存者。

漢日食月暈雜變行事占驗十三卷

《續漢·百官志》:太史令一人,掌天時、星曆。凡國有瑞應、災異,掌記之。又曰:「靈臺丞一人,掌候靈臺日月星氣,屬太史。」

《天官書》曰:「諸呂作亂,日蝕,晝晦。平城之圍,月暈參、畢七重。」《索隱》曰:「平城之圍,七日乃解,在高帝七年,天象有若符契。七重者,主七日也。」

本書《五行志》:高帝三年十月甲戌晦,日有食之,在斗二十度,燕地也。後二年,燕王臧荼反,誅,立盧綰爲燕王,後又反,敗。《天文志》:高帝七年,月暈,圍參、畢七重。占曰:「畢、昴間,天街也;街北,胡也;街南,中國也。昴爲匈奴,參爲趙,畢爲邊兵。」是歲高皇帝自將兵擊匈奴,至平城,爲冒頓單于所圍,七日迺解。按漢之日食月暈以此兩條爲之首,其行事占驗蓋如此。與本書所載雖不可考,要亦無大異也。其雜變占驗亦略見《天文》、《五行志》。

按《隋志》天文家有《日食占》、《月暈占》、《日月薄蝕圖》、《日變異食占》、《日月暈珥雲氣圖占》各一卷,《日月食暈占》四卷,並不著撰人,皆是類之書,或本書佚出僅存者。

海中星占驗十二卷
海中五星經雜事二十二卷

劉昭《續漢·天文志》注:張衡《靈憲》曰:「中外之官,常明者百有二十四,可名者三百二十,爲星二千五百,而海人之占未存焉。"

王氏《考證》:《唐·天文志》開元十二年,詔太史交州測景,以八月自海中南望老人星殊高。老人星下,衆星粲然,其明大者甚衆,圖所不載,莫辨其名。

海中五星順逆二十八卷

《天官書》曰:"甘、石曆五星法,唯獨熒惑有反逆行;逆行所守,及他星逆行,日月薄蝕,皆以爲占。余觀史記,考行事,_按<small>此言考行事,即前五家行事占驗之書。</small>百年之中,五星無出而不反逆行,反逆行,嘗盛大而變色;日月薄蝕,行南北有時:此其大度也。"

本書《天文志》:古曆五星之推,亡逆行者,至甘氏、石氏《經》,以熒惑、太白爲有逆行。夫曆者,正行也。古人有言曰:"天下太平,五星循度,亡有逆行。日不食朔,月不食望。"然而曆紀推月食,與二星之逆亡異。熒惑主內亂,太白主兵,月主刑。自周室衰,內臣不治,兵革不寢,刑罰不錯,故二星與月爲之失度,三變常見;甘、石氏見其常然,因以爲紀,皆非正行也。

《隋書·天文志》:古曆五星並順行,秦曆始有金、火之逆。又甘、石並時,自有差異。漢初測候,乃知五星皆有逆行。

按《隋志》天文家有《海中星占》一卷,《論星》一卷,《星圖海中占》一卷,並不著撰人,意即上三書之佚存者歟?《開元占經》引海中占至多,其原亦出於此及後三書中。

海中二十八宿國分二十八卷

《天官書》曰:"天有列宿,地有州域。二十八舍立十二州,所從來久矣。"《正義》曰:"二十八舍,謂東方角、亢、氐、房、心、尾、箕;北方斗、牛、女、虛、危、室、壁;西方奎、婁、胃、昴、畢、觜、參;南方井、鬼、柳、星、張、翼、軫。《星經》云:'角、亢,鄭之分野，兗州；氐、房、心，宋之分野，豫州；尾、冀，燕之分野，幽州；南斗、牽牛，吳、越之分野，揚州；須女、虛，齊之分野，青州；危、室、壁，衛之分野，并州；奎、婁，魯之分野，徐州；胃、昴，趙之分野，冀州；畢、觜、參，魏之分野，益州；東井、輿鬼，秦之分野，雍州；柳、星、張，周之分野，三河；翼、軫，楚之分野，荊州也。'"

王氏《考證》：《春秋正義》曰："《漢書・地理志》分郡國以配諸次，其地分或多或少。鶉首極多，鶉火甚狹。徒以相傳爲説，其源不可得而聞之。"呂氏曰："十二次，蓋戰國言星者以當時所有之國分配之。"又《玉海》云："自七國時，甘、石始配十二分野。"_{按甘、石之前已有此説，當始于春秋，而七國時更易之。}

　　按《隋志》天文家有《二十八宿十二次》一卷，《二十八宿分野圖》一卷，不著撰人，皆是類之書之別見者。

海中二十八宿臣分二十八卷

本書《天文志》：凡天文在圖籍昭昭可知者，經星常宿中外官，皆有州國官宮物類之象。

張衡《靈憲》曰："地有山岳，以宣其氣，精鍾爲星。星也者，體生于地，精成于天，列居錯跱，各有逌屬。在野象物，在朝象官，在人象事，于是備矣。"

《續漢・天文志》序：三階九列，二十七大夫，八十一元士，斗、衡、太微、攝提之屬百二十官，二十八宿各布列，下應十二子。天地設位，星辰之象備矣。

《五行大義・論諸官篇》：唐虞之時，官名已百，夏殷定名爲百二十，以應天地陰陽之大數也，故有三公、九卿、二十七大夫、八十一元士，三三相參，合有百二十也。

　　按《隋志》天文家有《二十八宿二百八十三官圖》一卷，不著撰人，似即此書之別見者。

海中日月彗虹雜占十八卷

《藝文類聚·卜筮類》：梁元帝《易洞林序》曰：“余幼學星文，多歷歲稔，海中之書略皆尋究。”

顧炎武《日知録》：《漢書·藝文志》：“《海中星占驗》十二卷，《海中五星經雜事》二十二卷，《海中五星順逆》二十八卷，《海中二十八宿國分》二十八卷，《海中二十八宿臣分》二十八卷，《海中日月彗虹雜占》十八卷。”海中者，中國也，故《天文志》曰：“甲乙海外不占。”蓋天象所臨者廣，而二十八宿專主中國，故曰海中二十八宿。

　　按《隋志》五行家有《海中仙人占災祥書》三卷，又一部三卷，並在雜占諸書中。又占夢類中有《海中仙人占體瞤及雜吉凶書》三卷，《海中仙人占吉凶要略》二卷，疑即從是書殘賸而鈔節附益者。

圖書祕記十七篇

《隋書·天文志》曰：“河、洛圖緯，雖有星占星官之名，未能盡列。”

　　按《晋書·天文志·雜星氣篇》云：“圖緯舊説及《荆州占》，其雜星之體，有瑞星，有妖星，有客星，有流星，有瑞氣，有妖氣，有日月傍氣。”又妖星中引《河圖》云云，其稱圖緯及河圖疑即是書。《續漢志》、《晋志》、《帝王世紀》、《通鑑外紀》皆有黄帝受《河圖》作星官之文，意者天文家取《河圖》、《洛書》中所有如《稽曜鉤》、《甄曜度》之類，録爲是書。《續漢·曆志》云“中興以來，圖讖漏泄”，則當西京時猶祕而不宣，故曰祕記歟？

　　又按是篇凡分五章段：自《泰壹》至《淮南雜子星》六家，皆言星氣，爲第一段；自《泰壹》至《泰階六符》三家，言雲雨虹霓及三台星，爲第二段；自《金度玉衡》至《日食月暈》六家，皆言漢興以來行事占驗，爲第三段；海中諸占六家，自爲一家之學，爲第四段；《圖書祕記》亦別爲一家，爲第五段殿焉。

右天文二十一家，四百四十五卷。按此篇家數缺少一家，卷數則溢出二十六卷。今校定當爲二十二家，四百一十九卷。

天文者，序二十八宿，步五星日月，以紀吉凶之象，聖王所以參政也。《易》曰："觀乎天文，以察時變。"然星事殀悍，非湛密者弗能由也。夫觀景以譴形，非明王亦不能服聽也。以不能由之臣，諫不能聽之主，此所以兩有患也。按末後數語蓋有感而言，周之萇弘，漢之眭孟、京君，明説天變以殞身。劉光禄亦因陳災異而沈滯，尤其章著者也。《隋書·經籍志》曰："天文者，所以察星辰之變，而參于政者也。《易》曰：'天垂象，見吉凶。'《書》稱：'天視自我人視，天聽自我人聽。'故曰：'王政不修，謫見于天，日爲之蝕。后德不修，謫見于天，月爲之蝕。'其餘孛彗飛流，見伏陵犯，各有其應。《周官》，馮相'掌十有二歲、十有二月、十有二辰、十日、二十有八星之位，辨其叙事，以會天位'，是也。小人爲之，則指凶爲吉，謂惡爲善，是以數術錯亂而難明。"

黃帝五家曆三十三卷

黃帝見前道家、陰陽家、小説家、兵陰陽家。

《史·曆書》：太史公曰："神農以前尚矣，蓋黃帝考定星曆。"

《晉書·曆志》：黃帝紀三綱而闡書契，乃使羲和占日，常儀占月，臾區占星氣，伶倫造律吕，大撓作甲子，隸首作算數。容成綜斯六術，考定氣象，建五行，察發斂，起消息，正閏餘，述而著焉，謂之《調曆》。

《世本·作篇》曰："容成作《調曆》。"宋衷注：容成，黃帝之臣。張澍輯注曰："容成因五量，治五氣，起消息，察發斂，作《調曆》，歲紀甲寅，日紀甲子，而時節定，歲交己酉，實黃帝之五十年也。"

劉向《五紀論》曰："黃帝曆有四法。"又曰："民間亦有黃帝諸曆，不如史官記之明也。"

《宋書·曆志》：祖沖之曰："周漢之際，疇人喪業，曲技競設，圖緯實繁，或借號帝王以崇其大，或假名聖賢以神其説。是以讖記多虛,桓譚知其矯妄;古曆舛雜,杜預疑其非真。按《五紀論》黃帝有四法,顓頊、夏、周並有二術,詭異紛然,則孰識其正,此古曆可疑之據一也。"

烏程汪曰楨《古今推步諸術考》:黃帝術:上元辛卯,天正甲子,朔旦冬至,至周共和元年庚申,積二百七十五萬九千三百一十年算上。上元、積年見《開元占經》,上元至唐開元二年甲寅二百七十六萬○八百六十三年算外。又曰:《五紀論》言黃帝術有四法,今僅傳其一法,而三法不傳矣。

按此言五家者,並周秦漢初時曆家所託,有五家并爲一帙,非真正《調曆》也。

顓頊曆二十一卷

《五帝本紀》:帝顓頊高陽者,黃帝之孫而昌意之子也。靜淵以有謀,疏通而知事,養材以任地,載時以象天,治氣以教化。《索隱》曰:"載,行也。言行四時以象天。又理四時五行之氣以教化萬人也。"

本書《曆志》:漢興,方綱紀大基,庶事草創,襲秦正朔。以北平侯張蒼言,用《顓頊曆》,比于六曆,疏闊中最爲微近。

《宋書‧曆志》:祖沖之曰:"顓頊曆元,歲在乙卯,而《命曆序》云:'此術設元,歲在甲寅。'此可疑之據四也。"

汪曰楨《古今推步諸術考》:顓頊術:上元乙卯,人正己巳,朔旦立春。至周共和元年庚申,積二百七十五萬九千四百六十六年算上。上元、積年見《開元占經》,人正、立春見蔡氏《月令論》及《續漢書》、《新唐書‧志》。又緯書《考靈曜》旄蒙之歲,《感精符》單閼之歲,皆即此乙卯元也。秦用此術,以十月爲歲首,閏在歲末,謂之後九月。漢初承秦制,用顓頊術。自秦惠文王稱王初更元年丁酉,至子嬰元年乙未,凡一百一十九年。又自漢高帝元年乙未,至武帝元封七年丁丑,凡一百二年四月。統計丁酉至丁丑，大凡行用二百二十年四月。

顓頊五星曆十四卷
日月宿曆十三卷

《續漢·曆志》賈逵論曆曰："《易》曰：'君子以治曆明時。'言聖人必曆象日月星辰，明數不可貫千萬歲，其間必改更，先距求度數，取合日月星辰所在而已。故求度數，取合日月星辰，有異世之術。"又曰："黃道度日月弦望多近。願請太史官日月宿簿及星度課，與待詔星象考校。"

按賈氏言，太史官有日月宿簿，有星度課，即是類之書，而此兩書其最先者。《天文志》言"古曆五星之推亡逆行"，古曆亦即此二曆也。舊本文相連屬，《日月宿曆》蒙上"顓頊"二字。

夏殷周魯曆十四卷

本書《曆志》：三代既没，五伯之末史官喪紀，疇人子弟分散，或在夷狄，故其所記，有《黃帝》、《顓頊》、《夏》、《殷》、《周》及《魯曆》。

《續漢·曆志》熹平論曆曰："議郎蔡邕議曰：'案曆法，黃帝、顓頊、夏、殷、周、魯，凡六家，各自有元。'"司馬彪曰："黃帝造曆，元起辛卯，而顓頊用乙卯，夏用丙寅，殷用甲寅，周用丁巳，魯用庚子。"

《宋書·曆志》：祖沖之曰："夏曆七曜西行，特違衆法，劉向以爲後人所造，此可疑之據二也。殷曆日法九百四十，而《乾鑿度》云殷曆以八十一爲日法。若《易緯》非差，殷曆必妄，此可疑之據三也。《春秋》書食有日朔者凡二十六，其所據曆，非周則魯。以周曆考，檢其朔日，失二十五，魯曆校之，又失十三。二曆並乖，則必有一偽，此可疑之據五也。古之六術，並同《四分》，《四分》之法，久則後天。以食檢之，經三百年，輒差一日。古曆課今，其甚疏者，朔後天過二日有餘。以此推之,古術之作,皆在漢初周末,理不得遠。且卻校《春秋》,朔並先天,此則非三代以前之明徵矣,可疑之據六也。"

《隋書・曆志》曰:"漢時有古曆六家,學者疑其紕繆,劉向父子咸加討論,班固因之,采以爲志。"按劉向父子咸加論討者,謂《五紀論》及《三統曆》也。

王氏《考證》:《書正義》云:"古時真曆遭戰國及秦而亡,漢存六曆,雖詳于五紀之論,皆秦漢之際假託爲之。"《詩正義》云:"今世有《周曆》、《魯曆》,蓋漢初爲之。其交無遲速盈縮,考日食之法,而年月往往參差。"又云:"劉向《五紀論》載《殷曆》之法,惟有氣朔而已。"《春秋正義》:《釋例》云:"今《魯曆》不與《春秋》相符,殆來世好事者爲之,非真也。"

天曆大曆十八卷

按《太史公自序》"遷爲太史令五年而當太初元年,十一月甲子朔旦冬至,天曆始改"云云,此天曆疑即張蒼所修者,大曆疑即武帝所改《太初曆》。

漢元殷周諜曆十七卷

《史・三代世表》:太史公曰:"余讀諜記,黃帝以來皆有年數。稽其曆譜諜終始五德之傳,古文咸不同,乖異。"《索隱》曰:"諜者,記系諡之書也。稽曆譜諜,謂歷代之譜諜也。"

按諜曆者,記其世系而繫以年,有終始年代之可考者也。劉歆《三統曆》之《世經》亦其類也。其曰漢元殷周,豈自漢代建元改曆之時以上溯殷周兩代歟?

耿昌月行帛圖二百三十二卷
耿昌月行度二卷

本書《食貨志》:宣帝時,大司農中丞耿壽昌以善爲算能商功利得幸于上。又《本紀》:五鳳四年春正月,大司農中丞耿壽昌奏設常平倉,以給北邊,省轉漕。賜爵關內侯。

《續漢·曆志》賈逵論曆曰："甘露二年，大司農中丞耿壽昌奏，以圖儀度日月行，考驗天運狀，日月行至牽牛、東井，日過度，_{殿本《考證》曰："推尋文義，'過'字下疑脱'一'字。"}月行十五度，至婁、角，日行一度，月行十三度，赤道使然，此前世所共知也。"

按賈氏言耿壽昌狀日月行，蓋即謂此二書。此作耿昌即耿壽昌。"月行帛圖"，據賈氏説，"月"上當有"日"字，"帛"是"度"字之誤，似前二百餘卷爲圖，後二卷爲説歟？若然，則"月行度"亦脱一"日"字也。《隋志》天文家有《月行黄道圖》一卷，梁有《日月交會圖》鄭玄注一卷，又《日月本次位圖》一卷，皆是類之書。又按後二卷或其徒所作之節要，故重出其名。

傅周五星行度三十九卷

泰州宫夢仁《讀書紀數略》引《五星推步》曰："金星、水星一日行一度，一月行一宮，一歲一周天；木星十二日行一度，一歲行一宮，十二歲一周天；火星二日行一度，二月行一宮，二歲一周天；土星二十八日行一度，二十八月行一宮，二十八年一周天。"

按傅周始末未詳，當是宣帝時，與耿壽昌相先後。耿作《日月行度》，傅作《五星行度》，皆曆家推步所有事。《五星行度》即《三統曆》所謂五步是也，文繁不録。

律曆數法三卷

本書《律曆志》：議造《漢太初曆》，迺選治曆鄧平及長樂司馬可、酒泉侯宜君、侍郎尊及與民間治曆者，凡二十餘人，方士唐都、巴郡落下閎與焉。都分天部，而閎運算轉曆。其法以律起曆，曰："律容一龠，積八十一寸，則一日之分也。與長相終。律長九寸，百七十一分而終復。三復而得甲子。夫律陰陽九六，爻象所從出也。故黄鐘紀元氣之謂律。律，法也，莫不取法焉。"與鄧平所治同。于是皆觀新星度、日月行，更以算推,如閎平法。

《隋書·律曆志》曰:"漢室初興,丞相張倉,首言音律,未能審備。孝武帝創置協律之官,司馬遷言律呂相生之次詳矣。"

　　按《張倉傳》倉著書十八篇,言陰陽律曆事。本志陰陽家載張倉書十六篇,餘二篇專言律曆事者,疑在此書。及武帝時落下閎等所作并合爲三卷。又元帝時,京房言六十律相生之法,或亦在是書,以其非一家之説,故不著撰人名氏。

自古五星宿紀三十卷

　　按此五星二十八宿之紀也。《隋志》曆數家載七曜曆、五星曆至多,皆其類也。

太歲謀日晷二十九卷

《欽定協紀辯方書·義例篇》:《神樞經》曰:"太歲,人君之象,率領諸神,統正方位,斡運時序,總成歲功。以上元閼逢、困敦之歲,起建于子,歲徙一位,十二年一周。"《黃帝經》曰:"太歲所在之辰必不可犯。"曹震圭曰:"太歲者,歲星也,故木星十二年行一周天,一年行一次也。"

《説文》:晷,日景也。《廣雅》云:柱景也。《釋名》:晷,規也,如規畫也。《玉篇》云:以表度日也。

帝王諸侯世譜二十卷

《三代世表》:太史公曰:"五帝、三代之記,尚矣。自殷以前諸侯不可得而譜,周以來乃頗可者。"

本書《地理志》:周爵五等,而土三等。公、侯百里,伯七十里,子、男五十里。不滿爲附庸,蓋千八百國。而太昊、黃帝之後,唐、虞侯伯猶存,帝王圖籍相踵而可知。

王氏《考證》:龜山楊氏《跋春秋公子血脈譜》:其傳本曰荀卿,而其書《秦譜》乃下及乎項滅子嬰之際,吾知其非荀卿氏作明矣。然自古帝王世系,與夫列國之君,得姓受氏,旁穿曲貫,枝分派別，較然如指諸掌，非殫見洽聞者不能爲也。按荀卿《春秋公子血脈譜》亦名《帝王曆紀譜》，或三卷，或二卷，見《崇文總目》、晁《志》、陳《録》、《通考》、《宋·藝文志》，王氏以楊氏時之説謂即此書，亦頗近似。

古來帝王年譜五卷

《三代世表》：太史公曰："五帝、三代之記，尚矣。余讀諜記，黄帝以來皆有年數。"《十二諸侯年表》曰："譜諜獨記世謚，其辭略。"《索隱》曰："劉杳云：'桓譚《新論》曰：太史公《三代世表》旁行邪上，並效《周譜》。譜起周代。《藝文志》有《古帝王譜》。'"

沈濤《銅熨斗齋隨筆》曰："《漢志》曆譜家有《帝王諸侯世譜》二十卷，《古來帝王年譜》五卷，世譜、年譜即世表、年表，劉杳云'《三代世表》並效《周譜》'，可見譜與表名異而實同。"

按兩《唐志》有宋均注《帝譜世本》七卷。宋均，魏博士，距漢不遠，其所注爲漢代所有之書可知，《帝譜世本》疑即此兩書之别本。

日晷書三十四卷

《周禮》：大司徒之職，以土圭之法測土深。正日景，以求地中。日南則景短，多暑；日北則景長，多寒；日東則景夕，多風；日西則景朝，多陰。日至之景，尺有五寸，謂之地中，天地之所合也，四時之所交也，風雨之所會也，陰陽之所和也。

本書《曆志》：武帝元封七年，大中大夫公孫卿、壺遂、太史令司馬遷等言"曆紀廢壞"，遂詔卿、遂、遷與侍郎尊、大典星射姓等議造《漢曆》。迺定東西，立晷儀，下漏刻，以追二十八宿相距于四方，舉終以定朔晦分至，躔離弦望。

本書《天文志》：日有中道。中道者，黄道。黄道北至東井，去北極近；南至牽牛，去北極遠；東至角，西至婁，去極中。夏至至于東井，北近極，故晷短；立八尺之表，而晷景長尺五寸

八分。冬至至于牽牛，遠極，故晷長；立八尺之表，而晷景長
丈三尺一寸四分。春秋分日至婁、角，去極中，而晷中，立八
尺之表，而晷景長七尺三寸六分。此日去極遠近之差，晷景
長短之制也。去極遠近難知，要以晷景。晷景者，所以知日
之南北也。

《續漢·百官志》劉昭補注：《漢官》曰："靈臺待詔四十二人，
其三人候晷景。"

　　按《隋志》天文家有《黄道晷景占》一卷，梁有《晷景記》二
　　卷，似即是書之佚存者。

許商算術二十六卷

許商有《五行傳記》一篇，見《六藝》尚書家。

本書《溝洫志》：成帝初，丞相、御史白博士許商治《尚書》，善
爲算，能度功用，遣行視屯氏河。建始時，河決平原，杜欽説
大將軍王鳳，"宜遣丞相史楊焉及將作大匠許商、諫大夫乘馬
延年雜作。商及延年皆明計算，能商功利，必有成功"。鳳如
欽言，白遣焉等作治，六月迺成。鴻嘉四年，勃海、清河、信都
河水溢溢，河隄都尉許商行視，圖方略。按《志》亦言耿壽昌能商功
利，顏氏兩處並注云："商，度也。"按《少廣》、《商功》乃《九章算術》之篇目，史言此兩
人用算，能爲商功之利益，顏注非也。

　　按《儒林傳》云"商善爲算，著《五行論》、《曆》"，《五行論》即
　　尚書家著録之《五行傳記》，曆者即此書也，曆、術並相通。

杜忠算術十六卷

《廣韻》二十九換"算"字注：計也，數也。《説文》曰："算長六
寸，計曆數者也。"又有《九章術》，漢許商、杜忠，吳陳熾，魏王
粲並善之。

　　按《廣韻》言，則許、杜兩家之算術皆九章數術之學也。九
　　章數術已見于此兩家書中，故《七略》不復載。其本師許商

與劉中壘同時，杜忠殆亦同時而稍後者，其始末未詳。

又按是篇凡分三章段：自《黃帝五家曆》至《律曆數法》十一部，所謂"聖王必正曆數"，"又以探知五星日月之會"者也，是爲第一段；《自古五星宿紀》至《日晷書》五家，皆曆家所有事，世譜、年譜亦所以參稽時代者也，爲第二段；《算術》兩家則步天測景諸術法，爲第三段。

右曆譜十八家，六百六卷。按此篇凡一十八條，條爲一家，故云十八家。然其中如《顓頊五星曆》、《日月宿曆》，或所託非一人，自當別爲家數。至如《耿昌月行帛圖》、《月行度》，則實爲一家之書，別爲二家莫詳其例，今姑仍其舊。其卷數則溢出四十卷。今校定當爲一十八家，五百六十六卷。

曆譜者，序四時之位，正分至之節，會日月五星之辰，以考寒暑殺生之實。故聖王必正曆數，以定三統服色之制，又以探知五星日月之會。凶阨之患，吉隆之喜，其術皆出焉。此聖人知命之術也，非天下之至材，其孰與焉！道之亂也，患出于小人而強欲知天道者，壞大以爲小，削遠以爲近，是以道術破碎而難知也。《隋書・經籍志》曰："曆數者，所以揆天道，察昏明，以定時日，以處百事，以辯三統，以知阨，吉隆終始，窮理盡性，而至于命者也。《易》曰：'先王以治曆明時。'《書》叙：'朞，三百有六旬有六日，以閏月定四時，成歲。'《春秋傳》曰：'先王之正時也，履端於始，舉正于中，歸餘於終。'又曰：'閏以正時，時以序事，事以厚生，生民之道。'其在《周官》，則亦太史之職。小人爲之，則壞大爲小，削遠爲近，是以道術破碎而難知。"

泰一陰陽二十三卷

泰一見兵陰陽家、天文家。

《呂氏春秋・大樂篇》曰："音樂之所由來者遠矣，生于度量，本于太一。太一出兩儀，兩儀出陰陽。陰陽變化，一上一下，合而成章。渾渾沌沌，離而復合，合則復離，是謂天常。天地車輪，終則復始，極則復反，莫不咸當。日月星辰，或疾或徐，日月不同，以盡其行。四時代興，或暑或寒，或短或長，或柔或剛。萬物所出，造于太一，化于陰陽。高誘曰：
“造，始也。太 ，道也。陰陽，化成萬物者也。”按此云云似即此
書之大指。

《後漢書·方術傳》序：其流又有七政、元氣。章懷太子注：
元氣者，謂開闢陰陽之書也。《河圖》曰：“元氣闢陽爲天。”

《四庫》陰陽五行家提要曰：“《史記·日者傳》術數七家，太乙
居其一；《天官書》中宮天極星，其一明者爲太乙；而《封禪
書》亳人謬忌奏祠太一方，名天神貴者太一。鄭康成以爲北
辰神名，又或以爲木神，而屈原《九歌》亦稱東皇太乙，則自戰
國有此名。《漢志》五行家有《泰一陰陽》二十三卷，當即太乙
家之書，然已佚不傳。”

　　按《隋志》五行家有《太一飛鳥曆》一卷，又二卷，《太一十精
　　飛鳥曆》一卷，《太一飛鳥立成》一卷，《太一飛鳥雜決捕盜賊
　　法》一卷，《太一三合五元要決》一卷，梁有《太一帝記法》八
　　卷，《太一雜用》十四卷，《太一雜要》七卷，《雜太一經》八卷，
　　亡。或即是書之散佚別出者，或後人鈔節，或術家依託。

黄帝陰陽二十五卷

黄帝見前道家、陰陽家、小說家、兵陰陽家、曆譜家。

《五帝本紀》：軒轅乃修德振兵，治五氣。王肅曰：“五行之
氣。”《索隱》曰：“謂春甲乙木氣，夏丙丁火氣之屬，是五氣
也。”又曰：“順天地之紀，幽明之占。”《正義》曰：“言黄帝順
天地陰陽四時之紀。幽，陰。明，陽也。占，數也。言陰陽五
行，黄帝占數而知之也。”

　　按《隋志》五行家有《黄帝地曆》一卷，《斗曆》一卷，《黄帝九
　　宮經》一卷，《黄帝集靈》三卷，《黄帝絳圖》一卷，《黄帝龍首
　　經》二卷，《黄帝奄心圖》一卷，《黄帝陰陽遯甲》六卷，梁有
　　《黄帝太一雜書》十六卷，《黄帝太一度阨祕術》八卷，《黄帝

四部九宮經》五卷，亡。或本書佚存，或後人附託。《五行大義》引《黃帝斗圖》，似即《斗曆》。《九宮經》有鄭玄注三卷，似從《乾鑿度》注本中析出別行者。《開元占經》引《黃帝要經》，又數引《黃帝占》。孫氏《平津館叢書》有《黃帝龍首經》二卷，《黃帝金匱玉衡經》、《黃帝授三子玄女經》各一卷，序謂"《龍首經》在漢時爲民間日用之書，蓋雜占之流也"，並與此書相似，不得而詳矣。

黃帝諸子論陰陽二十五卷

黃帝諸子未詳。

按黃帝諸子或是封鉅、大填、即大撓。大山稽、力牧、風后、鬼臾區、即大鴻。封胡、孔甲、岐伯、泠淪、天老、五聖、知命、規紀、地典、常先、疑即常儀。羲和、隸首、容成、俞拊之儔，依託者藉以爲重歟？

諸王子論陰陽二十五卷

諸王子未詳。

按此列黃帝諸子之後，似即黃帝之諸王子。《五帝本紀》："黃帝二十五子，其得姓者十四人。"《索隱》按：《國語》胥臣云："黃帝之子二十五宗，其得姓者十四人，爲十二姓，姬、酉、祁、己、滕、箴、任、荀、僖、姞、儇、依是也。唯青陽與夷鼓同己姓，玄囂與蒼林爲姬姓。"此大抵亦依託者所爲歟？

太元陰陽二十六卷

《史記·武帝本紀》索隱曰："泰元者，古昔上皇創曆之號也。"按本書《律志》"太極元氣，函三爲一"云云，此《太元陰陽》似即本太極元氣而言。又劉歆《三統曆》屢言太極上元以來，則又似太極上元之時之言陰陽者，大抵亦依託也。《後漢·方術傳》注"元氣者，謂開闢陰陽之書也"，似即此類之書。

三典陰陽談論二十七卷

三典未詳。

按《隋志》五行家有《陰陽風角相動法》一卷，《陰陽遁甲》十四卷，《陰陽婚嫁書》四卷，《雜陰陽婚嫁書》三卷，《嫁娶陰

陽圖》、《陰陽嫁娶圖》各二卷,似即是類陰陽之書而輾轉傳
録者。其言婚嫁嫁娶者,蓋設譬之詞,《五行大義・論支干
雜篇》言之詳矣。

神農大幽五行二十七卷

神農有書二十篇,見《諸子》農家。又有《兵法》一篇,見《兵
書》兵陰陽家。

《山海經》:北海之内有大幽之國。郭璞注:即幽民也,穴居
無衣。揚子《法言》曰:"窺之無間,大幽之門。"阮籍《大人先
生傳》:召大幽之玉女兮,接上皇之美人。《抱朴子・暢元
篇》:淪大幽而下沈,淩辰極而上游。按諸書言大幽之義如此,又疑爲
人名,神農氏之臣。《後漢・章帝本紀》章和元年詔曰:"光照六幽。"注:"六幽謂六
合幽隱之處也。"宮夢仁《讀書紀數略》引《唐紀》:"六幽,上下四方也。"《字典》引《道
藏》歌云:"六氣運重幽。"此"大幽"又疑爲"六幽"之誤。

蕭吉《五行大義序》曰:"吉尋閱墳索,研窮經典,自羲農以來,
莫不以五行爲政治之本。"又曰:"五行幽邃,安可斐然。"

四時五行經二十六卷

荀悦《漢紀》孝成皇帝三年論曰:"經稱立天之道曰陰與陽,陰
陽之節在于四時五行。"按此論在劉向典校經傳之後,似即本之于《別録》。
蕭吉《五行大義・論四時休王》曰:"休王之義凡有三種:一
五行體休王,二支干休王,三八卦休王。五行體休王者,春則
木王、火相、水休、金囚、土死之類是也。支干休王者,春則甲
乙、寅卯王,丙丁、巳午相,壬癸、亥子休,庚辛、申酉囚,戊、①
辰戌、丑未死之類是也。八卦休王者,立春艮王、震相、巽胎、
離没、坤死、兑囚、乾廢、坎休之類是也。"按此言四時五行,或亦從是
書遞相祖述者。

---

① "戊"下當脱"己"字。

猛子閭昭二十五卷

猛子閭昭未詳。

陰陽五行時令十九卷

《玉海·時令篇》：《漢志》五行三十一家《陰陽五行時令》十九卷，李尋學天文月令陰陽，尋對諸侍中尚書"近臣宜通知月令之意，設陛下出令有謬于時者，當爭之以順時氣"。按王氏以李尋對詔之言爲是書之證佐。按尋于陰陽五行月令之學皆所通曉，必及見是書。

堪輿金匱十四卷

《日者列傳》褚先生曰："孝武帝時聚會占家問之，某日可取婦乎？五行家曰可，堪輿家曰不可。"

本書《揚雄傳》注：張晏曰："堪輿，天地總名。"孟康曰："堪輿，神名，造圖宅書者。"師古曰："堪輿，張説是也。許慎云：堪，天道。輿，地道也。"按圖宅書似其書中之一篇。

《論衡·譏日篇》：堪輿曆，曆上諸神非一，聖人不言，諸子不傳，殆無其實。天道難知，假令有之，諸神用事之日也，忌之何福？不諱何禍？按堪輿曆亦似其書中之一篇。

《太平御覽》八百四十九：《風俗通》引《堪輿書》云："上朔會客必鬬争。"按，劉君陽爲南陽牧，嘗上朔設盛饌，了無鬬者。按"上朔會客"云云亦其書中之一事。

《周禮·占夢》注：必以日月星辰占夢者，其術則今八會其遺象也。賈公彦釋曰："案《堪輿》大會有八也，小會亦有八。"又鄭答張逸問，"案《堪輿》黃帝問天老事"云云。

《周禮·保章氏》注：九州諸國中之封域，于星亦有分焉，其書亡矣。《堪輿》雖有郡國所入度，非古數也。賈公彦曰："古黃帝時堪輿亡，故其書亡矣。後代有作堪輿者，非古數也。"

王氏《考證》：唐吕才曰："按《堪輿經》黃帝對天老始言五姓，後魏殷紹以《黃帝四序經文》撮要爲《四序堪輿》。"

《四庫提要》術數類案語曰："相宅相墓自稱堪輿家。考《漢志》有《堪輿金匱》十四卷，列于五行。顏師古注引許慎曰'堪，天道。輿，地道'，其文不甚明。而《史記·日者列傳》有武帝聚會占家問某日可娶婦，堪輿家曰不可。《隋志》作'堪餘'，亦皆日辰之書，則堪輿占家也。"

孫星衍《問字堂集·相宅書序》云："漢時有《堪輿金匱》十四卷，淮南及鄭康成注《周禮》引'《堪輿》黃帝問天老事'即此書。"

馬國翰《目耕帖》曰："《淮南·天文訓》引《堪輿》亦以分野爲言，而國名互異，兼說刑德。考《漢·藝文志》五行家有《堪輿金匱》十四卷，《刑德》七卷，此又戰國時書，而《淮南》采之，與鄭注《周禮》所引《堪輿》復不同，然足以互考。"

按《隋志》五行家有《二儀曆頭堪餘》一卷，《堪餘曆》二卷，《注曆堪餘》一卷，《地節堪餘》二卷，《堪餘曆注》一卷，《堪餘》四卷，《大小堪餘曆術》一卷，《八會堪餘》、《雜要堪餘》各一卷。梁有《大小堪餘》三卷，《堪餘天赦書》七卷，《雜堪餘》四卷，亡，又有《五姓歲月禁忌》一卷。皆不著撰人，"輿"並作"餘"，或多有是書之散佚別出者。

務成子災異應十四卷

務成子有書十一篇，見《諸子》小説家。

按《隋志》五行家有《仙人務子傳神通黃帝登壇經》一卷，登壇亦術家之一端，《黃帝登壇經》疑即是書中之一事。其稱仙人務子傳神通，則後世術者所妄題轉寫，又敚"成"字歟？

十二典災異應十二卷

十二典未詳。

按十二典疑是十二諸侯時之言災異者，《天官書》云"戰國臣主共憂患，其察機祥候星氣尤急"，又曰"諸侯更彊，時災異記，無可錄者"。

又按十二典疑是十二月令所謂春行夏令、行秋令、行冬令，
則某事見、某災至之類。又或以十二州、十二次、十二律之
屬配合五行言災異之應。

鍾律災應二十六卷

《續漢·百官志》劉昭補注：《漢官》曰："靈臺待詔四十二人，
七人候鍾律。"又《律志》云："殿中候鍾律用玉律十二。"

王氏《考證》：《隋·牛弘傳》：劉歆《鍾律書》云："春宮秋律，
百卉必雕；秋宮春律，萬物必榮；夏宮冬律，雨雹必降；冬宮
夏律，雷必發聲。"

馬國翰《目耕帖》曰："《律曆志》傳曰'黃帝使伶倫取竹斷兩節
而吹之，制十二箭'，此竹律始于黃帝也。而《管子》、《呂覽》
又載黃帝命伶倫與榮將鑄十二鍾，以和五音，則十二鍾律亦
昉于黃帝。"

按災異皆屬五行，伏生、董仲舒、劉向、劉歆皆著書傳世，班氏
取以爲志，此與《十二典災異應》、《務成子災異應》皆其類也。
又按王氏《考證》引後魏《天象志》云："班氏以日暈五星之
屬列《天文志》，薄蝕慧孛之比入《五行》説。七曜一也，而
分爲二志，故陸機云學者所疑也。"按五行災異本之《洪
範》，學術不同，故分爲二志，《七略》編書亦同此例。其天
文家之言災異者，如《行事占驗》、《彗虹雜占》之類，歸之天
文家；五行家之言災異如上三書之類，則歸之五行家。其
事倫貫有叙，學者又何所致其疑耶？

鍾律叢辰日苑二十二卷

《日者列傳》褚先生曰："孝武帝時聚會占家問之，某日可取婦
乎？叢辰家曰大凶。"

《欽定協紀辯方書·義例篇》曰："古有建除家、叢辰家，時師
已莫識其統系總名選擇，而咸統于天官。"又曰："叢辰云者，

猶言衆辰吉凶，各以義起者也。如兵福小時之即建吉期兵寶
之即除之類，或建除家之異名見義，或叢辰家之殊塗同歸，已
莫可考。"

全祖望《讀易別録》曰："律曆之分爲日者，《漢志》有《鍾律叢
辰》之書，是日者亦本于律。"

按本志序言五行"皆出于律曆之數"，故此類有鍾律、黃鍾
之書。叢辰日苑，全氏以爲即是日者。《後漢·方術傳》注
云"日者，卜筮掌日之術也"，是卜筮之家亦稱日者，故太史
公叙司馬季主以爲《日者傳》。《續漢·百官志》注引《漢
官》太史令之屬，有日時待詔四人，蓋其職守。《論衡·譏
日篇》言"時日之書，衆多非一"，亦即此類之書。《康熙字典》
"辰"字注云："叢辰，猶今之以五行生剋擇日也"，即引《日者傳》注。

鍾律消息二十九卷

《史·曆書》：黃帝考定星曆，建立五行，起消息。《正義》：皇
侃云："乾者陽，生爲息；坤者陰，死爲消也。"

蔡邕《月令章句》曰："古之爲鍾律者以耳齊其聲。後不能，則
假數以正其度，度數正則音亦正矣。度數者，可以文載口傳，
與衆共知，然不如耳決之明也。"

《續漢·律志》曰："候氣之法，爲室三重，户閉，塗釁必周，密
布緹緦。室中以木爲案，每律各一，内庳外高，從其方位，加
律其上，以葭莩灰抑其内端，葭莩出河内。案曆而候之。氣至者
灰動。其爲氣所動者其灰散，人及風所動者其灰聚。"

黃鍾七卷

本書《律志》曰："五聲之本，生于黃鍾之律。黃者，中之色，君
之服也；鍾者，種也。陰陽相生自黃鍾始。"又曰："數者，一、
十、百、千、萬也，所以算數事物，順性命之理也。《書》曰：'先
其筭命。'師古曰："《逸書》也。言王者統業，先立算數以命百事也。"本起于

黃鍾之數,始于一而三之,三三積之,歷十二辰之數,十有七萬七千一百四十七,而五數備矣。"孟康曰:"黃鍾,子之律也。子數一。泰極元氣含三爲一,是以一數變而爲三。初以子一乘丑三,餘則轉因其成數以三乘之,歷十二辰,得是積數也。五行陰陽變化之數備于此矣。"

又《歷書》:太極,中央元氣,故爲黃鍾。

《呂氏春秋·適音篇》:黃鍾之宮,音之本也。高誘曰:"本始于黃鍾十二月律。"

天一六卷

蕭吉《五行大義·論五行生成數》曰:"天以一始生水于北方,地以其六而成之,使其流潤也。地以二生火于南方,天以七而成之,使其光曜也。天以三生木于東方,地以其八而成之,使得舒長盛大也。地以四生金于西方,天以九而成之,使其剛利有文章也。天以五合氣于中央生土,地以十而成之,以備天地之間所有之物也。"

錢大昕《養新錄》曰:"褚先生云:'孝武帝聚會占家問之,某日可取婦乎?天人家曰小吉。'按天人家不見于《漢·藝文志》,當是'天一'之譌。《漢志》五行三十一家《天一》六卷蓋其一也。"

按此《天一》六卷似亦取天一生水地六成之之義。兵陰陽家亦有《天一》,似主于星象,此專主五行,名雖同而其術不同也。錢氏所云近得其似。然《四庫提要》陰陽五行類篇末附案引《史記》作"天文家",蓋"人"爲"文"字之誤也。

泰一二十九卷

《史·日者列傳》褚先生曰:"孝武帝時聚會占家問之,某日可取婦乎?太乙家曰大吉。"

《後漢書·張衡傳》注:《易乾鑿度》曰:"太一取其數以行九

宫。"鄭玄注曰："太一者，北辰神名也。下行八卦之宫，每四乃還于中央。中央者，北神之所居，故謂之九宫。天數大分，以陽出，以陰入。陽起于子，陰起于午，是以太一下九宫，從坎宫始，自此而從于坤宫，又自此而從于震宫，又自此而從于巽宫，所以行半矣，還息于中央之宫。既又自此而從于乾宫，又自此而從于兑宫，又自此而從于艮宫，又自此而從于離宫，行則周矣，上游息于太一之星而反紫宫。行起于坎宫，終于離宫也。"

《説文》"甲"字下引《太一經》曰："人頭宜爲甲。"段玉裁注口："《藝文志》有《太一兵法》一篇，五行家有《泰一陰陽》二十三卷，《泰一》二十九卷，許稱《太一經》者蓋此類。"

《吴志·劉惇傳》：惇于諸術皆善，尤明太一，皆能推演其事，窮盡要妙。又趙達治九宫一算之術，究其微旨，是以能應機立成。對問若神，至計飛蝗，射隱伏，無不中效。

　按《後漢·張衡傳》衡上疏曰"臣聞聖人明審律曆以定吉凶，重之以卜筮，雜之以九宫，經天驗道，本盡于此"，則九宫之術爲古時所有，與律曆卜筮並重。此《泰一》二十九卷當是言太一九宫者。《隋志》五行家有《太一九宫雜占》十卷，《黄帝九宫經》一卷，又《九宫經》三卷，鄭玄注，《九宫行碁經》三卷，鄭玄注，又《九宫推法》、《九宫圖》、《九宫變圖》、《九宫八卦式蟠龍圖》、《九宫郡縣録》各一卷，《九宫雜書》十卷。梁有《太一九宫雜占》十二卷，《黄帝四部九宫經》五卷，亡。或皆本于是書而輾轉傳録者。

刑德七卷

蕭吉《五行大義》曰："德者，得也，有益於物，各隨所欲，無悔恡，故謂之德也。《五行書》云：'若有一德，能禳百災。'凡陰陽用事，遇德爲善，謂之福德，爲有救助，萬事皆吉，災害消亡。德有四德，三者從支干論之，一者從月氣論之。"又曰：
"德不孤立，對之以刑。德爲陽，以從乾；刑爲陰，以從坤。亦
如人之治政，刑德兩施：德有慶賜爵賞，所以配陽；刑有殺伐
削奪，所以配陰。故王者日蝕則修德，月蝕則修刑。董仲舒
《春秋繁露》云'天道之常，一陰一陽'。陽者，天之德；陰者，
天之刑。然天之任陽不任陰，好德不好刑，故陽出而積于夏，
任德以歲事；陰出而積于冬，錯刑以空處也。太公云'人主舉
事，善則天應之以德，惡則天應之以刑'，此並陰陽相對，德不
獨治，須偶之以刑也。"又曰："日辰支干之刑亦有三種：一支
自相刑，二支刑在干，三干刑在支。"

　　按《天文志》引《星傳》曰"日者德也，月者刑也"，《星傳》蓋
《黃帝五星傳》也。又《尉繚子·天官篇》梁惠王問曰："黃
帝刑德，可以百戰百勝，有之乎？"本志兵陰陽家叙曰"推刑
德，因五勝，而爲助"，則刑德之説由來久矣。其書蓋亦託
之黃帝，《淮南子·天文篇》引刑德説當是此書。

風鼓六甲二十四卷

蕭吉《五行大義·論配支干》曰："支干之義，多所配合。一歲
合三百六十日者，六六三十六，六甲之數也。六甲間兩月之
日者，以陰奇偶備也。陽者爲奇，陰者爲偶，萬物庶類，吉凶
之理，以此彰矣。其支干相配歲月日時並然。"
王應麟《小學紺珠》曰："六甲謂甲子、甲戌、甲申、甲午、甲辰、
甲寅。《內則》'九年教之數日'，朔望與六甲也。《漢志》云
'日有六甲'，'八歲入小學，學六甲五方書計之事'。"
顧炎武《日知録》曰："《食貨志》'學六甲五方書計之事'，六甲
者，四時、六十甲子之類。"
《四庫》陰陽五行家《遁甲演義》提要曰："《大戴禮》載明堂古
制有二九四七五三六一八之文，此九宮之法所自昉。而《易

緯乾鑿度》載太一行九宫尤詳，遁甲之法實從此起，于術數之
中最有理致。考《漢志》所列唯《風鼓六甲》、《風后孤虚》而
已，于奇遁尚無明文。《隋志》載有伍子胥《遁甲文》，世不
概見。”

按《論衡・變動篇》“六情風家言，風至，爲盗賊者感應之而
起”，又“以風占貴賤”云云，即《翼奉傳》所謂“知下之術，在
于六情十二律。觀性以曆，觀情以律，唯奉能用之，學者莫
能行”。六情風家似即此《風鼓六甲》。風鼓者，謂風至鼓
動之也，亦即風角遁甲之術。《隋志》五行家載風角書、遁
甲書至多，梁有《六甲隱圖》，兵家有《六甲孤虚雜決》、《六
甲孤虚兵法》各一卷，不著撰人，或是書之佚存者。

又按《後漢・方術傳》序云“其流又有風角、遁甲”，章懷太
子曰：“風角謂候四方四隅之風，以占吉凶也。遁甲，推六
甲之陰而陰遁也，《今書七志》有《遁甲經》。”按《遁甲經》疑
即此書。又按《武經總要》曰“大撓造甲子，推天地之數；風后演遁甲，究鬼神
之奥”，《抱朴子》云“黄帝講占候則詢風后”，則遁甲始于風后，此曰“風鼓”，“鼓”
疑“后”字之誤，或風后之前别有風鼓其人。

風后孤虚二十卷

風后有兵書十三篇，見兵陰陽家。

《史・龜筴傳》：日辰不全，故有孤虚。《集解》曰：“駰案：甲
乙謂之日，子丑謂之辰。《六甲孤虚法》：甲子旬中無戌亥，戌
亥即爲孤，辰巳即爲虚。甲戌旬中無申酉，申酉爲孤，寅卯即
爲虚。甲申旬中無午未，午未爲孤，子丑即爲虚。甲午旬中
無辰巳，辰巳爲孤，戌亥即爲虚。甲辰旬中無寅卯，寅卯爲
孤，申酉即爲虚。甲寅旬中無子丑，子丑爲孤，午未即爲虚。
劉歆《七略》有《風后孤虚》二十卷。”《正義》曰：“案：歲月日
時孤虚，並得上法也。”

《後漢書·方術傳》注：孤虛者，孤謂六甲之孤辰，若甲子旬中，戌亥無干，是爲孤也，對孤爲虛。前書《藝文志》有《風后孤虛》二十卷。

王氏《考證》：《武經總要》曰："風后演遁甲，究鬼神之奧。"《吳越春秋》計硯曰："孤虛謂天門地戶也。"《孟子》注：天時謂時日、支干、五行、王相、孤虛之屬也。《正義》云："孤虛之法，以一晝爲孤，無晝爲虛，二晝爲實，以六十甲子日定東西南北四方，然後占其孤虛實，而回背之，即知吉凶矣。"《後漢·方術傳》趙彥爲宗資陳孤虛之法，從孤擊虛以破賊。

按《五行大義·論配支干》載孤虛算法甚詳，文繁不錄。《隋志》五行家有《遯甲孤虛記》一卷，伍子胥撰，又有《孤虛圖》、《孤虛占》、《孤虛注》各一卷，不著撰人，或即是書之佚出者。

六合隨典二十五卷

《淮南子·時則篇》：六合：孟春與孟秋爲合，仲春與仲秋爲合，季春與季秋爲合，孟夏與孟冬爲合，仲夏與仲冬爲合，季夏與季冬爲合，孟春始嬴，孟秋始縮。仲春始出，仲秋始內。季春大出，季秋大內。孟夏始緩，孟冬始急。仲夏至修，仲冬至短。季夏德畢，季冬刑畢。故正月失政，七月涼風不至；二月失政，八月雷不藏；三月失政，九月不下霜；四月失政，十月不凍；五月失政，十一月蟄蟲冬出其鄉；六月失政，十二月草木不脫；七月失政，正月大寒不解；八月失政，二月雷不發；九月失政，三月春風不濟；十月失政，四月草木不實；十一月失政，五月下雹霜；十二月失政，六月五穀疾狂。

《欽定協紀辯方書·義例篇》：《考原》曰："六合者，月建與月將相合也。"《神樞經》曰："六合者，日月合宿之辰也。"

按古之言六合者多矣。《周官》大師掌六律六同以合陰陽之聲，賈公彥曰："六律爲陽，六同爲陰，兩兩相合，十二律爲六合。"梁元帝《纂要》曰:"天地四方爲六合。"《隋志》五行家有《六合婚嫁曆》一卷,梁有《六合婚嫁書》及《圖》各一卷,此書所言大抵皆此類之事。隨典亦未詳其義。

轉位十二神二十五卷

《論衡·難歲篇》:《移徙法》曰:"徙抵太歲,凶;負太歲,亦凶。"抵太歲名曰歲下,負太歲名曰歲破,故皆凶也。假令太歲在甲子,天下之人皆不得南北徙,起宅嫁娶亦皆避之。其移東西,若徙四維,相之如者,皆吉。何者? 不與太歲相觸,亦不抵太歲之衝也。又曰:"十二神,登明、從魁之輩,工技家謂之皆天神也,常立子、丑之位,俱有動抵之氣,移徙者雖避太歲之凶,猶觸十二神之害,爲移徙時者,何以不禁?"按王仲任言《移徙法》及十二神似即此書。"登明",《五行大義》作"微明",蓋六壬所使十二神名也。

蕭吉《五行大義·論諸神篇》:諸神者,靈智無方,隱顯不測。孔子曰:"陽之精氣爲神。"又曰:"陰陽不測之謂神。"一解云:神,申也,萬物皆有質礙,屈而不申;神是清虛之氣,無所擁滯,故曰申也。語其神也,名有萬徒,三才之道,百靈非一,並從五行,難可周盡。《九宮經》云:"天一之行,始于離宮;太一之行,始于坎宮。合十二神遊行,九宮十二位。"九宮十二神者,天一在離宮,太一在坎宮,天符在中宮,攝提在坤宮,軒轅在震宮,招搖在巽宮,青龍在乾宮,咸池在兌宮,太陰在艮宮,行于九宮,一歲一移,九年復位。天一主豐穰,太一主水旱,天符主饑饉,攝提主疾苦,軒轅主雷雨,招搖主風雲,青龍主霜雹,咸池主兵賊,太陰主陰謀。又別有青龍行十二辰,即太歲之名也。古者名歲曰青龍,此神主福慶。太陰三歲一徙,右行十二辰,即太歲之陰神也,后妃之象,主水雨陰私。害氣右行四孟,一歲一移,以其所至爲害,故言害氣。合爲十二神九宮之所用也。又有六壬所使十二神，又有十二神將。

按《協紀辯方書・義例篇》有建除十二神，《考原》曰："十二神者，除危定執，成開爲吉，建破平收，滿閉爲凶。"《王莽傳》云："以戊辰直定御王冠，即真天子位。"師古曰："于建除之次其日當定也。"知建除之説由來久矣。蓋其説與諸家同起戰國時，而並託之黃帝云。又按《日者傳》褚先生言"武帝時聚會占家問取婦日，建除家曰不吉"，疑此即建除家之書。又術家有太歲十二神、博士十二神，《七録》五行家有《十二屬神圖》一卷，似即此類之書。

羨門式法二十卷
羨門式二十卷

《史・秦始皇本紀》：三十二年，始皇之碣石，使燕人盧生求羨門、高誓。《集解》：韋昭曰："羨門，古仙人。"《正義》曰："高誓，亦古仙人。"

《封禪書》曰："自秦帝，而宋毋忌、正伯僑、充尚、羨門子高最後皆燕人，爲方僊道，形解銷化，依于鬼神之事。"韋昭曰："皆慕古仙人名效神仙者。"《索隱》曰："羨門高者，秦始皇使盧生求羨門子高是也。"

《司馬相如傳》張揖注：《大人賦》曰"羨門碣石山上"，仙人羨門高也。

《日者傳》：司馬季主曰："分策定卦，旋式正棋。"《索隱》：案：式即栻也。栻之形上圓象天，下方法地，用之則轉天綱加地之辰，故云旋式。

蕭吉《五行大義・論三十六禽》曰："禽蟲之類，名數甚多，今解三十六者，蓋取六甲之數，式經所用也。"又云："十二屬配十二支，支有三禽，故三十有六禽。"又曰："十二屬，並是斗星之氣，散而爲人之命，係于北斗，是故用以爲屬。"《春秋・運斗樞》云："樞星散爲龍、馬，旋星散爲虎，機星散爲狗，樞星散爲蛇，玉衡散爲雞、兔、鼠，開陽散爲羊、牛，搖光散爲猴、猪，此等皆上應天星，下屬年命。三十六禽各作方位，爲禽蟲之長，領三百六十，十而倍之，至三千六百，並配五行，皆相貫領。"

《藝文類聚·卜筮類》：梁元帝《易洞林》序曰："羲門五將亟經玩習，韓終六壬常所寶愛。"按太一家亦有五將之目，六壬疑亦在此二書。韓終，秦始皇時人，"終"亦作"眾"，見《始皇本紀》三十五年。

王氏《考證》：《周禮》："大史抱天，時與大師同車。"鄭司農云："抱式以知天時。"《唐六典》：三式曰雷公、太一、六壬。其局以楓木爲天，棗心爲地。刻十二神，下布十二辰。

全祖望《讀易別録》曰："太乙九宮家、遁甲三元家、六壬家，所謂三式之書。三式之書早見春秋之世，伶州鳩已言之矣。"

按《五行大義·論三十六禽》數引《式經》、《本生經》、《集靈經》、《禽變》，又有引《簡》云者不知何書，"簡"上似有敓文。容或有在此二書中者。《抱朴子·金丹篇》又引《羲門子丹法》。

又按《隋書》五行家有《太一龍首式經》三卷，《黃帝式用當陽經》二卷，梁有《雜式占》五卷，《式經雜要》、《決式立成》各九卷，《式玉曆》、《伍子胥式經章句》、《起射覆式》、《越相范蠡玉笥式》各二卷，亡，亦或有是二書之散佚別出者。

文解六甲十八卷
文解二十八宿二十八卷

文解未詳。

按文解疑亦古術家之一術，六甲即遁甲。《隋志》五行家有伍子胥《遁甲文》一卷，疑在此十八卷中。

五音奇胲用兵二十三卷
五音奇胲刑德二十一卷

顏氏《集注》：如淳曰："胲，音該。"師古曰："許慎云：'胲，軍中約也。'"

錢大昕《三史拾遺》曰："小顏引許慎説當出《淮南》注，與《説文》不同。《説文》'胲，足大指毛也。該，軍中約也，讀若心中滿該'。此"該"當作"胲"。古字少，故假'胲'爲'該'。"

武進莊逵吉《淮南兵略校語》云："古字'胲'、'咳'皆作'該'。《五音奇胲》，兵家書也，故許慎以爲軍中約。"

王氏《考證》：《淮南子·兵略訓》："明于星辰日月之運、刑德奇胲之數、背鄉左右之便，此戰之助也。"注："奇胲之數，奇祕之數，非常術。"按今本《淮南子》注云"奇賁陰陽，奇祕之要"，與王氏所見不同，不知爲高氏注、許氏注也。《史記·倉公傳》"脈書上下經、五色診、奇咳術"，"咳"與"胲"同。《抱朴子》云："黃帝審攻戰則納五音之策。"按見《內篇·極言第十三》。

宋沈括《夢溪筆談》曰："六十甲子有納音，鮮原其意。蓋六十律旋相爲宮法也。一律合五音，十二律納六十音也。凡氣始于東方而右行，音起于西方而左行；陰陽相錯，而生變化。所謂氣始于東方者，四時始于木，右行傳于火，火傳于土，土傳于金，金傳于水。所謂音始于西方者，五音始于金，左旋傳于火，火傳于木，木傳于水，水傳于土。"又曰："納音與《易》納甲同法。"

　按《五行大義·論配聲音篇》引《黃帝兵決》云云，頗似此書。《隋志》五行家有《五音相動法》二卷，又一卷，《風角五音圖》二卷，又京房、翼奉並有《風角五音占》、《五音圖》，大抵皆言納音之術，皆是類之書。

五行定名十五卷

《論衡·詰術篇》曰："五音之家，用口調姓名及字，用姓定其名，用名正其字。口有張歙，聲有內外，以定五音宮商之實。"又"《圖宅術》曰：'宅有八術，以六甲之名，數而第之，第定名立，宮商殊別。宅有五音，姓有五聲。宅不宜其姓，姓與宅相賊，則疾病死亡，犯罪遇禍。'"又曰："商家門不宜南向，徵家門不宜北向。則商金，南方火也；徵火，北方水也。水勝火，火賊金，五行之氣不相得，故五姓之宅，門有宜嚮。嚮得其宜，富貴吉昌；嚮失其宜，貧賤衰耗。"

《五行大義·論納音數》曰："納音數者，謂人本命所屬之音也。音即宮、商、角、徵、羽也。納者取此音以調姓所屬也。"

按《論衡》言五音家定姓名字及宅門似即此。《書》、《樂緯》言孔子吹律定姓，《京房傳》言吹律自定爲京氏，皆其術也。《隋志》五行家有《五姓歲月禁忌》、《五姓登壇圖》各一卷，即是類之書。

又按是篇事類繁多，多不詳其門徑。今約略釐析，大抵自《泰一陰陽》至《三典陰陽》六家爲一段，《神農大幽五行》至《陰陽五行時令》四家爲一段，《堪輿》一家自爲一段，《務成子》至《鍾律災應》三家爲一段，《鍾律叢辰》至《黃鍾》三家爲一段，《天一》、《太一》二家爲一段，《刑德》至《轉位十二神》五家爲一段，此五家各爲一術。《羲門式》二家爲一段，《文解》二家爲一段，《五音》三家爲一段，凡十章段云。

右五行三十一家，六百五十二卷。按此家數不誤，篇數則實爲六百五十三卷，似"三"誤爲"二"。

五行者，五常之刑氣也。《書》云"初一曰五行，次二曰羞用五事"，言進用五事以順五行也。貌、言、視、聽、思心失，而五行之序亂，五星之變作，皆出于律曆之數而分爲一者也。其法亦起五德終始，推其極則無不至。而小數家因此以爲吉凶，而行于世，寖以相亂。《隋書·經籍志》曰："五行者，金、木、水、火、土五常之形氣者也。在天爲五星，在人爲五藏，在目爲五色，在耳爲五音，在口爲五味，在鼻爲五臭。在上則出氣施變，在下則養人不倦，故《傳》曰：'天生五材，廢一不可。'是以聖人推其終始，以通神明之變，爲卜筮以考其吉凶，占百事以觀于來物，覩形法以辯其貴賤。《周官》則分在保章、馮相、卜師、筮人、占夢、眡祲，而太史之職，實司總之。小數者纔得其十牧，便以細事相亂，以惑于世。”王氏《考證》：張文饒曰：“五運六氣，天之五行也。五音六律，地之五行也。納音，人之五行也。”

龜書五十二卷

夏龜二十六卷

南龜書二十八卷

巨龜十六卷

雜龜十六卷

《周禮》大宗伯之屬：龜人掌六龜之屬，各有名物。天龜曰靈屬，地龜曰繹屬，東龜曰果屬，西龜曰靁屬，南龜曰獵屬，北龜曰若屬。各以其方之色與其體辯之。凡取龜用秋時，攻龜用春時，各以其物入于龜室。鄭氏注曰：“色謂天龜玄、地龜黃、東龜青、西龜白、南龜赤、北龜黑。龜俯者靈，仰者繹，前弇果，後弇獵，左倪靁，右倪若，是其體也。東龜、南龜長前後，在陽，經也。西龜、北龜長左右，陰，象緯也。天龜俯，地龜仰，東龜前，南龜卻，西龜左，北龜右，各從其類也。”

又曰：“太卜掌《三兆》之灋：一曰《玉兆》，二曰《瓦兆》，三曰《原兆》。其經兆之體皆百有二十，其頌皆千有二百。”杜子春曰：“《玉兆》，帝顓頊之兆。《瓦兆》，帝堯之兆。《原兆》，有周之兆。”鄭玄曰：“近師皆以爲夏、殷、周。頌謂繇也。”賈公彥曰：“經兆者，謂龜之正經。體者，謂龜之金、木、水、火、土五兆之體。百有二十者，三代皆同。百有二十、千有二百者，每體十繇，故千二百也。”

《爾雅・釋魚》：一曰神龜，二曰靈龜，三曰攝龜，四曰寶龜，五曰文龜，六曰筮龜，七曰山龜，八曰澤龜，九曰水龜，十曰火龜。刑昺曰：“《易・損卦》六五爻辭云：‘十朋之龜，弗克違。’馬、鄭皆取此文解之，則此經十龜所以釋《易》者也。”

《史・龜筴傳》：太史公曰：“唐虞以上，不可記已。略聞夏殷欲卜者，乃取蓍龜，已則棄去之，以爲龜藏則不靈，蓍久則不神。至周室之卜官，常寶藏蓍龜；又其大小先後，各有所尚，要其歸等耳。高祖時因秦太卜官。及孝惠、呂后、孝文、孝景因襲掌故，未遑講試，雖父子疇官，世世相傳，其精微深妙，多所遺失。至今上即位，博開藝能之路，悉延百端之學，通一伎之士咸得自效，絕倫超奇者爲右，無所阿私，數年之間，太卜大集。會上欲擊匈奴，西攘大宛，南收百越，卜筮至預見表象，先圖其利。及猛將推鋒執節，獲勝于彼，而蓍龜時日亦有力于此。上尤加意，賞賜至或數千萬。如丘子明之屬，富溢貴寵，傾于朝廷。至以卜筮射蠱道，巫蠱時或頗中。素有睚眦不快，因公行誅，恣意所傷，以破族滅門者，不可勝數。百僚蕩恐，皆曰龜筴能言。後事覺姦窮，亦誅三族。夫摋策定數，灼龜觀兆，變化無窮，是以擇賢而用占焉，可謂聖人重事者乎！"

又褚先生曰："臣往來長安，之太卜官，問掌故文學長老習事者，寫取龜筴卜事，編于下方。傳曰：'下有伏靈，上有兔絲；上有擣蓍，下有神龜。'記曰：'能得名龜者，財物歸之，家必大當。'一曰'北斗龜'，二曰'南辰龜'，三曰'五星龜'，四曰'八風龜，'五曰'二十八宿龜'，六曰'日月龜'，七曰'九州龜'，八曰'玉龜'：凡八名龜。龜圖各有文在腹下，文云云者，此某之龜也。略記其大指，不寫其圖。王者發軍行將，必鑽龜廟堂之上，以決吉凶。今高廟有龜室，藏內以爲神寶。"《索隱》曰："此稱'傳曰'者，即太卜所得古龜之説也。"

本書《百官表》：太常屬官有太史、太卜令丞。《續漢書·百官志》：太常屬有太卜令，六百石，後省并太史。劉昭補注《漢官》曰："太史待詔三十七人，其三人龜卜。"

《四庫》術數類提要曰："《漢書·藝文志》載《龜書》五十二卷，

《夏龜》二十六卷，《南龜書》二十八卷，《巨龜》三十六卷，《雜龜》十六卷，則漢時其書猶多。漢文帝大橫之兆即其繇辭，褚少孫補《龜策傳》所述即其占法也。"

全祖望《讀易別録》曰："《夏龜》二十六卷即《周禮》所謂玉兆之書，掌于太卜者也。《南龜書》二十八卷即《周禮》六龜之一，亦掌于太卜者。"

馬國翰《目耕帖》曰："《漢·藝文志》著龜十五家有《龜書》、《夏龜》、《南龜書》、《巨龜》、《雜龜》各若干卷。按《周禮》六龜、《爾雅》十龜及《龜筴傳》引記曰者又八名龜，當是此書及《雜龜》中文也。"

按《隋志》五行家《龜經》一卷，晋掌卜大夫史蘇撰，《史蘇沈思經》一卷，《龜卜五兆動摇決》一卷，梁有《史蘇龜經》十卷，亡。《宋史·志》《史蘇五兆龜經》一卷，晁氏《讀書志》曰："《靈龜經》一卷，史蘇撰，論龜兆之吉凶。《崇文目》三卷。"按史蘇春秋時人，《抱朴子·辯問篇》云："史蘇、辛廖，卜筮之聖也。"其書在梁時凡十卷，當在此五種書中。又梁有《龜卜要決》、《龜圖五行九親》各四卷，不著撰人，疑亦是五書中殘賸。

蓍書二十八卷

《龜策傳》褚先生曰："聞蓍生滿百莖者，其下必有神龜守之，其上常有青雲覆之。傳曰：'天下和平，王道得，而蓍莖長丈，其叢生滿百莖。'方今世取蓍者，不能中古法度，不能得滿百莖長丈者，取八十莖已上，蓍長八尺，即難得也。"

劉向《五行傳》曰："龜千歲而靈，蓍百年而神，以其長久，故能辨吉凶也。"又曰："蓍百年而一本生百莖。"按此疑是劉氏《稽疑論》之文，本志尚書家班氏注曰"入劉向《稽疑》一篇"是也。《稽疑》當并入《五行傳》，故諸書或引劉向，或云《五行傳》。

全祖望《讀易別録》曰："自孔子作《易》，始以幽贊神明闡蓍之德，而即大衍之策，極其圓神之用。蓍之顯于古也，蓋自孔子始也。"又曰："蓍學既盛，龜學遂失不傳。"

《四庫提要》術數類占卜案語曰："《漢志》、《隋志》皆立蓍龜一門，按《隋志》蓍龜并入五行，唯《宋志》有之。此爲古法言之也。後世非惟龜卜廢，并蓍亦改爲錢卜矣。"

周易三十八卷

《周禮》太宗伯之屬：太卜掌三易之灋：一曰《連山》，二曰《歸藏》，三曰《周易》。其經卦皆八，其別皆六十有四。

《續漢·百官志》劉昭補注：《漢官》曰："太史待詔三十七人，其三人易筮。"

《史·大宛傳》：初，天子發書《易》，云"神馬當從西北來"。《集解》曰："駰案：《漢書音義》曰：'發《易》書以卜也。'"亦見本書《張騫傳》，裴氏蓋引鄧展説也。

沈括《夢溪筆譚》曰："古之卜者，皆有繇辭。《周禮》之兆，其頌皆千有二百，今此書亡矣。漢人尚視其體，今人雖視其體，而專以五行爲主，三代舊術，莫有傳者。"

王氏《考證》：《左氏》載筮辭，《大有》之《乾》曰："同復乎父，敬如君所。"《蠱》曰："千乘三去，三去之餘，獲其雄狐。"《復》曰："南國蹙，射其元王，中厥目。"其辭皆韻，如《焦林》之類。

周易明堂二十六卷

《經義考》：《周易明堂》，《漢志》蓍龜家三十六卷，佚。

全祖望《讀易別録》曰："《周易明堂》二十六卷，見《漢志》蓍龜家。案漢儒有明堂陰陽之學，《禮記》爲最多，《周易明堂》亦其類也。《經義考》三十六卷。"按《經義考》"二"誤爲"三"也。

周易隨曲射匿五十卷

本書《東方朔傳》：上嘗使諸數家射覆，置守宮盂下，射之，皆不能中。朔自贊曰："臣嘗受《易》，請射之。"迺別蓍布卦而對曰："臣以爲龍又無角，謂之爲虵又有足，跂跂脈脈善緣壁，是非守宮即蜥蜴。"上曰："善。"賜帛十匹。復使射他物，連中。

<small>其下又有與郭舍人射寄生一事，文繁不録。</small>

按《東方朔傳》所載蓋即隨曲射匿之體也。《隋志》五行家有《易射覆》二卷，又一卷，皆不著撰人，似即本書之佚出者。

大筮衍易二十八卷

《周禮》大宗伯之屬：筮人掌《三易》，以辨九筮之名：一曰巫更，二曰巫咸，三曰巫式，四曰巫目，五曰巫易，六曰巫比，七曰巫祠，八曰巫參，九曰巫環，以辨吉凶。凡國之大事，先筮而後卜。鄭氏曰："此九'巫'讀皆當爲'筮'，字之誤也。更，謂筮遷都邑也。咸猶僉也，謂筮衆心歡不也。式，謂筮制作法式也。目，謂事衆筮其要所當也。易，謂民衆不説筮所改易也。比，謂筮與民和比也。祠，謂筮牲與日也。參，謂筮御與右也。環，謂筮可致師不也。當用卜者，先筮之，即事有漸也。于筮之凶，則止不卜。"

全祖望《讀易別録》曰："《初學記》引《啓筮》即《連山》筮書，《太平御覽》引《殷筮》即《歸藏》筮書，東方朔別著布卦而對，是小事筮也。"

大次雜易三十卷

全祖望《讀易別録》曰："《漢志》著龜家《大次雜易》三十卷。案《春秋傳》中有卜筮不引《易》文，據所見雜占而言之者，見杜預、劉炫之説，所謂《雜易》者歟。"

鼠序卜黃二十五卷

《史·龜筴傳》：太史公曰："蠻夷氐羌雖無君臣之序，亦有決疑之卜。或以金石，或以草木，國不同俗。然皆可以戰伐攻擊，推兵求勝，各信其神，以知來事。"

本書《郊祀志》：粵人以雞卜，上信之，雞卜自此始用。李奇曰："持雞骨卜，如鼠卜。"按"鼠卜"即此"鼠序"也，"雞卜"即此"卜黃"也。

《抱朴子·對俗篇》：鼠壽三百歲，滿百歲則色白，善馮人而卜，名曰仲，能知一年吉凶及千里外事。

唐段公路《北戶錄》曰："邕州之南有善行禁咒者，取雞卵墨畫，祝而煑之，剖爲二片，以驗其黃，然後決嫌疑，定禍福。言如響答，據此乃古法也。《神仙傳》曰：'人有病，就茅君請福，煑雞子十枚，以内帳中。須臾，茅君悉擲出。中無黃者，病多愈；有黃者，不愈，常以此爲候。'"又曰："南方逐除夜及將發船，皆殺雞，擇骨爲卜，傳古法也。"又曰："愚又見卜之流雜書傳：虎卜、紫姑卜、牛蹄卜、灼骨卜、鳥卜，雖不法于蓍龜，亦有可以稱者。子路見孔子曰：'猪肩、牛膊可以得兆，何必蓍龜？'又有螺段卜遺。"

按此似載諸雜卜之法，以鼠卜、雞卜在前，故名《鼠序卜黃》以統之。

又按《御覽·方術部》載諸雜卜有蠹卜、鳥卜、樗蒲卜、十二棊卜、竹卜。竹卜即筳篿之術，亦見《後漢·方術傳》序。

十二棊卜即今所傳《靈棋經》是也，其書頗古，疑在是書中。

於陵欽易吉凶二十三卷。

應劭《風俗通·姓氏篇》：於陵氏，陳仲子，齊世家，辭爵灌園于於陵，因氏焉。《漢·藝文志》有於陵欽。張澍輯注曰："於陵欽著《易吉凶》二十三卷。"

任良易旗七十一卷

本書《京房傳》：房奏考功課吏法，後上令房上弟子曉知考功課吏事者，欲試用之。房上中郎任良、姚平，"願以爲刺史，試考功法"。按《儒林傳》"房授東海殷嘉、河東姚平、河南乘弘，皆爲郎、博士"，不及任良，其里籍亦不可考。

按《隋志》五行家有鄭注《九宮行綦經》，兩《唐志》作《九旗飛變》，是"綦"亦爲"旗"，此《易旗》殆亦如《十二靈綦卜經》之類。

易卦八具

《東觀漢記·沛獻王輔傳》：輔善《京氏易》。永平五年秋，京師少雨，上御雲臺，召尚席取卦具自爲卦，以《周易卦林》卜之。

按卦具即此《易卦八具》也。《卦林》似即前《周易》三十八卷之書。又按是篇《龜書》至《雜龜》五家爲一段，《蓍書》一家自爲一段，《周易》至《鼠序卜黃》六家爲一段，於陵欽《易吉凶》至《易卦》三家爲一段，凡四章段。

右蓍龜十五家，四百一卷。按此篇家數不誤，其卷數以《易卦八具》爲八卷計之，則缺少八十四卷。今校定當爲四百八十五卷。

蓍龜者，聖人之所用也。《書》曰："女則有大疑，謀及卜筮。"《易》曰："定天下之吉凶，成天下之亹亹者，莫善于蓍龜。"是故君子將有爲也，將有行也，問焉而以言，其受命也如響，無有遠近幽深，遂知來物。非天下之至精，其孰能與于此！及至衰世，解于齊戒，而婁煩卜筮，神明不應。故筮瀆不告，《易》以爲忌；龜厭不告，《詩》以爲刺。

黃帝長柳占夢十一卷

黃帝數見道家、陰陽家、小説家、兵家、曆譜、五行家。

《周禮》大宗伯之屬：占夢以日、月、星辰占六夢之吉凶。一曰正夢，二曰噩夢，三曰思夢，四曰寤夢，五曰喜夢，六曰懼夢。

又：太卜掌三夢之法：一曰致夢，二曰觭夢，三曰咸陟。其經運十，其別九十。注：致夢，夏后氏作焉。觭夢，殷人作焉。咸陟，周人作焉。

皇甫謐《帝王世紀》曰："黃帝夢大風吹天下之塵垢皆去，又夢人執千鈞之弩驅羊萬羣。寤而歎曰：'風爲號令，執政者也。

垢去土,后在也。天下豈有姓風名后者哉？夫千鈞之弩,異力者也。驅羊數萬羣,能牧民爲善者也。天下豈有姓力名牧者哉?'于是依二占而求之,得風后于海隅,登以爲相。得力牧于大澤,進以爲將。黃帝因著《占夢經》十一卷。"按此必是本書序文,皇甫氏據以録之。

甘德長柳占夢二十卷

《史·天官書》：昔之傳天數者：在齊,甘公。徐廣曰："或曰甘公名德,本是魯人。"《正義》：《七録》云楚人,戰國時作《天文星占》八卷。按《天文星占》八卷不見載于本志。

本志數術總序曰："六國時楚有甘公。"

《史記·張耳陳餘列傳》：陳餘襲常山王張耳,張耳敗走,欲之楚。甘公曰："漢王之入關,五星聚東井。東井,秦分也。先至必霸。楚雖彊,後必屬漢。"故耳走漢。文穎曰："善説星者甘氏也。"《索隱》曰："《天官書》云齊甘公,《藝文志》云楚有甘公,齊楚不同,未知孰是。劉歆《七略》云：'公一名德。'"按此則漢初亦有甘公,或六國時甘公之後。《抱朴子·辯問篇》云"子韋、甘均,占候之聖也",則又有甘均,殆是一族。

庾信《齊王憲碑文》曰："飛風長柳,月角星眉,莫不吟誦在心,撰成于手。"按此則北朝後周時猶行此術,"飛風"似謂"風角"。

明陳士元《夢占逸旨·長柳篇》云："長柳之演,載諸藝牒,其詳不可得聞已。"

洪邁《容齋續筆》曰："《漢·藝文志》雜占十八家,以《黃帝長柳占夢》十一卷、《甘德長柳占夢》二十卷爲首。魏、晋方技,猶或有之。今人不復留意此卜,雖市井妄術,所在方技,亦無一箇以占夢自名者,其學殆絶矣。"

武禁相衣器十四卷

武禁未詳。

《論衡·譏日篇》：《沐書》曰："子日沐，令人愛之；卯日沐，令人白頭。"又曰："裁衣有書，書有吉凶。凶日製衣則有禍，吉日則有福。"

《魏志·夏侯玄傳》注：《相印書》曰："相印法本出陳長文，長文以語韋仲將。仲將問：'從誰得法？'長文曰：'本出漢世，有《相印》，《相笏經》。'"按陳羣字長文，韋誕字仲將。

按王仲任言《沐書》、《裁衣書》，陳長文言漢有《相印》、《相笏經》，大抵皆是書之散佚者。《隋志》五行家有《沐浴書》一卷，梁有《裁衣書》、《相手版經》、《受版圖》各一卷，亡，疑皆出于是書。又《開元占經》有《器服休咎怪異占》，亦與此書相似。

嚏耳鳴雜占十六卷

《隋志》五行家梁有《嚏書》、《耳鳴書》、《目瞤書》各一卷，亡。

按《西京雜記》陸賈曰："夫目瞤得酒食，燈華得錢財，乾鵲噪而行人至，蜘蛛集而百事喜。故目瞤則祝之，燈華則拜之，乾鵲則餧之，蜘蛛集則放之。"按此十六卷以《嚏占》、《耳鳴占》在前，故即舉以爲名。其下諸雜占，如目瞤之類者，似亦在其中也。觀陸大夫言，則是類之書在漢初已有之矣。今俗所傳有所謂《玉匣記》者，亦載嚏耳鳴等諸占，豈猶是漢以來之遺法歟？

禎祥變怪二十一卷
人鬼精物六畜變怪二十一卷

《開元占經》：《地鏡》曰："敬事長老，不失遺舊故，則芝草生。"又曰："不失民心，則木連理生。"又曰："本生枝盡向下者，大吉。"又曰："枯木冬生，是謂陰陽易位，不出二年，國有喪，小人近，君子亡。"《天鏡》曰："人生兩首，不出三年，上帝命王征四方，號令天下。"又曰："人生四頭兩目，世主大哀；人生多頭，君主有咎，民飢凶流亡。"又曰："鬼擲人屋扣門户，如盜賊劫人，不出一年，民人疾病。"又曰："鬼呼大人當之，是

謂喪亡,不出一年,天下爭地。"又曰:"牛生六畜,兵且作,其
君不安。"

　按《隋志》五行家梁有《天鏡》、《地鏡》、《日月鏡》、《四規鏡
經》各一卷,亡。據《開元占經》所引《天鏡》、《地鏡》,似即
是書之篇目。又《占經》篇目如竹木草菜占、人及鬼神占、
禽占、獸占、牛占、馬占、羊犬豕占、龍魚虫蛇占諸篇,亦與
此兩書相似類也。又《抱朴子·極言篇》云"黃帝窮神奸則記白澤之辭",
《隋志》五行家有《白澤圖》一卷,疑在此兩書中。

變怪誥咎十三卷

《封禪書》曰:"秦時,祝官有祕祝,即有菑祥,輒祝祠移過于
下。"《正義》曰:"謂有災祥,輒令祝官祠祭,移其咎惡于衆官
及百姓也。"又曰:"漢興二年,高祖東擊項籍還入關,悉召故秦祝官,復置太祝、
太宰,如其故儀禮。"

《孝文本紀》:十三年夏,上曰:"蓋聞天道禍自怨起而福繇德
興。百官之非,宜由朕躬。今祕祝之官移過于下,以彰吾之
不德,朕甚不取。其除之。"本書《文紀》十三年夏,除祕祝。應劭曰:"祕祝
之官,移過于下,國家諱之,故曰祕也。"

《文心雕龍·祝盟篇》:"至于商履,聖敬日躋,素車禱旱,以六
事責躬,則雩禜之文也。春秋已下,黷祀諂祭,祝幣史辭,靡
神不至。"又曰:"祕祝移過,異乎成湯之心。"

執不祥劾鬼物八卷

《抱朴子·暢玄篇》:《神仙集》中有召神劾鬼之法,又有使人
見鬼之術。齊人少翁令武帝見李夫人,又令武帝見竈神,此
史籍之明文也。

梁王繩《瞥記》曰:"《漢·藝文志》有《執不祥劾鬼物》八卷,則
符籙不始于張陵。"

　按《後漢·方術傳》:"河南有麹聖卿,善爲丹書符劾,厭殺

鬼神而使命之。""章帝時有壽光侯者,能劾百鬼衆魅,令自縛見形。"又費長房以符驅使社公劾繫鬼物,"後失其符,爲衆鬼所殺"。是皆劾鬼物之術也。又兩漢有大儺之禮,見《續漢·禮儀志》,似亦劾鬼物之一則。

請官除訞祥十九卷

《周禮》大宗伯之屬:眡祲掌十煇之灋,以觀妖祥,掌安宅叙降。正歲則行事。注:宅,居也。降,下也。人見妖祥則不安,主安其居處也。次序其凶禍所下,謂禳移之。此正月而行安宅之事,所以順民。

《論衡·解除篇》:世信祭祀,謂祭祀必有福;又然解除,謂解除必去凶。解除初禮,先設祭祀。比夫祭祀,若生人饗賓客矣。先爲賓客設膳,已,驅以刃杖。鬼神如有知,必恚止戰,不肯徑去;若懷恨,反而爲禍。如無所知,不能爲凶,解之無益,不解無損。又曰:"解除之法,緣古逐疫之禮也。昔顓頊氏有子三人,生而皆亡,一居江水爲虐鬼,一居若水爲魍魎,一居歐隅之間,主疫病人。故歲終事畢,驅逐疫鬼,因以送陳、迎新、内吉也。世相倣傚,故有解除。解除之法,衆多非一。世間繕治宅舍,鑿地掘土,功成作畢,解謝土神,名曰'解土'。爲土偶人,以像鬼形,令巫祝延,以解土神。已祭之後,心快意喜,謂鬼神解謝,殃禍除去。"《東觀漢記·鍾離意傳》:意在堂邑,初到縣,市無屋,出奉錢帥人作屋。功作既畢,爲解土,祝曰:"興工役令,百姓無事。如有禍祟,令自當之。"人皆大悅。

按《續漢·百官志》劉昭補注,《漢官》曰"太史待詔三十七人,有解事二人",似即王仲任所謂解除,亦豈即此請官歟?

禳祀天文十八卷

《周禮》天官冢宰之屬:女祝掌以時招、梗、襘、禳之事,以除疾殃。鄭氏注:卻變異曰禳,禳,攘也。四禮唯禳其遺象今存。

賈公彦疏：此四禮至漢時，招、梗及檜不行，唯禳一禮漢日猶存其遺象，故云今存也。

《史記·天官書》曰："日變修德，月變省刑，星變結和。凡天變，過度乃占。大上修德，其次修政，其次修救，其次修禳。"

《續漢書·百官志》劉昭補注：《漢官》曰："太史待詔三十七人，其二人典禳。"

按《周禮》禳爲四禮之一，宋司星子韋言熒惑可移于相，可移于民，于歲，即禳祀天文之一事。本書《翟方進傳》所載方進死事，亦似禳祀之一端。兩漢有典禳待詔，隸太常，爲太史令之屬，則此書是其職業歟？

請禱致福十九卷

《周禮》大宗伯之屬：都宗人掌都宗祀之禮。凡都祭祀，致福于國。國有大故，則令禱祠。又曰："家宗人掌家祭祀之禮。凡祭祀，致福。國有大故，則令禱祠。"又曰："大祝掌六祝之辭，以事鬼神示，祈福祥，求永貞。一曰順祝，二曰年祝，三曰吉祝，四曰化祝，五曰瑞祝，六曰筴祝。"鄭司農云："順祝，順豐年也。年祝，求永貞也。吉祝，祈福祥也。化祝，弭災兵也。瑞祝，逆時雨寧風旱也。筴祝，遠罪疾。"賈公彦疏：此六辭皆是祈禱之事，皆有辭説以告神，故云六祝之辭。又曰："作六辭以通上下，五曰禱。"鄭司農云："謂禱于天地、社稷、宗廟，主爲其辭也。"大祝又"掌六祈，以同鬼神示"，又辯六號、九祭、九撮以享祭祀，似皆于此書有所關涉，文多不録。

《論語》"子疾病，子路請禱"集注：禱者，悔過遷善以祈神之祐也。

唐本《玉篇·言部》：《論語》：子路請禱。子曰："有諸?""《誄》曰：'禱爾乎上下神祇。'"孔安國曰："《誄》，禱篇名也。"

本書《郊祀志》：谷永曰："元鼎、元封之際，燕齊之間方士瞋目扼擎，言有神仙祭祠致福之術者以萬數。"

《論衡·解除篇》：世信祭祀，謂祭祀必有福。又《譏日篇》云："祭祀之曆，亦有吉凶。假令血忌、月殺之日固凶，以殺牲設祭，必有患禍。"

按《封禪書》、《郊祀志》所載皆周秦以來請禱致福之事，此十九卷似即祠官之職業。《隋志》五行家有《曆祀》一卷，又梁有《六甲祀書》二卷，據王仲任言似即是書之佚存者。又《續漢志》注引《漢官》太史待詔有嘉法二人，疑亦典領是事者。

請雨止雨二十六卷

本書《董仲舒傳》：仲舒爲江都相，以《春秋》災異之變推陰陽所以錯行，故求雨，閉諸陽，縱諸陰，其止雨反是。行之一國，未嘗不得所欲。

《説苑·辨物篇》曰："夫水旱俱天下陰陽所爲也。大旱則雩祭而請雨，大水則鳴鼓而劫社。大旱者，陽氣太盛，以厭于陰，惟厭之太甚，使陰不能起也，亦雩祭拜請而已，無敢加也。至于大水，陰氣太盛，而上減陽精，以賤乘貴，以卑陵尊，大逆不義，故鳴鼓而懾之，朱絲縈而劫之。"

《隋志》五行家梁有《董仲舒請禱圖》三卷，亡。

馬國翰輯本序曰："《漢志》雜占家有《請雨止雨》二十六卷，《隋》、《唐志》不著録，佚已久。考董仲舒《春秋繁露》七十五有《求雨篇》，七十六有《止雨篇》，説四時求雨，爲龍以舞，各按方色酒脯，陳祝皆依時數。蓋古有其法，董氏取以明《春秋》雩祭之義。考王充《論衡·順鼓篇》"俗圖畫女媧之象，爲婦人之形，又其號曰'女'。仲舒之意，殆謂古婦人帝王者也。男陽而女陰，陰氣爲害，故祭女媧求福祐也"云云，則原書當有禱祠女媧一節。又《藝文類聚》引《神農求雨書》,張華《博物志》載有《祝辭》,皆二十六卷之佚义,並據采録,集爲一卷。"

按王充《論衡·明雩篇》、《遭虎篇》、《商蟲篇》、《感虚篇》,數言變復之家。沈氏《銅熨斗齋隨筆》曰:"變復爲陰陽五行家之一術。"自《禎祥變怪》至此八家,皆所謂變復之家歟?

泰壹雜子候歲二十二卷
子贛雜子候歲二十六卷

泰壹雜子有《星》二十八卷,《雲雨》三十四卷,並見前天文家。

《史·貨殖列傳》:子贛既學于仲尼,退而仕于衞,廢著鬻于曹、魯之間,徐廣曰:"《子贛傳》云'廢居'。著猶居也。著讀曰貯。"《索隱》曰:"《漢書》亦作'貯'。《説文》云:'貯,積也。'"七十子之徒,賜最爲饒益。結駟連騎,束帛之幣以聘享諸侯,所至,國君無不分庭與之抗禮。夫使孔子名布揚于天下者,子貢先後之也。此所謂得勢而益彰者乎?

《世本·作篇》曰:"后益作占歲之法。"

《天官書》曰:"夫自漢之爲天數者,占歲則魏鮮。"孟康曰:"魏鮮,人姓名,作占候者。"又曰:"凡候歲美惡,謹候歲始。歲始或冬至日,臘明日,正月旦,立春日,而漢魏鮮集臘明正月旦決八風。風從南方來,大旱;西南,小旱;西方,有兵;西北,戎菽爲,孟康曰:"戎菽,胡豆也。爲,成也。"小雨,徐廣曰:"一無此兩字。"趣兵;北方,爲上歲;東方,大水;東南,民有疾疫,歲惡。欲終日有雨,有雲,有風,有日。是日光明,聽都邑人民之聲。聲宮,則歲善,吉;商,則有兵;徵,旱;羽,水;角,歲惡。然必察太歲所在。在金,穰;水,毁;木,饑;火,旱。此其大經也。"

按術家以子贛善貨殖,爲占書以附託之,而爲其術者又多,所增益集爲一篇，故曰"子贛雜子"。《開元占經》九十三引魏鮮《正月朔旦八風占》，其文與《天官書》異，疑即在此兩書中。

五法積貯寶藏二十三卷。一本作"三法"。

《管子·地數篇》：出銅之山四百六十七山，出鐵之山三千六百九山，此之所以分壤樹穀也。戈矛之所發，刀幣之所起也，能者有餘，拙者不足。伯高曰："上有丹砂者，下有黃金；上有慈石者，下有銅金；上有陵石者，下有鉛錫赤銅；上有赭者，下有鐵。"此山之見榮者也。桓公問于管子曰："請問天財所出，地利所在。"管子對曰："山上有赭者，其下有鐵；上有鉛者，其下有銀；上有丹砂者，其下有鉒金；上有慈石者，其下有銅金。此山之見榮者也。苟山之見榮者，謹封而爲禁，有動封山者，罪死而不赦。"

《天官書》：王朔望氣：大水處，敗軍場，破國之虛，下有積錢，金寶之上，皆有氣，不可不察。

劉向《別錄》曰："人民密，蚤蝨衆多，則地癢也。"又曰："鑿山鑽石，則見地痛也。"按此兩條見《北堂書鈔》一百五十七。《論衡》有云"地之有人民，猶人之有蚤蝨也"，似即《別錄》此兩條上文，故其下云"人民密，蚤蝨衆多"，蓋比喻之詞，皆此書叙錄中語歟？

《金樓子·志怪篇》曰："《地鏡經》凡出三家：有《師曠地鏡》，有《白澤地鏡》，《六甲地鏡》。三家之經，但說珍寶光氣。前嵩高道士，多游名山尋丹砂，于石壁上見有古文，照見寶物之祕方，用以照寶，遂獲金玉。"《藝文類聚》八十三《地鏡圖》曰："凡觀金玉、寶劍、銅、鐵，皆以辛之日。待雨止明日，平旦及黃昏夜半觀之，所見光白者玉也，赤者、金黃者銅，黑者鐵。"《太平御覽》八百二《地鏡圖》曰："夫寶物在城郭丘墟之中，樹木爲之變，視柯偏有折枯，是其候也。"

按《隋志》五行家有《望氣書》七卷，《雲氣占》各一卷，梁有《望氣相山川寶藏祕記》一卷，《天鏡經》、《地鏡經》各一卷，《地鏡圖》六卷，亡，疑皆是此書佚出者。

神農教田相土耕種十四卷

神農有書二十篇,見《諸子》農家。又有《兵法》一篇,見兵陰陽家。又有《大幽五行》二十七篇,見前五行家。

《呂氏春秋·六月紀》:是月也,不可以興土功,不可以起兵動衆。無舉大事,無發令而干時,以妨神農之事。水潦盛昌,命神農,將巡功。舉大事則有天殃。高誘曰:"無發干時之令,畜聚人功,以妨害神農耘耨之事。"又曰:"昔炎帝神農能殖嘉穀,神而化之,號爲神農。後世因名其官爲神農,巡行堰畝修治之功。于此時或舉大事妨害農事,禁戒之,云有天殃之罰。"按此則神農亦古官名,故本志農家篇叙云"出于農稷之官"。

嚴可均《全上古文編》曰:"《漢·藝文志》雜占家有《神農教田相土耕種》十四卷,《開元占經》一百十一引《神農書》十五條,《神農占》十條。"按《占經》所引二十五條並在《八穀占》篇中,殆猶是此書佚文歟?

昭明子釣種生魚鼈八卷

昭明子未詳。

王應麟《姓氏》:《急就篇》曰昭明氏,《漢·藝文志》有昭明子。按《人表》第三等有昭明,注云"禼子"。《殷本紀》曰:"殷契佐禹治水有功。帝舜命爲司徒,封于商,賜姓子氏。契興于唐、虞、大禹之際,功業著于百姓,百姓以平。契卒,子昭明立。昭明卒,子相土立。"《荀子·成相篇》云:"契玄王,生昭明,居于砥石遷于商。十有四世,乃有天乙,是爲成湯。"按是書次神農之後,或即此昭明,術家依託稱昭明子歟?

種樹臧果相蠶十三卷

《秦始皇本紀》:三十四年,丞相李斯曰:"臣請天下敢有藏《詩》、《書》、百家語者,悉詣守、尉,雜燒之。所不去者,醫藥卜筮種樹之書。"

王氏《考證》：《周禮·馬質》注：《蠶書》曰："蠶爲龍精，月直大火，則浴其種。"

按賈思勰《齊民要術》載種樹諸篇至多，又引《食經》載藏果法亦數十條，其原蓋出于此。鄭注《周禮》引《蠶書》似即此十三卷中之相蠶。又《崇文總目》農家《淮南王蠶經》三卷，劉安撰，或亦當在此書中。

又按是篇自《黃帝長柳占夢》至《嚏耳鳴雜占》四家爲一段，《禎祥變怪》至《請雨止雨》八家爲一段，《泰壹》、《子贛雜子候歲》兩家爲一段，《五法積貯》至《種樹臧果》四家爲一段，凡四章段。

右雜占十八家，三百一十三卷。 按此篇家數不誤，篇數則溢出一篇，今校定當爲三百一十二卷。

雜占者，紀百事之象，候善惡之徵。《易》曰："占事知來。"衆占非一，而夢爲大，故周有其官。而《詩》載熊羆虺蛇衆魚旐旟之夢，著明大人之占，以考吉凶，蓋參卜筮。《春秋》之說訞也，曰："人之所忌，其氣炎以取之，訞由人興也。人失常則訞興，人無釁焉，訞不自作。"故曰："德勝不祥，義厭不惠。"桑穀共生，太戊以興；雊雉登鼎，武丁爲宗。然惑者不稽諸躬，而忌訞之見，是以《詩》刺"召彼故老，訊之占夢"，傷其舍本而憂末，不能勝凶咎也。

山海經十三篇

侍中奉車都尉光禄大夫臣秀、領校祕書言校祕書太常屬臣望：所校《山海經》凡三十二篇，今定爲一十八篇，已定。按畢氏《篇目考》，"三十二篇"當爲"三十四篇"，即就此三十四篇并爲十三篇，此云"一十八篇"乃後人妄改，非正文。《山海經》者，出于唐虞之際。昔洪水洋溢，漫衍中國，民人失據，崎嶇于丘陵，巢于樹木。鯀既無功，而帝堯使禹繼之。禹乘四載，隨山刊木，定高山大川。蓋與伯翳主驅禽獸，命山川，類草木，別水土，四嶽佐之，以周四方。逮人跡之所希至，及舟輿之所罕到。內別五方之山，外分八方之海。紀其珍寶奇物異方之所生，水土草木禽獸昆蟲麟鳳之所止，禎祥之所隱，及四海之外，絕域之國，殊類之人。禹別九州，任土作貢，而益等類物善惡，著《山海經》，皆賢聖之遺事，古文之著明者也。其事質明有信。孝武皇帝時，嘗有獻異鳥者，食之百物，所不肯食。東方朔見之，言其鳥名，又言其所當食，如朔言。問朔何以知之，即《山海經》所出也。孝宣皇帝時，擊磻石于上郡，陷，得石室，其中有反縛盜械人。時臣秀父向爲諫議大夫，言此貳負之臣也。詔問何以知之，亦以《山海經》對。其文曰："貳負殺窫窳，帝乃梏之。疏屬之山，桎其右足，反縛兩手。"上大驚。朝士由是多奇《山海經》者，文學大儒皆讀學以爲奇。可以考禎祥變怪之物，見遠國異人之謠俗，故《易》曰："言天下之至賾，而不可亂也。"博物之君子，其可不惑焉！臣秀昧死謹上。建平元年四月丙戌。待詔太常屬臣望校治，侍中光祿勳臣龔、侍中奉車都尉光祿大夫臣秀領主省。按《劉歆傳》："初，歆以建平元年改名秀，字穎叔。"又《儒林傳》云："時光祿勳王龔與五官中郎將房鳳、奉車都尉劉歆共校書，三人皆侍中。"

王氏《考證》：《太史公》曰："言九州山川，《尚書》近之。至《山海經》、《禹本紀》所言怪物，余不敢言也。"朱文公曰："《山海經》記異物飛走之類，多云東向，或云東首，皆爲一定之形，疑本依圖畫爲之。"

鎮洋畢沅《山海經篇目考》：《山海經》三十四篇，禹、益所作。劉秀《表》曰"凡三十二篇"，"二"當爲"四"字之誤。十三篇漢時所合，《藝文志》形法家有《山海經》十三篇。《南山經》第一，《西山經》第二，《北山經》第三，《東山經》第四，《中山經》第五，《海外南經》第六，《海外西經》第七，《海外北經》第八，

《海外東經》第九,《海内南經》第十,《海内西經》第十一,《海内北經》第十二,《海内東經》第十三。此《山海經》古本十三篇,皆劉向校經時所題也。向合《南山經》三篇以爲《南山經》一篇,《西山經》四篇以爲《西山經》一篇,《北山經》三篇以爲《北山經》一篇,《東山經》四篇以爲《東山經》一篇,《中山經》十二篇以爲《中山經》一篇,並《海外經》四篇、《海内經》四篇,凡十三篇。班固作《藝文志》取之于《七略》,而無《大荒經》以下五篇也。

按《山海經》漢時有兩本:其一中祕書,即此十三篇是也;其一十八篇,篇目下注云"此《海内經》及《大荒經》本皆逸在外",畢氏以爲亦劉秀所增,然劉秀《表》止稱"三十二篇","二"當爲"四"。則其書合并實止十三篇,非十八篇,審矣。然則十八篇之本,謂爲劉秀所定者,無確據也。何義門《讀書記》亦云"十八篇不知起于何時",今考郭璞所注乃十八篇之本,距漢不遠,以是知亦起于漢代。

國朝七卷

本書《地理志》:秦分天下作三十六郡。漢興,以其郡太大,稍復開置,又立諸侯王國。武帝開廣三邊。故自高祖增二十六,文、景各六,武帝二十八,昭帝一,凡郡國一百三,縣邑千三百一十四,道三十二,侯國二百四十一。地東西九千三百二里,南北萬三千三百六十八里。漢承百王之末,國土變改,民人遷徙,成帝時劉向略言其地分,丞相張禹使屬潁川朱贛條其風俗,猶未宣究。

按本志叙云"形法者,大舉九州之埶以立城郭",即此七卷是也。蓋言西京郡國形勢,以不立地理之目,無可類附,故次于《山海經》。其是否即爲劉、朱二人所述,則不可考矣。

宫宅地形二十卷

《周禮》地官大司徒之職:以土宜之法,辨十有二土之名物,以相民宅,而知其利害,以阜人民。鄭氏注:"相,占視也。"賈公彥疏:使之得所也。

王氏《考證》:范氏曰:"考古卜地之法,周始居豳,相其陰陽,觀其流泉,度其隰原,擇地利以便人事而已。其作新邑也,卜澗水東、瀍水西,又卜瀍水之東,則推其不能決者而合之龜。其法蓋止于此。彼風水向背附著之説,聖人弗之詳焉。雖然,甲子作于大撓,尚矣。[1] 宣王揆日以田,既戊又吉,庚午則枝幹固有吉凶。保章氏以星土辨九州之封域,以觀妖祥,則方隅固有休咎,聖人弗之詳,而未嘗廢其説。"

孫星衍《問字堂集·相宅書序》云:"古有《宮宅地形》二十卷,見《藝文志》形法家。今所傳惟有《黃帝宅經》,而其文稱文王、孔子、子夏、淮南、李淳風,諸家宅經,蓋宋人撰集成書,非古本矣。然其術有所傳,不可誣也。"

按《論衡》數引圖宅術,又引《圖墓書》,又引《葬曆》,則漢時亦有相墓之書。《抱朴子·極言篇》云:"黃帝相地理則書青鳥之説。"《隋書·經籍志》五行家有《宅吉凶論》、《相宅圖》,《唐志》有《五姓宅經》,《崇文總目》有《淮南王見機八宅經》及今相傳《黃帝宅經》,大抵皆祖述于是書。而相墓之術,王仲任言之鑿鑿,意亦在是書中也。又《抱朴子·遐覽篇》云《道經》中有《興利宮宅官舍法》五卷,似亦道流節録此書以爲之者。

相人二十四卷

《荀子·非相篇》:相人,古之人無有也,學者不道也。古者有姑布子卿,今之世,梁有唐舉,相人之形狀顏色而知其吉凶妖祥,世俗稱之。楊倞曰:"姑布子卿,相趙襄子者。唐舉,相李兌、蔡澤者。"

---

① "矣",原作"書",據《二十五史補編》本《漢藝文志考證》改。

《論衡·骨相篇》：傳言黃帝龍顏，顓頊戴午，帝嚳駢齒，堯眉八采，舜目重瞳，禹耳三漏，湯臂再肘，文王四乳，武王望陽，周公背僂，皋陶馬口，孔子反羽。斯十二聖者，皆在帝王之位，或輔主憂世，世所共聞，儒所共說，在經傳者，較著可信。若夫短書俗記，竹帛胤文，非儒者所見，衆多非一。

《史通·書志篇》：至若許負《相經》、揚雄《方言》，並當時所重，見傳流俗。應劭《漢書·周勃傳》集解曰：“許負，河內溫人，老嫗也。”又《游俠傳》郭解“善相人許負外孫也”。按《周勃傳》載許負相周亞夫事，又《外戚傳》載其相薄太后事。

按姑布子卿有《相法》三卷，唐舉有《肉眼通神論》三卷，《相顯骨法》一卷，許負有《相書》三卷，又《金歌》一卷，《形神心鑑圖》一卷，並見《崇文總目》、《日本書目》、《通志·藝文略》、《宋·藝文志》。又《隋志》五行家梁有樊、許、唐氏《武王相書》一卷，《雜相書》九卷，則又有樊氏及依託武王者，或皆傳自漢代。按姑布、唐、許三家之書，爲相人術之最著，或不盡出于虛僞，當在二十四卷中。

相寶劍刀二十卷

《隋志》五行家梁有《仙寶劍經》二卷，亡。按“仙”當是“相”字之誤，或是《仙人相寶劍經》，敓“人相”二字。

按《七錄》載《相寶劍經》二卷，似即此書之佚存者。《志》序言“舉器物之形容以求其吉凶”，此書是已。

相六畜三十八卷

《列子·說符篇》：秦穆公謂伯樂曰：“子之年長矣，子姓有可使求馬者乎？”伯樂對曰：“臣三子皆下才也。臣所與共有九方皋，此其于馬，非臣之下也。”

《呂氏春秋·觀表篇》：古之善相馬者，寒風是相口齒，麻朝相頰，子女厲相目，衛忌相髭，許鄙相脰，投伐褐相胸脅，管青相膍胘,陳悲相股腳,秦牙相前,贊君相後。凡此十人者,皆天下之良工也。又《士容篇》云:"齊有善相狗者。"王氏《考證》:《淮南子》伯樂、韓風、秦牙、筦青所相各異,其知馬一也。按"韓風"即《呂覽》"寒風"。

《日者列傳》褚先生曰:"黃直,丈夫也;陳君夫,婦人也:以相馬立名天下。留長孺以相彘立名。滎陽褚氏以相牛立名。能以技能立名者甚多,皆有高世絕俗之風,何可勝言。"

《後漢書·馬援傳》:援好騎,善別名馬,于交阯得駱越銅鼓,乃鑄爲馬式,表上之曰:"孝武皇帝時,善相馬者東門京鑄作銅馬法獻之,有詔立馬于魯班門外,則更名魯班門曰金馬門。昔有騏驥,一日千里,伯樂見之,昭然不惑。近世有西河子輿,亦明相法。子輿傳西河儀長孺,長孺傳茂陵丁君都,君都傳成紀楊子阿,臣援嘗師事子阿,受相馬骨法。考之于行事,輒有效驗。臣謹依儀氏䩭,中帛氏口齒,謝氏脣鬐,丁氏身中,備此數家骨相以爲法。"

《魏志·夏侯玄傳》注:《相印書》曰:"相印法出陳長文,長文曰:'本出漢世,有《相印》、《相笏經》,又有《鷹經》、《牛經》、《馬經》。'"

洪邁《容齋續筆》曰:"今世相馬者間有之,相牛者殆絕,所謂雞、狗、彘者,不復聞之矣。劉向《七略》《相六畜》三十八卷,謂骨法之度數,今無一存。"

按《隋志》五行家梁有《伯樂相馬經》、《關中銅馬法》、《周穆王八馬圖》、《齊侯大夫寧戚相牛經》、《王良相牛經》、《相鴨經》、《相雞經》、《相鵝經》各二卷,亡,似即此三十八卷之散佚者。

又按是篇自《山海經》以下三家爲一段,《相人》以下三家爲一段,凡兩章段。

右形法六家,百二十二卷。按是篇家數、篇數並不誤。

形法者,大舉九州之執以立城郭室舍形,人及六畜骨法之度數、器物之形容以求其聲氣貴賤吉凶。猶律有長短，而各徵其聲，非有鬼神，數自然也。然形與氣相首尾，亦有有其形而無其氣，有其氣而無其形，此精微之獨異也。

凡數術百九十家，二千五百二十八卷。按以上六種所載都凡之數則爲一百九家，二千五百三十九卷。此云"百九十家"，蓋衍"十"字，而卷數則缺少二十九卷。今校定當爲百一十家，二千五百五十七卷。

數術者，皆明堂羲和史卜之職也。史官之廢久矣，其書既不能具，雖有其書而無其人。《易》曰："苟非其人，道不虛行。"春秋時魯有梓慎，鄭有裨竈，晉有卜偃，宋有子韋。六國時楚有甘公，魏有石申夫。按此"夫"字衍。漢有唐都，庶得麤觕。蓋有因而成易，無因而成難，故因舊書以序數術爲六種。

漢書藝文志條理卷六

黃帝内經十八卷
外經三十七卷

黃帝見前道家、陰陽家、小説家、兵家、曆譜、五行、雜占家。

皇甫謐《帝王世紀》：黃帝有熊氏命雷公、岐伯論經脈，旁通問難八十一，爲《難經》。教刺九針，著《内外術經》十八卷。又曰："岐伯，黃帝臣也。帝使岐伯嘗味草木，典主醫病，《經方》、《本草》、《素問》之書咸出焉。"

皇甫謐《鍼灸甲乙經》序曰："按《七略》、《藝文志》《黃帝内經》十八卷。今有《鍼經》九卷，《素問》九卷，二九十八卷即《内經》也。《素問》原本經脈，其義深奧，不可容易覽也。又有《明堂孔穴鍼灸治要》，皆黃帝、岐伯遺事也。三部同歸，文多重複，錯互非一，乃撰集三部，使事類相從，删其浮辭，除其重複，論其精要，至爲十二卷。"

《太平御覽》四：《抱朴子》曰："《黃帝醫經》有蝦蟆圖，言月生始二日，蝦蟆始生，人亦不可針灸其處。"

《隋書·經籍志》：《黃帝素問》九卷，《黃帝鍼經》九卷，《黃帝鍼灸蝦蟆忌》一卷，《岐伯經》十卷，《黃帝流注脈經》一卷。

《唐·經籍志》：《黃帝明堂經》三卷。《藝文志》同。

宋林億等補注《素問》序曰："在昔皇帝之御極也，以理身緒餘治天下，坐于明堂之上，臨觀八極，考建五常。以謂人之生也，負陰而抱陽，食味而被色，外有寒暑之相盪，内有喜怒之交侵，夭昏札瘥，國家代有。將欲斂時五福，以敷錫厥庶民。乃與岐伯上窮天紀，下極地理，遠取諸物，近取諸身，更相問難，垂法以福萬世。于是雷公之倫，授業傳之，而《內經》作矣。"

林億等《甲乙經新校正》序曰："晋皇甫謐取《黃帝素問》、《鍼經》、《明堂》三部之書，爲《鍼灸經》十二卷。"又曰："《黃帝內經》十八卷，《鍼經》三卷，最出遠古，皇甫士安能撰而集之？"

王氏《考證》：夏竦《銅人腧穴圖序》曰："黃帝問岐伯，盡書其言，藏于金蘭之室。洎雷公請問其道，乃坐明堂以授之。後世言明堂者以此。"

《四庫提要》曰："《漢書·藝文志》載《黃帝內經》十八篇，無《素問》之名。後漢張機《傷寒論》引之，始稱《素問》。晋皇甫《甲乙經序》稱《鍼經》九卷，《素問》九卷，皆爲《內經》，與《漢志》十八篇之數合。則《素問》之名起于漢晋間矣。"

　　按皇甫氏《甲乙經序》云"又有《明堂孔穴》、《鍼灸治要》，皆黃帝、岐伯遺事"，林億云"《鍼經》三卷最出遠古"，似皆謂《外經》。《外經》之書至西晋時已非《漢志》三十七卷之舊，《隋》、《唐志》所載《蝦蟆忌》、《岐伯經》、《明堂經》之類，似皆後人集《外經》之文別爲篇目者。又按此《外經》與後《扁鵲外經》、《白氏外經》原本相聯貫，皆蒙上省文，別爲一條，遂各不相屬，謬之甚矣。

扁鵲內經九卷
外經十二卷

《史》列傳：扁鵲者，勃海郡鄭人也，徐廣曰："'鄭'當爲'鄭'。"《索隱》曰："勃海無鄭縣，徐說是也。"今按扁鵲自言"臣齊勃海秦越人也，家在于鄭"，則確爲"鄭"字，不得以勃海郡泥之。姓秦氏，名越人。少時爲人舍長。舍客長桑君過，扁鵲獨奇之，常謹遇之。長桑君亦知扁鵲非常人也。出入十餘年，乃呼扁鵲私坐，間與語曰："我有禁方，年老，欲傳與公，公毋泄。"扁鵲曰："敬諾。"乃出其懷中藥予扁鵲：按此處當有"曰"字。"飲是以上池之水，三十日當知物矣。"乃悉取其禁方書盡與扁鵲。忽然不見，殆非人也。扁鵲以其言飲藥三十日，視見垣一方人。《索隱》曰："言能隔牆見人也。"以此視病，盡見五藏癥結，特以診脈爲名耳。爲醫或在齊，或在趙。在趙者名扁鵲。又曰："扁鵲名聞天下。過邯鄲，聞貴婦人，即爲帶下醫；過雒陽，聞周人愛老人，即爲耳目痹醫；來入咸陽，聞秦人愛小兒，即爲小兒醫：隨俗爲變。秦太醫令李醯自知伎不如扁鵲也，使人刺殺之。至今天下言脈者，由扁鵲也。"《正義》曰："《黃帝八十一難》序云：'秦越人與軒轅時扁鵲相類，仍號之扁鵲。又家于盧國，因命之曰盧醫也。'"

《説苑·辨物篇》：扁鵲診趙太子尸厥，先造軒光之竈，八成之湯，砥鍼礪石，取三陽五輸。使子容擣藥，子明吹耳，陽儀反神，子越扶形，子遊矯摩。按"陽儀"當是子陽、子儀，本傳云"使弟子子陽厲針砥石，使子豹爲五分之熨，熨兩脅下"。《周禮·疾醫》疏引劉向云"使子明炊湯，子儀脈神，子術案摩"。

《周禮》：疾醫以五氣、五聲、五色眡其死生。鄭氏注：五氣，五藏所出氣也。五聲，言語宮、商、角、徵、羽也。五色，面貌青、赤、黃、白、黑也。察其盈虛休王，吉凶可知。審用此者，莫若扁鵲、倉公。陸氏《釋文》案：《漢書音義》云："扁鵲，魏桓侯時醫人。"倉公見後方技總序。

《隋書·經籍志》：《黃帝八十一難》二卷，《扁鵲偃側鍼灸圖》三卷。《崇文總目》：《黃帝八十一難經》二卷，秦越人撰。越人采《黃帝內經》精要之説凡八十一章，編次爲十三類，理趣深遠，非易了，故名《難經》。晁《志》云："唐楊元操編次爲十三類。"

王氏《考證》：《史記》倉公、師公、乘陽慶傳黃帝、扁鵲之脈書。王勃《八十一難經序》曰："岐伯以授黃帝，黃帝歷九師以授伊尹，伊尹以授湯，湯歷六師以授太公，太公以授文王，文王歷九師以授醫和，醫和歷六師以授秦越人，秦越人始定立章句。"

　　按王子安氏言"秦越人始定立章句",當有所受。若是,則《扁鵲内》、《外經》即本《黃帝内》、《外經》而引申發明之。

　　今可考見者,唯《難經》及《鍼灸圖》二書。

白氏内經三十八卷
外經三十六卷
旁篇二十五卷

　　按白氏不詳何人,自來醫家罕見著録。其書大抵亦本黃帝、扁鵲《内》、《外經》而申説之,故其《内經》卷數倍多于前。《旁篇》者,旁通問難之屬也。或統于白氏,或別爲一家。

　　又按本志雜家《伯象先生》一篇,《風俗通·姓氏篇》作"白象先生",張澍輯注曰"伯與白同",又《集韻》白音博陌切,與伯同,疑此白氏即岐伯而稱伯氏者。此類醫經皆黃帝、扁鵲、岐伯之所傳,而後如秦越人、倉公亦皆引申發明之。

　　又按是篇《黃帝内》、《外經》爲一段,《扁鵲内》、《外經》爲一段,《白氏内》、《外經》及《旁篇》爲一段,凡三章段。

右醫經七家,二百一十六卷。按此篇止黃帝、扁鵲、白氏三家,此云"七家"者,或以《外篇》及《旁篇》所作非一人,故別爲一家,今仍其舊。篇數則溢出四十一卷。今校定當爲七家,一百七十五卷。

醫經者,原人血脈經落骨髓陰陽表裏,以起百病之本,死生之分,而用度箴石湯火所施,調百藥齊和之所宜。至齊之德,猶慈石取鐵,以物相使。拙者失理,以瘉爲劇,以生爲死。師古曰:"箴,所以刺病也。石謂砭石,即石箴也。古者攻病則有砭,今其術絶矣。齊音才詣反,其下並同。和音呼卧反。瘉讀與愈同。愈,差也。"

五藏六府痹十二病方三十卷

　　顏氏《集注》曰:"痹,風溼之病,音必二反。"

　　《素問·痹論篇》:黃帝問曰:"痹之安生?"岐伯對曰:"風、

寒、溼三氣雜至,合而爲痹也。其風氣勝者爲行痹,寒氣勝者
爲痛痹,溼氣勝者爲著痹也。"著痹者,著而不去也。帝曰:"其有五
者何也?"岐伯曰:"以冬遇此者爲骨痹,春爲筋痹,夏爲脈痹,
至陰爲肌痹,秋爲皮痹。"帝曰:"内舍五藏六府,何氣使然?"
岐伯曰:"五藏皆有合,病久而不去者,内舍于其合也。故骨
痹不已,復感于邪,内舍于腎,筋痹内舍于肝,脈痹内舍于心,
肌痹内舍于脾,皮痹内舍于肺。所謂痹者,各以其時,重感于
風、寒、溼之氣也。"帝曰:"其客于六府者何也?"岐伯曰:"此
亦其食飲居處,爲其病本也。六府亦各有俞,風、寒、溼氣中
其俞,而食飲應之,循俞而入,各舍其府也。"注曰:"六府俞謂
背俞也,曰膽愈、胃愈、三焦愈、大腸愈、小腸愈、膀胱愈。"

《史記·扁鵲傳》:扁鵲過雒陽,聞周人愛老人,即爲耳目
痹醫。

《説文》:痹,溼病也。曲阜桂馥《義證》曰:"《倉頡篇》:'痹,
手足不仁也。'《一切經音義》十八:'《説文》"痹,溼病也"。今
言風痹、冷痹皆是也。'《漢·藝文志》《五藏六府痹十二病方》
三十六卷。"按桂氏引作"三十六卷"者,非也。

五藏六府疝十六病方四十卷

顏氏《集注》曰:"疝,心腹氣病,音山諫反,又音删。"

《素問·大奇論》曰:"腎脈、肝脈大急沈,皆爲疝。心脈搏滑
急爲心疝,肺脈沈搏爲肺疝。三陽急爲瘕,三陰急爲疝。"注:
"疝者,寒氣結聚之所爲也。太陽受寒血凝爲瘕,太陰受寒氣
聚爲疝。《方書》云:'三陽急爲瘕,三陰急爲疝。'男子有七
疝:寒疝、水疝、筋疝、血疝、氣疝、狐疝、㿉疝。"

《説文》:疝,腹痛也。桂氏《義證》曰:"《史記·倉公傳》:齊
北宮司空命婦出于病,臣意診其脈,曰:'氣疝,客于膀胱,難
于前後溲,而溺赤。病見寒氣則遺溺,使人腹腫。'又云:齊郎

中令循病,臣意診之曰:'湧疝也,令人不得前後溲。'《漢書·藝文志》《五藏六府疝十六病方》四十卷。"

五藏六府癉十二病方四十卷

顔氏《集注》曰:"癉,黄病,音丁韓反。"

《史記·倉公傳》:齊王太后病,召臣意入診脈,曰:"風癉客脬,難于大小溲,溺赤。"《正義》曰:"癉音單旱也。脬亦作'胞',膀胱也。言風癉之病客居在膀胱。"

《説文》:癉,勞病也。桂氏《義證》曰:"《詩·板》'下民卒癉',《傳》云:'癉,病也。'馥案:《釋詁》作'癉',《禮記·緇衣》章'善癉惡',鄭云'癉,病也',《書·畢命》作'癉'。通作'憚'。《詩·雲漢》'我心憚暑',《傳》云:'憚,勞也。'《漢書·藝文志》《五藏六府癉十二病方》四十卷,顔注'癉,黄病'。"

風寒熱十六病方二十六卷

《素問·風論篇》:黄帝問曰:"風之傷人也,或爲寒熱,或爲熱中,或爲寒中,或爲癘風,或爲偏枯,或爲風也。其病各異,其名不同,或内至五藏六府,不知其解,願聞其説。"岐伯對曰:"風氣藏于皮膚之間,内不得通,外不得泄。風者善行而數變,腠理開則洒然寒,閉則熱而悶。其寒也,則衰食飲;其熱也,則消肌肉。故使人快慄而不能食,名曰寒熱。"

按《帝王世紀》云"黄帝使岐伯造醫方以療衆疾",以上四家,大抵多本之岐伯歟?

泰始黄帝扁鵲俞拊方二十三卷

黄帝、扁鵲見前醫經家。

《素問新校正》:案《乾鑿度》云:"夫有形者生于無形,故有太易,有太初,有太始,有太素。太易者,未見氣也。太初者,氣之始也。太始者,形之始也。太素者,質之始也。"

《史記·扁鵲傳》:上古之時,醫有俞跗,治病不以湯液醴灑,鑱石撟引，案杭毒熨，一撥見病之應，因五藏之輪，乃割皮解肌，訣脈結筋，搦髓腦，揲荒爪幕，湔浣腸胃，漱滌五藏，練精易形。

《説苑・辨物篇》：扁鵲過趙，趙中庶子難之曰：“吾聞中古之爲醫者曰俞柎，俞柎之爲醫也，搦腦髓，束肓莫，炊灼九竅而定經絡，死人復爲生人，故曰俞柎。”

《周禮》：疾醫掌養萬民之疾病，以五味、五穀、五藥養其病，以五氣、五聲、五色眂其死生。兩之以九竅之變，參之以九藏之動。鄭氏注曰：“能專是者其唯秦和乎？岐伯、俞柎則兼彼數術者。”陸氏《釋文》：岐伯、俞柎皆黃帝時醫人。

五藏傷中十一病方三十一卷

《素問・診要經絡論》：凡刺胸腹者必避五藏：中心者環死，_氣行如環之周則死也。中脾者五日死，中腎者七日死，中肺者五日死，中鬲者皆爲傷中，其病雖愈，不過一歲必死。注：“心、肺在鬲上，腎、肝在鬲下，脾居中，故刺胸腹必避之五藏者，所以藏精神魂魄意志，損之則五神去，神去則死至，故不可不慎也。”又曰：“五藏之氣同主一年，鬲傷則五藏之氣互相剋伐，故不過一歲必死。”《後漢書・方術傳》：郭玉曰：“醫之爲言意也。腠理至微，隨意用巧，針石之間，毫芒即乖。神存于心手之際，可得解而不可得言也。”

客疾五藏狂顛病方十七卷

《素問・生氣通天論》：岐伯曰：“陰不勝其陽，則脈流薄疾，并乃狂。”注：“薄疾，謂極虛而急數也。并謂盛實也。狂謂狂走，或妄攀登也。陽并于四支則狂陽明。”《脈解篇》：“病甚，則棄衣而走，登高而歌，或至不食數日，踰垣上屋。”岐伯曰：“四支者，諸陽之本也。陽盛則四支實，實則能登高而歌。熱盛于身，故棄衣欲走。或妄言罵詈，不避親疏。”《脈解篇》曰：“所謂狂巔疾者，陽盡在上，而陰氣從下，下虛上實，故狂巔疾也。"

《説文》：瘨，病也。桂氏《義證》曰："《聲類》：'瘨，風病也。'《廣雅》：'瘨，狂也。'俗作'癲'。《八十一難經》'癲病始發，意不樂，直視僵仆，其脈三部陰陽俱盛'是也。《祕方》：'邪入于陽，轉則爲癲。'又通作'顛'。《漢·藝文志》《客疾五藏狂顛病方》十七卷。"

金創瘲瘛方三十卷

顏氏《集注》：服虔曰："音瘈引之瘈。"師古曰："小兒病也。瘲音充制反。瘛音子用反。"

《説文》：瘈，病也。瘲，小兒瘲瘛病也。桂氏《義證》曰："《玉篇》：'瘲瘛，小兒病。'戴侗曰：'謂小兒風驚乍掣乍縱也。'馥案：《潛夫論·忠貴篇》：'嬰兒常病，傷飽也。哺乳太多，則必掣縱而生癇。'顏注《急就篇》：'瘲瘛，小兒之疾，即今癇病也。'《漢書·藝文志》《金創瘲瘛方》三十卷，字或作'瘈'。"

按《隋志》醫方家梁有甘濬之、甘伯齊《療癰疽金創要方》各若干卷，徐氏、范氏《療少小百病雜方》、《療小兒藥方》，皆取資于是書爲多。

婦人嬰兒方十九卷

《史記·扁鵲傳》：扁鵲名聞天下，過邯鄲，聞貴婦人，即爲帶下醫；入咸陽，聞秦人愛小兒，即爲小兒醫。

按《隋志》醫方家有《張仲景療婦人方》二卷，《俞氏療小兒方》四卷，當亦取資于是書。

湯液經法三十二卷

《素問·湯液醪醴論》：黄帝問曰："上古聖人作湯液醪醴，爲而不用何也?"岐伯曰："自古聖人之作湯液醪醴者，以爲備耳，故爲而弗服也。中古之世，道德稍衰，邪氣時至，服之萬全。當今之世，必齊毒藥攻其中，鑱石鍼艾治其外也。"

本書《郊祀志》：毛莽篡位二年，以方士蘇樂言，起八風臺于宮中。作樂其上，順風作液湯。如淳曰："《藝文志》有《液湯經法》，其義未聞也。"

晁氏《讀書志》曰："醫經傳于世者多矣，原百病之起瘉者本乎黃帝，辨百藥之味性者本乎神農，湯液則稱伊尹：三人皆聖人也，憫世疾苦，親著書以垂後。"

王氏《考證》：《事物紀原》：《湯液經》出于商之伊尹。皇甫謐曰："仲景論《伊尹湯液》十數卷。"按後漢張機仲景或取是書論次爲十數卷也。

神農黃帝食禁七卷

神農見前農家、兵家、五行、雜占家，黃帝見前醫經家。

《周禮·醫師》疏：案《漢書·藝文志》云"《神農黃帝食藥》七卷"。阮氏《校勘記》：浦鐘云"禁"誤"藥"。

何義門《讀書記》曰："《藝文志》經方家《神農黃帝食禁》七卷。食禁，《周禮》疏中作'食藥'。"

孫星衍《問字堂集·校定神農本草序》曰："舊説《本草》之名僅見《漢書·平帝紀》及《樓護傳》。予按《藝文志》有《神農黃帝食藥》七卷，今本譌爲'食禁'。賈公彥《周禮·醫師》疏引其文正作'食藥'。宋人不考，遂疑《本草》非《七略》中書也。賈公彥引《中經簿》又有《子儀本草經》一卷，疑亦此也。"

嚴可均《全上古文編》曰："《漢·藝文志》經方家有《神農黃帝食禁》七卷，《周禮·醫師》疏引'食禁'作'食藥'，獨《本草》不見，見《平帝紀》及《樓護傳》，蓋'食禁'、'食藥'即'本草'矣。"

按《御覽》八百六十七引《神農食經》，《隋志》引《七録》有《黃帝雜飲食忌》二卷，《食經》、《雜飲食忌》即此《食禁》七卷之遺。其書蓋言飲食宜忌，其遺文猶略可尋究。自賈

《疏》引作“食藥”，阮氏《校勘記》已云“禁”誤“藥”，而孫氏以爲《本草》，又以爲宋人不考，其意在王氏《考證》所補《本草》之書也。按深寧氏于此事亦嘗引《周禮·醫師》注疏矣，特未嘗以“食禁”爲“食藥”，亦未嘗以“食禁”、“食藥”爲“本草”，蓋亦以《禮》疏爲誤，故置不復言也。要之，以此書爲《本草》，僅據《禮》疏“食藥”之駁文，實未嘗別有確證。而同時嚴鐵橋氏亦從而和之，是亦所謂高明之過也歟？又按《禮》疏此條所引《志》序之文，如以“閉”爲“開”，以“平”爲“此”，以“及”爲“乃”，以“增”爲“益”，以“精”爲“積”，以“所”爲“以”，且有敚落數字致不成句者，其誤甚多，不止此一“藥”字也，豈能一一據以正今本《漢志》乎？

又按皇甫謐《帝王世紀》：“黃帝使岐伯嘗味草木，典主醫病，《經方》、《本草》、《素問》之書咸出焉。”據此則《本草》在《黃帝外經》三十七卷中，庶幾近似；謂《本草》即此《食禁》七卷，實未之信。

又按是篇前四家爲一段，次五家爲一段，又次二家爲一段，凡三章段。

右經方十一家，二百七十四卷。按是篇家數不誤，卷數則缺少二十一卷，今校定當爲二百九十五卷。

經方者，本草石之寒溫，量疾病之淺深，假藥味之滋，因氣感之宜，辨五苦六辛，致水火之齊，以通閉解結，反之于平。及失其宜者，以熱益熱，以寒增寒，精氣內傷，不見于外，是所獨失也。故諺曰：“有病不治，常得中醫。”《文選·孔文舉薦禰衡表》注引《七略》云“解紛釋結，反之于平安”，似即此篇叙之佚文。

容成陰道二十六卷

容成子有書十四篇，見《諸子》陰陽家。

劉向《列仙傳》：容成公者，自稱黃帝師，見于周穆王。能善補導之事，取精于玄牝。其要谷神不死，守生養氣者也。髮白更黑，齒落更生，事與老子同，亦云老子之師也。

俞樾《莊子人名考》:《莊子·則陽篇》有容成氏,《釋文》曰:
"老子師也。"按《漢書·藝文志》陰陽家有《容成子》十四篇,
房中家又有《容成陰道》二十六卷,此即老子之師也。

《後漢書·方術傳》:甘始、東郭延年、封君達三人,皆方士也。
率能行容成御婦人術,或飲小便,或自倒懸,愛嗇精氣,不極
視大言。注:御婦人之術,謂握固不瀉,還精補腦也。

王氏《考證》:《後漢·方術傳》:"冷壽光者,行容成公御婦人
法。"《神仙傳》云:"甘始依容成玄素之法,更演益之爲十卷。"
　　按《列仙傳》言容成公"自稱黃帝師",正是方術家誇誕之
說。黃帝時有容成氏造曆,因此而附會之。《抱朴子·遐
覽篇》言《道書》中有《容成經》一卷。

務成子陰道三十六卷

務成子有書十一篇,見《諸子》小說家。又有《災異應》十四
卷,見《數術》五行家。

《抱朴子·明本篇》:赤松子、王喬、琴高、老氏、彭祖、務成、鬱
華皆真人,悉仕于世,不便遐遁。

高似孫《緯略》曰:"《黃庭經》極修煉吐納之妙,有務成子注。"
　　按《抱朴子·金丹篇》又引《務成子丹法》,或在是書。

堯舜陰道二十三卷

嚴可均《上古三代文編》:帝堯,姓伊祁,名放勳,帝嚳子,兄帝
摯,封爲唐侯,以帝摯之九年受禪,號陶唐氏,以火德王,都平
陽。或云以土德王,在位七十年而舜攝,又二十八年崩,年百
十七,謚曰堯。帝舜,姓姚,名重華,或云字都君,諸馮人,顓
頊之後。堯徵爲司徒,尋攝政受禪,號有虞氏,以土德王,都
蒲坂,在位五十年,年百歲,或云百十歲,謚曰舜。

湯盤庚陰道二十卷

嚴可均《三代文編》:商湯,姓子,名履,一名天乙,契十四世

孫，即位十七年克夏，號曰武王。王十三年崩，年百歲，諡曰湯。一曰成湯，一曰武湯。

本書《人表》第二等仁人盤庚，陽甲弟。梁玉繩曰："盤庚始見《商書》、《史·殷紀》、《世表》，盤又作般。名旬，殷之中興王也。自奄遷亳、殷，在位二十八年。"

　　按術家類皆依託黃帝，此兩書又依託堯、舜、湯及盤庚，可　　謂惑世誣民者矣，不知《録》、《略》之中復何所云也。

天老雜子陰道二十五卷

《論語摘輔象》：黃帝七輔，天老受天録。宋均曰："天録，天教命也。"

《帝王世紀》：黃帝以風后配上台，天老配中台，五聖配下台，謂之三公。

《文選·嵇叔夜養生論》注引《天老養生經》：老子曰："人生大期，以百二十年爲限，節度護之，可至千歲。"

　　按《選》注引《天老養生經》，或此書之佚出者。

天一陰道二十四卷

天一有《兵法》三十五篇，見兵陰陽家。又有《天一》六卷，見《數術》五行家。

　　按以上六家皆言陰道。《列仙傳》有云"女丸者，陳市上沽　　酒婦人也，遇仙人過其家飲酒，以《素書》五卷爲質。丸開　　視其書，乃養性交接之術"云云，亦陰道中一事也。《隋志》　　醫方家有《素女祕道經》并《玄女經》一卷。《文選·思玄　　賦》注引高誘《淮南子》注曰："素女，黃帝時方術之女也。"　　《祕道經》、《玄女經》蓋即此類之遺。

黃帝三王養陽方二十卷

孫星衍《素女經四季方序》曰：《素女方》一卷見《隋書·經籍志》，其名不載《漢·藝文志》，然即神仙家《黃帝雜子十九家方》二十卷之一也。按當云"房中家《黄帝三王養陽方》二十卷之一"，觀下文可知此駁文而失于訂正者。其書隋唐猶有傳本，王燾取入《外臺祕要》卷十七中，云'出《古今録驗》，真古書也'。書稱黄帝與素女、高陽負問答，述交接之禁忌，叙四時之藥物，以爲房中卻病之術。文句有韻，以'逆'爲'迎'，以'知'爲'愈'，皆古字古義，審非後人僞作。房中之術，古有傳書，容成、務成、堯、舜《陰道》，俱一家之學，班氏所云'樂而有節，則和平壽考。迷者弗顧，以生疾而隕性命'，誠哉斯言！《千金翼方》卷五行房法一依《素女經》：婦人月信斷一日爲男，二日爲女，三日爲男，四日爲女，以外無子。每日午時夜半後行事生子吉，餘時生子不吉。亦此書佚文，并附識之。"

按太史公《五帝本紀》贊"百家言黄帝，其文不雅馴，薦紳先生難言之"，此其不雅馴之尤者。黄帝三王，殆即謂黄帝三子，相傳有黄帝授三子《玄女經》，疑即是書之佚出者。

三家内房有子方十七卷

《抱朴子·仙藥篇》：杜子微服天門冬，御八十妾，有子百三十人，日行三百里。陵陽子仲服遠志二十年，有子三十七人。開書所視不忘，坐在立亡。

按葛稚川所説兩事疑出是書，此後世種子方之所由來也。《隋志》醫方家有《玉房祕決》八卷，《徐太山房内祕要》一卷，或即是書之流。以上二家皆言陽道。

又按是篇前六家爲一段，後二家爲一段，凡兩章段。

右房中八家，百八十六卷。按是篇家數不誤，卷數缺少五卷，今校定當爲一百九十一卷。

房中者，情性之極，至道之際，是以聖王制外樂以禁内情，而爲之節文。傳曰："先王之作樂，所以節百事也。"樂而有節，則和平壽考。及迷者弗顧，以生疾而隕性命。《抱朴子·釋滯篇》："房中之法十餘家,或以補救傷損,或以攻治衆病,或以采陰益陽,或以增年延壽。其大要在于還精補腦之一事耳。此法乃真人口口相傳,本不書也。雖服名藥,而復不知此要,亦不得長生也。人復不可都絕陰陽,陰陽不交,坐致壅閼之病,故幽閉怨曠,多病而不壽也。任情肆意,又損年命。唯有得其節宣之和,可以不損。若不得口訣之術,萬無一人爲之而不以此自傷煞者也。玄素子都、容成公、彭祖之屬,蓋載其麁事,終不以至要者著于紙上者也。"又曰:"房中之術,近有百餘事焉。"《遐覽篇》云:"《道經》中有《玄女經》、《素女經》、《彭祖經》、《子都經》、《容成經》各一卷。"又《微旨篇》曰:"善其術者,則能卻走馬以補腦,還陰丹以朱腸,采玉液于金池,引三五于華梁,令人老有美色,終其所稟之天年。"又曰:"彭祖之法,最其要者。其他經多煩勞難行,而其爲益不必知其書,人少有能爲之者。口訣亦有數千言耳,不知之者雖服百藥,猶不能得長生也。"嚴可均《全三代文編》:彭祖,姓彭,名翦,一云名籛鏗,一云姓籛,名鏗,陸終第三子,祝融之孫,顓頊之玄孫。封于大彭,謂之彭祖。歷事唐、虞、夏,傳數十世,而滅于商。爲守藏史。或謂壽八百歲,不經之談也。有《養性經》一卷,見《隋志》醫方家,又《道藏》臨字五號有《彭祖攝生養性論》,《文選·嵇叔夜養生論》注引《彭祖養生要》,《御覽》七百二十引《彭祖養壽》、《老子養生要訣》,皆道家依託。

宓戲雜子道二十篇

嚴可均《全上古文編》:太昊亦作太皞,姓風,號伏戲氏。以木德王,是爲春皇,一云伏羲氏,一云宓戲氏,一云包義氏,一云庖犠氏。都陳。在位百十一年,一云百六十四年。《左傳·定四年》正義引《易》云"伏羲作十言之教,曰乾、坤、震、巽、坎、離、艮、兌、消、息。"按相傳伏羲文字止此。

王氏《考證》:《帝王世紀》"宓戲畫八卦,以通神明之德,類萬物之情。所以六氣、六腑、五臟、五行、陰陽、水火升降,得以有象。百病之理,得以類推。炎黃因斯乃嘗味百藥而制九鍼。"莊子曰:"伏羲得之,以襲氣母。"

按自來神仙家、道家往往託始黃帝,觀于此則漢時相傳且有託始神農、伏羲者。王氏撛《世紀》、《莊子》之言以解釋之,其意蓋以爲依託者大抵緣是以爲之説也。

上聖雜子道二十六卷

　　按上聖者，大抵謂上古聖人，在伏羲氏之後者也。上聖雜子猶言泰壹雜子、黃帝雜子、皇公雜子、淮南雜子、子贛雜子、天老雜子及後文道要雜子、神農雜子之類，皆所託之人也。

道要雜子十八卷

　　按道要大抵謂至道之要，無所主名者也。

黃帝雜子步引十二卷

　　《後漢書·華佗傳》：佗曰：“人體欲得勞動，但不當使極耳。動搖則穀氣得銷，血脈流通，病不得生，譬如户樞，終不朽也。是以古之仙者爲導引之事，熊經鴟顧，引挽要體，動諸關節，以求難老。”章懷太子曰：“熊經，若熊之攀枝自懸也。鴟顧，身不動而回顧也。《莊子》曰：‘吐故納新，熊經鳥伸，此導引之士，養形之人也。’”

　　《抱朴子·對俗篇》：知上藥之延年，故服其藥以求仙。知龜鶴之遐壽，故效其道引以增年。又《仙藥篇》：禹步法：前舉左，右過左，左就右。次舉右，左過右，右就左。次舉左，右過左，左就右。如此三步。當滿二丈一尺。《登涉篇》云：凡作天下百術，皆宜知禹步。又《遐覽篇》云：《道經》中有《道引經》十卷。

　　王氏《考證》：《列子·天瑞篇》引《黃帝書》曰：“谷神不死，是謂玄牝。”梁蕭《導引圖序》：“朱少陽得其術于《黃帝外書》，又加以元禽化禽之説，乃志其善者演而圖之。”《抱朴子》云：“黃帝論導養而質玄、素二女，著體診則受雷、岐。”

　　嚴可均《全上古文編》曰：“《道藏》盡字號有《彭祖導引圖》一篇。”

　　按《隋志》醫方家有《引氣圖》一卷，《道引圖》三卷，注云“立一，坐一，卧一”，其皆原于是書歟？

黃帝岐伯按摩十卷

《史·扁鵲傳》：乃使子豹爲五分之熨，以八減之齊和煑之，以更熨兩脇下。《索隱》："案：言五分之熨者，謂熨之令溫煖之氣入五分也。八減之齊者，謂藥之齊和所減有八。並越人當時有此方也。"《韓詩外傳》云"扁鵲使子游按摩"，《周禮·疾醫》疏引劉向《說苑》云"使子術按摩"。

《抱朴子·遐覽篇》：《道經》中有《按摩經》一卷。

王氏《考證》：《唐六典》"按摩博士一人"注："崔寔《政論》云：'熊經、鳥伸，延年之術。'故華佗有五禽之戲，魏文有五搥之鍛。《僊經》云'户樞不朽，流水不腐'，謂使骨節調利，血脈宣通。"按此蓋舉步引、按摩合并言之。

黃帝雜子芝菌十八卷

顏氏《集注》曰："服餌芝菌之法也。菌音求閔反。"

《太平御覽·休徵部》：徐整《長曆》曰："黃帝以五芝爲房名。"

《抱朴子·仙藥篇》：五芝者，有石芝，有木芝，有草芝，有肉芝，有菌芝，各有百許種也。又曰："菌芝，或生深山之中，或生大木之下，泉水之側，其狀或如宮室，或如車馬，或如龍虎，或如飛鳥，五色無常，亦百二十種，自有圖也。"又《遐覽篇》云："《道經》中有《木芝圖》、《菌芝圖》、《肉芝圖》、《石芝圖》、《大魄雜芝圖》各一卷。"又《黃白篇》云："夫芝菌者，自然而生。而《仙經》有以五石五木種芝，芝生，取而服之，亦與自然芝無異，俱令人長生。"

王氏《考證》：黃氏曰："《神農經》：'五芝久食，輕身，延年不老。'《黃帝內傳》：'王母授《神芝圖》十二卷。'《水經注》：'黃帝登具次之山，受《神芝圖》于黃蓋童子。'"

按《抱朴子·仙藥篇》備言菌芝之事，又云："事在《太乙玉策》及《昌宇內記》，不可具稱也。"葛稚川習于神仙之術，又距漢不遠，或及見是書，其所云云疑皆出此十八卷中也。

黃帝雜子十九家方二十一卷
泰壹雜子十五家方二十二卷

《抱朴子·釋滯篇》曰："欲求神仙，唯當得其至要。至要者在于寶精行炁，服一大藥便足。然此三事，復有淺深，不值明師，不經勤苦，亦不可倉卒而盡知也。雖云行炁，而行炁有數法焉。雖曰房中，而房中之術近有百餘事焉。雖云服藥，而服藥之方略有千條焉。"又《金丹篇》有《黃帝九鼎神丹經》、《太乙招魂魄丹法》。

王氏《考證》：羅氏曰："秦猶以博士領其方，而號其人爲列仙之儒，明猶有所本，非若後世夸者之傳也。"

按《隋志》醫方家有《養生服食禁忌》一卷，又有《神仙服食經》、《服食方》數家，《道藏目錄》如字號有《軒轅黃帝水經藥法》一卷，大抵原于是兩書。

神農雜子技道二十三卷

《抱朴子·仙藥篇》：《神農四經》曰："上藥令人身安命延，昇爲天神，遨遊上下，使役萬靈，體生毛羽，行廚立至。"又曰："五芝及餌丹砂、玉札、曾青、雄黃、雌黃、雲母、太乙禹餘糧，各可單服之，皆令人飛行長生。"又曰："中藥養性，下藥除病，能令毒蟲不加，猛獸不犯，惡氣不行，衆妖併辟。"

又《對俗篇》曰："仙人道術，則變易形兒，吞刀吐火，坐在立亡，興雲起霧，召致蟲蛇，合聚魚鱉，三十六石立化爲水，消玉爲粕，潰金爲漿，入淵不沾，蹴刃不傷，幻化之事，九百有餘。"

按葛稚川引《神農四經》《御覽》九百八十四引無"四"字。疑即此書。

技道者，神仙家之言法術者也。《隋志》五行家引《七錄》有《淮南萬畢經》、《淮南變化術》、《陶朱變化術》、《五行變化墨子》之類，皆其流亞也。

泰壹雜子黃冶三十一卷

《史·封禪書》：李少君以祠竈、穀道、卻老方見上，言：“祠竈則致物，致物而丹砂可化爲黃金，黃金成以爲飲食器則益壽，益壽而海中蓬萊僊者乃可見，見之以封禪則不死，黃帝是也。”于是天子始親祠竈，而事化丹砂諸藥齊爲黃金矣。

本書《劉向傳》：上復興神僊方術之事，而淮南有《枕中鴻寶苑祕書》。書言神僊使鬼物爲金之術，而更生父德武帝時治淮南獄得其書。更生幼而讀誦，以爲奇，獻之，言黃金可成。上令典尚方鑄作事，費甚多，方不驗。

本書《郊祀志》：谷水説上曰：“臣聞明于天地之性，不可惑以神怪；知萬物之情，不可罔以非類。諸背仁義之正道，不遵五經之法言，而盛稱奇怪鬼神，廣崇祭祠之方，求報無福之祠，及言世有仙人，服食不終之藥，遙興輕舉，登遐倒景，覽觀縣圃，净游蓬萊，耕耘五德，朝種暮穫，與山石無極，黃冶變化，堅冰淖溺，化色五倉之術者，皆姦人惑衆，挾左道，懷詐僞，以欺罔世主。聽其言，洋洋滿耳，若將可遇；求之，盪盪如係風捕景，終不可得。新垣平、齊人少翁、公孫卿、欒大等，皆以僊人、黃冶、祭祠，後皆以術窮詐得，誅夷伏辜。”晉灼曰：“黃冶，鑄黃金也。道家言冶丹砂令變化，可鑄作黃金也。”按谷子雲之説，舉技道、黃冶合并言之。

王氏《考證》：《龜筴傳》褚先生曰：“臣爲郎時，見《萬畢石朱方》。”《隋志》金丹玉液長生之事，歷代靡費不可勝紀，竟無效焉。

　　按《抱朴子·金丹篇》云“金液，太乙所服而仙者也”，則神仙家有自名爲太乙者，似即此泰壹。又引務成子丹法，《黃白篇》又引務成子作黃金法、羨門子丹法、韓終丹法，疑即此泰壹雜子之流。又《遐覽篇》云“《道經》中有《黃白要經》、《八公黃白經》各一卷,《枕中黃白經》五卷",《隋志》醫方家有《雜神仙黃白法》十二卷,《陵陽子説黃金祕法》一卷,或皆原于是書。

又按《抱朴子·黃白篇》云"《神仙經》《黃白之方》二十五卷,千有餘首。或題篇曰《庚辛》,庚辛亦金也。然率多深微難知,其可解分明者少許爾",似即此書,至葛稚川時存二十五卷、千餘首云。

又按是篇前三家爲一段,後七家爲一段,凡兩章段。前三家雜論神仙之道,後七家言步引按摩芝菌者各一,言服食方者各一,言技道黃冶者各一,自始至終條理井然如此。

右神僊十家,二百五卷。按是篇家數不誤,卷數溢出四卷,今校定當爲二百一卷。

神僊者,所以保性命之真,而游求于其外者也。聊以盪意平心,同死生之域,而無怵惕于胸中。然而或者專以爲務,則誕欺怪迂之文彌以益多,非聖王之所以教也。孔子曰:"索隱行怪,後世有述焉,吾不爲之矣。"王氏《考證》:司馬公曰:"老莊之書,大指欲同死生,輕去就,而爲神仙者,服餌修煉,以求輕舉,煉草石爲金銀,其爲術正相戾,是以劉歆《七略》叙道家爲諸子、神仙爲方技。"

凡方技三十六家,八百六十八卷。按此言家數不誤,卷數則溢出六卷,今校定當爲八百六十二卷。

方技者,皆生生之具,王官之一守也。大古有岐伯、俞拊,中世有扁鵲、秦和,蓋論病以及國,原診以知政。漢興有倉公。今其技術晻昧,故論其書,以序方技爲四種。《史記·扁鵲倉公列傳》:太倉公者,齊太倉長,臨菑人也,姓淳于氏,名意。少而喜醫方術。高后八年,更受師同郡元里公乘陽慶。慶年七十餘,無子,使意盡去其故方,更悉以禁方予之,傳黃帝、扁鵲之脈書,五色診病,知人生死,決嫌疑,定可治,及藥論,甚精。受之三年,爲人治病,決死生多驗。文帝詔問其狀,意對受其脈書上下經、五色診、奇咳術、揆度陰陽外變、藥論、石神、接陰陽禁書云云。按此則醫經、經方兩家之書,大抵皆傳自倉公爲多。方技者,方士之技,故房中、神仙兩家亦以其類附之。

大凡書，六略三十八種，五百九十六家，萬三千二百六十九卷。入三家，五十篇，省兵十家。按以上六略都凡之數計之，則爲六百七十七家，一萬二千九百五十一篇，圖四十三卷，共一萬二千九百九十四篇卷。與此總數亦不相符，多非其實。今就所載詳加校定，實有六百二十六家，內一家無篇數，一萬二千九百八十一篇，圖四十八卷，共一萬三千二十九篇卷。然與阮氏《七錄序目》所載《藝文志》家數、篇數亦不相合，莫得而詳矣。入三家者，劉向、揚雄、杜林也。五十篇者，尚書家劉向《稽疑》一篇，小學家揚雄《訓纂》一篇，《倉頡訓纂》一篇，杜林《倉頡訓纂》一篇，《倉頡故》一篇，儒家揚雄所序三十八篇，詩賦揚雄賦八篇，凡三家六部五十一篇。此云五十篇者，蓋後人誤以揚雄《訓纂》一篇不數在內故也，已詳見本條。省兵十家者，兵權謀省九家，兵技巧省一家，亦各詳本條。尚有樂家出淮南、劉向等《琴頌》七篇，春秋家省《太史公》四篇，蓋因重復，不關家數，故置不復言。此外如諸子出《蹴鞠》入兵家，兵家出《司馬法》入禮家，皆《七略》所有，班氏特移易其部居，無所出入，故亦不必言也。

二十五史藝文經籍志考補萃編總目